吉林统计年鉴

STATISTICAL YEARBOOK OF JILIN

1 9 9 6

吉林省统计局　编

中国统计出版社

(京)新登字 041 号

图书在版编目(CIP)数据

吉林统计年鉴 1996/吉林省统计局编.
————北京:中国统计出版社,1996.8
ISBN 7－5037－2109－X
Ⅰ.吉…
Ⅱ.吉…
Ⅲ.统计资料－中国－吉林－1996－年鉴
Ⅳ.C832.34－54

中国统计出版社出版
(北京复外三里河月坛南街 38 号)
山东省统计局济宁资料印刷厂印刷
※
787×1092毫米 16开本 84.5印张 160彩页 135万字
1996年7月第1版 1996年7月济宁第1次印刷
印数:1－2000册
国内定价:120.00元

编 者 说 明

一、《吉林统计年鉴—1996》是一部反映吉林省国民经济和社会发展情况的资料性年刊。书中收录了全省各市(州)、县(市)1995年经济和社会各方面的统计数据，以及新中国成立以来各时期的主要统计数据。

二、全书内容分为19个部分，即：1、行政区划和自然资源；2、综合；3、人口；4、从业人员和职工工资；5、固定资产投资；6、能源、原材料消费；7、财政；8、物价；9、人民生活；10、市政公用事业和市(州)、县(市)概况；11、农业；12、工业；13、交通运输和邮电通讯业；14、建筑业；15、批发零售贸易和餐饮业；16、对外经济贸易和旅游业；17、金融和保险；18、教育、科技和文化事业；19、体育、卫生和其他事业。另附主要统计指标解释。

三、本年鉴大部分资料来自定期统计报表，部分资料来自抽样调查。

四、资料中所使用的度量衡单位，除耕地、播种面积部分数据照顾我国使用习惯继续用"亩"为单位外，其余均用国际统一标准计量单位。

五、本年鉴中所使用的价值量指标及构成，除已注明外，均按现价口径计算，发展速度按可比价格计算。

六、本年鉴表中的符号使用说明："…"表示数据不足本表最小单位数；"空格"表示该项统计指标数据不详或无该项数据；"#"表示其中的主要项。

七、本年鉴出版发行以来，受到社会各界的大力支持，谨致谢意。由于我们编辑水平有限，不足之处在所难免，诚恳期望各界读者提出宝贵意见，以便改进我们的工作。

《吉林统计年鉴》编辑委员会

目　　录

统 计 资 料

行政区划和自然资源

1—1　行政区划(1995年) ………………………… (5)
1—2　自然状况和资源(1995年) ……………… (6)

综　　合

2—1　国民经济主要指标 ………………………… (10)
2—2　国民经济主要指标发展速度 …………… (16)
2—3　国民经济主要比例关系 ………………… (19)
2—4　按经济类型分的国民经济主要比例关系 … (21)
2—5　按总人口平均的国民经济主要指标 …… (22)
2—6　全省平均每天主要社会经济活动 ……… (23)
2—7　国内生产总值 …………………………… (24)
2—8　国内生产总值指数 ……………………… (26)
2—9　国内生产总值项目构成（1995年）……… (27)
2—10　各市县国内生产总值(1995年) ………… (28)
2—11　总消费和总投资 ……………………… (30)
2—12　总消费 ………………………………… (31)
2—13　总消费构成 …………………………… (32)
2—14　总消费增长速度 ……………………… (33)
2—15　总产出 ………………………………… (34)
2—16　总产出部门构成 ……………………… (36)
2—17　总产出增长速度 ……………………… (37)
2—18　总投资和总投资构成 ………………… (38)
2—19　总投资增长速度 ……………………… (39)
2—20　投入产出基本流量表(1992年) ……… (40)
2—21　投入产出直接消耗系数(1992年) …… (42)
2—22　投入产出完全消耗系数(1992年) …… (42)
2—23　少数民族自治地方人口 ……………… (43)
2—24　少数民族自治地方主要经济指标 …… (44)

人　　口

3—1　总人口 ………………………………… (49)
3—2　按人口规模分组的市数 ……………… (50)
3—3　按人口规模分组的县数 ……………… (50)
3—4　各市县户数和人口数(1995年末) …… (51)
3—5　全省市辖镇人口(1995年) …………… (53)
3—6　全省县辖镇人口(1995年) …………… (54)
3—7　人口出生率、死亡率、自然增长率 …… (55)
3—8　各市县人口自然变动情况(1995年) … (56)

从业人员和职工工资

4—1　历年全部从业人员数 ………………… (63)
4—2　按经济类型分各行业从业人员数
(1995年末) ………………………… (64)
4—3　各市县全部从业人员数(1995年末) … (65)
4—4　全部职工人数 ………………………… (67)
4—5　国有单位职工人数 …………………… (68)
4—6　城镇集体所有制单位职工人数 ……… (69)
4—7　其他各种所有制单位职工人数 ……… (70)
4—8　城镇失业人数 ………………………… (70)
4—9　历年职工工资总额、平均工资和指数 … (71)
4—10　分行业职工工资总额和平均工资
(1995年) ……………………………… (72)
4—11　各市县职工工资(1995年) ………… (73)
4—12　国有单位分行业职工工资总额 ……… (75)
4—13　国有单位分行业职工平均工资 ……… (76)
4—14　国有单位分行业分项目职工工资总额
(1995年) ……………………………… (77)
4—15　城镇集体所有制单位分行业职工工资
总额和平均工资 ……………………… (78)
4—16　城乡劳动力资源与分配平衡表 ……… (79)
4—17　国有单位在职职工分行业保险福利费
(1995年) ……………………………… (80)
4—18　离休、退休、退职职工年末人数 …… (81)
4—19　离休、退休、退职职工保险福利费用总额… (81)
4—20　国有单位非在职职工保险福利费 …… (81)

固定资产投资

5—1　全社会固定资产投资 ………………… (86)
5—2　国有单位按三次产业分的固定资产投资 … (89)
5—3　地方全社会固定资产投资 …………… (90)
5—4　全社会新增固定资产 ………………… (92)
5—5　地方全社会新增固定资产 …………… (94)
5—6　全社会竣工房屋面积 ………………… (96)
5—7　全社会竣工住宅建筑面积 …………… (98)
5—8　各时期固定资产投资和交付使用率 … (100)
5—9　各时期按用途和建设性质分基本建设
投资 ………………………………… (101)
5—10　各时期农、轻、重和运输邮电业基本
建设投资 …………………………… (102)
5—11　按概况分的固定资产投资和新增
固定资产(1995年) ………………… (103)
5—12　按行业分的固定资产投资(1995年)…… (104)
5—13　按行业分的新增固定资产(1995年)…… (106)
5—14　按行业分的地方固定资产投资

(1995年)……………………………… (108)
5—15 按行业分的地方新增固定资产
(1995年)……………………………… (110)
5—16 各市县固定资产投资(1995年)………… (112)
5—17 固定资产投资资金来源财务表
(1995年)……………………………… (114)
5—18 固定资产投资利用外资情况(1995年)… (116)
5—19 基本建设投资和新增固定资产 ………… (118)
5—20 基本建设施工和建成的项目个数 ……… (118)
5—21 按行业分的基本建设投资和新增
固定资产(1995年)…………………… (119)
5—22 按行业分的地方基本建设投资和新增
固定资产(1995年)…………………… (120)
5—23 各市县基本建设施工、投产项目个数
(1995年)……………………………… (121)
5—24 各市县基本建设投资和新增固定资产
(1995年)……………………………… (122)
5—25 各市县基本建设施工、竣工房屋面积
(1995年)……………………………… (124)
5—26 基本建设大中型项目一览表
(1995年)……………………………… (126)
5—27 基本建设大中型项目建设规模及新增
生产能力(1995年)…………………… (128)
5—28 更新改造投资 ……………………………… (129)
5—29 按用途分的更新改造投资和构成 ……… (130)
5—30 按行业分的更新改造投资和新增
固定资产(1995年)…………………… (131)
5—31 按行业分的地方更新改造投资和新增
固定资产(1995年)…………………… (132)
5—32 各市县更新改造施工、投产项目个数
(1995年)……………………………… (133)
5—33 各市县更新改造施工、竣工房屋面积
(1995年)……………………………… (134)
5—34 更新改造新增生产能力(1995年)……… (136)
5—35 更新改造限额以上项目建设规模及
新增生产能力(1995年)……………… (137)
5—36 更新改造限额以上项目一览表
(1995年)……………………………… (138)
5—37 按行业分的农村集体固定资产投资
(1995年)……………………………… (140)
5—38 商品房屋销售与出租情况(1995年)…… (142)
5—39 商品房施工、竣工房屋面积及
竣工价值(1995年)…………………… (142)

能源和原材料消费

6—1 历年能源生产总量及构成 ……………… (147)
6—2 分行业电力消费量 ……………………… (148)
6—3 主要物资消费量 ………………………… (150)
6—4 国民经济各行业生产用钢材消费量 …… (151)
6—5 国民经济各行业生产用木材消费量 …… (153)
6—6 主要能源按国民经济行业分组消费量
(1995年)……………………………… (155)
6—7 地区能源平衡表(实物量)(1995年) …… (159)
6—8 地区能源平衡表(标准量)(1995年) …… (161)
6—9 分行业产值能耗表(1995年) …………… (163)

财　政

7—1 历年地方财政收支总额 ………………… (169)
7—2 地方财政收支总额和指数 ……………… (170)
7—3 地方财政分项目收支(1995年) ………… (170)
7—4 地方财政分项目收入 …………………… (171)
7—5 地方财政收入构成(以财政收入总计
为100)………………………………… (171)
7—6 地方财政分项目支出 …………………… (172)
7—7 地方财政支出构成(以财政支出总计
为100)………………………………… (172)
7—8 各市县财政收支与国内生产总值的
比例(1995年)………………………… (173)

物　价

8—1 历年各种物价总指数(以上年价格
为100)………………………………… (179)
8—2 各种物价总指数(以1978年价格
为100)………………………………… (180)
8—3 各种物价总指数(1995年) ……………… (180)
8—4 零售物价分类指数(以上年价格
为100)………………………………… (181)
8—5 零售物价分类指数(以1978年价格
为100)………………………………… (182)
8—6 零售物价分类指数(1995年) …………… (183)
8—7 城镇零售物价分类指数(以上年价格
为100)………………………………… (184)
8—8 农村零售物价分类指数(以上年价格
为100)………………………………… (185)
8—9 居民生活消费价格指数(以上年价格
为100)………………………………… (186)
8—10 居民生活消费价格分类指数(以1978
年价格为100)………………………… (187)
8—11 居民生活消费价格分类指数
(1995年)……………………………… (188)
8—12 集市贸易价格分类指数(以1978年价格

为 100)…………………………………… (189)
8—13 集市贸易价格分类指数(以上年价格为 100)…………………………………… (189)
8—14 集市贸易价格分类指数(1995 年)……… (190)
8—15 农副产品收购价格分类指数(以 1978 年价格为 100)……………………………… (191)
8—16 农副产品收购价格分类指数(以上年价格为 100)……………………………… (191)
8—17 农副产品收购价格分类指数(1995 年)……………………………………… (192)

人 民 生 活

9—1 历年居民消费水平 ……………………… (197)
9—2 各市县居民年平均消费水平(1995 年)……………………………………… (198)
9—3 城乡居民储蓄存款余额 ………………… (200)
9—4 城乡居民家庭生活抽样调查情况 ……… (200)
9—5 城镇居民家庭基本情况 ………………… (201)
9—6 城镇居民家庭平均每人购买的主要商品数量 …………………………………… (202)
9—7 城镇居民家庭平均每百户年末耐用消费品拥有量 ……………………………… (203)
9—8 城镇居民家庭基本情况(1995 年)……… (203)
9—9 城镇居民家庭平均每人消费支出(1995 年)……………………………………… (204)
9—10 城镇居民家庭平均每人购买的主要商品数量(1995 年)………………………… (205)
9—11 城镇居民家庭平均每百户年末耐用消费品拥有量(1995 年)…………………… (206)
9—12 农民家庭基本情况 ……………………… (207)
9—13 农民家庭平均每人总收入 ……………… (208)
9—14 农民家庭平均每人纯收入 ……………… (209)
9—15 农民家庭平均每人现金收入 …………… (210)
9—16 农民家庭平均每人总支出 ……………… (211)
9—17 农民家庭平均每人现金支出 …………… (212)
9—18 农民家庭平均每人主要消费品消费量 … (213)
9—19 农民家庭平均每百户年末耐用消费品拥有量 ………………………………………… (213)
9—20 农民家庭经营耕地情况 ………………… (214)
9—21 按农民人均纯收入分组的农民家庭基本情况(1995 年)………………………… (214)
9—22 按农民人均纯收入分组的农民家庭平均每人生活消费支出(1995 年)…… (216)
9—23 按农民人均纯收入分组的农民家庭平均每人购买主要商品数量(1995 年)…… (219)
9—24 按农民人均纯收入分组的农民家庭平均每百户年末耐用消费品拥有量(1995 年)……………………………………… (222)

市政公用事业和市、县概况

10—1 城市公用事业国有单位职工人数(系统内)……………………………………… (227)
10—2 城市规模和建设用地……………………… (227)
10—3 城市公用事业基本情况(全社会)……… (228)
10—4 城市房屋建筑及住房情况……………… (229)
10—5 城市自来水情况(系统内)……………… (229)
10—6 城市煤气、液化石油气情况(系统内) … (230)
10—7 城市集中供热情况(系统内)…………… (230)
10—8 城市市政情况(系统内)………………… (231)
10—9 城市公共汽(电)车和出租车情况(系统内)……………………………………… (231)
10—10 城市园林绿化情况(系统内) ………… (232)
10—11 城市环境卫生情况 …………………… (232)
10—12 城市设施水平 ………………………… (233)
10—13 城市建设固定资产投资完成情况 …… (233)
10—14 城市建设新增生产能力(或效益) …… (234)
10—15 环保系统人员基本情况 ……………… (234)
10—16 企业和事业单位废水处理设施和处理情况 …………………………………… (235)
10—17 废气排放和处理情况 ………………… (235)
10—18 工业固体废物排放和处理利用情况 … (236)
10—19 排污收费和污染赔(罚)款情况 ……… (236)
10—20 企事业单位污染治理情况 …………… (237)
10—21 长春、吉林、四平市基本情况(1995 年)…………………………………… (238)
10—22 辽源、通化、白山市基本情况(1995 年)…………………………………… (243)
10—23 松原、白城市和延边州基本情况(1995 年)…………………………………… (248)
10—24 九台、榆树、德惠、蛟河、桦甸市基本情况(1995 年)…………………… (253)
10—25 舒兰、磐石、公主岭、梅河口、集安市基本情况(1995 年)………………… (258)
10—26 临江、洮南、大安、延吉、图们市基本情况(1995 年)…………………… (263)
10—27 敦化、珲春、龙井、和龙市和农安县基本情况(1995 年)…………………… (268)
10—28 永吉、梨树、伊通、双辽、东丰县基本情况(1995 年)…………………… (273)
10—29 东辽、通化、辉南、柳河、抚松县

基本情况(1995年)…………………… (278)
10—30 靖宇、长白、前郭、长岭、乾安县基本情况(1995年)…………………… (283)
10—31 扶余、镇赉、通榆、汪清、安图县基本情况(1995年)…………………… (288)

农　业

11—1 农村基层组织情况…………………… (297)
11—2 各市县乡村劳动力(1995年末) ……… (298)
11—3 历年农业总产值…………………… (302)
11—4 历年农业总产值指数………………… (304)
11—5 农业总产值构成…………………… (306)
11—6 各市县农村非农行业总产值(1995年)…………………… (307)
11—7 各市县农、林、牧、渔业总产值(1995年)…………………… (309)
11—8 农业总产值、物质消耗、农业增加值和比重 …………………… (311)
11—9 农业商品产值和商品率………………… (312)
11—10 各市县农、林、牧、渔业商品产值(1995年)…………………… (313)
11—11 商品粮基地基本情况 ……………… (315)
11—12 按农业人口平均的农业生产主要指标 …………………… (315)
11—13 商品粮基地县基本情况(1995年) …… (316)
11—14 耕地面积 …………………… (317)
11—15 各市县耕地面积(1995年) ………… (318)
11—16 农业生产条件 ……………… (320)
11—17 主要农业机械拥有量 ……………… (321)
11—18 各市县主要农业机械拥有量(1995年)…………………… (322)
11—19 农业现代化水平 ……………… (324)
11—20 各市县农业现代化水平(1995年) …… (325)
11—21 农业事业机构和气象台站 ………… (329)
11—22 自然灾害受灾和成灾面积 ………… (329)
11—23 历年畜牧饲养、畜禽和水产品产量 …… (330)
11—24 畜牧业生产情况 ……………… (331)
11—25 各市县畜牧业生产情况(1995年) …… (332)
11—26 林业、渔业和其他生产情况 ………… (336)
11—27 主要农作物播种面积 ……………… (336)
11—28 各市县水产、特产生产情况(1995年)…………………… (337)
11—29 各市县农作物播种面积(1995年) …… (339)
11—30 历年主要农产品产量 ……………… (341)
11—31 主要农产品产量 ……………… (342)
11—32 各市县主要农产品产量(1995年) …… (343)
11—33 主要农产品单位面积产量 ………… (347)
11—34 农垦生产建设基本情况 ………… (348)
11—35 乡镇企业基本情况 ……………… (349)
11—36 乡镇企业主要产品产量 ………… (350)
11—37 各市县乡镇企业总产值(1995年) …… (351)

工　业

12—1 各种经济类型工业企业单位数和总产值 …………………… (357)
12—2 乡及乡以上工业企业单位数和总产值 …………………… (358)
12—3 工业总产值…………………… (360)
12—4 工业总产值构成…………………… (363)
12—5 工业总产值指数…………………… (364)
12—6 各市县乡及乡以上工业企业单位数和总产值(1995年)…………………… (367)
12—7 历年主要工业产品产量………………… (371)
12—8 主要工业产品产量…………………… (373)
12—9 各市州主要工业产品产量(1995年) … (375)
12—10 主要工业产品生产能力 ……………… (376)
12—11 全部独立核算工业企业主要财务指标… (377)
12—12 全部独立核算工业企业主要经济效益指标 …………………… (377)
12—13 全部独立核算工业企业主要财务指标(1995年)…………………… (378)
12—14 各市县全部独立核算工业企业主要财务指标(1995年)…………… (382)
12—15 全部独立核算工业企业主要经济效益指标(1995年)…………………… (390)
12—16 各市县全部独立核算工业企业主要经济效益指标(1995年)………… (391)
12—17 历年国有独立核算工业企业主要财务指标和经济效益指标 ………… (393)
12—18 国有独立核算工业企业主要财务指标(1995年)…………………… (394)
12—19 国有独立核算工业企业主要经济效益指标(1995年)…………………… (398)
12—20 重点工业企业产品质量指标 ………… (399)
12—21 重点工业企业产品物耗指标 ………… (400)
12—22 重点工业企业设备利用和其他指标 … (402)

交通运输和邮电通讯业

13—1 历年旅客、货物周转量和邮电业务总量 …………………… (407)
13—2 交通运输里程 …………………… (408)

13—3 客运量……………………………………（408）
13—4 旅客周转量……………………………………（409）
13—5 货运量……………………………………（409）
13—6 货物周转量……………………………………（410）
13—7 铁路、公路和水运主要经济技术指标 …（410）
13—8 民用汽车拥有量……………………………（411）
13—9 民用其他车辆拥有量………………………（412）
13—10 独立核算运输企业财务状况
（1995 年）………………………………………（413）
13—11 邮电通信网……………………………………（414）
13—12 邮政主要设备和长途电信线路 ………（414）
13—13 电信主要设备……………………………（415）
13—14 邮电业务量……………………………………（415）

建　筑　业

14—1 建筑业企业生产情况（1995 年）…………（418）
14—2 建筑业企业财务状况（1995 年）…………（420）
14—3 附营建筑业施工单位生产情况
（1995 年）………………………………………（422）

批发零售贸易和餐饮业

15—1 按市县分的零售商业、饮食业
网点和人员……………………………………（429）
15—2 零售商业、饮食业的服务情况 …………（429）
15—3 零售贸易业网点、人员情况
（1995 年末）……………………………………（430）
15—4 餐饮业网点、人员情况（1995 年末）……（431）
15—5 历年社会消费品零售总额………………（432）
15—6 社会消费品零售总额………………………（433）
15—7 各市县社会消费品零售总额
（1995 年）………………………………………（434）
15—8 各市县按城乡分的零售贸易业、
餐饮业人员数（1995 年末）………………（438）
15—9 各市县按城乡分的零售贸易业、
餐饮业网点数（1995 年末）………………（440）
15—10 批发零售贸易业商品购进总额
（1995 年）………………………………………（442）
15—11 各市县批发零售贸易业商品购进
总额（1995 年）…………………………………（443）
15—12 批发零售贸易业商品销售、库存
总额（1995 年）…………………………………（445）
15—13 各市县批发零售贸易业商品销售、
库存总额（1995 年）…………………………（446）
15—14 城乡集市贸易情况 …………………………（448）

对外经济贸易和旅游业

16—1 历年进出口贸易总额………………………（455）
16—2 外贸部门主要商品出口数量……………（456）
16—3 外贸部门进出口贸易总额………………（457）
16—4 利用外资情况……………………………………（457）
16—5 各市州外商投资企业情况………………（458）
16—6 对外承包和劳务出口情况………………（458）
16—7 旅游事业发展情况…………………………（459）
16—8 旅游部门接待能力…………………………（459）

金融和保险

17—1 银行存款余额……………………………………（463）
17—2 银行贷款余额……………………………………（463）
17—3 银行现金收入……………………………………（464）
17—4 银行现金支出……………………………………（464）
17—5 国内保险主要险种业务开展情况………（465）
17—6 保险业务经济技术指标…………………（466）

教育、科技和文化事业

18—1 各级各类学校数…………………………………（468）
18—2 各级各类学校教职工数…………………（468）
18—3 各级各类学校教师数………………………（469）
18—4 各级各类学校在校学生数………………（469）
18—5 各级各类学校招生数………………………（470）
18—6 各级各类学校毕业生数…………………（470）
18—7 高等学校研究生情况………………………（471）
18—8 高等学校分科在学研究生数……………（472）
18—9 高等学校分科毕业研究生数……………（472）
18—10 各高等学校培养研究生情况（1995 年）…（473）
18—11 高等学校分科在校学生数（1995 年）…（474）
18—12 高等学校分科专任教师数（1995 年）…（474）
18—13 各高等学校基本情况（1995 年）………（475）
18—14 中等专业分类别学校数 …………………（477）
18—15 中等专业学校分科在校学生数 ………（477）
18—16 中等专业学校分科招生数 ………………（478）
18—17 中等专业学校分科毕业生数 …………（478）
18—18 中等专业学校分类别教职工数 ………（479）
18—19 中等专业学校分类别专任教师数 ……（479）
18—20 技工学校基本情况 ……………………………（480）
18—21 技工学校按行业分类学生情况
（1995 年）………………………………………（480）
18—22 各级各类成人教育在校学生数 ………（481）
18—23 平均每万人口在校学生数和大中
小学学生构成……………………………………（482）
18—24 各级学校教师负担学生数 ………………（482）
18—25 初中毕业生和小学毕业生升学率 ……（483）
18—26 小学学龄儿童入学率和巩固率 ………（483）
18—27 幼儿园基本情况 ……………………………（484）

18—28　盲、聋、哑学校基本情况 ……………… (484)
18—29　各市县各类学校数(1995年) ………… (485)
18—30　各市县各类学校招生数(1995年) …… (487)
18—31　各市县各类学校在校学生数(1995年)…(489)
18—32　各市县各类学校教师数(1995年) …… (491)
18—33　县级和县级以上独立研究与开发机构数 ……………………………… (493)
18—34　各市州县级和县级以上独立研究与开发机构数(1995年)……………… (493)
18—35　县级和县级以上政府部门属研究与开发机构数(自然科学技术领域) …… (494)
18—36　县级和县级以上政府部门属研究与开发机构人员(自然科学技术领域)… (495)
18—37　国有单位自然科学技术人员 ………… (496)
18—38　科学技术成果项目数 ………………… (496)
18—39　三种专利申请受理量和批准量 ……… (497)
18—40　已受理的三种专利申请分布状况 …… (498)
18—41　已批准的三种专利分布状况 ………… (498)
18—42　大中型工业企业技术开发机构 ……… (499)
18—43　大中型工业企业技术开发人员 ……… (500)
18—44　大中型工业企业技术开发经费筹集额 …(501)
18—45　大中型工业企业技术开发经费支出额 …(502)
18—46　各类技术合同签定与执行情况 ……… (503)
18—47　各级计划项目进入技术市场项目数 … (504)
18—48　各级计划项目进入技术市场金额 …… (505)
18—49　技术贸易机构和人员(1995年) ……… (506)
18—50　技术交易会情况 ……………………… (506)
18—51　受让技术所服务的社会经济目标 …… (507)
18—52　技术流向地域概况(1995年) ………… (508)
18—53　从事科技活动人员(1995年) ………… (510)
18—54　科技活动经费筹集总额(1995年) …… (510)
18—55　科技活动机构概况(1995年) ………… (511)
18—56　科技成果概况(1995年) ……………… (511)
18—57　文化艺术、文物事业单位数 ………… (512)
18—58　文化事业机构和人员数(1995年) …… (512)
18—59　艺术事业机构和人员数(1995年) …… (513)
18—60　艺术表演团体演出情况(1995年) …… (513)
18—61　艺术表演团体收支情况(1995年) …… (514)
18—62　电影事业机构和人员数 ……………… (514)
18—63　图书出版数量 ………………………… (515)
18—64　杂志出版数量 ………………………… (515)
18—65　报纸出版数量 ………………………… (515)
18—66　广播、电视事业发展情况 …………… (516)
18—67　广播、电视宣传基本情况(1995年) …… (516)

体育、卫生和其他事业

19—1　体委系统职工人数……………………… (519)
19—2　等级教练员、裁判员、运动员发展人数 … (519)
19—3　举办运动会情况及"达标"人数………… (519)
19—4　优秀运动队在队运动员、专职教练员分项人数 ……………………………… (520)
19—5　卫生机构数……………………………… (521)
19—6　卫生技术人员数………………………… (522)
19—7　卫生机构人员分类情况(1995年) …… (523)
19—8　卫生机构床位数………………………… (524)
19—9　各市县卫生机构、床位和人员数(1995年)……………………………… (525)
19—10　全额行政事业单位财务状况(1995年)…(527)
19—11　差额和自收自支事业单位财务状况(1995年)……………………………… (528)
19—12　服务企业和企业化管理的事业单位财务状况(1995年)…………………… (532)
19—13　各市县全额行政事业单位财务状况(1995年)……………………………… (536)
19—14　各市县差额和自收自支事业单位财务状况(1995年)…………………… (538)
19—15　各市县服务企业和企业化管理的事业单位财务状况(1995年)………… (540)
19—16　民政事业费支出情况 ………………… (542)
19—17　社会福利事业单位情况 ……………… (542)
19—18　全省优待、抚恤、补助、救济情况 ……… (543)
19—19　敬老院情况 …………………………… (544)
19—20　分散"五保户"情况 …………………… (544)
19—21　社会福利企业单位情况 ……………… (545)
19—22　殡葬事业单位情况 …………………… (545)
19—23　婚姻登记情况 ………………………… (546)
19—24　律师、公证、调解工作基本情况 ……… (546)
19—25　历年社会治安情况 …………………… (547)
19—26　火灾情况 ……………………………… (547)
19—27　交通事故情况 ………………………… (548)

主要统计指标解释

主要统计指标解释 ……………………………… (551)

CONTENTS

Chapter 1 ADMINISTRIVE DIVISION AND NATURAL RESOURCES

1—1 Administrative Division in JiLin (End Of 1995) ······ (5)

1—2 Natural Conditions and Resources (End Of 1995) ······ (6)

Chapter 2 GENERAL SURVEY

2—1 Main Indicators of National Economy ······ (10)

2—2 Indexes of Main Indicators of National Economy ······ (16)

2—3 Percentage of Major Economic Indicators ······ (19)

2—4 Percentage of Major Economic by Sector and Ownership ······ (21)

2—5 Per Capita of Major National Economic Indicators ······ (22)

2—6 Selected Indicators of Average Daily Social and Economic ······ (23)

2—7 Composition of Gross Domstic Product ······ (24)

2—8 Indexes of Gross Domstic Product ······ (26)

2—9 Composition of Group of Gross Domstic Product (1995) ······ (27)

2—10 Gross Domstic Product by Region (1995) ······ (28)

2—11 Total Consumption and Assets ······ (30)

2—12 Total Consumption ······ (31)

2—13 Composition of Total Consumption ······ (32)

2—14 Indexes of Total Consumption ······ (33)

2—15 Total Output ······ (34)

2—16 Structure of Total Output ······ (36)

2—17 Indexes of Total Output ······ (37)

2—18 Total Assets and It's Compsition ······ (38)

2—19 Indexes of Total Assets ······ (39)

2—20 Input——output Table(1992) ······ (40)

2—21 Coefficient of Direct Consumption For Input and Output (1992) ······ (42)

2—22 Coefficient of Overall Consumption for Input and Output (1992) ······ (42)

2—23 Population in Minority Nationality Autonomous Areas ······ (43)

2—24 Main Economic Indicators of Minority Nationality Autonomous Areas ······ (44)

Chapter 3 POPULATION

3—1 Population ······ (49)

3—2 Cities by Number of population ······ (50)

3—3 Counties by Number of population ······ (50)

3—4 Number of Total Household and Total population by cities and counties (End of 1995) ······ (51)

3—5 Number of population by Towns under civic Goverment in JiLin(1995) ······ (53)

3—6 Numberof population by Towns under county Goverment in JiLin(1995) ······ (54)

3—7 Birth Rate,Death Rate and Natural Growth Rate of population ······ (55)

3—8 Natural Changes of Population by Cities and Counties ······ (56)

Chapter 4 EMPLOYMENT AND WAGE

4—1 The Number of Employment ······ (63)

4—2 The Number of Employment by Sector and Ownership(End of 1995) …… (64)
4—3 The Number of Employment by Cities and Counties (End of 1995) …… (65)
4—4 Total staff and Workers …… (67)
4—5 Staff and Workers in State — Owned Units …… (68)
4—6 Staff and workers in Urban Collective — Owned Units …… (69)
4—7 Staff and Workers in The Other Ownership …… (70)
4—8 Unemployment in Urban Areas …… (71)
4—9 Total wages for Staff and Workers、Average Annual Wages and Related Indices … (72)
4—10 Total Wages and Average Annual Wage of Staff and Workers by Sector (1995) … (73)
4—11 Total Wages for Staff and Workers by Cities and Counties (1995) …… (75)
4—12 Total Wages of Staff and Workers in State — Owned Units by Sector …… (76)
4—13 Average Annual Wage of Staff and Workers in State—Owned Units by Sector … (77)
4—14 Composition of Total Wages for Staff and Workers in State—Owned Units by Sector(1995) …… (78)
4—15 Total Wages and Average Annual Wage of Staff and Workers in Urban Collective—Owned Units by sector …… (79)
4—16 Balance Sheet of Resources and Distribution of Labor Force in Urban and Ruyal …… (80)
4—17 Funds of Insurance and Welfare of Staff and Workers in State—Owned Unitsby Sector (1995) …… (81)
4—18 Number of Convalescent Leaved Offices and Retirees and Resigned Workers …… (81)
4—19 Funds of Insurance and Welfare of Convalescent Leaved Offices and Retirees and Rsigned Workers …… (81)
4—20 Funds of Insurance and Welfare of on —Job Staff and Workers in State —Owned Units …… (81)

Chapter 5 INVESTMENT IN FIXED ASSETS

5—1 Total Investment in Fixed Assets …… (86)
5—2 Total Investment in Fixed Assets of State —Owned by Primary,Secondary and Tertiary Industries …… (89)
5—3 Total Investment in Fixed Assets by Region …… (90)
5—4 Newly Increased Fixed Assets …… (92)
5—5 Newly Increased Fixed Assets by Region …… (94)
5—6 Total Floor Space of Buildings Completed …… (96)
5—7 Total Floor Space of Buildings Completed Under Construction …… (98)
5—8 Investment in Fixed Assets and Rate of Fixed Assets Turned Over to Uses Through Cupital Construction …… (100)
5—9 Capital Construction Invertment by Purpose and by Type of Construction …… (101)
5—10 Investment in Capital Construction of Agriculture,Light Industry,Heavy Industry,Transportation,Posts and Telecommunications …… (102)
5—11 Investment in Fixed Assets and Newly Increased Fixed Assets of State—Owned Units …… (103)
5- 12 Investment in Fixed Assets by Sector (1995) …… (104)
5—13 Newly Increased Fixed Assets by Sector(1995) …… (106)
5—14 Investment in Fixed Assets by Region and by Sector (1995) …… (108)
5—15 Newly Increased Fixed Assets by Region and by Sector (1995) …… (110)

5—16 Investment in Fixed Assets by Cities and Counties (1995) …… (112)
5—17 Sources of Funds of Investment in Fixed Assets (1995) …… (114)
5—18 Funds of Investment in Fixed Assets from Foreign Capital …… (116)
5—19 Investment in Capital Construction and Newly Increased Fixed Assets …… (118)
5—20 Capital Construction Projects of Under Construction and put into Use …… (118)
5—21 Investment in Capital Construction and Newly Increased Fixed Assets by Sector (1995) …… (119)
5—22 Investment in Capital Construction and Newly Increased Fixed Assets by Sector and by Region …… (120)
5—23 Capital Construction Projects of Under Construction and put into use by Cities and Counties (1995) …… (121)
5—24 Investment in Capital Construction and Newly Increased Fixed Assets by Cities and Counties (1995) …… (122)
5—25 Capital Construction Projects of Uunder Construction and Total Floor Space of Buildings Completed by Cities and Counties …… (124)
5—26 Number of Capital Construction of Large. Medium Projects (1995) …… (126)
5—27 Large,Medium Projects Size in Capital Construction and Newly Increased Production Capacity Through Capital Construction (1995) …… (128)
5—28 Technical Updutes and Transformation Investment …… (129)
5—29 Technical Updutes and Transformation Investment by Purpose and by Type of Construction …… (130)
5—30 Newly Increased Fixed Assets Through Technical Updutes and Transformation by Cector (1995) …… (131)
5—31 Newly Increased Fixed Assets Through Technical Updutes and Transformation by Cector and by Region (1995) …… (132)
5—32 Technical Updutes and Transformation Projcets Under Construction and put into Use by Cities and Counties (1995) …… (133)
5—33 Technical Updutes and Transformation Projects Under Construction and Total Floor Space of Buildings Completed by Cities and Counties (1995) …… (134)
5—34 Newly Increased Production Capacity Through Technical Updutes and Transformation (1995) …… (136)
5—35 Newly Increased Production Capcity Above —norm Technical Updutes and Transformation Projects (1995) …… (137)
5—36 Projects Above —norm Technical Updutes and Transformation (1995) …… (138)
5—37 Investments in Fixed Assets of Ruyal Collective —owned Units by Sector …… (140)
5—38 Sales and leases of Commerical House (1995) …… (142)
5—39 Floor Space of Building and Cost of Commerical Houses …… (142)

Chapter 6 ENERGY AND MATERIAL

6—1 Total Products and Composition of Energy …… (147)
6—2 Total Consumption of Electricity by Sector …… (148)
6—3 Total Consumption of Main Material …… (150)
6—4 Total Consumption of Ssteels by Sector …… (151)
6—5 Total Conumption of Wood by Sector of National Economy …… (153)
6—6 Total Comumption of Main Energy by Sector National Economy (1995) …… (155)
6—7 Overall Energy Supply and Consumption by Region (material) (1995) …… (159)

6—8 Overall Energy Supply and Consumption by Region (standard) (1995) …………… (161)
6—9 Elasticity of Energy Production …………………………………………………………… (161)

Chapter 7 PUBLIC FINANCE

7—1 Total Revenue and Expenditure of Region ………………………………………………… (169)
7—2 Total Revenue and Expenditure of Region and Relevant Indices …………………… (170)
7—3 Local Revenue and Expenditure by Source (1995) ……………………………………… (170)
7—4 Local Revenue by Source ………………………………………………………………… (171)
7—5 Composition of Local Revenue …………………………………………………………… (172)
7—6 Local Expenditure by Source ……………………………………………………………… (172)
7—7 Composition of Local Revenue …………………………………………………………… (172)
7—8 Proportion of Local Revenue, Expenditure and Gross Domestic product (1995)…… (173)

Chapter 8 PRICE

8—1 Overall Various Price Indexes (Preceding Year=100) …………………………………… (179)
8—2 Overall Various Price Indexes (1978=100) ……………………………………………… (180)
8—3 Overall Various Price Indexes (1995) …………………………………………………… (180)
8—4 Retail Price Indexes by Category of Commodities (preceding Year=100) ………… (181)
8—5 Retail Price Indexes by Category of Commodities (1978=100) ……………………… (182)
8—6 Retail Price Indexes by Category of Commodities (1995) ……………………………… (183)
8—7 Urban Retail Price Indexes by Category of Commodities (preceding Year=100) …………………………………………………………………………………………………… (184)
8—8 Rural Retail Price Indexes by Category of Commodities (preceding Year=100) … (185)
8—9 Overall Residents Price Consumer Indexes (preceding Year=100) ………………… (186)
8—10 Residents Living Consumer Price Indexes by Category of Commodities (preceding Year=100) ………………………………………………………………………… (187)
8—11 Residents Living Consumerprice Indexes by Category of Commodities (1995)…… (188)
8—12 Free Markets Price Indexes by Category of Commodities (1978=100) …………… (189)
8—13 Free Markets Price Indexes by Category of Commodities (preceding Year=100) …………………………………………………………………………………………………… (189)
8—14 Free Markets Price Indexes by Category of Ccommodities (1995) ………………… (190)
8—15 Farm and Sideline Products Purchasing Price Indexes by Category of Ccommodities (1978=100) ……………………………………………………………… (191)
8—16 Farm and Sideline Products Purchasing Price Indexes by Category of Commosities (1995) ……………………………………………………………………… (191)
8—17 Farm and Sideling Products Purchasing Price Indexes by Category of Commodities (1995) ……………………………………………………………………… (192)

Chapter 9 PEOPLE'S LIVELIHOOD

9—1 Per Capita Consumption …………………………………………………………………… (197)
9—2 Per Capita Consumption by Cities and Counties ………………………………………… (198)
9—3 Savings Deposit Balance …………………………………………………………………… (200)
9—4 Sampling of Home Life of Urban and Rural Household ………………………………… (200)
9—5 Basic Indicators of Urban Household ……………………………………………………… (201)
9—6 Urban Household Annual Purchase of Major Commodities Per Capita ……………… (202)
9—7 Urban Household Year —End possession of Major Durable Consumer Goods per 100 Household ……………………………………………………………………………… (203)
9—8 Basic Indicators of Urban Household (1995) …………………………………………… (203)

9—9 Urban Household Expendieure per Capita (1995) ······ (204)
9—10 Urban Household Amnual Purchase of Major Commodities (1995) ······ (205)
9—11 Urban Household Year —End Possession of Major Durable Consumer Goods per 100 Household (1995) ······ (206)
9—12 Basic Indicators of Peasant Household ······ (207)
9—13 Total Income of Peasant Household Per Capita ······ (208)
9—14 Net Income of Peasant Household Per Capita ······ (209)
9—15 Cash Income of Peasant Household Per Capita ······ (210)
9—16 Total Expenditure of Peasant Houshold Per Capita ······ (211)
9—17 Cash Expenditure of Peasant Household Per Capita ······ (212)
9—18 Peasant Household Per Capita Consumption of Major Consumer Goods ······ (213)
9—19 Peasant Household Year —End possession of Major Durable Consumer Goods Per 100 Households ······ (213)
9—20 Farming income of Peasant Household ······ (214)
9—21 Basic Indicators of Peasant Household by per Capita Net Income (1995) ······ (214)
9—22 Living Expenditure of Peasant Household Per Capita by Per Capita Net Income (1995) ······ (216)
9—23 Peasant Household Per Capita Purchase of Major Commodities by Per Capita Net Income (1995) ······ (219)
9—24 Peasant Household Year —End Possession of Major Durable Consumer Goods Per 100 Households by Per Capita Net Income (1995) ······ (222)
Chapter 10 GENERAL SURVEY OF CITIES (PREFECTURE), COUNTIES (CITIES)
10—1 Staff and Workers in State —owned Units on city Public Utilities (in system) ··· (227)
10—2 Cities Size and Areas Under Buildings ······ (227)
10—3 Basic Statisics on Urban Public Utilities (overall) ······ (228)
10—4 Basic Statisics on City Building and Housing ······ (229)
10—5 Basic Statistics on City Tap Water ······ (229)
10—6 Basic Statistics on City Gas and Liquefied Petroleum Gas ······ (230)
10—7 Basic Statistics on City Heat Supply ······ (230)
10—8 Basic Statistics on City Municipal Civil Construction ······ (231)
10—9 Basic Statistics on City Public Buses, Trolley Buses and Taxis ······ (231)
10—10 Basic statistics on City Parks Gardens and Green Areas ······ (232)
10—11 Basic Statistics on City Sanitation ······ (232)
10—12 Level of City Public Facilities ······ (233)
10—13 Basic Statistics on Completed Investment in Fixed Assets for Urban Public Utilities ······ (233)
10—14 Newly Increased Production, Capaciey on Urban Public Utilities ······ (234)
10—15 Basic Statistics on Personal in Environmental Protection Agencies ······ (234)
10—16 Facilities For Waste Water Treatment Enterprises and Institutions ······ (235)
10—17 Emission and Treatment of Waste Gas ······ (235)
10—18 Discharge, Use and Treatment of Industrial Waste Residue ······ (236)
10—19 Charge, Fines and Reparations for Pollution Accidents ······ (236)
10—20 Treatment of Pollutionby Enterprises and Institutions ······ (237)
10—21 Basic Statistics of ChangChun, JiLin, SiPing (1995) ······ (238)
10—22 Basic Statistics of Liaoyuan, TongHua, BaiShan. (1995) ······ (243)

10—23 Basic Statistics of SongYuan,Baicheng ,YanBian (1995) .... (248)
10—24 Basic Statistics of JiuTai,Yushu,DeHui,JiaoHe,HuaDian (1995) .... (253)
10—25 Basic Statistics of ShuLan,PanShi,GongZhuLing,MeiHeKou,JiAn (1995) ...... (258)
10—26 Basic Statistics of LinJiang,TaoNan,DaAn,YanJi TuMen (1995) .... (263)
10—27 Basic Statistics of DunHua,HunChun,LongJing,HeLong and NongAn (1995) .... (268)
10—28 Basic Statistics of YongJi LiShu,YiTong ShuangLiao,DongFeng (1995) .... (273)
10—29 Basic Statistics of DongLiao TongHua,HuiNan,LiuHe,FuSong (1995) .... (278)
10—30 Basic Statistics of Jingyu Chang bai,QianGuo,ChangLing,QianAn (1995) ...... (283)
10—31 Basic Statistics of ZhenLai,Tongyu,WangQing and AnTu (1995) .... (288)

Chapter 11 AGRICULTURE

11—1 Basic Rural Units .... (297)
11—2 Rural Labor Force by Cities and Counties (End of 1995) .... (298)
11—3 Gross Output Value of Agriculture .... (302)
11—4 Indexes of Gross Ouptut Value of Agriculture (1949=100) .... (304)
11—5 Gross Output Value of Agriculture by Branch .... (306)
11—6 Output Value of Non —Agriculture Sector by Cities and Counties (1995) .... (307)
11—7 Gross Output Value of Farming,Forestry,Animal,Husbandry and Fishery by Cities and Counties (1995) .... (309)
11—8 Gross Cutput Value of Agriculture,Consume Material,Incremental value of Agriculture and Its Proportion .... (311)
11—9 Commodity Ouptut Value of Agriculture and Its Proportion .... (312)
11—10 Commodity Ouptut Value of Farming ,Foresting ,Animal,Husbandry by Cities and Counties (1995) .... (313)
11—11 Basic Statistics of Commodity Grain Base .... (315)
11—12 Main Indication of Agriculture by Per Capita Agricultural Population .... (315)
11—13 Basic Statistics of Commodity Grain Base County (1995) .... (316)
11—14 Gultivated Area .... (317)
11—15 Gultivated Area by Cities and Counties .... (318)
11—16 Agricultural Producers' Condition .... (320)
11—17 Agricultural Machinery Possessed .... (321)
11—18 Agricultural Machinery Possessed by Cities and Counties (1995) .... (322)
11—19 Level of Agricultural Modernizing (1995) .... (324)
11—20 Level of Agricultural Modernizing by Cities and Counties (1995) .... (325)
11—21 AGRO —Institutions and Meteorological Observation Stations .... (329)
11—22 Areas Covered and Affected by Natural Disaster of Farm Products .... (329)
11—23 Number of Livestock,Ouptut of Livestock Products and Aquatic Products ...... (330)
11—24 Conditions of Production of Livestock Breeding .... (331)
11—25 Conditions of Production of Livestock Breeding by Cities and Counties (1995) .... (332)
11—26 Conditions of Forestry and Fishery,Other Production .... (336)
11—27 Sown Area of Major Farm Crops .... (336)
11—28 Conditions of Aquatic and Special Local Product (1995) .... (337)
11—29 Sown Area of Farm Crops by Cities and Counties (1995) .... (339)

11—30 Output of Major Farm Products ········ (341)
11—31 Output of Mojor Farm Products (1995) ········ (342)
11—32 Output of Mojor Farm Products by Cities and Counties ········ (343)
11—33 Output of Mojor Farm Croducts per Hectare ········ (347)
11—34 Basic statistics on Farms of Land Reclamation system ········ (348)
11—35 Basic Ctatistics on Villange Enterprises ········ (349)
11—36 Output of Major Produces of Township and Village Enterprises ········ (350)
11—37 Gross Output Value of Township and Village Enterprises (1995) ········ (351)

Chapter 12 INDUSTRY

12—1 Enterprises and Output Value of Industry by Ownership ········ (357)
12—2 Number of Industrial Enterprises by Township and over and Gross Output Value ········ (358)
12—3 Gross Output Value of Industry ········ (360)
12—4 Composition of Gross Output Value of Industry ········ (363)
12—5 Indexes of Gross Output Value of Industry ········ (364)
12—6 Number of Industrial Enterprises by Township and over and Gross Output Value and by Cities ,Counties ········ (367)
12—7 Output of Major Industrial products over the Years ········ (371)
12—8 Output of Major Industrial ········ (373)
12—9 Output of Major Industrial by Region ········ (375)
12—10 Productive Copacity of Major Industrial Products ········ (376)
12—11 Main Financial Indicators of Industrial Independent Accounting Enterprises over the Year ········ (377)
12—12 Financial Rations of Industrial Enterprises with Independent Accounting System ········ (377)
12—13 Main Financial Indicators of Industrial Independent Accounting Enterprises (1995) ········ (378)
12—14 Main Financial Indicators of Industrial Independent Accounting Enterprises by Cities and Counties (1995) ········ (382)
12—15 Financial Rations of Industrial Enterprises with Independent Accounting System (1995) ········ (390)
12—16 Financial Rations of Industrial Enterprises with Independent Accounting System by Cities and Counties (1995) ········ (391)
12—17 Main Financial Indicators and Economic Beneficial Indicators of State —Owned Indwstrial Independent Accounting Enterprises (1995) ········ (393)
12—18 Main Financial Indicators of State —owned Industrial Independent Accounting Enterprises (1995) ········ (394)
12—19 Main Economic Beneficial Indicafors of State —Owned Industrial Independent Accounting Enterprises (1995) ········ (398)
12—20 Products Quality Indicators of Key Industrial Enterprises ········ (399)
12—21 Products Material Consumption Indicators of Key Indstrial Enterprises ········ (400)
12—22 Equipment Utilization and other Indicators of Key Industrial Enterprises ········ (402)

Chapter 13 TRANSPORTAION,POSTAL AND TELECOMMUNICATIONS SERVICES

13—1 Passenger and Volume of Freight Traffic,Volume of Ppostal and Telecommunication services Over The Year ········ (407)

13—2 Length of Transportation Routes ······ (408)
13—3 Passenger Traffic ······ (409)
13—4 Turnover Volume of Passenger Traffic ······ (409)
13—5 Freight Traffic ······ (409)
13—6 Turnover Volume of Freight Traffic ······ (410)
13—7 Main Economic and Technical Indicator of Rail way. Highway and Waterway ··· (410)
13—8 Civil Motor Vehicles ······ (411)
13—9 Civil Other Vehicles ······ (412)
13—10 Financial Indicators of Transport Enterprises With Independent Accounting System ······ (413)
13—11 Postal and Telecommunication Services Network (1995) ······ (414)
13—12 Main Facilities of Postal Services and Telecommunication Services ······ (414)
13—13 Main Facilities of Telecommunication Serices ······ (415)
13—14 Postal and Telecommunication Services ······ (415)

Chapter 14 CONSTRUCTION

14—1 Major Indicators for Construction Enterprises (1995) ······ (418)
14—2 Financial Indicators of Construction Enterprises (1995) ······ (420)
14—3 Condition of Production in Construction Units (1995) ······ (422)

Chapter 15 WHOLESALE,RETAILSALES AND CATERING TRADE

15—1 Number of Outlets and Personnal in Retail and Catering Trade by Cities and Counties ······ (429)
15—2 Services of Retail and Catering Trade ······ (429)
15—3 Number of Outlets and Personnal in Retail Trade (End of 1995) ······ (430)
15—4 Number of Outlets and Personnal in Catering Trade (End of 1995) ······ (431)
15—5 Total Retail Sales of Goods ······ (432)
15—6 Total Retail Sales of consumer Goods ······ (433)
15—7 Total Retail Sales of Consumer Goods by Cities and Counties ······ (434)
15—8 Number of Personal in Retail and Catering Trade by Urban,Rural and by Cities, Counties ······ (438)
15—9 Number of Outlets in Retail and Catering Trade by Urban,Rural and by Cities, Counties ······ (440)
15—10 Final Purchases in wholesale and Retail Sales Trade (1995) ······ (442)
15—11 Final Purchases in Wholesale and Retail Sales Trade by Cities and Counties ··· (443)
15—12 Sales Value and Inventory in Wholesale and Retail Sales Trade ······ (445)
15—13 Sales Value and Inventory in Whole Sale and Retail Sales Trade by Cities and Counties (1995) ······ (446)
15—14 Free Markets in Urban and Rural Areas ······ (448)

Chapter 16 FOREIGN ECONOMY TRADE AND INTERNATIONAL TOURISM

16—1 Total Value of Imports and Exports over The Year ······ (455)
16—2 Major Export Commodities in Volume in Foreign Trade ······ (456)
16—3 Total Value of Imports and Exports ······ (457)
16—4 Utilization of Foreign Capital ······ (457)
16—5 Basic Statistics on Foreign Investenent Enterprises by Cities and Counties ······ (458)
16—6 Contracted projects and Labor Service Cooperation with Foreign Countries and Region ······ (458)

16—7 Development of Tourism …… (459)
16—8 Foreign Tourism Arrived …… (459)

Chapter 17 BANKING AND INSURANCE

17—1 Balance of Deposits of Banking System …… (463)
17—2 Balance of Loan of BanKing System …… (463)
17—3 Cash Receipts of BanKing System …… (464)
17—4 Cash Expenditures of BanKing System …… (464)
17—5 Main Insurrance Business of Domestic …… (465)
17—6 Economic and Technical Indicators of Insurance Business …… (466)

Chapter 18 EDUCATION,SCIENCE AND CULTURE

18—1 Schools by Level and Type …… (468)
18—2 School Staff and workers by Level and Type of School …… (468)
18—3 Teachers by Level and Type of School …… (469)
18—4 Student Enrollment by Level and Type of School …… (469)
18—5 New Student Enrollment by Level and Type of School …… (470)
18—6 Graduates by Level and Type of School …… (470)
18—7 Postgraduates in Higher Education …… (471)
18—8 Postgraduates Enrollment in Institutions of Higher Education by Field of Study …… (472)
18—9 Graduate Postgraduates of Institutions of Higher Education by Field of Study …… (472)
18—10 Basic Sstatistics for Postgraduates by Higher Educations …… (473)
18—11 Student Enrollment in Institutions of Higher Education by Field of Study (1995) …… (474)
18—12 Numbers of Full —Time Teachers by Field of Study in Regular Higher Educational Institutions (1995) …… (474)
18—13 Basic Statistics on Higher Educations by Type (1995) …… (475)
18—14 Number of Specialized Secondary School by Field of Study …… (477)
18—15 Student Enrollment in Specialized Secondary School by Field of Study …… (477)
18—16 New Student Enrollment in Specialiend Secondary School by Field of study …… (478)
18—17 Graduates of Specialized Secondary School by Field of Study …… (478)
18—18 Staff and workers in Specialized Secondary School by Field of Study …… (479)
18—19 Full —Time Teathers in Specialized Secondary School by Field of Study …… (479)
18—20 Basic Statistics for Various Techical Schools …… (480)
18—21 Statistics for Student of Various Techical Schools by Sector …… (480)
18—22 Student Enrollment In Adult Schools by Level and Type …… (481)
18—23 Student Enrollment per 10000 Population and Composition of Students Enrolled …… (482)
18—24 Student —Teacher Ratio by Level of School …… (482)
18—25 Percentage of Greduates of Junior Middle Schools and Primary Schools Entering Higher Level Schools …… (183)
18—26 Percentage of School —Age Children Enrolled and Stabled …… (484)
18—27 Basic Statistices for Kindergratens …… (484)
18—28 Basic Statistics for Schools for The Blind,Deaf and Deaf —Mutes …… (484)
18—29 Number of school by Level and Type and by Citise and Counties (1995) …… (485)
18—30 New student Enrollment by Level and Type of School and by Citise and

Counties (1995) …………………………………………………………………………… (487)
18—31 Student Enrollment by Level and Type of School and by Citise and Counties (1995) …………………………………………………………………………… (489)
18—32 Teachers by Level and Type of School and by Cities and Counties ……………… (491)
18—33 Number of Research and Development Institutions Attrched to The Local Gorernments at County Level Above …………………………………………… (493)
18—34 Number of Research and Development Institutions by Cities and Counties (1995) …………………………………………………………………………… (493)
18—35 Number of Research of Natural Sciences and Development Institutions Attrched to the Local Governments at County Level Above ……………………………… (494)
18—36 Number of Research of Social sciences and Development Institutions Attrched to the Local Governonents at County Level Above ……………………………… (495)
18—37 Number of Scientific and Technical Personnel in Stafe —Owned Units ………… (496)
18—38 Number of Achievmenes and Projects for Scientific and Technical Research …… (496)
18—39 Three Types of patent Applications Examined and Certified ………………… (497)
18—40 Three Types of Patent Applications Examined by Region ……………………… (498)
18—41 Three Types of Patent Applications Certified by Region ……………………… (498)
18—42 Institution for Techical Development of Large and Mediun Industrial Enterprises …………………………………………………………………………… (499)
18—43 Personnel for Techical Development of Large and Medium Industrial Enterprises …………………………………………………………………………… (500)
18—44 Funds for Techical Development of Large and Medium Industrial Enterprises …………………………………………………………………………… (501)
18—45 Total Expenditures Techical Development of Large and Medium Industrial Enterprises …………………………………………………………………………… (502)
18—46 Basic Statistics of Contract for Techical by Types ……………………………… (503)
18—47 Number of plening projects for Entering Techical Markets by Level ………… (504)
18—48 Total Value of Planing Projects for Entering Techical Markets by Level ……… (505)
18—49 Personnel in Institutions of Techical Transaction ……………………………… (506)
18—50 Basic Statistics for Techical Fair ……………………………………………… (506)
18—51 Object for Social Economy of Techical Service ………………………………… (507)
18—52 Basic Statistics on Field of Techical Circulation ……………………………… (508)
18—53 Number of Personnel for Scientific and Technological Activies ……………… (510)
18—54 Total Funds of Collecting Scientific and Technological Actives ……………… (510)
18—55 Basic Statistics for Scientific and Technological Institution ………………… (511)
18—56 Basic Statistics on Achievement for Scientific and Technical Research ……… (511)
18—57 Number of Institutions for Cultural,Art and Cultural Relices ………………… (512)
18—58 Cultural Institutions And personnel (1995) …………………………………… (512)
18—59 Number of Institutions And Personnel (1995) ………………………………… (513)
18—60 Basic Statistics for performance of Art Troupes (1995) ……………………… (513)
18—61 Basic Statistics for Revenues and Expenditures of Troupes (1995) …………… (514)
18—62 Film Institutions and Personnel ……………………………………………… (514)
18—63 Number of Books Published …………………………………………………… (515)
18—64 Number of Magazines Published ……………………………………………… (515)
18—65 Number of Newspapers Published ……………………………………………… (515)

18—66 Basic Statistics on Broadcasting Stations and Television .... (516)
18—67 Basic Statistics For Broadcasting and Television (1995) .... (516)

Chapter 19 SPORTS,PUBLIC HEALTH AND OTHERS

19—1 Personnel of National Physical and Sports Commissions .... (519)
19—2 Certified Athleles and Referees by Type of Sports .... (519)
19—3 Basic statistics on Sports Meets Held and Training Program Standards .... (519)
19—4 Number of Accomplished Athletes and Full —Time Coaches by Type .... (520)
19—5 Health care Institutions .... (521)
19—6 Number of Professionals of Health Care .... (522)
19—7 Personnel in Health Care Institutions by Type of Occupation (1995) .... (523)
19—8 Number of Beds in Health Care Institutions (1995) .... (524)
19—9 Health Care Institutions,Beds and Persornel by Cities and Counties (1995) ...... (525)
19—10 Financial Situation of Administrative Departments and Institutions for while Amount (1995) .... (527)
19—11 Financial Situation of Administrative Departments and Institutions for Difference Amount (1995) .... (528)
19—12 Financial situation of service Trades and Institutions for Business Management (1995) .... (532)
19—13 Financial Situation of Administrative Departments and Institutions for Whole Amount by Cities and Counties .... (536)
19—14 Financial Situation of Institutions for Difference Amount and Self —Sufficiency by Cities and Counties .... (538)
19—15 Financial Situation of Service Trades and Institutions for Business Management by Cities and Counties .... (540)
19—16 Expenditures of Civil Administration .... (542)
19—17 Basic Statistics of Social welfare Institutions .... (542)
19—18 Basic Statistics on preferential Treatment Comfort. Compensate and Relief ...... (543)
19—19 Basic Statistics on Rural Homes for The Elderly .... (544)
19—20 Basic Statistics on Rural Households Receiving Five —Guarantees .... (544)
19—21 Basic Statistics on welfare Business .... (545)
19—22 Basic Statistics on Funeral and Interment Institutions .... (545)
19—23 Basic Statistics on Marriage Registrations .... (546)
19—24 Basic Statistics on Law. Natarizations and Mediations .... (546)
19—25 Basic Statistics on Social Public Order .... (547)
19—26 Basic Statistics on Fires .... (547)
19—27 Basic Statistics on Traffic Accidents .... (548)

EXPLANTORY NOTES FOR MAJOR INDICATORS

Explantory Notes For Major Indicators .... (551)

江泽民总书记在吉林省

1995年6月25日，江泽民总书记在省委领导张德江、王云坤同志陪同下视察一汽集团公司。

吉林省综合經濟實力强縣（市）

延　吉　市

延吉市位于吉林省东部，是延边朝鲜族自治州的首府，全市面积1340平方公里，总人口35万人，有朝鲜、汉、满、回等13个民族。延吉市靠边近海，工业形成体系，第三产业发展迅速，外向型经济发展较快，培植新的经济增长点门路较宽，1995、1996连续两年被省政府评为吉林省县（市）综合经济实力第1名。延吉市委、市政府提出了在“九五”期间，全面实施强县工程，力争使延吉市进入全国“百强县（市）”行列的奋斗目标。

1995年，该市实现国内生产总值26.4亿元，财政收入5.39亿元，工业总产值26.6亿元，社会消费品零售总额25.8亿元，第三产业增加值占国民经济比重达48.8%，三资企业累计达347户，合同利用外资达1.9亿美元。

延吉是个美丽的边疆城市。这里与朝鲜、俄罗斯相邻，与日本隔海相望。市区山环水绕，景色宜人。冬季银装素裹，夏日绿树成荫。工农业生产迅速发展，经济实力显著增强。城市面貌焕改观。一条条平坦的公路交错成网，一座座民族歇山式建筑古朴典雅，一幢幢现代化建筑新颖别致。城市供水、排水及供电设施初具规模。公路、铁路、民航四通八达。邮电通信处于国内领先地位。各种生活设施和其他服务设施也达到相应水平。

延吉是个新兴的工贸城市。延吉的工业经过建国以来，特别是八十年代的改革和改造，现已形成国营企业发挥主导作用，骨干企业为依托，名优产品为龙头的食品、纺织、药材、机械、电子、化工等门类较齐全的格局。

市委书记：许赫

延吉公路客运总站

延吉市、区出租车

延　吉　市

市长：丁荣泰

延边天池股份有限公司

延吉市机杨

吉林省综合經濟實力强縣（市）

这里的流通领域兴旺发达，闹市区商贾云集，地方产品琳琅满目。这里已成为国内朝鲜族特需用品的产销基地和吉林东部经济区的商品集散地及物资贸易中心。

延吉是个具有民族特色的文化城市。延吉市是我国朝鲜族主要聚居地区之一。朝鲜族的传统文化艺术独具特色，朝鲜族文艺团体演技高超、艺术精湛。民族文化教育事业形成体系，而朝鲜族的那种能歌善舞、重视礼仪、热情好客的民族风情更是闻名遐迩，让你宾至如归，留连忘返。

延吉也是个正在建设中的城市，到本世纪末，要把延吉建设成经济繁荣、文化发达、环境优美、生活方便，具有民族特色的开放型工贸旅城市。将加快改革、扩大开放、发挥优势、创造条件、抓住机遇、发展自己。以坚实的步伐，沿着城乡结合、工贸一体、内外畅通、效益突出的轨道前进。我们将以更加优惠的政策、宽松的环境、优越的条件和周到的服务，热诚欢迎各界人士来延观光、来延协作、来延投资、来延办厂，一道把延吉建设得更加美好。让长白山脚下的这颗明珠更加璀璨夺目，跨入全国“百强县(市)”行列。

市委书记：许赫
市长：丁荣泰
地址：吉林省延吉市解放路91号
邮编：133000
电话：(0433)2515796、2512936

吉林省綜合經濟實力强縣（市）

农安县

农安县地处松辽平原腹地，南依长春市，北靠松原市，属长春经济区。全县总人口108.5万人，其中农业人口91.5万人。

农安县历史悠久，人文荟萃。县委、县政府所在地农安镇，古称“黄龙府”，是祖国东北历史重镇，镇内有辽金时代的黄龙古塔。早在五六千年前的新古器时代，我们的祖先就在这里劳动生息。

农安县有得天独厚的自然资源，地势平坦，土地肥沃，气候宜人，交通便利，物产丰富，投资环境优越。全县拥有耕地29.1万公顷，是国家重点商品粮基地县。改革开放以来，农安县的整体实力不断增加，城镇面貌发生了很大变化，人民生活水平明显提高。

1995年被省委、省政府命名为粮食大县、多种经营大县、乡镇企业大县、畜牧大县和综合经济实力强县。全县实现国内生产总值44.2亿元，第一产业增加值25.4亿元，第二产业增加值8.8亿元，第三产业增加值10亿元。

农村经济全面快速发展。1995年，农业总产值达到39.7亿元，畜牧业总产值达到15.3亿元，粮食总产达到20.25亿公斤，跃居全国十大产粮县之首。工业经济和乡镇企业实现了突破性增长。全口径工业总产值达到24.5亿元，其

县委书记：张俊先

面貌一新的站前广场一角

1995年粮食产量名列全国十大产粮县之首

生产的粮食正在源源不断地运往省内外

始建于1023年的农安辽塔

农 安 县

县长：王世田

年产饲料6万吨，产值超亿元的长春市华龙饲料厂

改造后年产11万吨的农安啤酒厂，该厂生产的雪豹牌啤酒畅销省内外，继1993年荣获第一届曼谷酒类金奖后，1995年又被评为国家优质啤酒。

年加工原油15万吨，上缴利税3千多万元的农安石油化工厂催裂化生产线

中乡及乡以上工业总产值11.1亿元，乡镇企业总产值27.1亿元。商品流通日趋活跃，财政收入稳定增长，金融、保险业快速发展。1995年，全县社会消费品零售总额达到6.2亿元，集市贸易成交额达到4.7亿元，财政组织收入1.28亿元，城乡居民储蓄存款余额达到14.4亿元。科技、文化、教育、卫生、体育等各项事业迅速发展。

目前，全县人民正在实施“九五”计划，满怀信心地迎接新世纪的到来。

县委书记：张俊先
县长：王世田
地址：吉林省农安县兴华路103号
邮编：130200
电话：(0431)3223775

吉林省綜合經濟實力强縣（市）

磐石市

磐石市位于吉林省中南部，境内森林茂密、土地肥沃，资源丰富，具有巨大开发潜力和开发价值。全市面积3960平方公里，辖14个镇9个乡4个街道，总人口54万人。

党的十一届三中全会以来，深化改革，扩大开放，推动了国民经济和社会各项事业的发展。1995年，全市国内生产总值18.3亿元，是1980年的4.4倍。1994年，全省综合经济实力排序10强县中磐石名列第四。

全市有近7万公顷的肥沃耕地，是全国商品粮基地县之一，水利资源充足，森林覆盖率为44.25%，木材蓄积量1000多万立方米。多种经营迅猛发展，建有东北最大的食用菌生产基地，人参、紫貂、梅花鹿、山鸡、林蛙等种养业已形成规模。

该市自然资源极为丰富，现已探明的金属和非金属矿藏达33种，其中硅灰石质量上乘，储量占全国四分之一，8种不同花色的花岗岩和12种大理石储量均超过亿立方米；石墨、方解石、白云石等储量均为全国县(市)级之冠。以此为依托，我市工业经济已形成了建材、冶金、机械、化工、食品、轻纺为主的工业体系。

该市交通便利，沈吉、烟白铁路、202国道及支线构成绵长密集的交通网。被誉为北国奇葩的官马溶

市委书记：张裕峰

市振兴大街一角及商贸城

三棚镇梅花鹿场一角

磐石市

市长：程岩

吉林明城钢铁总厂炼钢厂

官马溶洞

洞与毗邻的黄河水库风景区，吊水湖自然保护区相融互映，现已辟为官马森林公园。市内相继建起了商业大厦、零售批发中心、粮食贸易批发中心、综合商贸城以及具有民族建筑风格和地方特色的仿古小区。

全市人民正围绕经济、社会发展的总体规划，争取经过5年和15年的开发建设，使我市实现“一先三大一强”，即粮食生产先进市、畜牧业大市、乡镇企业大市、冶金业大市，以此为支撑建成经济强市的战略目标。竭诚欢迎海内外有识之士到这里兴商办企，携手共创我市新的辉煌。

市委书记：张裕峰
市长：程岩
地址：吉林省磐石市人民路233号
邮编：132300
电话：(0432)5222322
传真：(0432)5223411

吉林省綜合經濟實力强縣（市）

榆树市

榆树市幅员面积4722平方公里，耕地29万公顷。辖41个乡（镇、街），388个村，总人口119.8万人。

改革开放以来，榆树经济和各项社会事业取得显著成就。1995年，全市国民生产总值达到31亿元，工农业总产值达到35.5亿元，粮食总产量达到20.1亿公斤，农村人均收入2161元。工业初步形成了以农副产品加工为主的生产体系。交通实现乡乡通柏油路，村村通砂石路。市区人均住房面积达到10.5平方米。城乡全部上了光缆程控电话，新建图书馆、微波站、青少年宫、体育场和有线电视台。榆树被省委、省政府授予农村综合经济实力强市（县）、粮食生产大市（县）、多种经营大市（县）、乡镇企业大市（县）和精神文明建设先进市等称号。

展望未来，榆树前景光明。到2000年，国民生产总值达到55亿元，工农业总产值57亿元，农村人均收入3000元。到2010年，实现国民生产总值比2000年翻一番，建设成繁荣新兴的中等城市。

市委书记：马玉伦
市长：于林中
地址：吉林省榆树市华昌路东段
电话：（0431）3622123
传真：（0431）3621254

市委书记：马玉伦

市委副书记、市长：于林中

榆树市化肥厂

榆树市冰峰啤酒有限公司

公主岭市

市委书记：栗振国

市长：许景珊

公主岭市公主大街

吉林省综合經濟實力强縣（市）

1995年，公主岭市经济建设取得了丰硕成果，全面完成了“八五”时期的各项经济指标。全市实现国内生产总值27.4亿元，比上年增长18.4%，完成乡及乡以上工业总产值18.3亿元，比上年增长7.6%，实现财政收入1.4亿元，比上年增长78%，粮食总产量达16.1亿公斤，连续多年保持在15亿公斤以上，粮食商品率居全省首位，畜牧业更是大发展，生猪、黄牛、家禽生产在全省均处领先地位。

公主岭经济之所以发展迅速，除全市人民共同努力外，还得力于其优越的外部环境，公主岭地处长春、四平的中心点，铁路、公路四通八达，近年来，城市建设投资大、见效快，市容市貌发生了翻天复地的变化。交通四通八达，投资环境、投资政策十分优越。

目前，在4058平方公里的土地上，百万公主岭人正满怀豪情，在市委、市政府带领下，为把公主岭市建成经济发达，精神高度文明的现代化城市而奋力拼博。

市委书记：栗振国

市长：许景珊

地址：吉林省公主岭市东正阳街2号

邮编：136100

电话：（0434）6213534

吉林省综合經濟實力强縣（市）

桦甸市

桦甸市位于吉林省东部，长白山麓，松花江畔。全市总人口44.3万人，面积6250平方公里，辖8乡8镇5个街道办事处。桦甸物华天宝、人杰地灵，自然资源得天独厚，是一座美丽富饶的新兴工业城市。境内有白山发电厂、红石发电厂等11座大、中、小型发电站，以金、铜、铁、霞石、油母页岩为主的20多种矿产资源，分布广、品位高，储量大，被誉为“长白山下黄金国”。地上盛产东北大豆、玉米、人参、鹿茸、山野菜远销国际国内市场。地方工业门类齐全，乡镇企业星罗棋布，农村六畜兴旺。改革开放以来，全市经济迅速发展，综合实力明显增强，城乡面貌不断改善，社会各项事业全面进步，连续二届被吉林省评为综合实力十五强县（市）。1995年桦甸市遭受了历史上罕见的严重洪水灾害，在大灾面前抗灾自救，使国民经济在灾害中得到初步恢复，城乡人民生活在困境中得到基本安置，各项社会事业在挫折中得到继续发展。目前全市人民正以高昂的斗志，团结拼搏，励精图治，为加快恢复和发展步伐而奋斗。

市委书记：闫忠和
市长：杨顺东
地址：吉林省桦甸市
桦甸大街37号
邮编：132400
电话：(0432)6228947、
6231018

市委书记：闫忠和

市长：杨顺东

桦甸关东金世界

桦甸大街

梅河口市

市委书记：　张育民

市长：　杨中才

吉林省新兴城市
——梅河口

梅河口市天力酒精公司

梅河口市热电厂

吉林省综合經濟實力强縣（市）

梅河口市地处吉林省东南部，有交通、流通两大优势，是东北地区重要的公、铁交通枢纽之一。1995年，全面完成了省委、省政府确定的三年经济快速发展综合改革试点目标，实现国民生产总值29亿元、工农业总产值40.3亿元、乡企总产值28亿元、财政收入1.32亿元，综合经济实力已占全省市县前列。城市建设已初具规模，水、电、路等基础设施完备、功能完善，通讯事业发达，被命名为省级卫生城。改革开放成效显著，国有工商企业改制比例达66.3%，“三资”企业发展到61户。建成了天力酒精有限公司、晁荣造纸有限公司、热电厂等10户产值超亿元或利税超千万元骨干企业。

未来15年，梅河口市将实施“三步走”发展战略和“两大一强”工程：第一步，到1997年努力建成中等城市，基本实现小康；第二步，到2000年建成经济强市，全面实现小康；第三步，到2010年争取进入全省发达城市行列。同时，把梅河口建成全省乡企大市、多种经营大市、农村经济强市。“九五”期间，集中力量发展壮大食品、造纸两大支柱产业，培育造纸、酒业两大企业集团，抓好大米、果仁、食品、蔬菜等专业批发市场建设。全市人民决心继续发扬拼搏争先的梅河口精神，以更加辉煌的成就实现历史性的跨跃。

市委书记：张育民
市长：杨中才
地址：吉林省梅河口市政府
邮编：135000
电话：(0448)3222024
传真：(0448)3222226

梨树县

吉林省綜合經濟實力强縣（市）

梨树县素有“东北粮仓”之称，全县总面积4209平方公里，辖32个乡（镇），336个行政村，1995年末总人口达82.5万人。

十一届三中全会以来，全县工农业发展迅速，各项社会事业蓬勃发展。1995年，国民生产总值达到32.2亿元，人均3927元；工农业总产值59.7亿元；粮食总产量167.6万吨；生猪饲养量160万头，猪牛羊肉产量9.6万吨；农民人均纯收入1861元。曾先后被评为“全国科技先进县”、“全省粮食先进县”、“全省畜牧业先进县”、“全省畜牧业大县”等等。

梨树县交通便捷，电力、通讯等各项设施完善。目前，全县人民正在实施“九五”计划的总体部署，欢迎有识之士前来观光、旅游、开发投资。

县委书记：刘崇东
县　　长：王盛科
地址：吉林省四平市梨树县梨树镇
邮编：136500
电话：(0434)5223825
传真：(0434)5222785

县委书记：刘崇东

县长：王盛科

梨树县植物油厂

敦化市

市委书记：栾胜宽

市长：周化辰

吉林省综合經濟實力强縣（市）

敦化市地处吉林省东部、长白山腹地中心，幅员11957平方公里，辖10乡10镇4个街道办事处，总人口47.6万人；森林、野生动植物、矿产、草场、水利、旅游等资源十分丰富，呈"八山一草一分田"的自然特征。敦化市委、市政府按照市十次党代会确立的"一区带两线，推动四种经济类型区全面发展"的总体思路，加快实施城市经济两极发展战略、农村经济分区发展战略和外向型经济发展战略，在全省县级市首批被省政府批准为省级开发区，被国务院批准为对外开放城市，被国家外经贸部批准享有对外贸易进出口权，围绕林业和中药材资源开发，逐步形成了以林源、华康、东北亚和敖东四大制药集团为龙头的支柱产业，以及以福敦木业公司、木器厂为龙头的木制品支柱产业。1995年末，工农业总产值实现18亿元。全市国内生产总值实现14亿元，财政收入实现14839万元，城市职工年均工资收入达到3135元，农民人均纯收入实现1450元。全市综合经济实力1995年进入前10强；江南乡等4个乡镇列入全省综合经济实力百强行列；华康制药厂等4个乡村企业列入全省乡村企业综合经济效益百强行列。

跨入"九五"，奋斗目标是：到97年实现第二个经济翻番，到本世纪末全面实现小康，到2021年把敦化建设成为我国内陆地区经济强市。敦化市委、市政府和古城各族人民真诚欢迎海内外各界朋友、同仁、来敦化观光旅游，实地考察，携手开发，共同繁荣。

市委书记：栾胜宽
市　　长：周化辰
地址：中国吉林省敦化市新华西路1号
邮编：133700
电话：(0433)6222404
传真：(0433)6224368

舒兰市

吉林省综合經濟實力强縣（市）

舒兰市地处吉林省东北部，其东北部同黑龙江省五常市搭界，南与蛟河市、永吉县接壤，西隔松花江与九台市相望，西北与德惠市毗连，北与榆树市为邻。

处于长白山向松嫩平原过度地带。地势由东南向西北倾斜，地貌分为山区、半山区、丘陵、平原四个区域，属中纬度温带大陆性季风气候，四季分明，气候宜人。

全市辖5街8镇13乡，幅员面积4557平方公里，人口66.4万人。其中市区面积146平方公里，人口19万人。

舒兰市矿产资源丰富，全市已探明可供开采的矿产有褐煤、粘土、硅石、泥炭等20多种。褐煤储量近6亿吨，素有“百里煤海”之称，是国家重要煤炭生产基地。舒兰是一座年轻的工业城市，目前已形成门类齐全的工业生产体系。特别是医药、机械、食品、纺织、能源、建材等行业已初具规模。舒兰是国家商品粮基地，盛产水稻、玉米、大豆，年产量稳定在50万吨左右。

全市1995年实现国民生产总值19.5亿元(现价)，其中第三产业增加值6.4亿元。全市财政收入10078万元，农民人均纯收入1550元。舒兰市列1995年全省综合经济实力15强县(市)第12位。

市委书记：李铁
市长：朴春模
地址：吉林省舒兰市人民大路101－8号
邮编：132600
电话：(0432)－8222351
传真：(0432)－8224177

市委书记：李铁

市　长：朴春模

前郭尔罗斯蒙古族自治县

县委书记：孙亚珍

县长：乌日图

上：宽敞的乌兰大街夜景

下：不尽黄金滚滚来

吉林省综合經濟實力强縣（市）

前郭尔罗斯蒙古族自治县(简称前郭县),地处吉林省西北部,松嫩平原的东南边缘。南距省会长春148公里,东北至黑龙江省省会哈尔滨220公里。全县幅员7119平方公里,行政隶属于吉林省松原市,辖10个镇、16个乡、17个国有农林牧渔场246个行政村,591个自然屯,1007个农业生产联社。其中蒙古族聚居乡(镇)9个,村33个,社77个。有蒙、汉、满、回、朝鲜、锡伯等19个民族,总人口52.7万人。其中,蒙古族4.64万人,占总人口的8.8%。

前郭县境内有国家电力工业部所属的长山热电厂,吉林省长山化肥厂,东北输油管理局三、五号泵站和吉林省油田管理局的五个采油厂;有东北四大灌区之一的前郭灌区,其中莲花泡农场是国内第一家引进意大利设备的水稻机械化示范农场,现有耕地329万亩,土质肥沃,粮豆年总产量在100万吨以上,在全国100个产粮量最高县中列第14位;有草原270万亩,盛产羊草等约130个草品种,年产优质干草150万吨;有水面98.6万亩,可养鱼水面70万亩,全国十大淡水湖之一的查干湖位于我县北部,面积60万亩,有宜林地250万亩,已勘察发现各类矿藏30余种,尤以石油、矽砂、膨润土、紫砂陶、天然气为主。有野生中草药材332种,储藏量9000吨。

前郭县成立于1956年,1988年被国务院列为对外开放县,1993年被吉林省委,省政府确定为建设经济强县的重点培育县,是国家粮食生产的重点县,良种细毛羊基地县、黄牛生产基地县,草原建设基地县、三北防护林工程重点县,是吉林省商品粮基地县,渔业生产基地县和芦苇生产基地县。1994年被国务院授于民族团结进步模范自治县,被吉林省委、省政府评为民族团结进步发展县,1995年被省委、省政府评为全省县(市)综合经济实力15强之一。

1995年,全县国民生产总值完成142000万元,工农业总产值实现150232万元,粮食总产量104万吨,农民人均收入1980元,第三产业增加值实现26981万元,社会消费品零售总额90000万元,外贸出口商品收购总额9500万元,财政收入15755万元。

沃野肥牛

县委书记：孙亚珍
县长：乌日图
地址：吉林省前郭县乌兰大街24号
邮编：131100
电话：(0438)2123321

辉南县

吉林省综合經濟實力强縣（市）

辉南县位于吉林省东南部，通化市北部。幅员面积2247.2平方公里，居有汉、满、朝等16个民族，35万人口。下辖14个镇、4个乡，其中辉南镇为全省综合经济实力十强镇。县城朝阳镇。

1994年全县工农业总产值16亿元，人均国内生产总值2961万元，财政收8210万元，农村人均收入1163元，进入全省十五强。

辉南县工业基础雄厚，现有企业246家，形成了制药、机械、冶金化工、采矿建材、食品加工五大支柱产业。主要企业有天泰药业公司、生化药业公司、车轮总厂、猎枪厂、轧钢厂、化工厂、杉松岗煤矿、水泥厂、方便米厂、制酒厂等。产品有近千种，脑活素、愈三消、无内胎重型钢圈、五连发猎枪、钢材、方便米、朝阳春白酒等产品分获国家优质产品称号。

辉南县是省商品粮基地县。年产商品粮23万吨，辉南大米誉满关内外；立木储积量1250万立米；有大小河流70余条，有10多处优质矿泉水可供开发；已探明有开采价值的矿藏21种，火山渣储量全国第一。辉南还是“关东三宝”和山珍野味的重要产

书记：赵贵霖

辉南轧钢厂产品货场一角

“三角龙湾”旅游景点

仿古商业街

辉南县

地；有72个火山口组成的龙湾群、森林公园，堪称世界一绝，辉发古城、小椅山水库等人文景观可供游览。

辉南县城乡基础设施完备。沈吉铁路、营抚公路及建设中的长白山公路从县城穿过，白山——梅河输电干线横贯全县18个乡镇，全部实现光缆数字通信，60%的村屯安装了自来水。有设施齐全的文娱体育馆所和商贸场所，规范的中小学和医疗院所及大型医疗设备。竭诚欢迎国内外人士来辉南，与辉南人民一道建设繁荣富裕的发达县。

县委书记：赵贵霖
县长：巩爱平
地址：吉林省辉南县朝阳镇兴工53－2号
邮编：135100
电话：(0448)6222757 6222555
传真：(0448)6222027

县长：巩爱平

猎枪厂

县车轮总厂生产间一角

市区朝阳湖

富强大街夜景

长春市二道区英俊乡

吉林省综合經濟實力强鄉(鎮)

英俊乡位于长春市区的东部,幅员面积38.2平方公里,耕地面积1903公倾,辖11个行政村。全乡总人口56000人,其中农业人口26358人。

1995年全乡实现社会总产值170000万元。其中,农业总产值2400万元,乡村集体企业产值166550万元;其中集中体工业实现90000万元,个体经济实现产值50700万元。1995年向国家纳税15052万元,农业人口人均收入2513元。乡村企业经过10多年来的努力已具备一定的规模,主导行业基本形成,总的有十大优势:铸铁、铸钢、轧钢、锻造、建材、机加、铆焊、服装、饮食服务和蔬菜深加工。在集体工业企业中有定型产品76种,其中有部优产品2种,省优产品2种,省优秀产品7种,省乡企优秀产品21种,市名优产品7种,国家专利产品1种,填补国家空白产品3种。

1995年全乡有8个村进入亿元村行列。其中有1个3亿元村,有2个2亿元以上的村,5个亿元村,按照小康建设的16条标准考核,有2个村达到了发达村标准,有4个村达到了富裕村,有1个村达到了小康标准。1995年评为我省综合实力百强乡镇第一名。

乡党委书记:王宝山

乡　　长:周景文

乡党委书记:王宝山

宏新企业集团公司办公楼,这是英俊乡亿元村之一

长江实业公司是英俊乡建成的第一个工业小区,被列为省级工业小区之一

长青村141车身厂的院内,这个厂边建设边生产,生产规模不断扩大,上半年已创产值4000万元。

长春市二道区英俊乡

吉林省綜合經濟實力强鄉(鎮)

地址：长春市二道区
岭东路159号
邮编：130031
电话：(0431)4943759
传真：(0431)4947647

乡长：周景文

英俊村的“响铃牌”暖气片连续12年被农业部确定为百家名牌产品，畅销于东北三省、内蒙古等地。

福地村的长春市电站阀门厂一角

宏盛钢铁总厂部分产品

四平市铁西区条子河乡

吉林省综合經濟實力强鄉(镇)

条子河乡地处四平市郊区,1983年建乡,占地面积32平方公里,共有6个行政村,总人口2万人。1989年成为四平市第一个亿元乡镇,辖区内拥有神州第一屯红嘴集团公司。长大铁路、四齐铁路、哈大高速公路横贯其中,交通便利,全部程控电讯网络。地处“新月”开发区腹地,享受开发区全部优惠政策。

全乡现有机械加工、轧钢、炼钢、汽车改装、食品、饮料、啤酒、饲料、包装材料、建筑材料、橡塑制品等工业企业40户,固定资产7.5亿元,1995年全口径产值9.3亿元,销售收入8.1亿元,利税1.6亿元,其中拥有年产量30万吨的巴斯金士百集团公司,年产量30万吨的红嘴钢铁公司,年产10吨的红宝莱饮料公司,年产量9000万碗、产值2亿元的吉达食品实业有限公司。1995年财政

党委书记: 陈万江

乡政府办公楼

中法合资吉发安塞酸奶有限公司

四平市铁西区条子河乡

乡　长：张连清

吉林省綜合經濟實力强鄉(镇)

收入5300万元，人均收入2200元，住房砖瓦化程度达到97%，100%的村实现小康。

党委书记：陈万江
乡长：张连清
地址：吉林省四平市铁西区条子河乡
邮编：136000
电话：(0434)3222696

吉发四平乳制品厂

四平市磷脂厂

北方冷却器厂

吉利换热器总厂

长春市宽城区奋进乡

吉林省综合經濟實力强鄉(镇)

奋进乡，位于长春市区的西北部，幅员面积66平方公里，辖12个村民委员会，35个自然屯。资源丰富，交通便利，公用设施齐全，是发展经济的最佳地带。

奋进人本着“无土不富，无农不稳，无商不活”的原则，奋力拼搏，使经济发展第一个跨入全省亿元乡镇。基本上实现了农村城市化、工业自动化、蔬菜生产工厂化的小康之乡。1995年全乡实现社会总产值17.4亿元，利税1.95亿元，人均收入2800元。

在改革开放的大潮中，奋进乡的各项事业都有了长足的发展。取得了令人可喜的成果，特别是乡镇企业“异军”突起，实现了大幅度，跳跃式发展。1995年乡镇企业总产值已占全乡社会总产值的90%，为全乡经济的腾飞奠定了雄厚的物质基础。其它社会福利事业蒸蒸日上，文化、教育、敬老事业、公路建设等，均已名列全省之最。1995年被国家民政部评为“全国名星乡镇”，被省政府评为“吉林省综合经济实力百强乡镇”。现在，奋进人正以“求实奋进”的精神，努力拼搏进取，力争在“九五”期间实现发达乡。

党委书记：冯松江
乡　　长：刘占军
地　　址：长春市宽城区青年路甲2－18号
邮　　编：130052
电　　话：(0431)2931610　2937099
传　　真：(0431)2931572

党委书记：冯松江

领导班子运筹帷幄，共商发展大计。

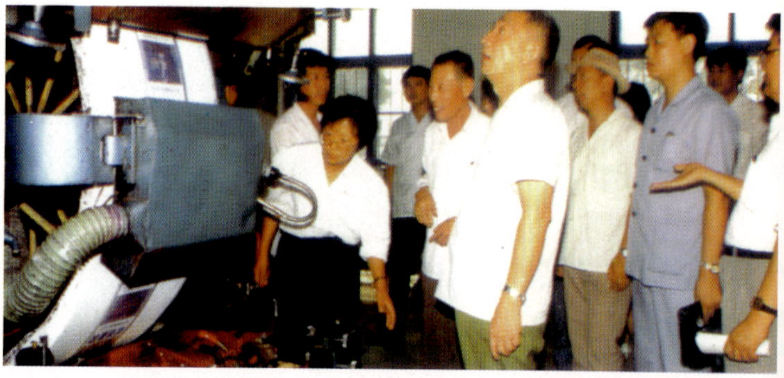

邹家华副总理视察奋进乡镇企业。

古朴典雅、宫庭式建筑的敬老院。(上)

风格各异的社员新居。(中)

高标准的教学楼，正在培育跨世纪的农村各类人才。(下)

长春市南关区幸福乡

乡党委书记：陈世栋

乡长：刘少平

弟式日光温1室蔬菜生产基地

中外合资长春豪华鞋业有限公司

吉林省综合經濟實力强鄉(镇)

长春市南关区幸福乡，位于长春市南部，是一个城乡结合的区域。方园57.8平方公里，共有7个行政村，64个自然屯，总人口为27959人，耕地面积34500亩，其中，菜田面积24100亩，是长春市重要的蔬菜、付食品生产基地之一。

在良好的投资环境吸引下，幸福乡与科研单位，大专院校及国营大型企业的联合项目正在发挥巨大作用。机械、冶金、化工、轻工、建材、电子及农付产品加工已自成体系，并初具规模。乡镇企业现已发展到913户，其中集体工业、企业有77户，个体为836户，外商投资企业已达4户。1994年乡镇企业总产值实现5.5亿元，其中集体工业产值达到3亿元。95年全乡社会总产值已达10.6亿元，全口径人均收入达到2512元。

八五期间已建成两个蔬菜生产基地，每年可向城市提供无污染、无公害的新鲜蔬菜6556万公斤。

全乡现有奶牛、生猪、蛋(肉)鸡等生产基地，每年可向城市提供鲜奶36万公斤，猪肉16万公斤，肉鸡32万只，鲜蛋15万公斤，活鱼350万尾。

文教、卫生及社会福利事业迅速发展，共投资近200万元用于改建中小学校舍，1993年被国家教委评为"普及初等教育"合格乡。乡政府投资60万元与建了敬老院。

在幸福乡境内占地80公顷的长春高新技术产业开发区卫星科技园可享受国家级开发区的各项优惠政策。横贯我乡的斯大林大街及"四长"高速公路为我乡的经济发展创造了良好的条件。1994年被市委、市政府评为长春市综合经济实力10强乡镇第三名。1995年被省政府评为吉林省综合经济实力百强乡镇第四名。

党委书记：陈世栋
乡长：刘少平
地址：长春市南关区幸福街21号
邮编：130022
电话：(0431)5685346
5682215

吉林省綜合經濟實力强鄉(镇)

长春市朝阳区城西乡

城西乡位于长春市西北部，隶属绿园区，距市中心6公里，系城乡结合部。全乡耕地面积3258公顷，乡村企业164户，总人口56563人。

城西乡地理位置优越，交通四通八达，长春唯一的航空口岸——长春机场位于乡内。迎宾路、长农、长郑、长白公路、铁路及正在兴建的绕城高速公路都在乡内穿过。

党的十一届三中全会以来，全乡各项事业迅猛发展。仅1994年向市内提供蔬菜7000万公斤，提供肉、蛋、奶14891万公斤，企业创利税总额8000万元，财政收入1184万元，人均收入1680元。全乡已有三个产值超亿元的村，占全省亿元村总数的四分之一。六个工业小区、四条沿线经济、五大主导行业已初具规模。

目前，全乡已基本上形成了农、工、副、种、养、加、贸、商、服一体化发展的新格局。

城西乡是长春市市区经济发展主要乡镇之一，除有便利的交通、通讯、电力设施外，文化、教育、卫生、社会福利等各项事业也同步发展，是长春人才、科技、工业农业、第三产业开发的最佳之地，是投资者的理想选择。

党委书记：李长信
乡长：李长江
地址：吉林省长春市西安大路163号
邮编：130111
电话：(0431)7979534
7979498

党委书记：李长信

蔬菜生产基地

乡多种经营饲养的梅花鹿

长春市朝阳区城西乡

吉林省综合經濟實力强鄉(鎮)

政府办公楼

高标准的教学楼

新型的农村村委会办公楼（四间村）

生产汽车橡胶制品及各种型号胶垫的长春汽车橡胶制品有限责任公司

生产无公害有机液体、化肥及生物工程系列产品的美国扬氏集团中外合资吉林政山生物工程有限公司

长春市朝阳区双德乡

党委书记: 李贵血

乡　长: 赵洪喜

双德乡同心村蔬菜生产基地

上: 长春市全达金属结构压力容器有限公司
中下: 高标准的教学楼培育着新一代人才

吉林省綜合經濟實力强鄉(鎮)

双德乡位于长春市西南部,总面积46平方公里,总人口12909人,它毗邻“两城一厂一区”(汽车贸易城、电影城、汽车厂、高新技术开发区),所辖7个村,有4个村环抱中国第一汽车集团公司。双德乡是吉林省乡镇企业创利税大乡。

1995年,全乡已发展乡村企业154家,其中产值超千万元的企业20家,外资、合资及外向型的企业6家,为一汽产品配套的企业18家,全乡全口径产值达到158898万元,实现利税10528万元,固定资产达到12332万元,出口创汇238万元。全乡7个村全部成为亿元村,其中有3个3亿元村,1个2亿元村,3个1亿元村,全乡已建成6个“工业小区”,其中有5个被命名为“省级工业小区”。

双德乡企业以起步早,发展快,总量大而闻名全省。形成了以铸造锻造、行走机械、建筑建材、医药化工、食品饮料、服装鞋帽、机电产品为支柱行业的企业群体,企业产品主要有汽车配件、电脑软磁盘、系列铸铁管、高低压系列开关柜、服装鞋帽等。

双德乡依靠优越的地理环境,宽松的招商政策,面向市场,广交朋友,不但培养务和造就了一批具有现代企业家风范的新型农民,而且还正依靠现代化的管理手段,先进的技术设备跨出省门、踏出国门,走向世界。

党委书记: 李贵血
乡长: 赵洪喜
地址: 吉林省长春市前进大街72号
邮编: 130012
电话: (0431)5952691

长春市净月镇

吉林省综合經濟實力强鄉(镇)

净月镇幅员86平方公里，总人口3.4万。全镇辖8个行政村、7个居民委。该镇地处长春市净月潭旅游经济开发区窗口，长大公路4公里处，东与二道区三道镇遥遥相对，南有风景秀丽的国家级森林公园——净月潭渡假村相点缀，西与吉林农业大学毗邻，北与长春市经济技术开发区接壤，处于四长高速公路、长大公路、长伊公路三条交通干线枢纽的交汇地，交通便利、四通八达，地理位置优越、物产资源丰富、自然环境优美宜人，是镶嵌在市区外的一颗璀璨的明珠。

1995年，净月镇社会经济总产值达74867万元，财政收入达425万元。镇属企业产值70600万元，销售收入实现56480万元，利润实现4818万元。农林牧渔业总产值4308万元，其中农业产值实现23.95万元，多种经营收入达1913万元。农民人均年收入达到2181元。被省政府评定为全省综合经济实力百强乡(镇)第7名，被省镇将以良好的投资环境欢迎社会各界投资兴业。

党委书记：王立中
镇长：孙彦
邮编：130017
地址：长春市净月旅游经济开发区净月镇政府
电话：(0431)4513740

党委书记：王立中

净月纸制品厂生产车间一角

净月羊毛衫厂开发的系列服装产品

镇政府办公楼

四平市铁东区城东乡

吉林省综合經濟實力强鄉(镇)

四平市铁东区城东乡，位于市区东南部，是一个城乡结合的区域。方圆31平方公里，辖七个行政村，27个自然屯，总人口为17000人，耕地面积21000亩，是以乡镇企业为主体、蔬菜生产为基础的近郊型富裕乡。

党的十一届三中全会以来，城东乡党委、政府、认真执行党在农村的各项路线、方针、政策，坚持两个文明建设一起抓，全乡经济发展、社会各项事业取得显著成绩。1995年被市委、市政府命名为小康达标乡；先后被农业部批准为全国乡镇企业东西合作示范区；省乡镇企业工业开发小区；省松辽平原农业综合开发示范区；1995年被四平市委确定为乡(镇)实行企业集团化经营、机关企业化管理综合改革试点单位，批准成立四平市城东集团总公司。

经过近几年的不断努力，乡镇企业成为全乡经济的主体，已发展到1336户，其中集体企业58户，个体、私营企业1278户，1995年全乡社会总产值完成4.5亿元，其中乡镇企业完成产值4亿元，实现利税5000万元。人均收入达到1902元。蔬菜生产逐步向保护地、优质、高产、高效、工厂化方向发展。每年向城市提供新鲜蔬菜7,000万公斤。以生猪、鸡、羊为主的养殖业，每年向市场提供肉、禽蛋10万公斤。教育、科技、卫生、乡村建设迅速发展，形成了设施完善，综合配套，功能

党委书记：刘凤春

班子成员

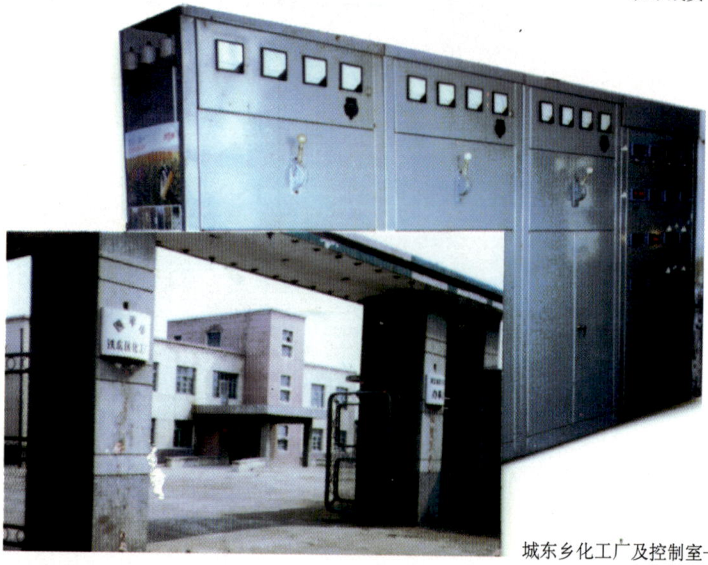

城东乡化工厂及控制室一角

油料加工厂车间

蔬菜大棚

四平市铁东区城东乡

乡长:徐真良

乡企业

四平市高效换热器厂及产品

四平启东有机化工厂及产品

吉林省綜合經濟實力强鄉(鎮)

先进,环境优美的景象。近几年来,乡政府投资150多万元,新建两所教学楼,七所小学全部达到了甲级标准。投资30万元新建乡敬老院,改善了敬老院人员医疗、居住、生活条件。

得天独厚的地理位置,四通八达的交通网络,丰富的水电资源,良好的投资环境,我们将一如既往全方位开放城东,奉行互惠互利的合作原则,真诚欢迎国内外有志人士来我乡进行多种形式的合作,携手发展,谋求双方的共同繁荣。

党委书记:刘凤春

乡长:徐真良

地址:四平市铁东区和平大路

邮编:136001

电话:(0434)

3388425

3385024

吉林省綜合經濟實力强鄉(镇)

农安县合隆镇

合隆镇是农安县最大的建制镇,南距省城长春15公里,北距县城农安45公里,长白铁路,长白公路沿东西两边南北延伸,国道302线从镇中穿越。全镇幅员面积148平方公里,总人口66000人,辖19个行政村、16个居民委、1个街道办事处。

三年来,合隆镇的主要经济指标一直处于全县前列:

——95年社会总产值达到5.5亿元;人均收入达到2525元。

——粮食生产持续稳步增长。

95年的粮食产量达到92032吨,粮食产值达到9200万元,荣获了长春市粮食生产十强镇和农安县粮食生产大镇的称号。

——多种经营和畜牧业的生产实现突破性发展,到95年末,全镇多种经营产值达到4300万元,畜牧业产值达到1亿元,荣获了长春市畜牧业生产十强镇、农副产品加工十强镇和农安县先进镇的称号。

——乡镇企业实现跨跃式发展,运行质量明显提高。

"八五"期间,合隆乡镇企业固定资产总投入达到2.4亿元,95年全镇乡镇企业总产值达到3.2亿元,荣获了长春市乡镇企业十强镇和农安县发展乡镇企业第一名的称号。

回顾"八五"期间的发展历程,合隆镇在全面加强农业基础地位的同时,主要抓了以下几项工作:

镇党委书记:李庆祥

合隆和平服装市场

上:合隆立新服装厂
下:合隆服装总厂

合隆大酒店

繁荣的农贸市场

农安县合隆镇

镇长：蔡光

塑料大棚及鹿场一角

吉林省综合經濟實力强鄉(镇)

——以加快“两个转变”为重点，再造了乡镇企业发展的新优势。

——以市场建设为主要内容，以改善开发环境为重点，实现了小城镇建设的新突破，实现了商贸开发的新突破。

——坚持两手抓、两手硬的方针、实现了党建和精神文明建设的新突破。

为此，“八五”期间，合隆镇荣获了一系列殊荣：93年3月被省政府确立为省级工贸小区，94年4月被列为吉林省综合改革试点单位，“十强镇”，95年被确立为国家级小城镇建设试点镇，同年被评为吉林省综合经济实力百强镇。

“九五”期间，合隆镇党委确定了更新的发展思路，那就是，围绕一个目标（国家级强镇建设），加快两个转变（经济体制和经营方式），突出三个重点（人均收入、龙型经济、科技教育）、实现四个升跃（小城镇建设、乡镇企业、商贸开发、党的建设）、全力实现“551”工程（即5个利税超千万的乡镇企业、5个省级强村、1000个人均年纯收入超万元的强户），把合隆建成农业大镇、企业大镇、商贸重镇、经济强镇、两个文明建设先进镇。

党委书记：李庆祥
镇长：蔡光
地址：长春市农安县合隆镇
邮编：130216
电话：（0431）3432558
3432357

合隆丰华服装厂

长春市宽城区兴隆山镇

吉林省综合經濟
實力强鄉(镇)

兴隆山镇位于长春市东部四公里处，幅员面积190平方公里，人口6.5万人，内辖17个居民委，13个行政村。

交通便利。京哈、长图两条铁路和京哈、长吉两条公路从境内穿过。有两处火车站和可供运输的专用线。

水源丰富。地下为地质断列带，距中日友好水厂仅一华里。可直接引用。

电力充足。境内有两条6万6千伏高压输电线路通过，两座变电所，装机容量为1.2万千伏。

工业发达。有长春第一汽车制造厂专用车厂，长春市陶瓷厂，长春药厂，深圳天城医药有限公司，吉林正大肉品加工厂等。28家大中型企业座落在兴隆山境内。

粮丰仓满。农作物主要盛产玉米、大豆、高梁；副业有：肉、蛋奶、果、鱼业等是长春市重要的副食品基地。

党委书记：苗旭阳
镇长：隋成斌
地址：长春市宽城区
兴隆山镇
邮编：130102
电话：(0431)4591502
4591503

党委书记：苗旭阳

镇长：隋成斌

长春市绿园区西新乡

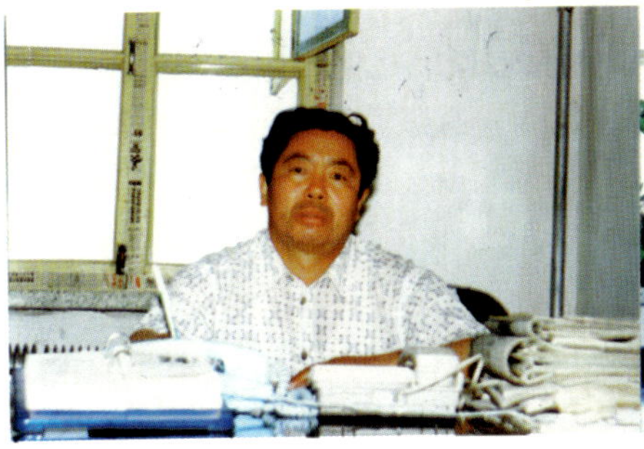

乡党委书记：隋修君

乡长：曹春祥

乡政府办公楼

乡文化宫

吉林省綜合經濟實力强鄉(鎮)

西新乡地处长春市的西北部，近邻一汽集团公司，全乡幅员面积80平方公里。

到1995年底，蔬菜大棚857栋，日光温室1221栋，育苗温室2022栋，保护地面积102公顷，高标准蔬菜示范园区61处，蔬菜总产6423万公斤，粮食单产6500公斤，人均收入1863元，农民负担仅占人均收入2.32%。

在发展乡村企业方面，坚持以科枝为先导，以一汽为依托，以集体企业为重点，以村办企业为龙头。现已引进科技和管理人才85名，有18个企业和项目为一汽生产配套，超千平方米厂房30多家，汽车同步环厂的产品列为国家“八五”星火计划产品；双丰汽车改装厂产品出口欧洲；水箱设备厂的产品填补国内空白。去年底企业全口径产值4亿元，利润3100万元，分别比上年增长15%和13%。在发展多种经营方面，按照专业化、系列化的工作路数，加大工作力度，拓宽致富渠道。

西新乡地域辽阔，地下水资源丰富，近离市区，交通方便，热诚欢迎中外有识之士，前来开发合作，共展宏图。

党委书记：隋修君
乡　　长：曹春祥
邮编：130112
地址：长春市绿园区西新乡人民政府
电话：(0431)7974702

公主岭市范家屯镇

吉林省综合經濟實力强鄉(镇)

范家屯镇位于公主岭市的东南部,距长春30公里。辖5个街、4个村,幅员面积31平方公里,总人口6万人。102国道和京哈铁路均从本镇内经过。优越的地理位置和交通环境,为经济发展奠定了较好的基础和得天独厚的优势。1990年被省政府确定为综合改革试点镇、1992年被公主岭市批准为综合开发区、1993年被省政府批准为经济强镇、省乡企委命名为乡镇企业开发小区,1995年被国家建设部批准为小城镇建设试点镇。并授予市级经济管理权和审批权。

几年来,我们坚持解放思想、扩大开放,以提高经济质量和效益为中心,实施“城乡联动、综合开发”战略,推进了城乡一体化进程,实现了建设经济强镇的奋斗目标。1995年,实现社会总产值3.69亿,财政收入922.8万元,农村人均收入2233元。先后被四平市命名为小康达标乡镇,项目开发先进镇。荣获公主岭市综合经济实力强乡、乡镇企业大乡、发展个体私营经济第一名、计划生育和社会治安立功单位等荣誉称号。

我们热忱欢迎国内外有识之士来范家屯参观考察、投资建设、创办实业。并将为您提供宽松政策,优惠待遇,良好环

书记:萧惠忠

镇新建的仿古一条街

公主岭市范家屯镇

吉林省综合經濟
實力强鄉(镇)

境,优质服务。

镇委书记:萧惠忠
镇长:刘子义
邮编:136105
地址:吉林省公主岭市范家屯镇
电话:(0434)6812794 6812240

镇长:刘子义

镇102线工贸开发区

九台市卡伦镇

吉林省综合經濟實力强鄉(鎮)

卡伦镇地处松辽平原中部,位于九台市西部,与长春市接壤,又处在长春至珲春经济开发带首端,距长春市12公里,吉长、京哈公路、长图铁路横贯卡伦,地理位置优越、交通便捷,幅员150平方公里,镇下辖17个村,四个居民委,总户数12560户,总人口48310人。煤、电、沙石等资源丰富,交通设施完备。盛产玉米、水稻、大豆等农副产品,县有发展商品经济得天独厚的自然优势。

1992年以来,共引进资金3.8亿元,引进项目129个,其中,工业项目62个,商饮项目67个。在引进的项目中,投资2000万元以上的四个,一是投资2200万元兴建的东诺有色型材厂,年产值达到1亿元。二是投资中港合资2000万元兴建的东大植物油厂,年产值8000万元。三是投资2500万元兴建的卡伦饲料原料储备库,年产值2.2亿元。四是投资1.2亿元新建的卡伦湖旅游渡假村,现已完成宾馆、饭店、水上乐园、射击俱乐部,各种中高档别墅等40多项设施,现已开业接待游客,到目前为止,全镇规划的工业商贸、办公、旅游、住宅五个区除住宅区外,其它四个区已初具规模。

到1995年底,全镇工农业总产值达到5.2亿元。财政收入达到628万元,人均收入达到2340元,社会

镇党委书记:杨春富

卡伦湖水上游乐场之一

卡伦湖畔的农田

九台市卡伦镇

镇长：刘文印

卡伦湖西苑宾馆

宾馆内设施

商品零售总额达到3.7亿元。

卡伦1992年被长春市批准为经济开发区，1993年被省确定为工业小区和全省“十强”镇，1994年被国家农业部批准为东西部合作实验区，1995年被国家体改委等十一个部委批准为全国小城镇综合改革试点单位。

党委书记：杨春富
镇长：刘文印
地址：吉林省九台市卡伦镇
邮编：130507
电话：(0431)2553260

吉林省综合经济實力强鄉(镇)

吉林市丰满区江南乡

江南乡位于吉林市松花湖和市区的结合部，占地面积186平方公里，17个自然村，总人口23239人。地理环境优越，江湖环抱，山明水秀，基础设施配套，科学技术密集，交通便捷，风景宜人。

95年全乡工农业总产值5.3个亿，其中，工业产值达到92%以上。工业、建筑业、旅游服务业成为乡经济发展三大支柱产业。全乡人均收入超2100元，有12个村已迈进“小康村”的行列。

全乡经济发展形成了三环格局“近郊形成了为大工业配套协作的乡企发展优势；中郊形成了蔬菜副食品基地优势；远郊形成了旅游业开发优势”。1996年乡党委、政府提出了要三年内建成：“四强乡”即“地区不可比优势的工业经济强乡；第三产业经济发展强乡；蔬菜副食品生产强乡；省级精神文明强乡的标准”，并已逐步开始实施。在现有的基础上，加大工业的比重，重点发展旅游业。最大限度的利用地位优势和丰富的旅游资源优势，对外奉行“四引一联”的方针，将发展的重点有计划的向中远郊扩散，推进全乡经济的平衡发展。

真诚地欢迎各界有识之士来我乡考察投资或合作，携手共创未来。

党委书记：裴九新
乡长：魏连章
地址：吉林市恒山西路
邮编：130011
电话：(0432)4661720

党委书记：裴九新

乡　长：魏连章

公主岭市苇子沟乡

乡长兼党委副书记、
四平市苇子沟集团总公司总经理：
李海丰

乡政府办公楼

公主岭市粮油食品加工厂

公主岭市淀粉厂

吉林省综合經濟實力强鄉(镇)

苇子沟乡地处公主岭市近郊，全乡辖6个村，32个屯，耕地面积1173公顷，农业人口1.2万人，乡村两级集体企业53户。

1995年末，全乡社会总产值达50065万元，其中企业总产值达4.35万元，财政收入417万元，农民人均收入2200元。全乡已有95%的农民住进了砖瓦房，部分农民住进了楼房；电视普及率达到到97%；安全饮用水和用电户数达到了100%；通公路、电话的村屯达到了100%；已有16%的农户安上了程控电话；全乡普及了九年义务教育，六所学校已有4所实行集中供热，扫除了青壮年文盲；部分村屯实行了养老保险和公费医疗。农民年均预期寿命达到了72岁；重大刑事案件发案率连续9年控制在5‰以下。按国家统计局公布的小康标准，该乡已于94年实现了小康目标。几年来，该乡曾先后被国家农业部和国家民政部授予“科技进步先进乡”和“中国乡镇之星”称号，被省政府评为“综合经济实力强乡”，被公主岭评为“乡镇企业大乡”。如今，全乡人民在乡党委的正确带领下，正满怀豪情地向富裕乡的目标迈进。

乡长：李海丰
地址：吉林省公主岭市苇子沟乡
邮编：136100
电话：(0434)6214927

白山市八道江区市郊乡

吉林省综合经济实力强乡(镇)

市郊乡位于白山市八道江区两府所在地。幅圆面积181平方公里,辖15个行政村,2.4万人口。

市郊乡地处市区近郊,有着得天独厚的物产资源和较为丰富的地下矿产资源。市郊乡党委、政府高瞻远瞩,因地制宜制定并实施了“增菜稳粮、兴办工商、发展畜牧、多栽果树、服务城市、富裕全乡”的战略方针,立足实际、广泛利用资源优势,积极发展规模企业和支术产业;充分利用近郊优势,有效发展生态农业。尽而使全乡的集体企业有了长足发展,个体企业星罗棋布,农林牧副渔五业兴旺,各项事业齐头并进。全乡发展乡、村、个体企业1663个,有全省最大的村办农贸批发市场和省级风景旅游区,境内有4平方公里经省政府批准建设的“市郊企业小区”,正在开发建设。目前,正以工业企业为主,逐步向以建材、煤炭、铸件为主的企业集团化方向发展。全乡社会总产值在1992年超亿元之后,每年以36%的速度递增。到1995年,达到3.8亿元,人均收入达1937元,全乡15个村全部达到小康村标准,被市委、市政府命名为“小康建设达标乡镇”和“经济综合强乡”的光荣称号。1993年9月,被国务院农业部授予“发展乡镇企业先进乡”的称号;1995年11月,在全省综合经济实力百强评比中,荣获第17名。

党委书记:曲会
地址:白山市八道江区市郊乡
邮编:134300
电话:(0439)3227324
3227476

党委书记: 曲会

省级风景旅游区—青山湖

年产8.8万吨水泥厂

敦化市江南乡

领导班子在研究工作

木器厂生产车间

华康产品血栓心脉宁

汽修厂自动检测投产

吉林省綜合經濟實力强鄉(镇)

江南乡地处敦化市区,1985年建乡,1992年实现产值1.1亿元,成为延边州第一个跨入亿元的乡镇。

江南乡交通、通讯方便,长圆铁路、乌图公路、鹤大公路和敦白公路横贯全乡东西南北。

全乡辖19个村,其中少数民族村6个。总人口11255人。其中农业人口9753人,非农业人口1502人。土地面积6.1平方公里,1995年全乡人均收入2600元。

江南乡1993年被省乡企局批准为省级乡镇企业小区,1994年9月被农业部批准为国家东西部合作示范区,1994年10月被国家环保局批准为环保产业发展园区。

全乡现有制药、汽车改装、电子、化工、啤酒、饮料、服装、轧钢、木材加工、建筑等工业企业63户,固定资产7152万元,1995全乡全口径产值32,509万元,销售收入实现25,984万元,利润实现2,234万元,财政收入实现1,778万元,企业实现利税超千万元的1户,利税超百万元的3户。95%的农民住房实现砖瓦化,95%的村成为文明村,有17个村实现了小康村。

党委书记:刘太春
地址:吉林省敦化市江南乡
邮编:133700
电话:(0433)6222877
6223689
传真:(0433)6231558

长春市双阳区奢岭街道办事处

吉林省综合經濟實力强鄉(鎮)

长春市双阳区奢岭街道办事处位于"中国梅花鹿之乡"双阳区的西北部,距长春市中心区25公里,与国家森林旅游区长春净月潭接壤,幅员面积152平方公里,辖11个行政村、102个社、78个自然屯、三个居民委,总人口3万人。1992年8月经长春市人民政府批准,成立了奢岭经济开发区,1993年被省政府确定为省级乡镇企业工业小区,1995年3月国家农业部批准为全国乡镇企业东西部合作示范区。

办事处经过几年来的改革开放,引资招商,三大主体产业呈现综合经营、协调发展的新格局。现有各级各类企业605户,从业职工4,000余人,其中集体工业企业43户,"三资"企业7户,已经形成了石油化工、建筑材料、机械加工、工艺美术、医药包装、硅酸盐、建筑安装、粮食深加工等十多个门类的工业体系。到1995年末,实现工农业总产值3.51亿元,其中,乡

党委书记: 刘海军

班子成员在共商发展大计

办公大

金谷有限公司外景

功能齐全的医院大楼

长春市双阳区奢岭街道办事处

主任：赵春方

2万千伏安的变电控制室

吉林富华国际乡村俱乐部

正在建设中白水泥厂

镇企业总产值2.5亿元，粮食生产几年来一直稳定在1亿斤以上，实现产值5，000万元；以畜牧业为主的多种经营已形成规模，牛、猪、鹿、禽、瓜果、细菜等生产基地已经形成，年产值达到5，100万元，全街1995年实现利税3，000万元，人均收入达到2，255元。

奢岭街道的办事处本着“开拓进取，务实创新”的精神，正在向大规模、高科技、外向型和多层次方向发展，计划2000年社会总产值达到10亿元，利税1亿元，2，010年社会总产值达到25亿元，利税2.5亿元。

党委书记：刘海军
主任：赵春方
地址：长春市双阳区奢岭街道办事处
邮编：130607
电话：(0431)4161316
4161317

吉林省綜合經濟實力强鄉(镇)

长春市朝阳区大屯镇

大屯镇是1958年经国务院批准的建制镇。幅员面积101平方公里,耕地面积5141公顷,辖10个行政村、12个居民委、36个自然屯。

1995年全镇粮食产量已达5000万斤,蔬菜生产2500万斤,农业收入6500万元;蛋鸡12万只,肉鸡20万只,生猪1.5万头,奶牛600头、黄牛1200头,畜牧业收入1800万元;林、果、渔业收入200万元。企业产值3.1亿元,利税2700万,农民人均收入1780元。

该镇将实施以科技为先导,以一汽为依托,以镇、村企业为龙头,以三产业为重点,以外向型经济为突破口的发展战略,推动农村经济的社会协调发展,促进全面繁荣。

竭诚欢迎国内外厂家、客商、有识之士,充分利用我镇得天独厚的自然条件及优惠政策前来投资办厂。

党委书记:曲凤田
镇长:王国范
邮编:130103
地址:长春市朝阳区大屯镇
电话:(0431)5931096

镇党委书记:曲凤田

镇长:王国范

镇办企业第一汽车制造厂车身附属厂第一分厂

为一汽车生产的配套产品
CA141、CA142前翻

长春市绿园区合心镇

吉林省综合經濟實力强鄉(镇)

镇长　孙宏

长春联华轧钢厂车间一角

镇政府办公楼

长春联华轧钢厂厂区一角

合心镇位于长春市西北部，面积156平方公里，境内土地肥沃，林茂粮丰，资源丰富。改革开放，使合心镇的各行各业都发生了巨大的变化，几年来先后被国家科协评为科技普及推广先进单位；被长春市政府批准为经济开发区；被省科委列为全省十大高效农业科技示范园区之一；被省乡企局命名为省级乡镇企业小区；被省体改委批准为综合配套改革试点镇。

合心镇地理位置优越，交通方便。距长春市区仅10公里，长白公路、长郊公路穿境而过，正在建设的绕城高速公路横穿本镇，并设有立交道口，到长春国际机场仅需20分钟。水电资源丰富，为合心镇的工农业生产和人民生活提供了保证。1995年全镇工农业总产值达到5.3亿元，农民人均收入1800元。

合心镇投资环境优越，政策优惠，欢迎各界朋友投资开发，兴办实业，大展宏图。

党委书记：熊宝山
镇长：孙宏
地址：长春市绿园区合心镇
邮编：130113
电话：(0431)7989541
7989538

吉林省综合經濟實力强鄉(镇)

长春市南关区新立城镇

新立城镇地处净月潭和新立城水库青山绿水的环绕之中，西临伊通河畔，北抵长春市外环路。全境幅员56平方公里，人口23805人，耕地面积3357公顷。

近几年全镇经济获得迅速发展。1995年，全镇社会总产值43049万元，其中农业总产值为12697万元，乡镇企业总产值为23944万元，第三产业总产值6408万元，实现财政收入544.8万元，人均收入1720元。被批准为“长春市小城镇综合改革试点镇”。其新立城清代“长春厅”县衙古迹的旧貌恢复、国家投资1000万元的丰收灌区水利工程的更新改造以及工业、旅游小区的开发建设，均可为这里的经济注入新的生机与活力。

自1992年起，该镇曾连续三年获得区级“两个文明建设先进镇和财政收入第一镇”的表彰和奖励。

党委书记：詹继远
镇长：孙长海
邮编：130119
地址：长春市南关区新立城镇
电话：(0431)4511061
4511060

镇属企业长春市植物油厂

党委书记詹继远

镇属企业中国石化物资装备公司长春密封制品厂

镇政府办公楼

江源县石人镇

镇党委书记：孙玉达

镇长：王绍东

吉林省綜合經濟實力强鄉(镇)

石人镇是白山市江源县的一个山区工矿商贸小集镇。91年建成省级“工业小区”，94年列为全省“十强镇”之一。幅员44.3平方公里，2.7万人口，矿产资源丰富，有煤炭、硅酸盐矿，特别是低品位铝钒土得天独厚，储量达100亿吨，为发展建陶工业提供了极其丰富的原料。

立足当地资源，大力推动乡镇企业发展。坚持了以建材产品为主体产业，带动了煤炭、冶炼、铸造各业的蓬勃发展。使全镇的经济建设逐步形成了以页岩瓦为龙头，系列开发土陶工艺制品和煤炭、暖气片、钢材、白灰等质量高、价格低的新型产业格局。

石人地区已建成页岩瓦生产线34条，总产量达2.13亿片，年产值5410万元，利税1700万元，并由此带动了各业发展，有力地推动了镇区经济，展现了超常规发展的好势头。1995年末，镇区工农业总产值达到19909万元，其中农业产值1260万元，乡镇企业产值18649万元，乡镇企业利税2536万元，农村人均收入1870元。呈现了高速度、高效益运行的良好态势。

党委书记：孙玉达
镇长：王绍东
地址：白山市江源县石人镇
邮编：134323
电话：(0439)3782197
3782412

辽源市龙山区山湾乡

吉林省综合經濟實力强鄉(镇)

山湾乡地处辽源市城区东北郊,幅员54.4平方公里,下辖7个行政村,总人口19919人,其中农业人口14817人。1995年全乡社会总产值实现19456万元,乡财政收入达到319万元,农民人均收入达到1803元。

农业以蔬菜为主,总耕地面积2.5万亩,是辽源市重要的菜、肉、蛋、奶的生产基地。1995年农业总产值实现3077万元。

乡村企业以冶炼、建材、建筑行业为主,乡村两级共有企业30户。1995年乡镇企业总产值实现16379万元。

几年来,山湾乡先后被辽源市委、市政府评为"实施农村工业化先进乡镇"、"发展农村经济明星乡",被省政府命名为"省级乡镇企业小区",被农业部评为"新产品开发先进乡",乡党委先后被区委评为"创先争优工作先进党委"、"百分优胜、政绩突出领导班子",被市委评为"先进基层党委"。

党委书记:邸树贤
乡长:闻景友
邮编:136200
地址:辽源市龙山区东吉大路505
电话:(0437)3239474
3239473

乡党委书记:邸树贤

乡长:闻景有

乡办工业硅厂一角

吉林市船营区欢喜乡

乡党委书记：岳立峰

乡长：戴敬党

吉林市北方干燥设备厂生产的国家专利产品圆盘式干燥机

吉林省综合經濟實力强鄉(镇)

欢喜乡位于吉林市城区西部，幅圆96平方公里。聚居着汉、满、朝、蒙、回五个民族，人口有1.9万人。耕地面积有1562.36公顷，蔬菜地面积有550公顷，占总耕地面积的35%。

1995年全乡实现社会总产值3.03亿元，人均收入达到1650元，列全省百强乡(镇)第28位。全乡农业生产以蔬菜为主，庭院经济和多种经营也很发达，形成了以轻纺、机械、电气、木器和建材等一些骨干企业，开发出旋转式闪蒸干燥机和“富鑫山”牌冷轧带肋钢筋等一批名优、专利产品。在发展旅游业上，充分利用西团山文化遗址和骚达沟古墓群座落在乡境内并有很高知名度的优势，以这两处重点文物保护遗址开发为重点，先后兴建有远大旅游渡假村、乾隆商贸一条街和西团山朝鲜族民俗乐园等旅游设施。建设中的吉长高速公路出口处也座落在本乡境内，优越的交通条件将极大地促进欢喜乡经济建设事业的进一步发展。

书记：岳立峰
乡长：戴敬党
地址：吉林市船营区欢喜乡
邮编：132012
电话：(0432)4841547

吉林市乘胜开关厂生产的PGL低压开关柜产品（国家定点生产单位）

吉林市船营区北方机械厂车间一角

九台市九郊乡

吉林省綜合經濟實力强鄉(鎮)

九郊乡位于九台市郊，辖14个村，3.4万人口。有稻田3000垧，旱田2095垧。全乡幅员面积112.17平方公里。每年产大米1.61万吨。自然水面1500亩，年产鲜鱼50万斤。乡内水、电、路便利，物产资源丰富，被称为“鱼米之乡”。1995年，全乡粮食生产达到3.3万吨。年产值5800万元。

乡内“省级工业小区”现有化工、商贸、建材、机械加工等48家企业，年产值达7000万元。

乡内支柱产业的“长春第一开关厂”，年产值达500万元。

九台风机厂生产的引风设备，年产值达300万元。中外合资的“金碧钢管有限公司”生产的无缝钢管，年产值达2000万元。

全乡多种经营，每年向市场提供大量的肉、蛋、鱼、瓜、果、菜等农付产品，实现产值3700万元。

全乡社会总产值达2.55亿元，人均纯收入2000元。

党委书记：柴路喜
乡长：刘长春
地址：吉林省九台市曙光街70号
邮编：130500
电话：(0431)2324177

党委书记：柴路喜

乡　长：刘长春

长春市第一开关厂

省级工业小区

梨树县梨树镇

党委书记：毕海

镇　长：付贵

吉林省综合經濟實力强鄉(镇)

梨树镇素有"买卖街"之称，全境面积10平方公里，人口71961人。全镇逐步形成了以镇办工业、农业、个体、私营企业三业并进的新的经济发展格局。全镇已拥有铁塔、开关、纺织、服装加工等三大门类13家工业企业，至95年末，全镇工业企业完成产值13297万元，利润1117万元，上缴税金350万元。95年，被市、县命名为"乡镇企业亿元镇"。农业已经形成了以永久性大棚种植蔬菜为主的专业化生产基地。95年蔬菜总产量已突破3000万斤大关，菜农人均收入超过2000元。个体、私营业户已达到3948户，年可创产值1亿元，成为全镇经济发展的重要生长点。95年，该镇光荣地跨入了全省百强镇行列。

梨树镇地理位置优越，交通、通信、水电资源等城市基础设施已具现代化规模，是商家必争之地，到此投资、经商、办企业是各位有识之士的最佳选择。

党委书记：毕海
镇长：付贵
地址：吉林省梨树县梨树镇奉化大街42号
邮编：136500
电话：(0434)5222037
5223228

吉林省梨树铁塔厂

长春市双阳区平湖街道办事处

吉林省综合經濟實力强鄉(鎮)

平湖街道办事处地处双阳城区以南,幅员87.1平方公里,耕地面积4061公顷。辖10个行政村和14个居民委,总人口47000人,其中农业人口18883人。

1995年办事处工农业总产值达到了32500万元,其中街村企业总产值达到了20000万元,占总产值的60%,上缴税金1880万元,获利润300万元。"八五"期间,累计固定资产投资达8000万元。农村人均收入达到2040元,本级财政收入达150万元。以银瀑啤酒为龙头的企业集团,下属企业37家,产值超千万元企业1户,超百万元企业7户。

办事处地理位置优越,交通便利,资源丰富,山水宜人。整个双阳城区的南中部均属该办事处的管辖,境内交通便捷,四通八达,土地肥沃,有山、有水。地上电网交叉,地下天燃气管道纵横,可随时随地接取使用。劳动力资源潜力较大,现有剩余劳动力8000余人。为了吸引客商来办事处,在上级已给政策的基础上,又制定了出了较为优厚的鼓励政策。真诚地欢迎海内外有识之士来此投资办企业。

党委书记:李显富
主任:李刚
地址:中国长春市双阳区西大街
邮编:130600
电话:(0431)4223244

党委书记:李显富

主　任:李刚

蔬菜大棚

平湖第一砖厂生产车间

农安县开安镇

书记：王成和

镇长：杨玉军

班子在研究工作

吉林吉龙粮油开发有限公司

吉林省综合經濟實力强鄉(镇)

开安镇位于农安县城和长春市之间，距离两地各35公里。全镇辖12个村民委员会，1个居民委员会，135个村民小组，7310户，总人口33756人，其中城镇人口3150人。

1995年全镇工农业总产值达到30900万元，其中乡镇企业产值10440万元，多种经营产值3100万元，畜牧业产值10500万元，粮食产值7140万元。农民人均收入2620元。

开安镇地理位置优越，交通便利，长白铁路，图乌公路在镇内穿过。现在全镇共有集体、个体、联合体、股分制企业165家，初步形成了以铸造、机械、农副产品加工为主体的企业格局。全镇从事工商建运服劳的个体工商业户1480个。全镇非农产业从业人员5000余名，占劳力总数的41%。

开安镇热忱欢迎海内外有识之士前来兴办工业和农牧产品深加工企业，并为之提供一切方便条件和优质服务。

党委书记：王成和
镇长：杨玉军
地址：吉林省农安县开安镇
邮编：130201
电话：(0431)3422344
3422348

四平市铁东区长发乡

吉林省綜合經濟實力强鄉(镇)

长发乡位于四平市区东侧，交通方便、通讯畅通。全乡下辖7个村，46个自然屯，拥有人口15583人，耕地2984公顷，1995年全乡人均收入达1870元。

长发乡1993年被省乡企局批准为省级乡镇企业小区。全乡现有啤酒、油漆桶、胶布、波纹管等工业企业172户、职工总数达1780人，固定资产33202万元，流动资产3051万元。1995年全乡实现农村社会总产值30400万元，产品销售收入23800万元，实现利润2040万元，税金2090万元，财政收入实现72万元。企业总产值超5000万元的1户，利税超百万元的1户。95%以上的农民住房实现砖瓦化，100%的村成为文明村，有5个村实现了小康村。

党委书记：王传义
乡长：曹建会
地址：吉林省四平市铁东区长发乡
邮编：136001
电话：(0434)3515509

党委书记：王传义

乡　长：曹建会

乡政府办公楼

领导班子在研究工作

延吉市小营乡

党委书记：郭善成（右一）

乡　长：崔虎

乡党委领导班子

吉林省综合經濟實力强鄉(鎮)

小营乡地处延边州，州府——延吉市近郊，座落于布尔哈通河北岸的东西两侧。面积为45平方公里，有耕地956公顷。全乡辖12个行政村，1个果树农场、2个居委会，总人口为17074人。

1995年小营乡实现社会总产值13494万元，利税1188万元，财政收入569万元，农民人均收入1842元。当年被州委、州政府命名为“小康建设先进乡”。农业生产以种植蔬菜为主。拥有243公顷菜田，年产蔬菜18000吨，分别占延吉市蔬菜总面积，总产量的21%和48%，是市蔬菜的主产区。全乡拥有企业376个，实现年产值13790万元，占全乡社会总产值的87%。年产值超1000万元的企业有延吉市光明企业公司，年产值超500万元的企业有延吉市香料厂、延吉市根雕家俱厂、延吉市工农轧钢厂、延吉市公新基建队。

小营乡各族人民热情欢迎国内外各界人士的真诚合作。

党委书记：郭善成
乡长：崔虎
地址：吉林省延吉市北山街爱丹路113号
邮编：133000
电话：(0433)2512355
2519851

通化市东昌区江东乡

吉林省綜合經濟實力强鄉(镇)

江东乡地处通化市区,总面积163平方公里,人口14100人。大部分为半山区,林业资源丰富,有红松、落叶松、乔木、杨柳、腊树、榆树……等;野生食用植物、山核桃、山梨、山里红、山楂、山葡萄、山枣、李子等;山菜有山芹菜、蕨菜、薇菜、刺嫩菜、黄底菜等几十种可供食品。矿产资源有大量的硅矿石、铁矿石、大理石。大理石主要有樱桃红、芝麻黑,其中樱桃红储量最大。

全乡现有企业970户。其中集体企业38户。1995年全乡集体工业产值14500万元,利税885万元。主要企业有通化市钢锹厂,生产的宝字牌钢锹荣获部优产品,年产值600多万元。还有白灰厂,金属硅厂,年产值1000多万元。1993年10月正式开发了保安工业小区。交通便利设施齐全,通讯方便。

目前,全乡正在为实现九五计划和2010年远景目标努力拼搏,诚请各界有志之士前来我乡投资办企业。

党委书记:马云龙
乡长:关吉昌
地址:吉林省通化市建设大街84号
邮编:134000
电话:(0435)3616712
3617638

党委书记:马云龙

乡　长:关吉昌

"宝"字牌钢锹创省优、部优。

金属硅厂

扶余县三岔河镇

党委书记：孟庆国

镇　长：于贵祥

镇领导班子在研究工作。

吉林省综合經濟實力强鄉(镇)

三岔河镇位于松原市的东部，南靠德惠，东邻榆树，西依松原，北与黑龙江省双城市接壤，是两省四县(市)的边缘结合部；京哈铁路纵贯南北，102线国道从镇区通过，省道开方线穿越全境；三岔河镇是历史上形成的重要商埠，与周围两省四县(市)近百万人口有着密切的经济联系，已成为区域性经济贸易的中心。

幅圆面积156平方公里，城区面积12平方公里。镇辖5个街道办事处、38个居民委、25个行政村、29个自然屯，总人口近8万人。

是1985年吉林省人民政府确定的第一个小城镇综合体制改革试点镇，1988年被原白城地委批准为“经济特镇”，1992年被松原市委、市政府批准为经济特区，1994年被吉林省人民政府批准为“十强镇”和省级乡镇企业小区，同年，还被中共吉林省委授予全省基层党组织建设标兵单位。1995年国家体改委等十一个部委确定三岔河镇为全国小城镇综合体制改革试点镇；还被国家民政部、体改委、科委授予全国名星镇和95中国乡镇投资环境100强。被中共吉林省委、省人民政府授予省级文明单位。十年来，还先后被国家司法部、财政部、建设部授予“全国普法模范镇”、“财政收入先进镇”和“小城镇建设先进单位”。

农村经济快速发展，粮食、蔬菜、林果、养鸡四个龙型基地化规模经济已经形成，年成交额2.5亿元，市场税费收入达900多万元，玉米成交量在50万吨左右，是东北地区较大的玉米交易中心。到1995年末，全镇工农业总产值已实现41188万元，社会商品零售额已达5亿元，财政收入实现1684万元，已成为吉林省财政收入较多的镇。三岔河镇城市功能配套齐全。水、电、路、通讯等基础设置已实现了“四通一平”。建有两座电视差转台和有线电视台。

三岔河镇已制定了《1996—2010年远景规划》，继续走以商立镇、以工兴镇、以高科技富镇的发展之路。愿与一切有识之仕发展高科技产品和玉米深加工、精加工企业，在世纪之交的伟大历史征途上，再创辉煌。

党委书记：孟庆国
镇长：于贵祥
地址：吉林省扶余县三岔河镇
邮编：131200
电话：(0437)5862662

长春市南关区农林乡

吉林省综合經濟
實力强鄉(镇)

长春市南关区、净月潭旅游开发区农林乡，地处市区腹地。全乡辖8个行政村、71个社，总面积122平方公里，耕地面积2783垧总人口15471人。几年来，全乡人民在乡党委和乡政府的领导下，不断巩固发展乡村企业，加速发展效益农业、养殖业、林果业、第三产业，使经济得到了快速发展，人民的生活水平日益提高，各项社会事业不断进步。

1995年，全乡社会总产值完成24912万元。人均收入达1750元，1995年全乡企业总数达489户，乡村两级集体企业12户，村办企业25户，个体企业452户。

全乡教育、计划生育、卫生、文化、保险、水电等各项事业都取得了很好成绩，多年来连续受省、市、区的表扬，并在1995年评上全省百强乡(镇)。

党委书记：高占福
乡长：王万生
地址：长春市南关区
农林乡人民政府
邮编：130122
电话：(0431)4511322

党委书记：高占福

乡　长：王万生

吉林省三海实业有限公司

吉林市昌邑区孤店子镇

镇党委书记：汪艳玲

镇　　长：马付清

华林牧业公司的领导们共谋大计

华林牧业公司的种鸡孵化厂的产品雏。

吉林省综合經濟實力强鄉（镇）

孤店子镇位于吉林市北部松花江畔，幅员面积71.3平方公里，人口24053人。，辖10个行政村，4个居民委。全镇共计5987户。

1995年全镇农村社会总产值31562万元，农民人均收入1600元。全镇形成四大支柱产业：一是以水稻为主的粮食基础产业。粮食总产达到28500吨，每年交售商品粮占吉林市四个城区总量的50%，是吉林地区水稻产量第二大乡。二是以肉食鸡为主的畜牧业生产基地。形成了以种鸡孵化厂、冷冻厂、饲料厂为龙头，以千家万户养鸡为基础的龙型经济格局。三是以镇村企业为主的多元化经济格局初步形成。1995年，全镇乡镇企业总产值21615万元。四是以劳务输出为主的第三产业初见端倪。1995年，全镇劳务收入达1680万元，出国人数达150人，离家打工人员达2800人。

该镇一九九五年被省政府命名为畜牧业规模建设百强示范乡镇。吉林省计划生育“三结合”先进单位；被吉林市政府命名为计划生育示范乡镇，精神文明先进单位。为更好地发展我镇经济，建立城郊型经济发展格局，早日实现小康奋斗目标，孤店子镇热诚欢迎省内外单位企业予以协作，以求共同发展。

党委书记：汪艳玲

镇长：马付清

地址：吉林市昌邑区孤店子镇人民政府

邮编：132011

电话：(0432)3516300

吉林省綜合經濟實力强鄉(鎮)

大坡镇位于榆树市南部,第二松花江东岸,吉哈公路与长榆公路在此交汇。全镇耕地面积7030公顷,人口32513人。

1995年,全镇工农业总产值达到46521万元,粮食总产量达60570吨,财政收入达到163.1万元,农民人均纯收入达到2906元。经济实力名列吉林省百强乡镇第41位。同时,被吉林省委、省政府命名为文明单位。

大坡镇立足现实,着眼未来,坚持"以小康建设统领全局,以经济建设为中心,创建'四大一强'镇"的总体思路,提出了更加宏伟的奋斗目标,到96年末,实现工农业总产值58152万元。农民人均纯收入达到3500元,全部达到小康水平。到2000年,全镇工农业总产值达到13.9亿元,农民人均纯收入达到5400元,一举进入吉林省百强镇前十位,成为松花江畔一颗璀璨的明珠。

党委书记:王贵君
镇长:王成
地址:吉林省榆树市大坡镇
邮编:130435
电话:(0431)3899019

榆树市大坡镇

上:党委书记:王贵君　　下:镇长:王成

上:镇编织袋厂　下:镇农贸市场

桦甸市老金厂镇

省人大代表、老金厂镇党委书记、冶金矿业总公司总经理刘兰秀在听取工作汇报。

镇领导向吉林省副省长王国发（左）汇报企业发展情况。

省“企业名星”，日处理原矿１０００吨，年产铁精粉１０万吨的镇办铁矿选厂

省“名星企业”，日处理矿石１００吨，年产黄金１２０公斤的镇办金矿选厂。

吉林省綜合經濟實力强鄉(镇)

老金厂镇地处桦甸市东部，长白山北麓，松花江上游。幅员面积339平方公里，人口2.3万。自然资源丰富。有色金属矿产10多种，铁矿储量1.2亿吨，黄金储量21.5吨。可利用野生资源30余种。森林覆盖率达71%。烟白铁路和长大公路贯穿全镇，交通便利。

95年在遭受千年不遇水灾的情况下，实现社会总产值1.6亿元，农业总产值1960万元，乡村企业总产值8660万元，财政收入641万元，人均收入1500元。现有镇办企业10个，固定资产4800万元。目前，正与国内外投资伙伴合作，兴建具有世界先进水平的高精尖项目，年产20万吨的氧化球团——还原铁厂。

“九五”期间，镇党委和政府将坚持以经济建设为中心，坚持改革开放，不断增强综合经济实力，强化小城镇建设，力争跨入省级和国家级“十强镇”行列。

党委书记：刘兰秀
地址：吉林省桦甸市老金厂镇
邮编：132409
电话：(0432)6732314
传真：(0432)6732328

东丰县拉拉河镇

吉林省綜合經濟實力强鄉(鎮)

拉拉河镇位于东丰县城西侧,全镇幅员面积103平方公里。镇内共有10个行政村。现有企业715户,从业人员2680人。具有国家大二型企业的“东丰啤酒工业集团公司”,下辖3户啤酒骨干企业。生产规模年产啤酒8万吨,拥有固定资产7800万元,年创亿元产值,实现利税达2000万元,1994年进入了全国“千强”乡镇企业的前列。

1995年,全镇社会总产值18103万元;工业产值12379万元;利税2355万元;镇级财政收入1367万元;农民人均收入达到1685元。被辽源市委、市政府授予“明星乡镇”。拉拉河镇具有工农业经济发展并驾齐驱的优势,具有2400公顷玉米,800公顷水田的商品粮基地农业发展优势;具有省级乡镇企业城西开发小区工业发展优势;具有环城经济建筑、建材、运输、蔬菜等城乡互补的优势。

1996年全镇社会总产值可达到22500万元,粮食总产量可达23000吨,工业产值可达14750万元,实现利税2600万元,镇级财政收入可完成1600万元,农民人均收入可实现1850元,提前三年进入小康水平。

党委书记:付存甲
镇长:潘杰
地址:吉林省辽源市东丰县拉拉河镇
邮编:136300
电话:(0437)6369214

党委书记：付存甲

镇长：潘杰

上：镇政府办公楼
下：省东丰啤酒工业集团公司

桦甸市红石砬子镇

镇党委书记：郑维忠

镇　长：周华亭

铜材厂生产线

上通白山湖、下连松花湖的观光旅游中间站

吉林省綜合經濟實力强鄉(鎮)

红石砬子镇，位于吉林省东南部山区的长白山麓，第二松花江上游，幅员面积787.1平方公里，5.16万口人，辖11个行政村，3个街道。这里不仅山青水秀，而且物产丰富。地上有着丰富的森林资源，森林覆盖率达89.5%。盛产林蛙油、人参、山野菜、白瓜籽等土特产及大量的药用植物、珍稀毛皮动物等。地下还有黄金、铁等高储量、商品位的矿产资源。辖区内有省红石林业局、红石电厂、水利电力部水电工程一局红石分局等国、省企业。烟白铁路和长大公路从这里穿过，交通十分便利。

1990年和1995年分别被国家民政部命名为“百颗星乡镇”和“中国乡镇之星”；1994年被省政府命名为“经济十强镇”。在“两个文明”和小康建设评比中，连续8年被市委、市政府评为第1名。1995年社会总产值5.2亿元；财政收入716万元；农民人均收入1912元。

红石镇热诚欢迎国内外各界人士前来旅游观光、洽谈贸易、兴办实业，共同发达。

党委书记：郑维忠
镇长：周华亭
地址：吉林省桦甸市红石砬子镇
邮编：132403
电话：(0432)6722496
　　　6722491

党委书记：郑继忠
镇长：周华庭
地址：吉林省桦甸市红石砬子镇
邮编：132403
电话：(0432)6722496

吉林省综合經濟實力强鄉(鎮)

十家堡镇是梨树县粮、畜、菜以及乡镇企业重要基地之一。东距长春87公里，西距四平11公里，北距县城梨树13公里；京哈铁路、哈大公路及高速公路横贯东西，梨石公路勾通南北；镇辖9个行政村、95个农业社、2个居民委，幅员面积85.1平方公里，总人口27343人。镇内水源取之不尽，矿产资源采之不竭，能源条件充足，通讯信息灵敏。成为梨树县与国内大城市对接和参与国际大循环的重要物资集散地。91年以来，分别被省、市批准、命名和评为“省级乡镇企业小区”、“综合经济实力百强镇”、“小康达标镇”和“经济技术开发区”。95年全镇社会总产值达到33474万元，农业产值4700万元，畜牧业6913万元，多种经营6861万元，乡镇企业1.5亿元，人均投入达到2350元。初步形成了产供销一条龙，工贸农一体化的现代经济发展格局，成为梨树改革开放的前沿“口岸”。

欢迎五洲四海宾朋到十家堡镇共同开发建设。

党委书记：王文举
镇长：扬井余
地址：吉林省梨树县
十家堡镇
邮编：136501
电话：(0434)5632314
5632315

梨树县十家堡镇

党委书记：王文举

梨树县钢铁有限责任公司

镇水泥厂一角

镇政府办公楼

敦化市官地镇

吉林省综合經濟實力强鄉(镇)

镇党委书记：高炳财

官地镇植物油厂

与山东诸城外贸集团“莲春”天然色素提纯有限公司联办的官地分公司

大力推广应用地膜覆盖技术，这是地膜烟叶一角

集农机服务，住宅为一体的综合农机大楼。

官地镇是延边地区第一农业大镇，粮食产量占全市的1/4。幅员面积443.5平方公里。全镇下辖37个行政村，70个农业社，74个自然屯，总人口34574人，居民户8691户。

1995年，社会总产值20850万元，农民人均收入1800元，财政收入285.7万元。近三年来，曾多次连续被市委、市政府评为普九工作，城乡建设、土地管理、综合治理、计划生育、科技兴农、粮食生产、造林绿化等先进单位和先进集体；被州委、州政府评为粮食生产大镇、畜牧业、小康建设先进镇的光荣称号；被省委、省政府评为农业机械化、造林绿化先进单位并荣获高效农业先进科技效益园区及吉林省综合经济实力百强乡镇光荣称号。

目前，以大豆、蔬菜、水果加工、植物色素提取为龙头的镇、村企业发展迅速，1995年产值13215万元，利税450万元。现在与山东诸城外贸集团“莲春天然色素提纯有限公司”联合建立可加工2万吨万寿菊花，产值1500万元，利税120万元的官地分公司正在加紧施工、安装、调试、7月份将正式投入生产。

“九五”期间，镇党委、政府继续坚持以农、牧、工、特加工为主的龙头拉动战略，朝良性循环的生态农业发展方向，继续加大科技含量，不断壮大产业基地规模，逐步形成一区、一特、一村、一专的经济格局，社会生产总值争取突破5.4亿元，实现第二个经济翻番。

党委书记：高炳财
镇长：陈玉荣
地址：吉林省敦化市官地镇
邮编：133722
电话：(0433)6562389

吉林省綜合經濟實力强鄉(鎮)

哈拉海镇位于农安县城北30公里处，南距长春市90公里，北距松原市60公里。总面积234平方公里，耕地面积12923公顷，总人口50000人，其中镇内人口10000人。

近年来，全镇经济和社会发展速度实现了历史性的突破。1995年实现了工农业产值34000万元。其中：农业产值8500万元、多种经营产值4500万元、畜牧业产值4294万元，乡镇企业产值16706万元。1994年5月被省政府批准为省级工贸小区。

哈拉海镇在发展经济和招商引资方面具备很多有利条件。地理位置优越、交通便利，形成了四通八达的交通网络；通讯事业发达，可迅速直拨国内外长途；地下水资源丰富；电力充足；资源开发潜力大，小区内尚有200公顷土地待开发，可供深加工的农副产品数量多；政策优惠，对来此地经商办企业的单位或个人，在土地税收等方面都将给予最优惠、最宽松的政策。竭诚欢迎各界朋友来哈拉海镇投资办企业。

党委书记：孙继函
镇长：阳名驹
地址：吉林省农安县哈拉海镇
邮编：130204
电话：(0431)3132138

农安县哈拉海镇

党委书记：孙继函

镇　长：阳名驹

可生产25个系列，60
种规格，获部优产品称号
春市第一水泵厂

集批发、零售为一体的工业品销售中心

延吉市兴安乡

上：党委书记：太基钝
下：乡　　长：金昌范

乡政府办公楼

吉林省综合經濟實力强鄉(镇)

兴安乡位于延吉市北郊，面积31平方公里，全乡辖8个行政村，总人口13993人。

1995年，兴安乡实现社会总产值1.3亿元。利税1757万元，财政收入329万元，农民人均纯收入1818元。当年被评为全州小康乡，全省综合经济实力百强乡。

几年来，兴安乡积极调整农业结构，在稳定粮食，蔬菜畜牧业生产的基础上大力发展乡镇企业。该乡所属集体企业有28家。主要以特产加工为龙头，有建材、电器、商业等多种行业企业。该乡充分发挥自己的地理优势，重点扶持和发展规模型，外向型，效益型企业。近年来兴安乡集中精力抓企业管理，采取各种措施，扭转被动局面。一是转机建制，深化企业改革。以此提高企业活力，增效益，避免短期行为。二是抓项目多渠道引进资金。经过大量的工作，"兴安星火技术密集区"已通过省级论证。该乡欲与外商合资建"BBF标准化厂房"的生产线，总投资为1420万元，总产值为11200万元，利税总额为2500万元。兴安乡热忱欢迎国内外各界人士前来投资建厂，共谋合作，走共同富裕之路。

党委书记：太基钝

乡长：金昌范

地址：吉林省延吉市兴

吉林省综合经济实力强乡(镇)

长春市二道区三道镇

三道镇位于经济技术开发区、森林旅游经济开发区、宽城区、二道区四区交界处。幅员面积46平方公里，辖5个行政村，1个街道办。总人口为2万人，耕地面积为2633公顷。镇内交通便利，长吉公路南线、长石公路、长吉高速公路、京哈高速公路纵横交错，贯穿全镇。通讯发达，采用国际先进光缆技术，实现了电话程控并网。镇内矿产资源丰富，有煤矿、膨润土、矿泉水。即将建成使用的引松入长水源基地和即将投入运行的二万伏安变电基地均在三道境内。

近年来，三道镇党委、政府审时度势，重新调整了经济发展的格局和步代，坚持镇办、村办、个体、联合体四个轮子一起转，农业、工业、第三产业一起上，促使农村经济强进崛起。1995年，全镇社会总产值实现42400万元，其中企业总产值突破32400万元，镇村企业利税2800万元，被省委、省政府列为全省百强乡镇。

乘风破浪正逢时，直挂云帆兴桑梓。三道镇人民热诚欢迎国内外朋友、有识之

上：镇党委书记：杨忠品
下：镇党委副书记：赵连友

领导班子全体成员

村办合资企业宇德轧钢有限公司厂区

长春市二道区三道镇

士来参观考察，观光旅游，投资开发，创办实业。纯朴、好客的三道人民将以优惠的政策，最佳的工作条件和生活环境，为您提供竭诚服务，同创三道之伟业，共展三道之雄风。

镇党委书记：杨忠品
镇长：聂云成
地址：吉林省长春市二道区三道镇
邮编：130123
电话：(0431)4512605
4512603

镇　　长：聂云成

宇德轧钢车间一角

村办三道合金钢厂车间一角

三道新型制药设备厂主要产品

镇办普雷克玩具公司产品一瞥

吉林省综合經濟實力强鄉(镇)

长岭县长岭镇

长岭镇位于长岭县中部偏北，全镇幅员面积22.02平方公里，辖5个行政村、4个街道办事处、30个居民委，人口67476人。

几年来，全镇工、农生产及其它事业都有了很大发展，经济建设取得了可喜成绩。城镇基础设施建设明显加快，全镇综合经济实力进一步增强，人民生活水平显著提高，已有3个村达到小康标准。全镇商贸流通逐年兴旺，文化教育日趋普及，镇内道路平整，秩序井然，人民安居乐业，是理想的投资兴业宝地。

党委书记：赵宝金

镇长：董建华

地址：长岭县长岭镇永治北街

邮编：131500

电话：(0438)7222825

党委书记：赵宝金

镇　　长：董建华

领导班子在研究发展大计

农副产品市场

榆树市环城乡

党委书记：齐焕军

领导班子成员在讨论工作

乡办针织厂一角

养牛业蓬勃发展

吉林省综合經濟實力强鄉(鎮)

环城乡环绕着榆树市城区,幅员面积116平方公里,有9个行政村,68个村民小组,45个自然屯,3.2万人口,耕地面积近7000公顷。

1995年,该乡继续挖掘粮食增产潜力,亩产达1269市斤,总产54360吨,首次闯过亿斤大关,粮食总产值6423.5万元,全面发展多种经营生产。突出发展蔬菜生产,形成了秋季大路菜、初夏地膜菜、春季庭院小棚菜、四季都上市的温室大棚菜的系列蔬菜基地;大力发展畜牧业,突出抓养牛。全乡现有黄牛6500头,村村办起集体养牛场,畜牧业总产值2500万元;乡村企业大发展,集体、个体、联合体,乡办、村办一齐上。村级集体企业76个,个体联合体企业1850个,企业总产值14800万元。95年全乡工农业总产值25673万元,纯收入8597万元,人均收入2614元。

两个文明建设两手抓,同步发展,农民的生活环境得到改善,交通、通信、义务教育、医疗保障、社会秩序等都取得了显著成效。95年有3个村被榆树市委评为小康建设先进村,其余6个村基本实现小康村。

环城乡正向经济繁荣、各业发展、群众顺心、安居乐业的目标迈进。

党委书记:齐焕军
乡长:傅广林
地址:吉林省榆树市环城乡
邮编:130400
电话:(0431)3623448

四平市铁东区山门镇

吉林省综合經濟實力强鄉(镇)

山门镇座落在四平市东南部,是四平市卫星城镇。

几年来,山门镇各项事业都取得了长足发展。1995年,全镇社会总产值1.89亿元,财政收入330万元,人均收入2600元。开发"三高"农业,建玉米制种基地5.1万亩,建苹果梨基地1245亩,建养殖基地年均收益1000多万元,奠定了农业发展基础。因地制宜发展工商业、开发旅游业,建好基础设施。建了省内一级景点——二郎山庄;投资1297万元,改善了镇内办公、生产、生活、通讯、交通、教学和文化娱乐条件。

现在镇党政班子正率领广大干部群众认真实施"四区、四场、一街"建设规划。即:建好工业区、生活区、风景区、文化区;完善粮油市场、农贸市场、轻纺市场、牲畜交易市场;开发商业一条街,使该镇以崭新的面貌,成为四平乃至吉林大地上的一颗明珠。

党委书记:宋广超
镇长:郭景文
地址:四平市铁东区山门镇
邮编:136002
电话:(0434)3384789

党委书记:宋广超

镇　　长:郭景文

位于镇内的二郎山庄一牌楼

镇政府办公楼

梅河口市中和镇

镇党委书记：张成元

镇长：姜国华

这是具有年生产一千吨各种型号元钉的金属制品厂生产线

原煤刚刚从生产的井下源源不断地运上地面

吉林省综合经济实力强乡(镇)

中和镇位于梅河口市西南部大柳河南岸，周围与四八石乡、红梅镇、水道镇、花园朝鲜族自治乡、黑山头镇接壤。全镇幅员78平方公里，总人口14793人。

1994年、1995年被梅河口市委、市政府命名为文明镇，1995年被梅河口市委、市政府列为镇村企业产值亿元镇，被省评为综合经济实力百强乡镇之一。

1995年全镇社会总产值达16100万元、农民人均收入实现1642元。从1990年到1995年全镇经济迈出三大步，实现了翻两番。全镇已有6个村达到了小康村。1995年粮豆产量14095吨，农业产值实现2000万元；多种经营产值2530万元；工业产值实现11600万元，利税1700万元；全镇农村经济总收入达到1.61亿元。提前5年实现翻两番。

党委书记：张成元
镇长：姜国华
地址：吉林省梅河口市中和镇二八石村
邮编：135021
电话：(0448) 3841314

长春市双阳区鹿乡镇

吉林省综合經濟實力强鄉(镇)

鹿乡镇位于长春市双阳区西北部，素有“梅花鹿之乡”的美称。现有集体鹿场12个，个体养鹿户1760家。鹿存栏22000头，年产优质鹿茸12万两。全镇鹿存栏及年产茸量均居全国乡镇之首，鹿茸及鹿副产品远销10余个国家和地区。

在鹿业生产迅速发展的同时，粮食产量稳步增长，养鸡业也获得了长足的发展。以养鹿、养鸡为骨干的龙型经济成为全镇经济的重要支柱产业。1995年全镇人均收入达到2580元，在全地区乡镇人均收入中名列前茅。

几年来，依托优越的地理位置和丰富的自然资源，努力发展经济，并取得了可喜的成绩。今后，我们将继续立足本地资源，积极引进资金、技术和项目，大力开发鹿特产品，欢迎海内外有识之士到鹿乡投资兴业。

党委书记：房国忠
镇长：刘金昶
地址：吉林省长春市双阳区鹿乡镇
邮编：130606
电话：(0431)4141316

党委书记：房国忠

镇长：刘金昶

鹿乡市场

双阳型梅花鹿鹿茸长势

吉林市船营区沙河子乡

党委书记：马凤和

乡　　长：王润安

春光牧工商有限公司

乡办砖厂成品库

天池实业有限公司

吉林省综合經濟實力强鄉(镇)

沙河子乡位于吉林市郊区吉长北线零公里处。幅员面积92平方公里。下辖9个村、62个社、5446户、20677口人。全乡现有企业665户，从业人员4405人。企业固定资产3080万元。1995年实现工农业总产值18237万元，其中乡镇企业总产值13546万元，农业总产值4691万元，实现利润1037万元，税金750万元。实现财政收入260万元，农村人均收入达到1631元。

乡主导产业形成四大基地。一是以日光温室为主的蔬菜生产基地，现有日光温室294栋，占地面积12万平方米，年产菜19000吨。二是山葡萄和123苹果为主的水果生产基地，水果面积459公顷，年产水果1471吨。三是以水稻、玉米为主的粮食生产基地，面积1079公顷，产量7581吨。四是以千头牛场、万头猪厂为主的畜牧业生产基地。

1993年被评为全区经济工作先进单位，94年在全区首先实现亿元乡，95年被评为全区突出贡献单位。

党委书记：马凤和
乡长：李润安
地址：吉林市船营区沙河子吉长北线零公里
邮编：132001
电话：(0432)2737453
2737449

长春市宽城区兰家镇

吉林省综合經濟
實力强鄉(镇)

长春市宽城区兰家镇幅圆辽阔，面积75平方公里，辖10个行政村，1个街道，总人口2.5万人。地处市区北7.5公里，南与宽城区奋进乡邻近，西与绿园区合心镇毗邻，北与农安县合隆镇接攘，东与德惠县三胜乡隔河相望，长农公路、长白铁路穿越南北，环区公路横跨东西，乡村公路四通八达，地势平坦，土质肥沃，资源丰富。

1995年各项经济指标达到历史最高水平，农业产值8000万元，粮食总产量达2200万公斤，蛋鸡、肉鸡40万只，生猪3.5万头，奶牛、黄牛4000头。蔬菜瓜果1000公顷，温室大棚，已具规模，形成了农、林、牧、副各业兴旺，多种经营齐头并进的好势头。农村商品经济已向基础化、区域化和专业化方向发展。现乡村集体企业36个，其中乡办企业14个，村办企业22个，95年实现乡镇企业全口径产值近3亿元，财政收入近400万元，农民人均收入近2000元。乡村企业以建材、机加、铸造、冶炼、化工、矿泉饮料，服务七大产业为主体的产业结构，产品近70余个品种，形成了基础雄厚、门类齐全的工业体系。

党委书记：王志军
镇长：杜海

党委书记：王志军

镇长：杜海

规劃建設管理
模範鄉鎮
長春市人民政府

全体领导班子

地址：长春市宽城区兰家镇
邮编：130114
电话：(0431)7989135

长春市双阳区山河街道办事处

党委书记兼主任：任志和

正在建设中的山河水泥厂

包装材料制品厂编织袋车间

山河街道办事处

吉林省综合經濟實力强鄉(鎮)

办事处位于双阳区东南30公里，幅员面积179平方公里，耕地面积5678公顷，其中水田面积2000公顷。下辖14个村、3个居民委、131个村民小组，总人口37400人。

办事处地理位置优越，交通、通讯便利，矿产资源丰富，旅游观光圣地，市场经济繁荣。远近闻名的省内风景旅游区——吊水壶溶洞座落在山河境内，接待着全国旅游观光的游人。

街道办事处依靠当地资源，依托大水泥积极发展街村企业。现已发展街村企业58家，特别围绕年产67万吨的长春市双阳水泥厂座落在山河境内的优势，建起了年产5万吨的山河水泥厂和年产4万延长米的山河水泥管厂和年产1000万条的塑料包装制品厂等3个大型建材、包装骨干企业。畜牧交易和农贸市场繁荣，实现年交易额2000万元。文化生活活跃，已建立了700座席的影剧院，有800户居民收看到了10套有线电视节目，1000户居民吃上了自来水。

1995年实现社会总产值2.631亿元，其中农业产值5632万元，多种经营产值5999万元，企业产值1.27亿元，第三产业收入2032万元，人均收入2447元。一个融经贸、旅游、文化于一体的经济强街，欢迎您的光临。

党委书记兼办事处主任
任志和
地址：长春市双阳区山河镇烧锅大街
邮编：130613
电话：(0431)4361301

吉林省綜合經濟實力强鄉(镇)

白山市八道江区六道江镇

六道江镇地处吉林省东南部，长白山腹地，是白山市西大门，与通化市接壤。辖区内交通便利，程控电话与全国联网。全镇11个村2个街道，省地营单位及镇单位30个，全镇总户数7421户，总人口29644人。

镇内资源得天独厚，主焦煤，页岩土、石灰石、铜铁、硅石、药材等资源丰富，几年来投资1700多万元，新建了规模型的瓷土瓦厂，空心砖厂，罕王酒厂、助剂厂、煤矿，开发旅游业——长白山迷宫等为龙头的六大系列产业，改造中心型企业白灰厂、木材厂。村办企业星罗棋布，壮大了集体经济，提高了社会经济效益。95年实现利税500万元，踞于白山市五强镇之首。92年荣获省级文明单位，93年跨入亿元乡镇，94年荣获全国500个小城镇建设试点镇，95年进入全省百强镇。

党委书记：徐忠义
镇长：程颖
地址：吉林省白山市八道江区六道江镇
邮编：134300
电话：(0439)3522128

党委书记：徐忠义

镇　　长：程颖

旅游业——长白山迷宫

页岩空心砖

榆树市五棵树镇

吉林省綜合經濟實力强鄉(镇)

上：党委书记：孙向武
下：镇　　长：张树国

该镇开发的松花江旅游区一角

镇宏大信用社

五棵树镇位于吉林、长春、哈尔滨三市构成的三角区中心，长榆、哈榆铁路、榆树经五棵树至102国道的公路从镇内通过，水运经五棵树码头上溯吉林市，下经大安港至俄罗斯。交通发达，资源丰富，通讯设施完备，电力充足。全镇幅员面积127平方公里，耕地8669公顷。9个行政村，2个街道办事处，总人口5万人，城区人口1.7万人。92年被长春市政府批准为经济开发区，93年被省政府列为全省乡镇企业小区，94年被省政府命名为综合改革"十强镇"，95年被国家体改委等十一个部委列为全国综合改革试点镇。

五棵树是榆树市重要的产粮镇，95年粮食产量65082吨，多种经营产值达1.4亿元，企业产值22384万元，利税2900万元，社会总产值达65370万元，财政收入1430万元，人均收入2754元，社会消费品零售总额5亿元，城镇建设迈入全国小城镇先进行列，松花江旅游区被长春市政府列为"九五"发展计划。五棵树开发前景广阔，是理想的投资场所。镇党委、镇政府已经确定，今后一段时期，在总体布局上，要上大项目，建大市场，搞大的基础设施建设，开发大的旅游基地，不远的将来，五棵树将建设成为新兴文明的县级城市。

党委书记：孙向武
镇长：张树国
地址：吉林省榆树市五棵树镇
邮政编码：130401
电话：(0431)3811232

吉林省綜合經濟實力强鄉(镇)

板石镇位于长白脚下的白山市北郊，幅员面积95.16平方公里，辖6个行政村，26个农业合作社，3个街道，11个居民委。总人口19069人，其中城镇人口14478人，农业人口4591人，有汉、回、壮、满、朝鲜、蒙古等6个民族。

板石镇是一座新兴的风景秀丽的小城镇，群山环抱，沟壑纵横，林木葱茏。辖区内蕴藏着十分丰富的铁矿石、硅石等十多种金属和非金属矿产资源。现已建成以全市规模最大的乡镇企业炼铁厂并形成采、选、炼矿业公司为龙头的28户资源型集体企业。企业总产值连续三年超亿元，其综合实力列全省百强乡(镇)第26位。95年，板石镇实现企业总产值24639万元，财政收入658万元，农民人均收入1736元，个体私营经济成为板石镇经济发展的重要支撑点，95年全社会商品零售总额达7846万元，利税3097万元。三分之一的行政村跨入小康村行列，96年全部进入小康村，计划生育率连续五年达到100%

科技、文教、卫生、通信已和全国联网直拨，交通十分方便，广播电视等各项社会事业也得到长足发展。

随着改革开放的不断深入和市场经济的发展，板石镇犹如一颗璀璨的明珠将更加灿烂辉煌。

书记：邹天龙
镇长：李祥君
地址：白山市八道江区办事镇
邮编：134304
电话：(0439)3512318

白山市八道江区板石镇

镇党委书记：邹天龙　　镇长：李祥君

镇党委班子

板石炼铁厂

通化市东昌区环通乡

吉林省綜合經濟
實力强鄉(鎮)

党委书记：丁玉文

前进实业公司总经理：雍士强

环通乡前进实业公司办公大楼

前进实业公司出口产品
——饲料土霉素

环通乡地处通化市之郊，幅员面积82.4平方公里，8个行政村，1.5万人，95年工农业总产值实现14460万元，人均收入实现1642元。

工业产品结构基本形成了以建材、兽药、化工、饲料、机械、印刷六大系列。前进实业公司是出口创汇重业，主要生产饲料土霉素，出口东南亚等国家，年出口创汇300万元。农业生产以生产蔬菜为主，服务于城市，保护地生产联片开发在全省居首位。

九五年，环通乡被县级批准为三个小区，即两昌村工贸小区；长流村商贸小区；江南村科技小区，同时，交通便捷，通快，通集公路公别贯穿三个小区，为建设经济强乡奠定了有利条件。

党委书记：丁玉文
乡长：赵殿鹏
地址：通化市东昌区环通乡
邮编：134001
电话：(0435)3213636

公主岭市凤响乡

吉林省综合經濟實力强鄉(鎮)

凤响乡位于公主岭市的东部，紧靠省城长春，京哈铁路、102线国道横贯境内，将在96年10月峻工通车的四长高速公路在凤响乡设有出口，交通十分便利。全乡幅员面积174.8平方公里，有20个行政村、208个自然屯、4.6万人口、耕地面积11318公顷；全乡地势平坦，土壤肥沃。改革开放以来，全乡的粮食生产、畜牧业、多种经营、乡村企业和社会各项事业发展很快。1995年全乡社会总产值实现4.26亿元。粮食生产以玉米为主，年产量10万吨左右，畜牧业和多种经营生产发展迅速，年发展生猪5万多头，黄牛发展到2.2万头，禽发展到260万只，果树10万株，蔬菜1800公顷，药材150公顷；商贸、运输、服务业达到了空前的规模。

全乡共有集体和个体私营企业937户，1995年实现产值2.6亿元，实现利税3500万元，企业以产品质量赢得了声誉，有驰名全国的公主岭市第一淀粉厂、酶法糊精厂，以红砖、采石为主的建材业在省城占有广阔市场；全乡各类企业拥有大批专业技术人员和业务骨干。

竭诚欢迎社会各界有识之士到凤响乡投资，发展项目。

党委书记：王文华
乡长：王善本
地址：吉林省公主岭市凤响乡
邮编：136105
电话：(0434)6812260
6812344
6812279

乡党委书记：王文华

省委书记张德江到糊精厂检查工作

农业部乡企业局郭满堂到凤响乡及公主岭第一淀粉厂检查工作

永吉县江密峰镇

党委书记：戴成祥

镇长：孙兴山

康乐园

镇所属吉林市福山门窗厂

吉林省综合經濟實力强鄉(鎮)

江密峰镇地处长白山余脉，位于吉林市东郊，距永吉县城48公里，到吉林市区14公里，长图铁路、乌图公路横穿镇内，交通便利；全镇幅员面积317平方公里，境内资源丰富，花岗岩总储量1.2亿立方米，森林面积10990公顷，经济动物40多种，经济植物30多种，是永吉县发展城郊经济的重镇。全镇下辖32个行政村，总人口41483人，其中农业人口34608人，耕地面积5554公顷。1995年全镇社会总产值实现14880万元，其中农业产值实现2900万元，乡镇企业产值实现11980万元。

江密峰镇素以“贡米之乡”远近闻名，水稻种植面积2346公顷，占粮食作物面积的62.8%。九五年粮食产量实现20755吨。

靠近城郊和地处半山区使该镇发展多种经营和畜牧业生产具有得天独厚的优势。全镇设5个多种经营开发带，10个多种经营基地村，基本形成了“综合发展、各业并举”的局面。

江密峰镇于1993年6月开始筹建乡镇企业小区，小区按自然地域又分为镇西小区和唐房小区两部分。小区内企业均分布在乌图公路两侧，邻近火车站。1994年5月，经省政府批准为省级乡镇企业小区，镇成立了小区管理委员会，制定了小区管理办法。到95年末，完成固定资产投资额1927万元，小区内办企业456户，实现产值3848万元，销售收入3564万元，利税454万元，税金229.8万元。

党委书记：戴成祥
镇长：孙兴山
地址：永吉县江密峰镇
邮编：132206
电话：(0432)4081001
4081006

九台市龙家堡镇

龙家堡镇位于九台市西部，地处长春、吉林两市之间，镇政府距省会长春市28公里，吉林市112公里，辖16个村，136个社，人口3.5万，幅员面积156平公里，其中耕地14.2万亩。

几年来，龙家堡依托地理位置优越、交通便捷、土地肥沃平坦和劳动力资源充裕的有利条件，经济和社会都有了长足的发展。到1995年末，全镇国民生产总值达到2.5亿元，其中，粮食0.7亿元，企业1亿元，多种经营0.25亿元，畜牧业0.55亿元，农村人均收入1950元。随着第三产业的发展，龙家堡饭店成了享誉省内外的“关东美食城”。在社会发展上，以建设功能齐全的省会“卫星城”为目标，可直拨世界各地的5000门光缆程控电话已经开通，设施先进的给、排水设备已投入使用，城镇街区全部安装了路灯，并实现了硬面化。

党委书记：房贤德

镇长：王诗生

地址：吉林省九台市龙家堡镇

邮编：130504

电话：(0431)2527313

党委书记：房贤德

镇　　长：王诗生

龙耘实业公司

享誉省内外的龙家堡“美食城”

磐石市明城镇

镇党委书记：张泉

镇　　长：杨开泰

镇政府办公楼

小流域治理

吉林省综合經濟實力强鄉(鎮)

明城镇地处长白山余脉向松辽平原过渡的吉林东部半山区，位於盘石市北30公里。全镇幅员面积266.6平方公里，辖19个行政村，4个街道，总人口46000人，境内钢叉山685米高，雄奇峻秀，玻璃河，小黄河两大水系环绕全镇，有沃土良田80000亩，丰富的水利、山地、林地资源、农、林、牧、副、渔全面发展，主产粮食水稻、玉米总产已达35000吨，95年国内生产总值实现6328万元，农村社会总产值实现16483万元，农村人均收入实现1551元。

明城镇交通方便，电力资源充足，水资源丰富，矿藏资源品类繁多，石灰石，方解石，萤石，花岗石，大理石、铁矿石、金矿石等分布在全镇。吉化明城矿，吉冶明城钢铁厂，吉铁机械厂等国、省、市营大中型企业等几十家企业构成明城地区工业生产的宏大框架。镇内程控电话与国际联网，有线电视送到60%以上居民家，教育设施达标，质量排头；文化娱乐设施较为先进，活动高雅，独立轻工农贸市场，繁荣活跃，城镇建设鳞次栉比。

明城镇将进一步巩固现有工业支柱产业，发展横向联合的地方优势产业，形成地方经济优势，创建富裕文明强镇。

党委书记：张泉
镇长：杨开泰
地址：吉林省盘石市明城镇
邮编：132301
电话：(0432)5712422

长岭县太平川镇

吉林省综合經濟實力强鄉(镇)

太平川镇是有90多年历史的古镇,位于长岭县西北部,地处松原、白城、四平、通辽四个地级市中心,面积80平方公里,城区面积16平方公里,全镇5万人口,其中,城镇人口3.5万人;辖两个街道办事处,26个居民委,3个蔬菜村,9个自然屯。交通便捷,平齐、通让铁路交叉通过,长白公路贯穿全境;自然资源丰富,有大量的硅砂、原煤、石油、天然气、伊利石等矿产资源。

太平川镇现有工业企业40家,商贸企业108家。到1995年末,国民生产总值达到3.5亿元,社会商品零售额4亿元,工农业总产值2.2亿元,其中,农村经济总收入达到2500万元,人均收入1800元,乡镇企业总产值可达到8050万元,利税总额实现850万元,镇级财税收入实现700万元。

太平川镇建有楼房120栋,主要街路达到硬化标准。通讯条件优越,已安装万门程控交换机,兴办了无线电视插转台,有线电视台;镇内学前教育、普通教育、职业教育已成体系。

太平川镇自1993年以来连续被松原市委评为先进基层党组织,被县委评为先进党委和精神文明建设先进党委,乡镇企业先进镇,分别评为省、市、县三级社会治安综合治理标兵单位。95年被省政府评为"吉林省综合经济实力百强乡镇"

党委书记:刘路
镇长:盖守富
地址:吉林省长岭县太平川镇
邮编:131506
电话:(0438)7802220
传真:(0438)7802407

党委书记: 刘路

镇　　长: 盖守富

太平川镇商品批发贸易大厅

太平川火车站

梅河口市山城镇

上：书记：张树春
下：镇长：李孝国

山城镇是一个历史形成的商贸重镇。镇区位于梅河口市西25公里处，与柳河、清原、东丰三县毗邻。沈吉铁路，黑大公路横穿镇内，是省内交能要道。全镇幅员面积130平方公里，耕地面积6000亩。共辖4个街道办事处，2个行政村，驻镇企业201个。总人口为4万人。得天独厚的区位优势加之四通八达的交通优势和历史悠久的商贸流通优势使山城镇成了市的经济中心。

1995年，全镇社会总产值实现1.7亿元，工农业生产总值6545万元。财政收入555万元。农村人均收入1700元。社会消费品零售额1.26亿元。建设投资2300万元。全镇个体工商户已达2500多户，从业人员5千多人。

1994年被省政府确定为全省"十强镇"，1995年被市委、市政府评为先进镇。在普法工作，计划生育，精神文明建设各项工作均受到省、市各级政府的表彰。全镇涌现出文明单位54个。被市委命名为"文明镇"等多项荣誉。

目前，将进一步加快改革发展的建设步阀，到本世纪末，把全镇建设成为经济繁荣，设施完善，生活富裕，社会文明的经济强镇。

党委书记：张树春
镇长：李孝国
地址：吉林省梅河口市山城镇
邮编：135000
电话：(0448)3811120
3811121

九台市上河弯镇

吉林省綜合經濟實力强鄉(鎮)

九台市上河弯镇位于九台市东北部,九台、德惠、舒兰、榆树四县市交界处。地势成丘陵、半山区状态。幅员面积137平方公里。共辖13个村,106个社,总人口27537人。耕地面积6150公顷。交通便利,矿产资源丰富。集贸市场具有200多年的历史,是省内最大集贸市场之一。十一届三中全会以后,在党的“改革开发,发展经济”的政策指导下,全镇的各行业经济迅速发展。1995年粮食产量达36100吨。镇属企业15个,村办企业23个,个体企业34个。实现产值13120万元,利润1000万元。小城镇建设实现工贸小区、农付产品专业批发市场,基础设施各项建设一体化。安装程控电话800门,有线电视网和路灯覆盖全镇。全镇社会总产值达21400万元,全年人均总收入1850元。公路运输发展迅速。全镇85%的农户达小康水平。多年被省、市评为先进乡镇,荣获多项荣誉,1995年被省政府评为“百强乡镇”等称号。

欢迎各界同仁前来我镇投资办企业,振兴经济,事业有成。

书记:焦成岩
镇长:孟庆海
地址:吉林省九台市上河湾镇
邮编:130515
电话:(0431)2165285

上:书记: 焦成岩
下:镇长: 孟庆海

农安县新农乡

上：党委书记：赵怀志
下：乡　　长：蔡亚民

长春市新安制药厂胶囊车间

新安制药厂片剂车间

吉林省综合經濟實力强鄉（鎮）

新农乡位于农安县城东北部，全乡共有14个村民委员会，160个村民小组，共有6784户，总人口33714人。全乡总面积14263公顷，可耕种面积10024公顷，主要农作物以玉米为主，间以杂粮，是农安县的重点产粮乡镇之一。

95年全乡社会总产值突破3亿元大关，人均收入2519元。粮食总产量达到7万吨，乡镇企业是我乡的四大支柱产业之一，95年跨入了全省亿元乡镇行列，年创产值13900万元，创利税1605万元。

长春市新安制药厂是该乡的龙头企业，现有固定资产超百万元，有先进的生产设备和优秀的管理人才，以中药提取和片剂、胶囊生产为主的几十个药品品种；95年创产值1304万元，实现利税232万元。畜牧业以全面发展养牛，普遍发展养猪，重点发展养鸡为主体的新格局，95年畜牧业创产值10700万元，名列全县榜首。

党委书记：赵怀志
乡长：蔡亚民
地址：长春市农安县新农乡
邮编：130223
电话：(0431)3332365

吉林省綜合經濟實力强鄉(鎮)

洮南市洮府乡

洮府乡地处洮南市近郊，全乡有10个村、46个社、6020户，总人口19700人。

几年来，该乡充分利用当地资源，不失时机地发展乡、村企业，实现了持续，快迅，健康发展，保持了旺盛的增长势头。在建材资源开发上，利用丰富的黄碱土资源，开发生产了砖、瓦等建材，乡、村均开办有砖厂，兴办了年产1.7万吨的水泥厂和年产千吨的塑料异型材厂。在农副土特产品资源开发利用，以及深、精、细加工上，建有年产肉鸡100万只的鸡场、食用油厂和蓖麻油厂。个体私营企业星罗棋布，方兴未艾。1995年全乡实现总产值1.37亿元，创税金430万元，利润1069万元。

作为吉林省百强乡之一，该乡将继续实施东西合作和市内外、省内外、国内外合资合作的发展战略，同时，该乡以优厚的政策，宽松的条件，诚挚欢迎国内外有识之士来乡创办、投资兴办乡镇企业。

党委书记：徐彪
乡长：孙念民
地址：吉林省洮南市洮府乡
邮编：137100
电话：(0436)6223844
6225386

洮南市洮府乡领导班子

洮府乡所属塑料异型材厂

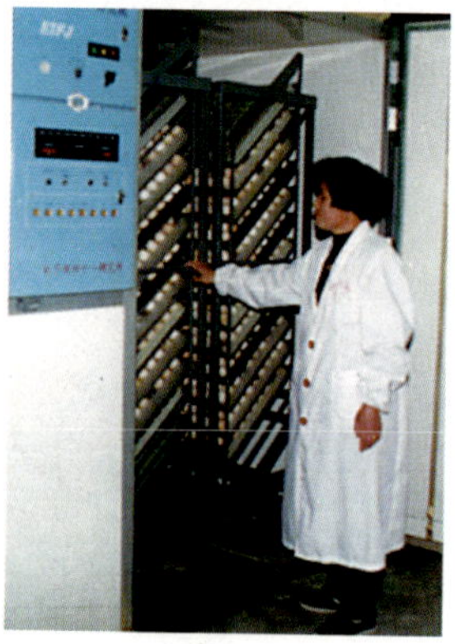
洮府乡所属永胜鸡厂

洮府乡所属洮南蓖麻油厂

敦化市黄泥河镇

书记：刘树军

镇长：高俊强

烟叶基地　　（上）
参场一角　　（下）

黄泥河镇街景一瞥

吉林省综合經濟實力强鄉(镇)

黄泥河镇座落在长白山西麓敦化市的西北三十公里境内，是延边朝鲜族自治洲的西部门户。全镇幅员面积413平方公里，有森林298平方公里，草地12平方公里，耕地62平方公里。辖2个街道，27个行政村，43个自然屯，全镇居民11963户，55000口人。镇内交通运输十分便利，程控电话直通国内外。镇区富有立武岩、花岗岩石材，泥炭，矿泉水等资源，并盛产木材，人参，山野菜。

全镇现已发展乡镇企业1335户，1995年实现总产值12072万元，细木工板、胶合板，地板块，组合家俱等产品远销国内外。

人参种植面积达百万平方米，年产鲜参近千吨，发展黄牛15000头，发展烟叶600公顷，年产烟叶24000担，全镇粮食产量最高达万吨。95年全镇农业总收入为7971万元，农民人均收入1814元。政府批准规划的5平方公里乡企发展小区已初具规模。

多年来，黄泥河镇不但经济建设和各项事业发展较快，在精神文明建设上也取得较好成果，连续三年被市政府评为模范乡镇。96年被州政府评为小康先进镇，多种经营大乡，多种经营先进乡。

书记：刘树军
镇长：高俊强
地址：吉林省敦化市黄泥河镇
邮编：133704
电话：(0433)6552379
6552549

吉林省綜合經濟實力强鄉(鎮)

吉林市丰满区小白山乡

小白山乡位于吉林市南出口瑷大公路两侧，松花江畔，与市区仅一桥之隔。瑷大公路和吉丰公路横贯全乡，通讯发达，96年全乡已成为全省第一个电话乡，电力能源充足，是全省唯一具有转供电的乡镇。

蔬菜生产历史悠久，现有日光温室2.7公顷，大棚78.92公顷，肉蛋鸡存栏27.8万只，奶、黄牛存栏1444头，猪存栏1.3万头，是吉林市菜蓝子工程的主要肉蛋奶菜生产基地。目前已形成了三大基地六大集团，即蔬菜基地，水果基地，肉蛋奶基地，以平城木业为龙头的木制品集团，以红旗冷饮为龙头的冷饮集团，以通达汽车附件为龙关的汽车配件集团，以乡砖厂为龙头的建材集团，以红旗石场为龙头的矿产开发集团，以小白山开发为龙头的旅游开发集团。

1995年全乡社会总产值22432万元，财政收入23079万元，农民人均收入1550元。为了实现全乡经济腾飞，企业兴旺，水白山乡热诚欢迎国内外各界人士前来旅游观光，洽谈贸易，兴办实业，共同发展。

党委书记：石立柱
乡长：葛永利
地址：吉林市丰满区小白山乡人民政府
邮编：132106
电话：(0432)4813696

党委书记：石立柱

乡　　长：葛永利

“雪乡”冬景

榆树市弓棚镇

镇党委书记：裴忠

镇长：谢绍忱

镇政府办公大楼

镇农机三厂车间一角

镇中兴和饲料公司

吉林省综合經濟實力强鄉(镇)

该镇地处松辽平原腹地，是连接榆树、松原的交通枢纽和农副产品集散地，西部与京哈公路相连，交通十分方便。

全镇幅员面积120平方公里，有耕地8200公顷，34500口人，所辖10个行政村、27个社员小组、一个街道办事处、6个居民委、47个直属企事业机关单位。

弓棚镇自清乾隆年间开发，历史悠久，特别是改革开放以来全镇经济发展充满了勃勃生机，出现了农、林、牧、副、工、商、运、服全面发展的可喜局面，已经成为榆树西北部政治、经济、文化活动的中心。

全镇农业生产基本上实现了机械化，解放了大批生产劳动力。多种经营已经向系列化、基地化、规模化、科学化方向发展，乡镇企业已经成为经济发展的支柱产业。1995年全镇各业总收入4亿元，人均收入2800元。

弓棚镇物产资源丰富，水电资源充足，文化、教育、卫生、通讯等事业发展迅速。1995年被长春市确定为综合改革试点镇。1996年又进入了吉林省经济实力百强乡镇的行列。

弓棚镇地杰人灵，林茂粮丰、政通人和、百业俱兴，她如同一颗璀灿的明珠，镶嵌在拉林河畔。

党委书记：裴忠
镇长：谢绍忱
地址：榆树市弓棚镇
邮编：130406
电话：(0431)3788019

临江市花山镇

吉林省综合經濟實力强鄉(镇)

临江市花山镇下设6个村,54个社,2个居民委,共有住户2589户,总人口9267人,其中城镇总人口1887人,耕地面积592.3公顷。

花山镇1995年实现工农业总产值7520元,其中农业总产值1491万元,乡镇企业总产值6028.8万元,实现利税927万元,农民人均收入达1777元。

花山镇位于长白山脚下,群山环绕,风景秀丽,辖区内蕴藏着十分丰富的锑、金属镁等多种矿产资源,该镇依托自然资源优势,突出重点,全面开发,现已建成年产千吨金属镁的金属镁厂和年产200吨五氧化二锑生产能力的临江锑业公司。

该镇1995年被省评价委评为"吉林省综合经济实力百强乡镇之一",还被临江市人民政府授于"1995年度乡镇综合经济实力第一名"和乡镇企业强镇。

党委书记兼镇长:
赵国安
地址:吉林省临江市
花山镇
邮编:134601
电话:(0439)5716039

党委书记兼镇长:赵国安

副镇长兼临江锑业公司
总经理:唐永胜

镇锑业公司生产的三氧化二锑

镇金属镁厂生产的镁锭

东辽县寿山镇

党委书记：康延君

镇　　长：白臣升

国家及省领导来镇视察工作

小流域治理

吉林省综合經濟實力强鄉（镇）

东辽县寿山镇位于辽源市东出口9公里处，全镇总面积99平方公里，耕地面积2685公顷，辖12个行政村，4个居民委，81个生产组，人口2.1万。镇内交通发达，基础设施完善，市内最大景点——中型杨木水库就座落在镇内。

1995年寿山镇社会总产值在1.4亿元，人均收入实现1870元，财政收入280万元。全镇实现工业总产值8300万元，镇村个体私营企业737家，其中镇办工业11家。农业总产值2600万元，粮食总产量1900吨。发展日光蔬菜大棚227栋，大陆菜，两瓜面积3000亩，果树达到30万株，实现村村有集体果园，农民承包荒山大造生态经济林，使荒山变成了花果山。畜牧业生产全面完成“四良四改”，95年黄牛存栏15000头，生猪12000头，家禽20万只。

寿山镇94年被省政府评为模范集体，95年被省委授予先进基层党组织，综合实力百强乡镇、畜牧百强乡镇、农业综合开发“优质工程”和全省百个工业小区之一。95年被市县评为社会治安综合治理先进单位，被省命名为农业科技示范区。

党委书记：康延君

镇长：白臣升

地址：吉林省东辽县寿山镇

邮编：136614

电话：(0431)552130

江源县孙家堡子镇

吉林省综合經濟實力强鄉(镇)

孙家堡子镇幅员面积69.35平方公里,人口28392人,耕地面积677公顷。

该镇交通便利,矿产、林业资源丰富,与国营统配矿苇塘矿、省营企业三岔子林业局毗邻,具有得天独厚的区位优势,第三产业发达,服务功能齐全,设施完备,具有十分优越的投资环境。

多年来,孙家堡子镇把发展区域整体经济、勇创大业,做为全镇推动经济发展的基本思路,大力发展乡镇企业。1995年全镇工农业总产值14083.7万元,农民人均收入达到1728元,现已被白山市列为市级工贸小区。孙家堡子镇党委、政府竭诚欢迎各界有识之士来投资、经商、办企业。

党委书记:张胜友
镇长:周兆斌
地址:吉林省白山市
江源县孙家堡镇
邮编:134323
电话:(0439)3722190

党委书记: 张胜友

镇集贸一条街

镇养鸡厂

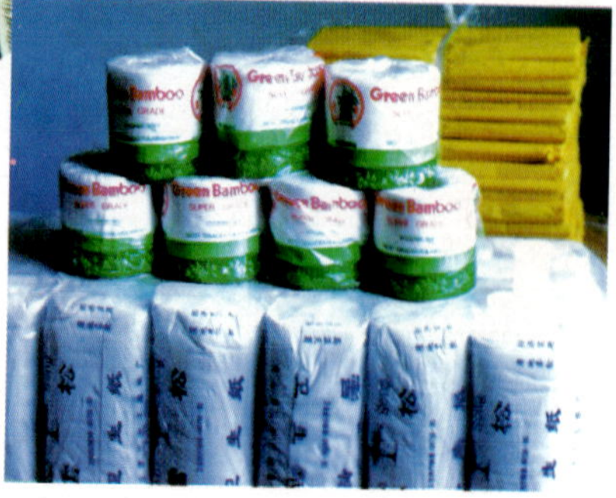

镇造纸厂产品

江源县松树镇

镇党委书记：隋克义

镇党委领导在“松太公路”现场办公

吉林省综合經濟實力强鄉(镇)

松树镇位于白山市的北部，面积241平方公里。辖12个村，4个街道，总人口为4.2万人，交通方便，有一条铁路（通白线），两条公路（鹤大线，临抚线）从镇内通过。

1995年工农业总产值1.7亿元，其中工业产值1.2亿元，人均收入1600元。工业以煤炭建材化工和其它加工业为主，现有骨干企业12户。镇区内自然资源以煤炭为主，铝钒土、膨润土、硅石等储量很可观，集体林地、山野菜，土特产资源极其丰富，具有发展采矿业，建材和各种加工业的资源优势。镇区内公共设施配套，水、电设施齐全，公交通讯设施配套。

有各类技术职称人员35人，其中高级职称2人，中级职称17人，初级职称16人，省级先进企业1户，省级优秀产品2个。我们真诚希望社会各界有识之士到松树镇投资兴办企业。

党委书记：隋克义
镇长：王吉发
地址：吉林省江源县松树镇
邮编：134328
电话：(0439)3672276
3672492

龙井市朝阳川镇

吉林省综合經濟實力强鄉（镇）

朝阳川位于吉林省东部，龙井市行政区北部的延吉盆地，与延吉、龙井两市形成“金三角”。

全镇幅员面积160.9平方公里，所辖17个行政村，2个街道办事处，有居民户11286户，人口达42110人。镇内有省、州、市、镇属单位181个，镇属企业37个，个体私营户1370多户，外资企业达10家。1995年末，全镇工农业总产值达20146万元，镇级财政收入实现659万元，农村人均收入达1621元。

朝阳川地理位置优越，铁路、公路、航运四通八达，是全州的重要交通枢纽。镇区物产丰富，土地肥沃，市场活沃，已成为金州重要的农付产品集散中心，具有广阔的经济发展前景。镇内基础设施完善，能源、电力充足，电讯事业发达，可直通海内外。

优越的地理位置，发

党委书记：严应哲

朝阳川酿酒厂

达到星级宾馆的金川大厦

朝阳川地区畜禽公司

龙井市朝阳川镇

镇长：吴哲元

系列产品酒

肉牛基地

合资龙井市树脂厂

延边包装机械厂

吉林省綜合經濟實力强鄉(鎮)

达的交通，丰富的自然资源，初具规模的投资环境，得到了各级有关部门的重视。92年龙井市委、市政府批准朝阳川镇为“工贸综合开发区”，93年被列为省100个乡镇开发小区，94年被省确定为“十强镇综合改革试点镇”。

党委书记：严应哲
镇长：吴哲元
地址：吉林省龙井市朝阳川镇
邮编：133401
电话：(0433) 3589888 3589242
传真：(0433) 3589653

江源县湾沟镇

湾沟镇幅员270平方公里，58921人。镇内有湾沟林业局、湾沟煤矿、白山市第二制药厂等省、市、县级大企业。镇内铁路、公路四通八达。

改革开放以来，湾沟镇经济和社会各项事业得到了长足发展，1995年遇到洪水灾害的侵袭，全镇工农业总产值仍实现13207万元，其中工业总产值达11000万元，农业总产值达2020.19万元，农村人均纯收入达1691元，个体运输户达918户，从业人员2966人。

镇内资源丰富。地上森林覆盖率高达80%，煤炭储量大，由于质量好，灰份小而享誉东北。1995年镇、村、街发展煤井33个，年产煤12万吨，创产值1180万元，实现利润近300万元。

党委书记：孙景阳
镇长：赵继文
地址：吉林省江源县
湾沟镇
邮编：134326
电话：(0439)3612510

镇党委书记：孙景阳

镇　长：赵继文

统计资料

行政区划和自然资源　1

1—1 行　政　区　划

(1995 年)　　　　单位:个

市、州	市				县	
	合计	地级市	县级市		个数	名称
			个数	名称		
全　省	**27**	**8**	**19**		**22**	
长　春　市	4	1	3	九台市、榆树市、德惠市	1	农安县
吉　林　市	5	1	4	蛟河市、桦甸市、舒兰市、磐石市	1	永吉县
四　平　市	2	1	1	公主岭市	3	梨树县、伊通满族自治县、双辽县
辽　源　市	1	1			2	东丰县、东辽县
通　化　市	3	1	2	梅河口市、集安市	3	通化县、辉南县、柳河县
白　山　市	2	1	1	临江市	4	抚松县、靖宇县、江源县、长白朝鲜族自治县
松　原　市	1	1			4	长岭县、乾安县、扶余县、前郭尔罗斯蒙古族自治县
白　城　市	3	1	2	洮南市、大安市	2	镇赉县、通榆县
延边朝鲜族自治州	6		6	延吉市、图们市、敦化市龙井市、珲春市、和龙市	2	汪清县、安图县

1—1 续表　　(1995 年)　　单位:个

市、州	市辖区		城市街道办事处	乡政府	镇政府
	个数	名称			
全　省	**19**		**249**	**471**	**442**
长　春　市	6	南关区、宽城区、朝阳区、二道区、绿园区、双阳区	67	76	69
吉　林　市	4	昌邑区、龙潭区、船营区、丰满区	66	59	56
四　平　市	2	铁西区、铁东区	17	54	56
辽　源　市	2	龙山区、西安区	14	20	25
通　化　市	2	东昌区、二道江区	18	49	66
白　山　市	1	八道江区	9	26	44
松　原　市	1	宁江区	10	69	37
白　城　市	1	洮北区	20	67	35
延边朝鲜族自治州			28	51	54

1—2 自然状况和资源

(1995年)

项目	单位	实际数	项目	单位	实际数
一、土 地			森林蓄积量	亿立方米	8.10
土地面积	万平方公里	18.74	二、草 原		
各类土地所占比重			草原面积	万公顷	295.90
1. 山 地	%	36.0	#可利用草原	万公顷	137.7
2. 丘 陵	%	5.8	三、水文、水利		
3. 平 原	%	30.0	1. 河川年径流总量	亿立方米	495.4
4. 台地及其他	%	28.2	#第二松花江	亿立方米	246.0
各类用地所占比重			图们江	亿立方米	67.04
1. 农业用地	%	21.1	鸭绿江(干流)	亿立方米	58.06
2. 林业用地	%	48.6	浑 江	亿立方米	72.56
3. 牧业用地	%	8.1	牡丹江	亿立方米	26.12
4. 渔业用地	%	3.4	拉林河	亿立方米	7.31
5. 其他用地	%	18.8	2. 淡水总面积	万亩	960
二、森 林			#江 河	万亩	560
有林地面积	万公顷	786.5	可养殖面积	万亩	400
# 用材林	万公顷	637.1	#已养殖面积	万亩	318.56
经济林	万公顷	11.7	3. 水力资源蕴藏量	万千瓦	500.00
防护林	万公顷	103.6	五、矿产资源		
特用林	万公顷	30.2	煤保有储量	亿吨	21.95
薪炭林	万公顷	3.8	铁矿石保有储量	亿吨	4.63
疏林地面积	万公顷	18.3	磷保有储量	万吨	470.0
森林覆盖率	%	42.0	石棉保有储量	万吨	0.3

注：河川径流总量为实测值。

综　合　2

2 综　合

1995 年国内生产总值(当年价)	1 129.20 亿元
第一产业	303.99 亿元
第二产业	479.46 亿元
第三产业	345.75 亿元
1995 年总投资	451.02 亿元
1995 年总消费	703.38 亿元
居民消费	586.17 亿元
社会消费	117.21 亿元
1995 年总产出(当年价格)	2 951.39 亿元

国内生产总值构成(%)

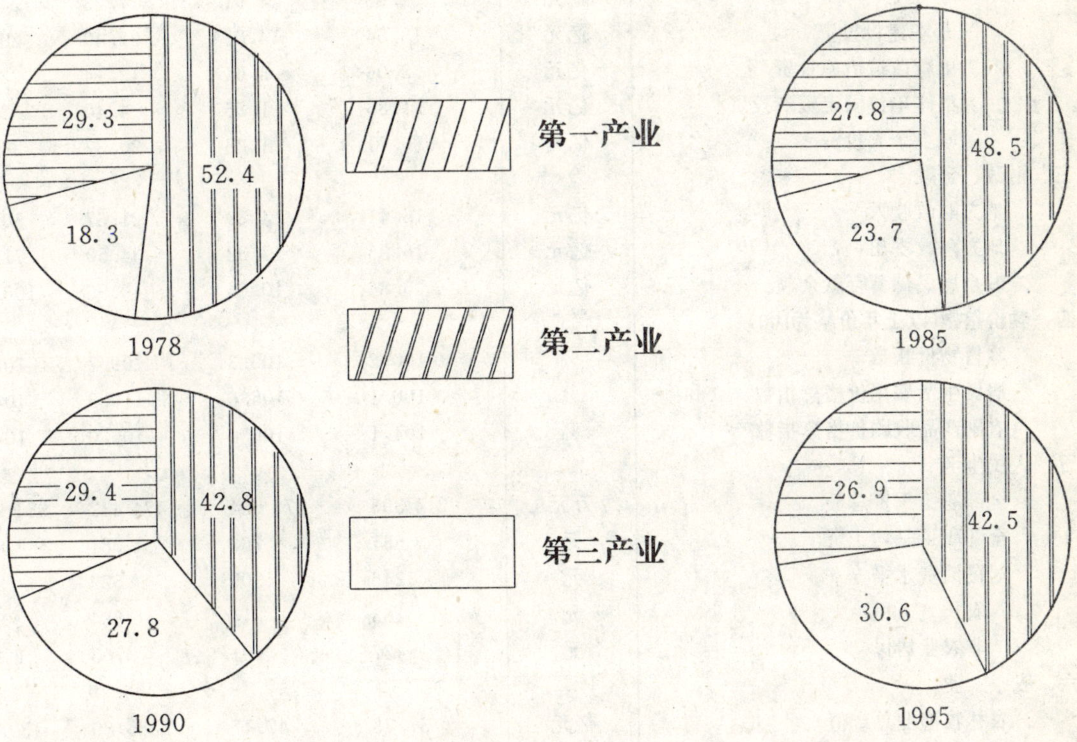

2—1 国民经济

项目	单位	1978年	1980年	1985年	1990年
一、综合					
年末总人口	万人	2 149.33	2 210.65	2 298.01	2 440.17
全部从业人员	万人	645.38	715.30	930.20	1 169.41
职工人数	万人	324.92	373.88	449.51	517.31
# 国有单位	万人	250.02	270.50	304.43	361.98
集体所有制	万人	74.90	103.38	144.91	154.44
农村劳动者	万人	320.46	338.05	450.01	614.43
城镇个体劳动者	万人		3.37	21.37	29.50
其他劳动者	万人			9.31	8.17
国内生产总值(当年价)	亿元	81.98	98.59	200.44	425.28
二、固定资产投资					
全社会固定资产投资	亿元	18.16	20.88	62.15	93.51
生产性	亿元	14.96	14.04	37.04	60.50
非生产性	亿元	3.20	6.84	25.11	33.01
# 住宅	亿元	1.98	4.91	17.23	24.13
# 基本建设投资	亿元	13.54	14.01	22.40	29.12
更新改造措施投资	亿元	2.06	3.64	12.14	22.57
集体单位固定资产投资	亿元	1.85	1.96	4.40	2.82
城乡个人投资	亿元	0.71	1.28	20.37	23.75
三、财政、金融					
地方财政收入	亿元	16.41	14.39	21.67	50.68
地方财政支出	亿元	16.35	17.32	34.50	71.67
城乡居民储蓄存款余额	亿元	5.86	10.64	43.96	196.59
四、物价指数(以上年价格为100)					
零售物价指数	%	100.2	106.3	109.7	103.9
居民生活费用价格总指数	%	100.1	105.6	110.3	104.9
农副产品收购价格总指数	%	104.1	109.4	106.0	104.5
五、人民生活					
全部职工工资总额	万元	214 393	275 684	474 432	951 989
全部职工平均工资	元	651	763	1 081	1 888
居民消费水平	元	246	305	522	955
农民	元	165	214	384	649
非农业居民	元	427	491	765	1 427
六、农业					
农林牧渔业总产值	亿元	37.78	47.47	85.89	189.09
主要农产品产量					

主 要 指 标

1991年	1992年	1993年	1994年	1995年	"八五"合计
2 459.69	2 474.01	2 496.08	2 515.61	2 550.87	
1 194.69	1 235.02	1 237.67	1 250.24	1 270.77	
533.44	541.53	542.99	530.13	520.38	
371.80	379.27	379.86	384.60	386.65	
160.03	157.83	152.44	130.19	115.71	
620.94	646.63	638.82	643.56	647.99	
31.52	38.51	46.68	67.70	94.12	
8.79	8.35	9.18	8.85	8.28	
463.47	558.06	717.95	936.78	1 129.20	3 805.46
113.97	151.08	253.59	302.47	341.85	1 162.96
75.63	95.55	160.72	193.01	218.98	743.89
38.34	55.53	92.87	109.46	122.87	419.07
27.56	36.85	74.02	49.76	84.23	272.42
40.46	62.08	106.83	137.21	167.05	513.63
25.40	34.01	45.12	54.38	54.13	213.04
5.98	12.17	23.36	25.69	21.21	88.41
22.36	17.24	22.56	27.28	40.86	130.30
62.46	56.99	79.82	51.27	63.28	313.82
79.12	80.02	103.11	104.59	120.90	487.74
253.28	315.42	389.44	535.55	726.28	2 219.97
105.1	107.1	111.3	119.9	114.2	
106.8	108.0	112.6	120.6	115.2	
89.5	99.6	118.4	132.8	126.6	
1 063 310	1 220 550	1 423 561	1 887 916	2 210 027	7 805 364
2 045	2 308	2 701	3 666	4 430	
1 037	1 233	1 458	1 872	2 292	
678	749	850	1 062	1 291	
1 585	1 958	2 341	2 995	3 665	
188.38	204.39	243.95	405.48	490.28	1 532.48

2—1 续表 1

项　　目	单 位	1978 年	1980 年	1985 年	1990 年
粮　　食	万吨	914.70	859.60	1 225.26	2 046.52
油　　料	万吨	12.29	26.60	48.36	46.74
甜　　菜	万吨	45.13	117.67	87.69	116.40
园　　参	吨	1 571	2 220	5 167	19 185
水　　果	万吨	5.65	4.45	6.59	13.33
猪牛羊肉	万吨	15.64	24.57	29.93	43.38
水 产 品	万吨	1.03	0.84	2.96	7.09
七、工　业					
工业总产值	亿元	112.87	134.67	256.75	552.36
轻工业产值	亿元	44.75	53.97	97.48	231.33
重工业产值	亿元	68.12	80.70	159.27	321.03
主要工业产品产量					
布	亿米	1.23	1.66	1.69	1.97
化学纤维	万吨	0.92	1.18	2.02	3.03
机制纸及纸板	万吨	34.00	36.50	48.89	57.02
糖	万吨	4.88	7.09	7.15	5.84
手　　表	万只	25.10	31.00	156.00	135.32
家用电冰箱	台		96	23	107 159
电 视 机	万台	0.21	2.52	24.15	28.71
#彩　　电	万台			3.22	11.90
家用洗衣机	万台		0.70	33.55	29.03
原　　煤	万吨	2 060.00	1 807.10	2 311.80	2 610.25
原　　油	万吨	185.10	176.40	213.02	356.70
发 电 量	亿千瓦小时	93.24	111.83	133.76	174.46
钢	万吨	20.10	24.30	37.86	74.60
成品钢材	万吨	23.60	30.65	43.34	61.97
汽　　车	万辆	5.90	6.72	9.77	7.33
农用化肥	万吨	26.78	29.02	25.50	30.15
木　　材	万立方米	581.60	642.50	635.04	598.04
水　　泥	万吨	138.30	179.40	295.57	374.54
国有独立核算工业企业主要财务指标					
年底固定资产原值	亿元	119.85	135.32	220.14	417.61
年底固定资产净值平均余额	亿元	77.90	86.02	148.22	292.57
利税总额	亿元	16.66	19.54	33.81	37.65
八、运输、邮电					
货物周转量	亿吨公里	257.82	245.58	343.09	434.71

1991年	1992年	1993年	1994年	1995年	"八五"合计
1 898.87	1 840.30	1 900.90	2 015.70	1 992.40	9 648.17
43.54	35.82	28.62	28.68	25.55	162.21
109.56	91.81	97.19	97.56	83.64	479.76
19 765	19 649	20 680	17 195	13 521	90 810
13.06	14.57	18.10	18.67	27.97	92.37
46.78	50.12	57.94	74.77	96.66	326.27
7.86	8.49	9.79	10.50	11.06	47.70
614.38	767.81	1 033.25	1 210.88	1 434.16	5 060.48
244.84	272.66	317.64	367.60	472.08	1 674.82
369.54	495.15	715.61	843.28	962.08	3 385.66
1.93	1.88	1.56	1.44	1.33	8.14
3.17	3.37	3.52	5.49	6.04	21.59
60.30	61.21	53.75	55.63	57.21	288.10
9.24	10.49	10.93	2.98	7.32	40.96
120.75	113.80	116.36	116.30	123.12	590.33
132 300	140 138	172 500	171 609	72 753	689 300
21.43	18.88	10.66	10.28	6.18	67.43
11.21	13.09	6.10	8.86	5.37	44.63
28.71	28.80	28.43	20.26	2.31	108.51
2 558.75	2 503.51	2 423.93	2 474.82	2 425.32	12 386.33
342.30	344.06	338.43	332.46	342.66	1 699.91
199.80	204.04	244.93	259.97	280.06	1 188.80
83.64	104.03	117.50	105.73	111.40	522.30
67.45	86.69	93.48	87.56	80.71	415.89
9.23	14.51	17.70	18.90	20.27	80.61
29.05	30.06	27.93	31.09	31.56	149.69
563.15	515.28	537.57	564.44	488.77	2 669.21
473.16	572.04	639.57	639.96	658.16	2 982.89
489.48	556.41	716.45	842.79	1 062.21	3 667.34
346.27	395.98	501.26	516.49	753.13	2 513.13
36.05	46.52	66.59	71.18	55.87	276.21
450.28	467.76	479.80	495.64	497.31	2 390.79

2—1 续表 2

项　　目	单　位	1978年	1980年	1985年	1990年
旅客周转量	亿人公里	78.02	84.29	134.64	147.87
货物运输量	亿吨	1.07	0.92	1.17	2.31
旅客运输量	亿人	1.19	1.32	1.72	1.87
邮电业务总量	万元	3 853	4 055	8 886	41 556
函　　件	万件	7 478	8 333	12 114	15 805
报刊期发数	万份	393	512	952	384
九、能源生产					
能源生产总量	万吨	1 635.60	1 530.30	1 947.20	2 572.30
十、国内商业					
社会消费品零售总额	亿元	38.56	52.83	112.00	198.95
城乡集市贸易成交额	万元	16 512	28 999	136 475	497 149
十一、外　　贸					
进出口总额	万美元	3 704	11 108	55 072	95 272
出口额	万美元	2 357	6 625	42 712	75 172
进口额	万美元	1 347	4 483	12 360	20 100
十二、科学、教育、文化					
国有单位自然科技人员	万人	14.19	14.53	25.41	33.98
在校学生数					
高等学校	人	29 901	38 006	59 481	72 806
中等专业学校	人	31 517	42 421	55 888	65 179
普通中学	万人	205.95	183.14	138.70	119.57
农业职业中学	万人		1.90	14.18	14.32
小　　学	万人	342.97	355.29	299.81	276.12
报纸出版	亿份	2.90	1.30	4.50	3.01
杂志出版	亿册	0.10	0.29	0.73	0.44
图书出版	亿册	1.00	1.09	2.01	1.39
十三、卫　　生					
医疗卫生机构	个	3 889	4 274	4 568	4 407
卫生技术人员数	万人	7.36	8.57	10.54	12.00
# 医生	万人	3.03	3.45	3.98	5.03
医疗床位数	张	62 714	67 121	78 802	92 133
# 医院床位数	张	58 051	60 682	70 750	83 241

1991年	1992年	1993年	1994年	1995年	“八五”合计
155.11	172.21	171.71	178.09	177.11	854.23
2.36	2.41	2.35	2.63	2.67	12.42
1.93	2.01	1.87	2.07	2.14	10.02
51 394	70 063	106 797	155 114	212 153	595 521
13 151	12 369	13 831	15 416	15 333	70 100
378	628	1 944	595	472	4 017
2 593.29	2 259.40	2 248.67	2 311.08	2 512.90	11 925.34
223.69	261.47	325.47	396.69	481.54	1 688.86
621 944	760 994	1 085 992	1 448 045	2 514 648	6 431 623
134 933	192 278	298 100	361 209	271 474	1 257 994
102 707	130 678	161 649	202 247	141 932	739 213
32 226	61 600	136 451	158 962	129 542	518 781
38.98	39.44	38.69	40.13	40.67	
72 536	75 686	86 261	95 242	100 785	
68 662	74 115	86 001	96 720	113 969	
124.02	129.80	129.46	126.64	128.74	
14.43	15.16	14.90	15.15	15.04	
267.24	259.95	257.35	264.19	269.03	
3.13	4.30	4.70	6.21	4.79	23.13
0.48	0.55	0.60	0.55	0.52	2.70
1.38	1.40	1.10	1.36	1.16	6.40
4 369	4 189	4 006	3 920	3 891	
12.43	12.77	12.91	13.23	13.42	
5.13	5.15	5.26	5.39	5.61	
92 741	94 856	96 516	94 723	96 645	
83 826	85 570	87 035	85 764	87 768	

2—2 国民经济主要指标发展速度

项　　目	1995年为下列各年(%)					年平均增长(%)	
	1978	1980	1985	1990	1994	1979—1995	1991—1995
一、综　　合							
年末总人口	118.7	115.4	111.0	104.5	101.4	1.0	0.9
全部从业人员	196.9	177.7	136.6	108.7	101.6	4.1	1.7
职工人数	160.2	139.2	115.8	100.6	98.2	2.8	0.1
# 国有单位	154.6	142.9	127.0	106.8	100.5	2.6	1.3
集体所有制	154.5	111.9	79.8	74.9	88.9	2.6	-5.6
农村劳动者	202.2	191.7	144.0	105.5	100.7	4.2	1.1
城镇个体劳动者		2 792.9	440.4	319.1	139.0		26.1
其他劳动者			88.9	101.3	93.6		0.3
国内生产总值	445.7	400.9	240.7	161.5	109.7	9.2	10.1
二、固定资产投资							
全社会固定资产投资	1 882.4	1 637.2	550.0	365.6	113.0	18.8	29.6
生产性	1 463.8	1 559.7	591.2	362.0	113.5	17.1	29.3
非生产性	3 839.7	1 796.3	489.3	372.2	112.3	23.9	30.1
# 住宅	4 254.0	1 715.5	488.9	349.1	169.3	24.7	28.4
# 基本建设投资	1 233.8	1 192.4	745.8	573.7	121.7	15.9	41.8
更新改造投资	2 627.7	1 487.1	445.9	239.8	99.5	21.2	19.1
集体单位固定资产投资	1 146.5	1 082.1	482.0	752.1	82.6	15.4	49.7
城乡个人投资	5 754.9	3 192.2	200.6	172.0	149.8	26.9	11.5
三、金　　融							
城乡居民储蓄存款余额	124.0	6 825.9	1 652.1	369.4	135.6	32.8	29.9
四、人民生活							
全部职工工资总额	1 030.8	801.7	465.8	232.1	117.1	14.7	18.3
全部职工平均工资	680.5	580.6	409.8	234.6	120.8	11.9	18.6
居民消费水平	253.6	219.2	150.8	139.3	108.0	5.6	6.9
农　　民	221.5	188.3	120.6	121.7	106.9	4.8	4.0
非农业居民	231.1	208.9	162.5	144.4	108.0	5.1	7.6
五、农　　业							
农林牧渔业总产值	276.8	275.2	185.2	131.5	105.9	6.2	5.6
主要农产品产量							
粮　　食	217.8	231.8	162.6	97.4	98.8	4.7	-0.6
油　　料	207.9	96.1	52.8	54.7	89.1	4.4	-11.4
甜　　菜	185.3	71.1	95.4	71.9	85.7	3.7	-6.4

2—2 续表 1

项　　目	1995年为下列各年(%)					年平均增长(%)	
	1978	1980	1985	1990	1994	1979—1995	1991—1995
园　　参	860.7	609.1	261.7	70.5	78.6	13.5	-6.8
水　　果	495.0	628.5	424.4	209.8	149.8	9.9	16.0
猪牛羊肉	618.0	393.4	323.0	222.8	129.3	11.3	17.4
水 产 品	1 073.8	1 316.7	373.6	156.0	105.3	15.0	9.3
六、工　　业							
工业总产值	540.5	471.5	282.4	174.0	112.0	10.4	11.7
轻工业产值	502.4	437.5	254.7	143.4	116.4	10.0	7.5
重工业产值	560.7	489.7	299.0	197.2	109.7	10.7	14.5
主要工业产品产量							
布	108.1	80.1	78.7	67.5	92.4	0.5	-7.6
化学纤维	656.5	511.9	299.0	199.3	110.0	11.7	14.8
机制纸及纸板	168.3	156.7	117.0	100.3	102.8	3.1	0.1
糖	150.0	103.2	102.4	125.3	245.6	2.4	4.6
手　　表	490.5	397.2	78.9	91.0	105.9	9.8	-1.9
家用电冰箱		758.0	3 163.0	67.9	42.4		-7.5
电 视 机	2 942.9	245.2	25.6	21.5	60.1	22.0	-26.4
#彩　　电			166.8	45.1	60.6		-14.7
家用洗衣机		330.0	6.9	8.0	11.4		-39.7
原　　煤	117.7	134.2	104.9	92.9	98.0	1.0	-1.5
原　　油	185.1	194.3	160.9	96.1		3.7	-0.8
发 电 量	300.4	250.4	209.4	160.5	107.7	6.7	9.9
钢	554.2	458.4	294.2	149.3	105.4	10.6	8.4
成品钢材	342.0	263.3	186.2	130.2	92.2	7.5	5.4
汽　　车	343.6	301.6	207.5	276.5	107.2	7.5	22.6
农用化肥	117.8	108.8	123.8	104.7	101.5	1.0	0.9
木　　材	84.0	76.1	77.0	81.7	86.6	-1.0	-4.0
水　　泥	475.9	366.9	222.7	175.7	102.8	9.6	11.9
国有独立核算工业企业主要财务指标							
年底固定资产原值	886.3	785.0	482.5	254.4	126.0	13.7	20.5
年底固定资产净值平均余额	966.8	875.5	508.1	257.4	145.8	14.3	20.8
利税总额	335.4	285.9	165.2	148.4	78.5	7.4	8.2
七、运输、邮电							
货物周转量	192.9	202.5	145.0	114.4	100.3	3.9	2.7

2—2 续表 2

项目	1995年为下列各年(%)					年平均增长(%)	
	1978	1980	1985	1990	1994	1979—1995	1991—1995
旅客周转量	227.0	210.1	131.5	119.8	99.4	4.9	3.7
货物运输量	249.5	290.2	228.2	115.6	101.5	5.5	2.9
旅客运输量	179.8	162.1	124.4	114.4	103.4	3.5	2.7
邮电业务总量	5 506.2	5 231.9	2 387.5	510.5	136.8	26.6	38.5
函　件	205.0	184.0	126.6	97.0	99.5	4.3	-0.6
报刊期发数	120.1	92.2	49.6	122.9	79.3	1.1	4.2
八、能源生产							
能源生产总量	153.6	164.2	129.1	97.7	108.7	2.6	-0.5
九、国内商业							
社会消费品零售总额	1 248.8	911.5	429.9	242.0	121.4	16.0	19.3
城乡集市贸易成交额	152.0	8 671.5	1 842.6	505.8	173.7	34.4	38.3
十、外　贸							
进出口总额	7 329.2	2 444.0	492.9	284.9	75.2	28.7	23.3
出口额	6 021.7	2 142.4	332.3	188.8	70.2	27.3	13.6
进口额	9 617.1	2 889.6	1 048.1	644.5	81.5	30.8	45.2
十一、科学、教育、文化							
国有单位自然科技人员	286.6	279.9	160.1	119.7	101.3	6.4	3.7
在校学生数							
高等学校	337.1	265.2	169.4	138.4	105.8	7.4	6.7
中等专业学校	361.6	268.7	203.9	174.9	117.8	7.9	11.8
普通中学	62.5	70.3	92.8	107.7	101.7	-2.7	1.5
小　学	78.4	75.7	89.7	97.4	101.8	-1.4	-0.5
报纸出版	165.2	368.5	106.4	159.1	77.1	3.0	9.7
杂志出版	520.0	179.3	71.2	118.2	94.5	10.2	3.4
图书出版	116.0	106.4	57.7	83.5	85.3	0.9	-3.6
十二、卫　生							
医疗卫生机构	100.1	91.0	85.2	88.3	99.3		-2.5
专业卫生技术人员数	182.3	156.6	127.3	111.8	101.4	3.6	2.3
# 医生	185.1	162.6	141.0	111.5	104.1	3.7	2.2
医疗床位数	154.1	144.0	122.6	104.9	102.0	2.6	1.0
# 医院床位数	151.2	144.6	124.1	105.4	102.3	2.5	1.1

2—3 国民经济主要比例关系

单位：%

项　　目	1978年	1980年	1985年	1990年	1994年	1995年
1. 国内生产总值中三次产业比例						
第一产业	29.3	27.6	27.8	29.4	26.8	26.9
第二产业	52.4	53.0	48.5	42.8	44.5	42.5
工　　业	49.2	48.1	42.6	38.5	39.9	36.7
建 筑 业	3.2	4.9	5.9	4.3	4.6	5.8
第三产业	18.3	19.4	23.7	27.8	28.7	30.6
#交通运输业	5.4	5.7	4.1	5.0	5.6	5.0
商　　业	3.3	2.8	7.0	6.0	7.5	1.2
2. 全社会固定资产投资的资金来源比例						
国家预算内投资			16.0	9.7	3.1	1.5
国内贷款			15.4	19.9	23.2	20.6
利用外资				6.5	14.2	16.1
自筹投资和其他			68.6	63.9	59.5	61.8
3. 全社会固定资产投资中生产与非生产性建设投资比例						
生产性建设	82.4	67.2	59.6	64.7	63.8	64.1
非生产性建设	17.6	32.8	40.4	35.3	36.2	35.9
#住　宅	10.9	23.5	27.7	25.8	16.5	24.6
4. 国有单位基本建设投资中能源工业、运输邮电业投资比例						
能源工业	25.2	17.2	25.4	34.1	17.4	19.1
运输邮电业	1.9	2.3	2.6	6.9	9.8	10.2
5. 财政收入相当于国内生产总值的比例	20.0	14.6	11.1	12.9	5.3	5.6
6. 工业总产值中轻重工业比例						
轻工业	39.7	40.1	38.0	41.9	31.1	32.9

2－3 续表

单位：%

项目	1978年	1980年	1985年	1990年	1994年	1995年
重工业	60.3	59.9	62.0	58.1	68.9	67.1
7. 农业总产值中五业的比例						
农　业	79.8	69.5	68.7	71.5	66.8	61.5
林　业	2.3	5.2	3.9	2.2	2.1	1.7
牧　业	11.9	19.5	21.1	21.9	29.6	35.3
副　业	5.8	5.7	5.7	2.9		
渔　业	0.2	0.1	0.6	1.5	1.5	1.5
8. 轻工业产值内部比例(乡及乡以上产值)						
以农产品为原料		71.2	75.5	76.5	77.2	80.9
以非农产品为原料		28.8	24.5	23.5	22.8	19.1
9. 重工业产值内部比例(乡及乡以上产值)						
采掘工业		12.5	13.5	14.9	12.6	11.7
原料工业		35.2	36.6	41.5	39.6	40.8
制造工业		52.3	49.9	43.6	47.8	47.5
10. 货运量比例						
铁　　路	47.3	55.9	49.3	26.4	24.8	23.0
公　　路	52.5	44.0	50.5	73.5	73.6	76.8
水　　运	0.2	0.1	0.2	0.1	1.6	0.2
11. 货物周转量比例						
铁　　路	97.1	97.6	96.4	87.1	83.4	84.5
公　　路	2.7	2.3	3.4	12.6	16.1	15.3
水　　运	0.2	0.1	0.2	0.3	0.5	0.2

注：1994、1995年副业产值分别归并为种植业和牧业产值中。

2—4 按经济类型分的国民经济主要比例关系

单位：%

项　　目	1978年	1980年	1985年	1990年	1994年	1995年
1. 全部从业人员比例						
国有单位	38.7	37.8	32.7	31.0	30.8	30.4
城镇集体单位	11.6	14.4	15.6	13.2	10.4	9.1
其他经济类型					1.2	1.4
城镇个体劳动者		0.5	2.3	2.5	5.4	7.4
乡村劳动力	49.7	47.3	48.4	52.6	51.5	51.0
其他劳动者			1.0	0.7	0.7	0.7
2. 全社会固定资产投资比例						
国有单位	85.9	84.5	60.1	71.6	82.3	59.5
集体单位	10.2	9.4	7.1	3.0	8.5	6.2
其他经济类型					0.2	22.3
城乡个人	3.9	6.1	32.8	25.4	9.0	12.0
3. 工业总产值比例						
国有经济	78.9	78.7	74.5	70.4	62.7	62.1
集体经济	21.1	21.3	22.8	22.5	19.5	18.4
其他经济类型			2.7	7.1	17.8	19.6
4. 社会消费品零售总额比例						
国有单位	60.2	56.9	41.1	40.4	27.8	23.9
集体单位	38.3	39.1	37.6	31.1	12.6	10.5
其他经济类型	1.5	4.0	21.3	28.5	59.6	65.6
#个　　体		0.8	14.1	18.4	38.0	39.4

注：社会商品零售总额比例指标自1994年起用社会消费品零售总额比例，口径较原指标有所缩小。

2—5 按总人口平均的国民经济主要指标

项　　目	单　位	1978年	1980年	1985年	1990年	1994年	1995年
国内生产总值	元/人	381.0	445.0	868.0	1 746.0	3 703.0	4 414.0
工业总产值	元/人	529.0	612.8	1 120.5	2 284.6	4 832.2	5 661.4
轻工业产值	元/人	209.8	245.6	425.4	956.8	1 467.0	1 863.5
重工业产值	元/人	319.2	367.2	695.1	1 327.8	3 365.2	3 797.8
农业总产值	元/人	177.1	216.0	374.9	782.1	1 618.2	1 935.4
主要工农业产品产量							
原　　煤	公斤/人	965.5	822.2	1 008.9	1 079.6	987.6	957.4
原　　油	公斤/人	86.8	80.3	93.0	147.5	132.7	135.3
发 电 量	千瓦小时/人	437.0	508.9	583.8	721.6	1 037.4	1 105.5
木　　材	立方米/人	0.3	0.3	0.3	0.2	0.2	0.2
钢	公斤/人	9.4	11.1	16.5	30.9	42.2	44.0
汽　　车	辆/万人	27.7	30.6	42.6	30.3	75.4	80.0
电 视 机	台/万人	1.0	11.4	105.4	118.7	41.0	24.4
手　　表	只/万人	117.6	141.1	680.8	559.7	464.1	486.0
粮　　豆	公斤/人	428.7	391.2	534.8	846.4	804.4	786.5
油　　料	公斤/人	5.8	12.1	21.1	19.3	11.4	10.1
甜　　菜	公斤/人	21.2	53.5	38.3	48.1	38.9	33.0
基本建设投资额	元/人	63.5	63.7	97.7	120.4	547.6	659.4
社会商品零售总额	元/人	180.7	240.4	488.8	922.8	1 583.1	1 900.9
对外贸易进出口总额	美元/人	1.7	5.1	24.0	39.4	197.8	107.2
地方财政收入	元/人	76.9	65.5	103.5	209.6	204.6	249.8
地方财政支出	元/人	76.6	78.8	150.6	296.4	417.4	477.3
城乡居民储蓄存款余额	元/人	27.3	48.1	191.3	767.0	2 128.9	2 867.0
高等学校在校学生	人/万人	13.9	17.2	25.9	29.8	37.9	39.5
中等专业学校在校学生	人/万人	14.8	19.3	24.4	26.7	38.4	44.7
报纸出版	份/人	13.6	5.9	19.6	12.4	24.6	18.9
杂志出版	册/人	0.5	1.3	3.2	1.8	2.2	2.1
图书出版	册/人	4.7	5.0	8.8	5.7	5.4	4.6
医疗床位数	张/万人	29.2	30.4	34.3	37.8	37.7	37.9
卫生技术人员数	人/万人	34.3	38.8	45.9	49.2	52.6	52.6
# 医生	人/万人	14.1	15.6	17.3	20.7	21.4	22.0

2—6 全省平均每天主要社会经济活动

项　　目	单　位	1978年	1980年	1985年	1990年	1994年	1995年
一、全省每天创造的财富							
国内生产总值	万元	2 246.0	2 701.1	5 491.5	11 651.5	26 541.9	30 937.0
农业总产值	万元	1 035.1	1 300.6	2 353.3	5 180.5	11 109.0	13 432.3
工业总产值	万元	3 092.2	3 689.6	7 034.3	15 133.2	33 174.8	39 292.0
财政收入	万元	449.7	394.4	593.6	1 388.5	1 404.7	1 733.7
布	万米	33.8	45.3	46.3	54.0	39.5	36.4
机制纸及纸板	吨	931.5	1 000.0	1 339.5	1 562.2	1 524.1	1 567.4
原　　煤	万吨	5.6	5.0	6.3	7.2	6.8	6.6
发 电 量	万千瓦小时	2 554.5	3 063.8	3 664.7	4 779.7	7 122.5	7 672.9
原　　油	吨	5 071.2	4 832.9	5 836.2	9 772.6	9 108.5	9 387.9
钢	吨	550.7	655.8	1 037.3	2 043.8	2 896.7	3 052.1
成品钢材	吨	646.6	839.7	1 187.4	1 697.8	2 398.9	2 211.2
水　　泥	吨	3 789.0	4 915.1	8 097.8	10 261.4	17 533.2	18 031.8
二、每天其他经济活动							
出版图书	万册	27.4	29.9	55.1	38.1	37.3	31.8
出版杂志	万册	2.7	7.9	20.0	12.1	15.1	14.2
出版报纸	万份	79.5	35.6	123.3	82.5	169.9	131.2
邮寄函件	万件	20.5	22.8	33.2	43.3	42.2	42.0
三、全省每天人口变动和婚姻							
出　　生	人	1 166	952	748	1 203	823	838
死　　亡	人	355	348	335	374	352	339
结　　婚	对		439	642	631	593	580
离　　婚	对		18	25	48	56	59

2—7 国内生产总值

（按当年价格计算） 单位：亿元

年份	国内生产总值	第一产业	第二产业	工业	建筑业	第三产业	#运输邮电	商业	人均国内生产总值（元）
1952	16.55	9.19	4.54	4.19	0.35	2.82	0.78	1.03	153
1953	18.97	8.94	6.00	5.19	0.81	4.03	0.92	1.84	166
1954	20.43	9.10	6.96	5.89	1.07	4.37	1.05	1.58	176
1955	21.13	9.87	6.48	5.54	0.94	4.78	1.06	1.69	177
1956	24.58	10.56	8.20	6.62	1.58	5.82	1.28	2.08	200
1957	25.22	8.81	10.08	8.91	1.17	6.33	1.29	2.23	202
1958	31.18	9.30	15.00	13.08	1.92	6.88	1.57	2.38	243
1959	37.15	9.91	19.67	17.78	1.89	7.57	1.79	2.63	280
1960	41.83	8.26	24.64	22.17	2.47	8.93	2.17	3.05	289
1961	31.89	10.34	13.22	11.87	1.35	8.33	1.83	2.69	213
1962	31.35	9.92	12.89	11.47	1.42	8.54	1.92	2.50	210
1963	35.94	11.68	15.67	14.06	1.61	8.59	2.05	2.02	235
1964	38.45	11.72	17.95	16.12	1.83	8.78	1.96	1.86	246
1965	42.93	13.19	20.68	19.11	1.57	9.06	2.06	1.88	262
1966	46.67	16.26	20.96	19.63	1.33	9.45	2.46	2.01	277
1967	44.25	17.66	17.48	16.42	1.06	9.11	2.46	2.01	257
1968	42.49	17.16	16.16	15.31	0.85	9.17	1.82	1.45	140
1969	45.18	14.30	21.12	19.99	1.13	9.76	1.97	1.88	250
1970	56.07	18.73	26.57	25.29	1.28	10.77	2.67	2.32	303
1971	60.90	19.56	29.86	28.41	1.45	11.48	2.92	2.63	319
1972	56.02	15.53	29.26	27.66	1.60	11.23	2.95	1.96	286
1973	63.33	21.28	30.27	28.45	1.82	11.78	3.20	2.15	316
1974	65.11	22.11	30.88	28.94	1.94	12.12	3.16	2.01	319
1975	72.31	21.24	38.49	36.37	2.12	12.58	3.62	1.94	350
1976	67.32	16.81	37.47	35.34	2.13	13.04	3.53	2.03	321
1977	72.91	19.76	39.20	36.98	2.22	13.95	3.88	2.10	343
1978	81.98	23.98	42.96	40.34	2.62	15.04	4.46	2.69	381
1979	91.12	25.34	49.22	44.56	4.66	16.56	5.13	2.56	417
1980	98.59	27.24	52.24	47.42	4.82	19.11	5.62	2.78	445
1981	111.16	34.31	56.53	51.29	5.24	20.32	4.33	3.88	496
1982	121.67	38.40	60.36	54.21	6.15	22.91	5.19	3.34	538
1983	150.14	56.74	65.38	58.75	6.63	28.02	5.78	6.13	658
1984	174.39	60.04	80.46	72.10	8.36	33.89	6.75	7.54	760
1985	200.44	55.74	97.21	85.29	11.92	47.49	8.25	13.95	868
1986	227.15	64.35	104.30	91.28	13.02	58.50	10.89	18.28	977
1987	297.49	80.57	139.36	123.49	15.87	77.56	15.15	21.01	269
1988	368.67	92.59	173.57	155.12	18.45	102.51	18.56	29.98	1 559
1989	391.65	80.53	181.02	164.09	16.93	130.10	22.18	39.47	1 636
1990	425.28	124.99	182.15	163.82	18.33	118.14	21.11	25.47	1 746
1991	463.47	120.47	203.02	181.71	21.31	139.98	25.19	32.26	1 878
1992	558.06	130.82	257.01	227.17	29.84	170.23	30.17	41.63	2 246
1993	717.95	156.05	351.99	308.10	43.89	209.91	39.98	52.81	2 868
1994	936.78	259.40	398.83	354.70	44.13	278.55	54.47	72.61	3 703
1995	1 129.20	303.99	479.46	413.85	65.61	345.75	70.07	93.15	4 414

2—7 续表

单位:亿元

年份	国内生产总值	第一产业	第二产业			第三产业		
				工业	建筑业		#运输邮电	商业
按1952年不变价格计算								
1952	17.97	10.47	4.68	4.33	0.35	2.82	0.78	1.03
1953	19.49	9.55	6.06	5.25	0.81	3.88	0.87	1.78
1954	20.74	9.62	6.99	5.88	1.11	4.13	1.00	1.50
1955	21.52	10.19	6.85	5.82	1.03	4.48	1.01	1.60
1956	24.93	10.04	9.41	7.64	1.77	5.48	1.22	1.98
1957	25.20	8.25	11.14	9.81	1.33	5.81	1.23	2.05
按1957年不变价格计算								
1957	24.77	8.02	10.42	9.25	1.17	6.33	1.29	2.23
1958	31.79	9.40	15.59	13.65	1.94	6.80	1.57	2.29
1959	37.62	9.88	20.12	18.16	1.96	7.62	1.79	2.66
1960	41.10	7.54	24.92	22.42	2.50	8.64	2.17	3.01
1961	28.27	8.48	12.91	11.74	1.17	6.88	1.67	2.06
1962	27.45	8.21	12.42	11.19	1.23	6.82	1.74	1.85
1963	31.89	9.50	15.21	13.74	1.47	7.18	1.83	1.70
1964	33.92	9.57	16.89	15.24	1.65	7.46	1.78	1.60
1965	38.44	10.61	20.14	18.74	1.40	7.69	1.79	1.59
1966	41.64	11.20	22.29	21.11	1.18	8.15	2.15	1.73
1967	38.56	12.16	18.57	17.64	0.93	7.83	1.75	1.35
1968	37.58	11.82	17.88	17.14	0.74	7.88	1.61	1.24
1969	40.73	9.85	22.45	21.47	0.98	8.43	1.75	1.61
1970	51.69	12.90	28.36	27.16	1.20	10.43	2.74	2.20
1971	56.07	13.73	26.57	25.29	1.28	10.77	2.67	2.32
按1970年不变价格计算								
1971	60.91	19.40	30.03	28.70	1.33	11.48	2.92	2.63
1972	55.40	14.78	29.39	27.91	1.48	11.23	2.95	1.96
1973	62.59	20.19	30.62	28.91	1.71	11.78	3.20	2.15
1974	64.03	20.53	31.38	29.56	1.82	12.12	3.16	2.01
1975	72.67	20.11	39.52	37.49	2.03	13.04	3.62	1.94
1976	67.51	15.70	38.77	36.74	2.03	13.04	3.53	2.03
1977	72.31	18.28	40.14	38.05	2.09	13.89	3.88	2.09
1978	81.55	21.88	44.78	42.20	2.58	14.89	4.46	2.65
1979	86.09	20.13	49.54	44.96	4.58	16.42	5.13	2.53
1980	91.65	19.88	53.55	48.78	4.75	18.22	5.62	2.60
1981	102.87	27.94	55.68	50.90	4.78	19.25	5.62	2.81
按1980年不变价格计算								
1981	108.83	32.05	56.72	51.96	4.76	20.06	4.33	3.80
1982	117.17	35.82	59.27	53.82	5.45	22.08	5.19	3.18
1983	142.58	52.80	63.42	57.55	5.87	26.36	5.78	5.67
1984	160.38	55.05	74.58	67.35	7.23	30.75	6.66	6.69
1985	171.33	48.22	84.10	74.58	9.52	39.01	7.52	11.41
1986	183.82	50.30	87.38	77.86	9.52	46.14	9.90	14.18
1987	218.41	57.99	103.81	93.19	10.62	56.61	13.68	15.05
1988	253.20	59.93	125.68	115.45	10.23	67.59	16.72	20.08
1989	246.87	49.59	120.66	112.89	7.77	76.62	16.96	23.93
1990	255.37	67.78	118.10	110.10	8.00	69.49	18.09	13.50
按1990年不变价格计算								
1990	436.95	136.22	182.59	164.23	18.36	118.14	21.11	25.47
1991	462.94	136.22	193.26	173.32	19.93	133.46	23.56	30.72
1992	519.27	138.65	228.49	203.56	24.93	152.13	27.50	37.20
1993	585.60	149.33	267.99	238.14	29.85	168.28	32.24	41.91
1994	643.01	164.28	283.69	255.49	28.20	195.04	38.81	50.70
1995	705.70	172.49	316.61	285.41	31.20	216.60	44.75	56.94

2—8 国 内 生 产 总 值 指 数

(按可比价格计算,以1952年为100)

年份	国内生产总值	第一产业	第二产业			第三产业		
				工业	建筑业		#运输邮电	商业
1952	100.0	100.0	100.0	100.0	100.0	100.0	100.0	100.0
1953	108.5	91.2	129.5	121.2	231.4	137.6	111.5	172.8
1954	115.4	91.9	149.4	135.8	317.1	146.5	128.2	145.6
1955	119.8	97.3	146.4	134.4	294.3	158.9	129.5	155.3
1956	138.7	95.9	201.1	176.4	505.7	194.3	156.4	192.2
1957	140.2	78.8	238.0	226.6	380.0	206.0	157.7	199.0
1958	180.0	92.4	356.1	334.3	630.1	221.3	191.9	204.4
1959	213.0	97.1	459.6	444.8	636.6	248.0	218.8	237.4
1960	232.7	74.1	569.3	549.1	812.0	281.2	265.3	268.6
1961	160.0	83.3	294.9	287.5	380.0	223.9	204.1	183.9
1962	155.4	80.7	283.7	274.1	399.5	222.0	212.7	165.1
1963	180.5	93.3	347.5	336.5	477.4	233.7	223.7	151.7
1964	192.0	94.0	385.8	373.3	535.9	242.8	217.6	142.8
1965	217.6	104.2	460.1	459.0	454.7	250.3	218.8	141.9
1966	235.7	110.0	509.2	517.0	383.2	265.3	262.8	154.4
1967	218.3	119.5	424.2	432.1	302.1	254.9	213.9	120.5
1968	212.8	116.1	408.5	419.8	240.3	256.5	196.8	110.7
1969	230.6	96.8	512.8	525.9	318.3	274.4	213.9	143.7
1970	292.6	126.7	647.9	665.2	389.7	339.5	334.9	196.4
1971	317.9	131.3	732.2	754.9	405.0	361.9	366.3	222.6
1972	289.1	100.0	716.6	734.1	450.6	354.0	370.1	165.9
1973	326.7	136.6	746.6	760.4	520.7	371.3	401.4	182.0
1974	334.2	138.9	765.1	777.5	554.2	382.0	396.4	170.1
1975	376.9	136.1	963.6	986.1	618.1	396.5	454.1	164.2
1976	352.3	106.2	945.3	966.4	618.1	411.0	442.8	171.8
1977	377.4	123.7	978.7	1 000.9	636.4	437.8	486.7	176.9
1978	425.6	148.1	1 091.9	1 110.0	785.6	469.3	559.5	224.3
1979	449.3	136.2	1 207.9	1 182.6	1 394.6	517.6	643.5	214.1
1980	478.3	134.5	1 305.7	1 283.1	1 446.3	574.3	705.0	220.0
1981	506.1	154.3	1 330.1	1 309.8	1 440.3	598.5	543.2	297.6
1982	544.8	172.5	1 389.9	1 356.7	1 649.0	658.7	651.1	249.0
1983	663.0	254.2	1 487.2	1 450.7	1 776.1	786.4	725.1	444.0
1984	745.8	265.1	1 748.9	1 697.8	2 187.6	917.4	835.5	523.9
1985	796.7	232.2	1 972.2	1 880.0	2 880.5	1 163.8	943.4	893.5
1986	854.7	242.2	2 049.1	1 962.7	2 880.5	1 376.5	1 241.9	1 110.4
1987	1 015.6	279.2	2 434.4	2 349.2	3 213.4	1 688.9	1 716.1	1 178.6
1988	1 177.4	288.5	2 947.2	2 910.3	3 095.4	2 016.5	1 972.0	1 572.5
1989	1 147.9	238.8	2 829.5	2 845.8	2 351.0	2 285.9	2 127.6	1 873.9
1990	1 187.5	326.3	2 769.5	2 775.4	2 420.6	2 073.2	2 269.3	1 057.2
1991	1 258.1	326.3	2 931.3	2 929.2	2 627.6	2 342.0	2 532.7	1 275.1
1992	1 411.2	332.2	3 465.7	3 440.1	3 286.8	2 669.6	2 956.3	1 544.0
1993	1 591.4	357.8	4 064.8	4 024.5	3 935.5	2 953.0	3 465.8	1 739.5
1994	1 819.0	393.6	4 698.9	4 761.0	3 719.0	3 422.5	4 172.8	2 104.8
1995	1 995.4	413.3	5 244.0	5 318.0	4 113.2	3 802.4	4 869.7	2 363.7

2—9 国内生产总值项目构成

（1995年）　　单位：亿元

项　　目	增加值	劳动者报酬	固定资产折旧	生产税净额	营业盈余
国内生产总值	**1 129.20**	**676.53**	**160.50**	**135.96**	**156.21**
第一产业	303.99	261.20	9.40	6.53	26.86
第二产业	479.46	230.73	82.86	110.98	54.89
工　业	413.85	194.50	77.46	102.47	39.42
建筑业	65.61	36.23	5.40	8.51	15.47
第三产业	345.75	184.60	68.24	18.45	74.46
农林牧渔服务业	2.14	2.00	0.14		
地质勘探业、水利管理业	2.47	2.15	0.32		
交通运输、仓储、邮电通讯业	70.07	30.48	22.33	2.14	15.12
批发和零售贸易、餐饮业	93.15	59.11	12.94	1.76	19.34
金融保险业	48.45	8.37	3.02	7.54	29.52
房地产业	19.46	2.37	12.93	2.44	1.72
社会服务业	19.43	8.58	3.12	2.42	5.31
卫生、体育、社会福利	14.21	11.28	2.20	0.20	0.53
教育、文艺和广播电影电视事业	28.70	23.69	3.98	0.30	0.73
科学研究和综合技术服务事业	13.12	7.83	2.53	1.31	1.45
国家政党机关和社会团体	30.46	26.44	4.02		
其　他	4.09	2.30	0.71	0.34	0.74

2—10 各市县国内生产总值

（1995年）　　　　单位：万元

市、县	国内生产总值	第一产业	第二产业			第三产业			人均国内生产总值（元）
				工业	建筑业		#运输邮电	商业	
长春市	**3 630 068**	**891 541**	**1 491 893**	**1 346 813**	**145 080**	**246 634**	**230 361**	**289 785**	**5 415**
九台市	216 956	109 331	45 780	32 011	13 769	61 845	7 013	13 659	2 655
榆树市	434 289	250 463	85 168	57 016	28 152	98 658	28 186	35 638	3 649
德惠市	441 967	254 930	87 365	73 169	14 196	99 672	19 835	28 666	4 094
农安县	357 306	149 943	120 334	96 544	23 790	87 029	19 679	30 739	4 089
吉林市	**2 288 708**	**336 431**	**1 194 428**	**1 059 056**	**135 372**	**757 849**	**157 033**	**160 567**	**5 369**
桦甸市	161 517	39 963	87 010	79 176	7 834	34 544	6 502	8 951	3 663
蛟河市	148 673	49 299	40 487	37 037	3 450	58 887	20 249	10 689	3 199
舒兰市	186 851	77 171	46 851	38 015	8 836	62 829	16 166	14 607	2 828
磐石市	200 884	69 282	70 128	46 049	24 079	61 474	20 340	6 484	2 656
永吉县	183 017	48 881	77 045	69 441	7 604	57 091	17 658	10 871	3 420
四平市	**1 165 985**	**553 946**	**292 236**	**237 802**	**54 434**	**319 803**	**62 351**	**68 155**	**3 788**
公主岭市	273 140	172 429	49 926	44 141	5 785	50 785	12 589	16 084	2 717
梨树县	322 350	209 985	51 185	40 346	10 839	61 180	10 042	10 338	3 927
伊通县	130 350	75 243	27 365	25 620	1 745	27 742	8 310	3 821	2 943
双辽县	135 205	77 105	27 669	15 938	11 731	30 431	6 583	7 814	3 605
辽源市	**380 232**	**126 740**	**88 085**	**73 239**	**14 846**	**165 407**	**26 355**	**42 500**	**3 117**
东丰县	113 003	58 273	26 524	22 555	3 969	28 206	6 380	5 844	2 904
东辽县	102 305	60 752	17 818	15 301	2 517	23 735	4 673	1 571	2 630
通化市	**853 700**	**181 400**	**340 200**	**292 800**	**47 400**	**332 100**	**74 800**	**88 700**	**3 769**
梅河口市	266 105	84 563	77 635	60 865	16 770	103 907	34 256	31 680	4 251
集安市	79 812	24 365	31 244	28 065	3 179	24 203		8 224	3 487
通化县	84 253	17 720	49 558	45 940	3 618	16 975		4 948	3 312
辉南县	82 644	15 055	36 409	33 281	3 128	31 180		4 973	2 330
柳河县	85 087	27 938	25 786	22 294	3 492	31 363		8 102	2 314

注：人均国内生产总值是按购买力人口计算的。

2—10 续表 (1995年) 单位:万元

市、县	国内生产总值	第一产业	第二产业	工业	建筑业	第三产业	#运输邮电	商业	人均国内生产总值(元)
白山市	**514 822**	**105 720**	**250 544**	**213 600**	**36 944**	**158 558**	**24 828**	**40 138**	**4 011**
临江市	95 285	22 758	42 352	35 256	7 096	30 175	2 933	10 412	5 187
抚松县	109 231	32 793	51 424	47 762	3 662	25 014	2 933	7 683	3 654
靖宇县	24 559	7 995	6 223	5 257	966	10 341	1 272	1 848	1 740
长白县	43 994	11 491	14 807	13 417	1 390	17 696	2 766	5 049	5 107
江源县	105 001	15 902	51 741	49 442	2 299	37 358	5 997	8 995	3 914
松原市	**958 996**	**455 941**	**341 179**	**316 084**	**25 095**	**161 876**	**35 532**	**32 921**	**3 732**
长岭县	156 721	123 864	15 419	13 725	1 694	17 438	3 030	3 911	2 625
前郭县	211 896	114 876	55 510	51 022	4 488	41 510	5 800	4 600	3 888
乾安县	110 980	54 530	38 178	36 715	1 463	18 272	2 017	3 524	4 036
白城市	**460 319**	**208 543**	**111 248**	**85 910**	**25 338**	**140 528**	**28 935**	**36 557**	**2 369**
洮南市	107 068	61 906	18 514	14 594	3 920	26 648	4 719	7 209	2 510
大安市	86 613	33 191	28 045	24 276	3 769	25 377	7 711	2 835	2 085
镇赉县	77 332	48 268	14 866	11 718	3 148	14 198	2 902	1 465	2 457
通榆县	57 515	40 564	6 145	2 960	3 185	10 806	750	1 179	1 729
延边朝鲜族自治州	**943 091**	**153 963**	**397 405**	**328 364**	**69 041**	**391 723**	**78 763**	**132 556**	**4 355**
延吉市	263 700	7 926	127 988	97 842	30 146	127 786	23 275	54 569	7 264
图们市	76 652	5 540	33 117	28 691	4 426	37 995	8 023	10 922	5 487
敦化市	191 665	41 063	86 164	77 411	8 753	64 438	15 406	17 644	4 052
龙井市	105 372	24 393	45 748	39 538	6 210	35 231	7 034	9 151	3 859
珲春市	79 007	16 238	31 453	24 859	6 594	31 316	4 263	10 222	3 841
和龙市	70 772	18 609	27 005	24 024	2 981	25 158	4 905	5 462	2 999
汪清县	75 130	19 368	29 350	25 417	3 933	26 412	5 746	5 997	2 787
安图县	92 950	20 826	39 382	34 720	4 662	32 742	5 211	12 108	4 258

2—11 总 消 费 和 总 投 资

（按当年价格计算）　　单位：亿元

年 份	总消费	总投资	消费率(%)	投资率(%)
1952	11.76	3.91	71.1	23.6
1953	14.54	5.12	76.6	27.0
1954	14.68	8.63	71.9	42.2
1955	15.05	7.10	71.2	33.6
1956	17.04	6.52	69.3	26.5
1957	16.22	6.40	64.3	25.4
1958	17.10	10.66	54.8	34.2
1959	19.72	13.68	53.1	36.8
1960	20.94	11.94	50.1	28.5
1961	22.45	7.82	70.4	11.8
1962	22.90	3.76	73.0	12.0
1963	26.16	7.39	72.8	20.6
1964	27.23	7.34	70.8	19.1
1965	28.88	9.82	67.3	22.9
1966	30.95	9.59	66.3	20.5
1967	32.44	8.40	73.3	19.0
1968	32.06	8.74	75.5	20.6
1969	35.42	10.42	78.4	23.1
1970	39.88	13.41	71.1	23.9
1971	40.45	16.48	66.4	27.1
1972	40.08	17.17	71.5	30.6
1973	41.76	19.34	65.9	30.5
1974	43.58	20.37	66.9	31.3
1975	47.37	24.86	65.5	34.4
1976	50.69	17.48	75.3	26.0
1977	54.51	19.03	74.8	26.1
1978	57.91	32.77	70.6	40.0
1979	69.54	26.68	76.3	29.3
1980	76.92	28.96	78.0	29.4
1981	85.12	28.02	76.6	25.2
1982	94.77	35.65	77.9	29.3
1983	112.22	38.59	74.7	25.7
1984	131.64	57.17	75.5	32.8
1985	145.02	81.15	72.4	40.5
1986	165.27	86.83	72.8	38.2
1987	196.18	111.93	65.9	37.6
1988	242.39	134.61	65.7	36.5
1989	266.94	148.26	68.2	37.9
1990	279.73	182.67	65.8	43.0
1991	308.40	193.05	66.5	41.7
1992	364.56	213.10	65.3	38.2
1993	436.06	287.05	60.7	40.0
1994	577.59	389.93	59.6	40.2
1995	703.38	451.02	62.3	39.9

2—12 总　消　费

（按当年价格计算）　　单位：亿元

年份	总消费	居民消费	农民	非农业居民	社会消费
1952	11.76	11.25	7.18	4.07	0.51
1953	14.54	13.98	8.25	5.73	0.56
1954	14.68	14.11	8.08	6.03	0.57
1955	15.05	14.47	8.24	6.23	0.58
1956	17.04	16.38	9.53	6.85	0.66
1957	16.22	15.44	7.84	7.60	0.78
1958	17.10	16.22	7.89	8.33	0.88
1959	19.72	18.77	8.23	10.54	0.95
1960	20.94	19.80	7.45	12.35	1.14
1961	22.45	21.64	8.58	13.06	0.81
1962	22.90	22.15	9.59	12.56	0.75
1963	26.16	25.21	10.79	14.42	0.95
1964	27.23	26.01	11.07	14.94	1.22
1965	28.88	27.86	12.77	15.09	1.02
1966	30.95	29.71	13.65	16.06	1.24
1967	32.44	30.93	14.96	15.97	1.51
1968	32.06	30.28	14.65	15.63	1.78
1969	35.42	33.31	16.07	17.24	2.11
1970	39.88	37.40	18.19	19.21	2.48
1971	40.45	37.84	17.97	19.87	2.61
1972	40.08	37.20	16.24	20.96	2.88
1973	41.76	38.94	16.83	22.11	2.82
1974	43.58	39.74	17.09	22.65	3.84
1975	47.37	43.02	19.51	23.51	4.35
1976	50.69	45.88	20.73	25.15	4.81
1977	54.51	49.53	22.76	26.77	4.98
1978	57.91	53.02	24.47	28.55	4.89
1979	69.54	61.86	29.85	32.01	7.68
1980	76.92	67.76	31.84	35.92	9.16
1981	85.12	75.13	36.41	38.72	9.99
1982	94.77	83.49	39.76	43.73	11.28
1983	112.22	96.66	49.28	47.38	15.56
1984	131.64	111.76	55.81	55.95	19.88
1985	145.02	120.53	56.42	64.11	24.49
1986	165.27	137.86	61.35	76.51	27.41
1987	196.18	161.49	69.36	92.13	34.69
1988	242.39	203.47	83.21	120.26	38.92
1989	266.94	223.29	91.47	131.82	43.65
1990	279.73	232.73	95.86	136.87	47.00
1991	308.40	255.85	101.03	154.82	52.55
1992	364.56	306.32	111.67	194.65	58.24
1993	436.06	364.91	125.93	238.98	71.15
1994	577.59	473.63	156.13	317.50	103.96
1995	703.38	586.17	191.08	395.09	117.21

2—13 总 消 费 构 成

（按当年价格计算）　　单位:%

年　份	总消费	居民消费	农　民	非农业居民	社会消费
1952	100.0	95.7	61.1	34.6	4.3
1953	100.0	96.1	56.7	39.4	3.9
1954	100.0	96.1	55.0	41.1	3.9
1955	100.0	96.1	54.8	41.3	3.9
1956	100.0	96.1	55.9	40.2	3.9
1957	100.0	95.2	48.3	46.9	4.8
1958	100.0	94.9	46.1	48.8	5.1
1959	100.0	95.2	41.7	53.5	4.8
1960	100.0	94.6	35.6	59.0	5.4
1961	100.0	96.4	38.2	58.2	3.6
1962	100.0	96.7	41.9	54.8	3.3
1963	100.0	96.4	41.2	55.2	3.6
1964	100.0	95.5	40.7	54.8	4.5
1965	100.0	96.5	44.2	52.3	3.5
1966	100.0	96.0	44.1	51.9	4.0
1967	100.0	95.3	46.1	49.2	4.7
1968	100.0	94.4	45.7	48.7	5.6
1969	100.0	94.0	45.4	48.6	6.0
1970	100.0	93.8	45.6	48.2	6.2
1971	100.0	93.5	44.4	49.1	6.5
1972	100.0	92.8	40.5	52.3	7.2
1973	100.0	93.2	40.3	52.9	6.8
1974	100.0	91.1	39.2	51.9	8.9
1975	100.0	90.8	41.2	49.6	9.2
1976	100.0	90.5	40.9	49.6	9.5
1977	100.0	90.9	41.8	49.1	9.1
1978	100.0	91.6	42.3	49.3	8.4
1979	100.0	89.0	42.9	46.1	11.0
1980	100.0	88.1	41.4	46.7	11.9
1981	100.0	88.3	42.8	45.5	11.7
1982	100.0	88.1	42.0	46.1	11.9
1983	100.0	86.1	43.9	42.2	13.9
1984	100.0	84.9	42.4	42.5	15.1
1985	100.0	83.1	38.9	44.2	16.9
1986	100.0	83.4	37.1	46.3	16.6
1987	100.0	82.3	35.4	46.9	17.7
1988	100.0	83.9	34.3	49.6	16.1
1989	100.0	83.6	34.3	49.3	16.4
1990	100.0	83.2	34.3	48.9	16.8
1991	100.0	83.0	32.8	50.2	17.0
1992	100.0	84.0	30.6	53.4	16.0
1993	100.0	83.7	28.9	54.8	16.3
1994	100.0	82.0	27.0	55.0	18.0
1995	100.0	83.3	27.1	56.2	16.7

2—14 总消费增长速度

（按可比价格计算，比上年增长）　　单位：%

年份	总消费	居民消费			社会消费
			农民	非农业居民	
1953	16.5	16.7	8.1	34.4	9.8
1954	-1.1	-1.2	-5.2	5.5	1.8
1955	0.1		-0.9	1.4	1.8
1956	10.5	10.5	10.0	11.3	10.3
1957	-6.8	-8.4	-21.7	10.6	32.8
1958	9.3	9.1	8.7	9.6	12.8
1959	14.4	14.6	3.8	24.8	10.2
1960	-1.5	-2.5	-16.8	8.8	17.5
1961	-11.8	-10.6	-3.8	-14.7	-30.7
1962	2.1	3.0	10.7	-2.2	-17.7
1963	13.5	13.3	13.5	13.2	18.5
1964	12.7	11.6	9.0	13.6	40.3
1965	3.6	4.7	11.6	-0.3	-18.5
1966	9.6	8.9	10.8	7.3	27.3
1967	2.5	1.7	5.9	-1.9	20.5
1968	-1.1	-2.1	-3.9	-0.4	17.0
1969	13.8	13.5	15.2	12.0	17.1
1970	13.8	13.7	5.0	21.6	15.1
1971	1.5	1.3	-1.2	3.2	5.2
1972	2.4	1.7	-2.2	5.2	11.6
1973	3.5	3.9	2.5	5.2	-2.4
1974	4.9	4.2	3.0	5.2	15.2
1975	5.8	4.4	3.1	5.5	23.7
1976	0.5	0.3	-0.9	1.2	3.0
1977	7.6	7.8	9.9	6.3	4.8
1978	6.7	7.9	10.0	6.2	-6.0
1979	11.3	9.3	10.7	8.1	35.8
1980	9.3	9.3	6.1	12.0	9.4
1981	7.8	7.4	7.6	7.2	11.7
1982	10.6	9.7	10.0	9.4	18.9
1983	12.3	10.1	19.6	1.3	30.0
1984	14.6	13.0	12.9	13.2	25.2
1985	4.6	2.8	-3.3	9.5	15.9
1986	7.3	5.8	0.8	10.6	15.5
1987	9.8	9.2	8.8	9.5	13.1
1988	6.3	4.7	1.2	7.8	14.0
1989	-5.7	-6.2	-8.7	-4.0	-3.8
1990	1.3	0.8	-1.6	2.8	2.8
1991	4.3	4.1	-0.6	7.4	5.3
1992	6.4	6.8	3.0	9.3	4.3
1993	7.2	6.5	3.1	8.6	10.7
1994	15.0	12.9	7.4	15.9	25.5
1995	7.9	9.1	7.6	9.9	2.2

2—15 总　产　出

（按当年价格计算）　　　　单位：亿元

年份	总产出	第一产业	第二产业			第三产业		
				工业	建筑业		#运输邮电	商业
1952	30.10	12.42	11.80	10.48	1.32	5.88	1.30	1.70
1953	36.96	12.54	15.61	13.28	2.33	8.81	1.63	2.99
1954	40.41	12.40	18.24	15.11	3.13	9.77	1.85	2.95
1955	40.62	13.34	16.53	13.89	2.34	10.75	1.94	2.94
1956	47.09	13.43	21.15	16.93	4.22	12.51	2.10	3.38
1957	50.64	12.84	23.91	20.80	3.11	13.89	2.04	3.82
1958	64.40	12.38	36.84	30.88	5.96	15.18	2.56	4.00
1959	80.36	13.92	49.91	41.84	8.07	16.53	2.84	4.43
1960	98.33	12.89	66.34	57.33	9.01	19.10	3.63	5.39
1961	69.62	14.89	35.88	32.71	3.17	18.85	2.91	4.74
1962	66.82	14.24	32.93	30.05	2.88	19.65	3.09	4.62
1963	76.22	16.07	39.64	35.47	4.17	20.51	3.49	3.90
1964	86.14	16.93	46.69	40.31	6.38	22.52	3.45	4.89
1965	93.85	17.75	53.12	47.49	5.63	22.98	3.65	4.50
1966	105.21	22.67	58.89	53.95	4.94	23.65	4.36	4.83
1967	91.01	24.14	43.96	40.01	3.95	22.91	3.69	3.91
1968	81.49	23.23	35.23	31.76	3.47	23.03	3.36	3.57
1969	100.88	19.82	56.91	52.42	4.49	24.15	3.55	4.50
1970	122.18	26.86	69.48	63.47	6.01	25.84	5.08	5.27
1971	136.37	27.48	81.76	74.25	7.51	27.13	5.80	5.58
1972	140.63	26.06	86.49	78.96	7.53	28.08	5.86	6.28
1973	154.33	31.55	93.33	84.91	8.42	29.45	6.25	6.59
1974	161.60	37.44	93.86	84.90	8.96	30.30	6.41	7.06
1975	175.75	35.27	109.03	99.31	9.72	31.45	6.84	7.69
1976	175.59	31.17	112.12	103.39	8.73	32.30	6.87	7.60
1977	177.05	31.25	111.92	104.34	7.58	33.88	7.13	7.51
1978	200.26	37.78	126.08	112.87	13.21	36.40	8.20	8.78
1979	227.30	42.02	143.36	125.74	17.62	41.92	10.38	7.74
1980	247.02	47.47	151.77	134.67	17.10	47.78	12.42	9.42
1981	260.58	56.89	152.89	136.64	16.25	50.80	10.28	12.30
1982	286.83	60.58	170.37	148.75	21.62	55.88	12.35	13.90
1983	340.48	78.11	194.03	172.04	21.99	68.34	15.11	21.03
1984	408.35	88.99	236.70	208.84	27.86	82.66	17.98	26.68
1985	495.98	85.89	297.02	256.75	40.27	113.07	23.09	37.35
1986	562.53	98.43	326.80	282.48	44.32	137.30	30.29	46.42
1987	715.35	120.81	413.33	359.46	53.87	181.21	37.07	52.98
1988	894.03	140.91	516.92	454.24	62.68	236.20	43.44	77.35
1989	1 009.12	133.79	586.22	530.36	55.86	289.11	48.40	97.40
1990	1 081.00	189.09	616.05	552.36	63.69	275.86	47.65	83.23
1991	1 202.64	188.38	687.64	614.38	73.26	326.62	60.10	101.44
1992	1 464.92	204.39	865.90	767.81	98.09	394.63	65.45	121.65
1993	1 929.84	243.95	1 201.13	1 033.25	167.88	484.76	85.52	155.32
1994	2 412.60	405.48	1 372.30	1 210.88	161.42	634.82	118.06	209.20
1995	2 951.39	490.28	1 649.26	1 434.16	215.10	811.85	155.32	275.64

单位:亿元

年份	总产出	第一产业	第二产业			第三产业		
				工业	建筑业		#运输邮电	商业
按1952年不变价格计算								
1952	32.62	14.28	12.46	11.41	1.32	5.88	1.30	1.70
1953	38.14	13.32	16.37	14.04	2.33	8.45	1.53	2.88
1954	41.27	12.98	19.00	15.74	3.26	9.29	1.77	2.80
1955	42.23	13.68	18.37	15.48	2.89	10.18	1.85	2.78
1956	49.01	12.70	24.45	19.61	4.84	11.86	2.02	3.19
1957	52.55	12.07	27.26	23.69	3.57	13.22	1.95	3.63
按1957年不变价格计算								
1957	49.18	10.61	24.68	21.57	3.11	13.89	2.04	3.82
1958	64.96	12.65	37.63	31.51	6.12	14.68	2.56	3.84
1959	81.58	13.88	51.03	42.70	8.33	16.67	2.84	4.47
1960	97.57	11.52	67.13	58.00	9.13	18.92	3.63	5.33
1961	61.77	12.24	34.37	31.50	2.87	15.16	2.69	3.71
1962	57.75	11.72	30.90	28.41	2.49	15.13	2.80	3.40
1963	67.49	12.98	37.35	33.69	3.66	17.16	3.12	3.29
1964	76.93	13.52	43.83	38.09	5.74	19.58	3.14	4.21
1965	85.27	14.24	51.56	46.54	5.02	19.47	3.18	3.79
1966	98.15	15.61	62.31	57.95	4.36	20.23	3.73	4.06
1967	82.70	16.63	46.44	42.98	3.46	19.63	3.24	3.33
1968	74.35	16.00	38.59	35.57	3.02	19.76	2.97	3.05
1969	124.65	13.65	60.19	56.31	3.88	50.81	3.15	3.86
1970	117.32	18.50	74.04	68.18	5.86	24.78	5.08	5.00
1971	133.53	18.69	87.76	80.25	7.51	27.08	5.96	5.29
按1970年不变价格计算								
1971	136.36	27.15	82.08	74.70	7.38	27.13	5.80	5.58
1972	139.56	24.84	86.64	79.82	6.82	28.08	5.86	6.28
1973	153.56	29.93	94.18	86.27	7.91	29.45	6.25	6.59
1974	157.77	32.36	95.11	86.69	8.42	30.30	6.41	7.06
1975	176.04	33.27	111.32	102.19	9.13	31.45	6.84	7.69
1976	176.57	29.07	115.20	107.00	8.20	32.30	6.87	7.60
1977	177.38	28.91	114.75	107.62	7.13	33.72	7.13	7.46
1978	201.71	34.47	130.43	117.61	12.82	36.81	8.20	8.44
1979	219.35	33.32	144.85	127.41	17.44	41.18	10.38	7.56
1980	231.91	34.66	151.88	134.82	17.06	45.37	12.42	8.72
1981	234.40	37.10	150.75	136.40	14.35	46.55	10.28	11.01
按1980年不变价格计算								
1981	256.24	53.15	152.97	138.23	14.74	50.12	10.28	12.09
1982	277.65	56.22	167.53	148.39	19.14	53.90	12.35	13.27
1983	326.21	72.62	189.02	169.55	19.47	64.57	15.11	19.54
1984	376.32	80.21	220.79	196.70	24.09	75.32	17.58	23.82
1985	427.16	73.81	259.14	228.14	31.00	94.21	21.05	30.37
1986	464.01	77.02	276.79	244.91	31.88	110.20	27.56	35.85
1987	549.52	88.13	325.46	289.18	36.28	135.93	33.68	37.57
1988	624.18	92.86	378.37	341.68	36.68	152.95	39.49	45.53
1989	637.61	82.04	390.37	363.27	27.10	165.20	44.00	49.04
1990	654.81	103.90	399.80	370.14	29.66	151.11	40.48	40.34
按1990年不变价格计算								
1990	1 103.30	206.90	619.07	555.38	63.69	277.33	49.12	83.23
1991	1 170.55	205.77	655.33	585.36	82.17	309.45	56.06	96.52
1992	1 333.77	211.79	768.40	686.23	82.17	353.58	59.66	108.62
1993	1 535.67	233.01	913.53	799.32	114.21	389.13	68.97	124.55
1994	1 667.40	256.85	966.16	863.01	103.15	444.39	83.52	146.09
1995	1 867.34	272.13	1 095.27	966.54	128.73	499.94	98.39	168.59

2—16 总产出部门构成

(按当年价格计算)　　单位:%

年　份	总产出	第一产业	第二产业			第三产业		
				工　业	建筑业		#运输邮电	商　业
1952	100	41.3	39.2	34.8	4.4	19.5	4.3	5.6
1953	100	33.9	42.2	35.9	6.3	23.9	4.4	8.1
1954	100	30.7	45.1	37.4	7.7	24.2	4.6	7.3
1955	100	32.8	40.7	34.2	6.5	26.5	4.8	7.2
1956	100	28.5	44.9	35.9	9.0	26.6	4.5	7.2
1957	100	25.4	47.2	41.1	6.1	27.4	4.0	7.5
1958	100	19.2	57.2	47.9	9.3	23.6	4.0	6.2
1959	100	17.3	62.1	52.1	10.0	20.6	3.5	5.5
1960	100	13.1	67.5	58.3	9.2	19.4	3.7	5.5
1961	100	21.4	51.5	47.0	4.5	27.1	4.2	6.8
1962	100	21.3	49.3	45.0	4.3	29.4	4.6	6.9
1963	100	21.1	52.0	46.5	5.5	26.9	4.6	5.1
1964	100	19.7	54.2	46.8	7.4	26.1	4.0	5.7
1965	100	18.9	56.6	50.6	6.0	24.5	3.9	4.8
1966	100	21.5	56.0	51.3	4.7	22.5	4.1	4.6
1967	100	26.5	48.3	44.0	4.3	25.2	4.1	4.3
1968	100	28.5	43.2	38.9	4.3	28.3	4.1	4.4
1969	100	19.6	56.5	52.0	4.5	23.9	3.5	4.5
1970	100	22.0	56.9	51.9	5.0	21.1	4.2	4.3
1971	100	20.2	59.9	54.4	5.5	19.9	4.3	4.1
1972	100	18.5	61.5	56.1	5.4	20.0	4.2	4.5
1973	100	20.4	60.5	55.0	5.5	19.1	4.0	4.3
1974	100	23.2	58.1	52.6	5.5	18.7	4.0	4.4
1975	100	20.1	62.0	56.5	5.5	17.9	3.9	4.4
1976	100	17.8	63.9	58.9	5.0	18.3	3.9	4.3
1977	100	17.7	63.2	58.9	4.3	19.1	4.0	4.2
1978	100	18.9	63.0	56.4	6.6	18.1	4.1	4.4
1979	100	18.5	63.1	55.3	7.8	18.4	4.6	3.4
1980	100	19.2	61.4	54.5	6.9	19.4	5.0	3.8
1981	100	21.8	58.7	52.5	6.2	19.5	3.9	4.7
1982	100	21.1	59.4	51.9	7.5	19.5	4.3	4.8
1983	100	22.9	57.0	50.5	6.5	20.1	4.4	6.2
1984	100	21.8	58.0	51.2	6.8	20.2	4.4	6.5
1985	100	17.3	59.9	51.8	8.1	22.8	4.7	7.5
1986	100	17.5	58.1	50.2	7.9	24.4	5.4	8.3
1987	100	16.9	57.8	50.2	7.6	25.3	5.2	7.4
1988	100	15.8	57.8	50.8	7.0	26.4	4.9	8.7
1989	100	13.3	58.1	52.6	5.5	28.6	4.8	9.7
1990	100	17.5	57.0	51.1	5.9	25.5	4.4	7.7
1991	100	15.7	57.2	51.1	6.1	27.1	5.0	8.4
1992	100	14.0	59.1	52.4	6.7	26.9	4.5	8.3
1993	100	12.6	62.2	53.5	8.7	25.2	4.4	8.0
1994	100	16.8	56.9	50.2	6.7	26.3	4.9	8.7
1995	100	16.6	55.9	48.6	7.3	27.5	5.3	9.3

2—17 总产出增长速度

（按可比价格计算，比上年增长）　　单位：%

年　份	总产出	第一产业	第二产业	工　业	建筑业	第三产业	#运输邮电	商　业
1953	16.9	-6.7	31.4	26.0	76.5	43.7	17.7	69.4
1954	8.2	-2.6	16.1	12.1	39.9	9.9	15.7	-2.8
1955	2.3	5.4	-3.3	-1.7	-11.3	9.6	4.5	-0.7
1956	16.1	-7.2	33.1	26.7	67.5	16.5	9.2	14.7
1957	7.2	-5.0	11.5	20.8	-26.2	11.5	-3.5	13.8
1958	32.1	19.2	52.5	46.1	96.8	5.7	25.5	0.5
1959	25.6	9.7	35.6	35.5	36.1	13.6	10.9	16.4
1960	19.6	-17.0	31.6	35.8	9.6	13.5	27.8	19.2
1961	-36.7	6.3	-48.8	-45.7	-68.6	-19.9	-25.9	-30.4
1962	-6.5	-4.2	-10.1	-9.8	-13.2	-0.2	4.1	-8.4
1963	16.9	10.8	20.9	18.6	47.0	13.4	11.4	-3.2
1964	14.0	4.2	17.3	13.1	56.8	14.1	0.6	28.0
1965	10.8	5.3	17.6	22.2	-12.5	-0.6	1.3	-10.0
1966	15.1	9.6	20.8	24.5	-13.1	3.9	17.3	7.1
1967	-15.7	6.5	-25.5	-25.8	-20.6	-3.0	-13.1	-18.0
1968	-10.1	-3.8	-16.9	-17.2	-12.7	0.7	-8.3	-8.4
1969	27.3	-14.7	56.0	58.3	28.5	5.3	6.1	26.6
1970	24.0	35.5	23.0	21.1	51.0	19.1	61.3	29.5
1971	13.8	1.0	18.5	17.7	28.2	9.3	17.3	5.8
1972	2.3	-8.5	5.6	6.9	-7.6	3.5	1.0	12.5
1973	10.0	20.5	8.7	8.1	16.0	4.9	6.7	4.9
1974	2.7	8.1	1.0	0.5	6.4	2.9	2.6	7.1
1975	11.6	2.8	17.0	17.9	8.4	3.8	6.7	8.9
1976	0.3	-12.6	3.5	4.7	-10.2	2.7	0.4	-1.2
1977	0.5	-0.6	-0.4	0.6	-13.0	4.4	3.8	-1.8
1978	13.7	19.2	13.7	9.3	79.8	9.2	15.0	13.1
1979	8.7	-3.3	11.1	8.3	36.0	11.9	26.6	-10.4
1980	5.7	4.0	4.9	5.8	-2.2	10.2	19.7	15.3
1981	1.1	7.0	-0.7	1.2	-15.9	2.6	-17.2	26.3
1982	8.4	5.8	9.5	7.4	29.9	7.5	20.1	9.8
1983	17.5	29.2	12.8	14.3	1.7	19.8	22.3	47.2
1984	15.4	10.5	16.8	16.0	23.7	16.6	16.3	21.9
1985	13.5	-8.0	17.4	16.0	28.7	25.1	19.7	27.5
1986	8.6	4.3	6.8	7.4	2.8	17.0	30.9	18.0
1987	18.4	14.4	17.6	18.1	13.8	23.3	22.2	4.8
1988	13.6	5.4	16.3	18.2	1.1	12.5	17.3	21.2
1989	2.2	-11.7	3.2	6.3	-26.1	8.0	11.4	7.7
1990	2.7	26.6	2.4	1.9	9.4	-8.5	-8.0	-17.7
1991	6.1	-0.5	5.9	5.4	9.9	11.6	14.1	16.0
1992	13.9	2.9	17.3	17.2	17.4	14.3	6.4	12.5
1993	15.1	10.0	18.9	16.5	39.0	10.1	15.6	14.7
1994	13.1	10.2	13.4	16.7	-9.7	14.2	21.1	17.3
1995	12.0	5.9	13.4	12.0	24.8	12.5	17.8	15.4

2—18 总投资和总投资构成

（按当年价格计算）

年　份	总投资（亿元）	固定资产投资	库存增加	总投资构成（%）	固定资产投资	库存增加
1952	3.91	1.87	2.04	100	47.8	52.2
1953	5.12	3.22	1.90	100	62.9	37.1
1954	8.63	5.39	3.24	100	62.5	37.5
1955	7.10	5.57	1.53	100	78.5	21.5
1956	6.52	6.47	0.05	100	99.2	0.8
1957	6.40	4.28	2.12	100	66.9	33.1
1958	10.66	8.37	2.29	100	78.5	21.5
1959	13.68	10.74	2.94	100	78.5	21.5
1960	11.94	11.09	0.85	100	92.9	7.1
1961	7.82	5.11	2.71	100	65.3	34.7
1962	3.76	3.92	-0.16	100		
1963	7.39	5.24	2.15	100	70.9	29.1
1964	7.34	7.01	0.33	100	95.5	4.5
1965	9.82	7.50	2.32	100	76.4	23.6
1966	9.59	6.94	2.65	100	72.4	27.6
1967	8.40	5.36	3.04	100	63.8	36.2
1968	8.74	5.27	3.47	100	60.3	39.7
1969	10.42	6.46	3.96	100	62.0	38.0
1970	13.41	8.88	4.53	100	66.2	33.8
1971	16.48	11.64	4.84	100	70.6	29.4
1972	17.17	11.59	5.58	100	67.5	32.5
1973	19.34	13.39	5.95	100	69.2	30.8
1974	20.37	13.68	6.69	100	67.2	32.8
1975	24.86	15.44	9.42	100	62.1	37.9
1976	17.48	12.43	5.05	100	71.1	28.9
1977	19.03	11.74	7.29	100	61.7	38.3
1978	32.77	18.16	14.61	100	55.4	44.6
1979	26.68	19.54	7.14	100	73.2	26.8
1980	28.96	20.80	8.16	100	71.8	28.2
1981	28.02	20.98	7.04	100	74.9	25.1
1982	35.65	27.67	7.98	100	77.6	22.4
1983	38.59	29.33	9.26	100	76.0	24.0
1984	57.17	40.93	16.24	100	71.6	28.4
1985	81.15	62.38	18.77	100	76.9	23.1
1986	86.83	63.40	23.43	100	73.0	27.0
1987	111.93	76.70	35.23	100	68.5	31.5
1988	134.61	92.85	41.76	100	69.0	31.0
1989	148.26	81.73	66.53	100	55.1	44.9
1990	182.67	93.97	88.70	100	51.4	48.6
1991	193.05	117.43	75.62	100	60.8	39.2
1992	213.10	152.57	60.53	100	71.6	28.4
1993	287.05	252.94	34.11	100	88.1	11.9
1994	389.93	320.45	69.48	100	82.2	17.8
1995	451.02	358.14	92.88	100	79.4	20.6

2—19 总投资增长速度

（按可比价格计算，比上年增长） 单位：%

年 份	总投资	固定资产投资	库存增加
1953	23.6	73.2	-19.9
1954	70.7	65.3	80.9
1955	-13.2	8.3	-50.5
1956	2.7	28.7	-96.1
1957	-16.5	-43.1	3 181.9
1958	70.0	92.1	19.4
1959	30.0	28.0	36.9
1960	-14.5	0.3	-65.8
1961	-42.1	-42.5	145.0
1962	-48.9	-40.0	
1963	93.4	33.2	
1964	-2.7	28.6	-89.0
1965	42.0	14.7	924.8
1966	-3.2	-8.4	15.5
1967	-13.3	-23.5	15.4
1968	3.6	-2.6	15.4
1969	19.0	21.1	15.4
1970	28.4	36.3	15.5
1971	24.4	32.7	8.1
1972	4.3	-0.3	15.5
1973	12.8	15.7	6.8
1974	5.5	2.3	12.6
1975	22.3	13.2	40.9
1976	-29.4	-19.2	-46.2
1977	8.7	-5.6	44.3
1978	72.1	54.5	100.2
1979	-19.3	6.7	-51.6
1980	8.5	6.4	14.3
1981	-8.0	-5.7	-13.7
1982	22.3	29.0	2.1
1983	6.0	4.7	10.9
1984	39.6	27.0	84.5
1985	32.8	42.1	9.9
1986	1.6	-3.7	18.5
1987	25.0	17.8	43.4
1988	11.0	10.1	12.8
1989	-3.0	-25.2	42.8
1990	22.1	13.1	31.7
1991	4.8	23.6	-15.2
1992	0.4	15.2	-22.6
1993	16.1	44.0	-47.8
1994	10.9	4.3	56.6
1995	7.5	4.4	22.0

2—20 投 入 产 出

(19

投入 \ 产出		中间			
		农业	工业	建筑业	货运邮电业
中间投入	农业	226 805	500 225	44	3
	工业	413 815	3 934 090	659 796	206 012
	建筑业	706	2 225	1 742	424
	货运邮电业	5 579	176 822	10 368	6 341
	商业饮食业	31 952	327 889	20 125	30 549
	非物质生产部门	62 921	466 173	38 158	46 209
	中间投入合计	**741 778**	**5 407 423**	**730 233**	**289 538**
增加值	固定资产折旧	56 494	438 975	24 696	61 963
	劳动者报酬	1 099 625	663 674	166 789	157 751
	生产税净额	28 562	455 034	27 532	17 925
	营业盈余	117 438	717 817	36 053	45 974
	增加值合计	1 302 119	2 275 500	255 069	283 613
	总投入	**2 043 897**	**7 682 923**	**985 302**	**573 151**

投入 \ 产出		使用			
		社会消费	总消费合计	固定资产形成	库存增加
中间投入	农业		615 564	273 155	122 403
	工业	4 012	1 825 413	446 054	426 785
	建筑业			797 577	
	货运邮电业	62	43 015		
	商业饮食业		418 265		54 786
	非物质生产部门	735 693	976 073		
	中间投入合计	**739 767**	**3 878 331**	**1 516 786**	**603 975**

注：按当年价格计算。

基 本 流 量 表

92 年）

单位:万元

使	用		最	终	
商业饮食业	非物质生产部门	中间使用合计	农业居民消费	非农业居民消费	居民总消费
176 159	8 499	911 735	337 995	277 570	615 564
226 280	679 313	6 119 306	637 738	1 280 035	1 821 401
12 723	48 961	66 781			
38 704	57 875	295 689	15 999	37 987	42 953
120 387	50 074	580 976	101 342	316 922	418 265
270 341	327 599	121 140	78 988	161 135	240 380
844 594	**1 172 321**	**918 588**	**1 172 062**	**2 073 649**	**3 138 564**
94 910	135 735	812 773			
226 180	448 357	2 762 376			
32 176	37 946	599 175			
103 370	337 783	1 358 434			
456 636	959 821	5 532 758			
1 301 230	**2 132 142**	**14 718 645**			

总投资合计	流出	最终使用合计	流入	总产出
395 558	263 357	1 274 479	142 317	2 043 897
872 840	4 946 926	7 645 179	6 081 561	7 682 923
797 577	124 947	922 524	4 002	985 302
	311 231	354 246	76 784	573 151
54 786	285 773	758 825	38 570	1 301 230
	122 876	1 098 949	178 209	2 132 142
2 120 761	**6 055 110**	**12 054 201**	**6 521 443**	**14 718 645**

2—21 投入产出直接消耗系数

(1992年)

	农业	工业	建筑业	货运邮电业	商业饮食业
农业	0.110967	0.065109	0.000045	0.000005	0.135379
工业	0.202464	0.512056	0.669638	0.359438	0.173897
建筑业	0.000346	0.000290	0.001768	0.000739	0.009778
货运邮电业	0.002730	0.023015	0.010523	0.011064	0.029744
商业饮食业	0.015633	0.042678	0.020425	0.053299	0.092518
非物质生产部门	0.030785	0.060676	0.038727	0.080623	0.207758
中间投入合计	**0.362923**	**0.703824**	**0.741126**	**0.505168**	**0.649074**
固定资产折旧	0.027640	0.057136	0.025064	0.108110	0.072939
劳动者报酬	0.538004	0.086383	0.169277	0.275235	0.173820
生产税净额	0.013974	0.059227	0.027942	0.031275	0.024727
营业盈余	0.057458	0.093430	0.036591	0.080212	0.079440
增加值合计	**0.637077**	**0.296176**	**0.258874**	**0.494832**	**0.350926**
总投入	**1.000000**	**1.000000**	**1.000000**	**1.000000**	**1.000000**

2—22 投入产出完全消耗系数

(1992年)

	农业	工业	建筑业	货运邮电业	商业饮食业
农业	0.176602	0.193596	0.139309	0.090784	0.238099
工业	0.592679	1.371650	1.656808	0.988604	0.820941
建筑业	0.003412	0.006950	0.008108	0.006863	0.019970
货运邮电业	0.021396	0.065423	0.058600	0.043515	0.064661
商业饮食业	0.052070	0.124413	0.111702	0.114729	0.158195
非物质生产部门	0.100264	0.214159	0.202977	0.202058	0.358896

2—23 少数民族自治地方人口

州、市、县	总人口(人)		少数民族人口(人)		少数民族人口占总人口比重(%)	
	1994年	1995年	1994年	1995年	1994年	1995年
总　计	**3 188 249**	**3 226 762**	**1 169 130**	**1 161 045**	**36.7**	**36.0**
延边朝鲜族自治州	2 154 703	2 175 888	918 244	923 406	42.6	42.4
延吉市	343 600	356 170	211 438	218 549	61.5	61.4
图们市	139 418	139 989	84 180	84 038	60.4	60.0
敦化市	471 718	474 297	34 877	35 122	7.4	7.4
龙井市	273 056	273 031	189 236	188 800	69.3	69.1
珲春市	202 975	208 445	108 832	110 236	53.6	52.9
和龙市	236 214	235 828	136 489	135 158	57.8	57.3
汪清县	269 954	269 273	95 423	94 570	35.3	35.1
安图县	217 768	218 855	57 769	56 933	26.5	26.0
伊通满族自治县	442 341	448 457	171 093	170 601	38.7	38.0
长白朝鲜族自治县	85 790	86 488	15 782	15 871	18.4	18.4
前郭尔罗斯蒙古族自治县	505 415	515 929	64 011	51 167	12.7	9.9

2－24 少数民族自治地方主要经济指标

项　　目	单位	1978年	1980年	1985年	1990年	1994年	1995年
一、农　业							
耕地面积	万亩	620.50	626.50	625.10	735.00	492.20	507.90
灌溉面积	万亩	121.80	140.10	116.90	177.20	115.94	111.18
粮食产量	万吨	80.40	64.00	110.80	214.40	235.49	220.83
油料产量	万吨	1.19	2.35	6.25	3.21	0.99	1.73
大牲畜年末头数	万头	28.40	30.00	35.30	49.50	20.03	72.11
羊年末只数	万只	17.70	21.20	19.50	35.00	95.90	45.92
猪年末头数	万头	51.90	33.60	42.20	62.21	66.39	72.20
二、工　业							
钢产量	万吨	0.8	0.8	1.2	2.3	1.0	1.25
生铁产量	万吨	1.2	0.4	0.9	1.6	1.76	1.07
原煤产量	万吨	133.5	126.2	268.3	354.1	394.8	365.3
原油产量	万吨	185	176	213	357	2	2
发电量	万千瓦小时	207 782	254 000	253 261	461 831	636 962	577 067
木材产量	万立方米	289.5	328.6	315.9	301.1	316.88	265.4
棉布产量	万米	1 202	1 399	2 556	1 964	1 754	1 822
三、运输、邮电							
铁路通车里程	公里	587	587	453	533	533	533
公路通车里程	公里	4 075.6	3 856.0	2 755.0	4 242.0	6 705.0	6 962.0
四、基本建设投资总额	万元	18 082	20 457	35 561	69 181	138 346	114 384
五、商　业							
社会消费品零售总额	万元	54 700	74 500	148 173	333 455	623 156	731 871
商品国内纯购进总额	万元	41 578	48 682	89 830	296 177	717 873	640 989
六、卫　生							
卫生事业机构数	个	682	796	870	879	814	748
卫生机构床位数	张	8 395	8 831	10 518	11 639	12 821	11 853
卫生技术人员	人	9 048	10 497	14 113	17 920	25 901	18 989
七、文化教育							
在校学生数							
高等学校	人	3 101	3 652	5 102	5 621	6 288	6 833
中等学校	人	84 675	63 063	167 839	171 720	201 514	198 259
小学校	万人	11.16	9.90	29.35	37.20	35.68	33.19
教师数							
高等学校	人	1 183	1 538	1 022	1 346	1 381	1 415
中等学校	人	5 063	5 206	11 386	13 279	16 015	15 356
小学校	人	5 061	4 418	13 152	20 717	22 900	22 700
少数民族文字的图书	种	240	308	470	1 031	1 614	1 036
少数民族文字的杂志	种	8	10	14	15	19	21
少数民族文字的报纸	种	3	4	7	8	13	15

人口 3

3 人口

1995年年末总人口	2 550.87 万人
#男性人口	1 302.78 万人
农业人口	1 473.07 万人
城镇人口	2 218.76 万人
1995年年末总户数	704.13 万户
1995年平均每户人口	3.62 人
1995年人口密度	136.1 人/平方公里

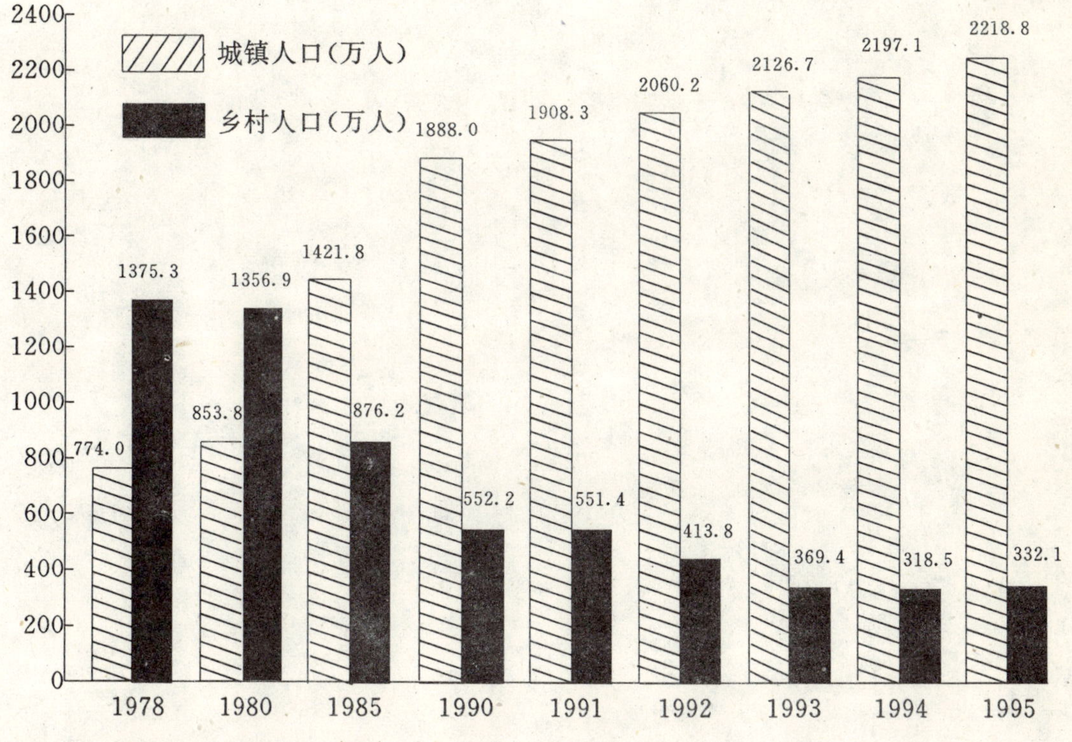

3—1 总 人 口

年 份	人口数(万人)	按性别分		按农业、非农业分		按城乡分		占总人口的比重(%)		
		男	女	农业人口	非农业人口	城镇	乡村	男性人口	非农业人口	城镇人口
1949	1 008.5	536.6	471.9	828.2	180.3	222.3	786.2	53.2	17.9	22.0
1950	1 029.5	546.9	482.6	836.6	192.9	228.2	801.3	53.1	18.7	22.2
1951	1 039.8	550.5	489.3	824.4	215.4	235.5	804.3	52.9	20.7	22.6
1952	1 064.6	561.1	503.5	831.6	233.0	254.3	810.3	52.7	21.9	23.9
1953	1 133.2	602.1	531.1	821.2	312.0	320.4	812.8	53.1	27.5	28.3
1954	1 164.7	614.7	550.0	837.0	327.7	338.7	826.0	52.8	28.1	29.1
1955	1 202.1	634.5	567.6	851.2	350.9	342.5	859.6	52.9	29.2	28.5
1956	1 224.5	641.7	582.8	905.9	318.6	360.4	864.1	52.4	26.0	29.4
1957	1 248.1	656.0	592.1	882.6	365.5	383.8	864.3	52.6	29.3	30.8
1958	1 280.9	674.0	606.9	880.2	400.7	417.0	863.9	52.6	31.3	32.6
1959	1 313.0	692.4	620.6	844.3	468.7	530.7	782.3	52.7	35.7	40.4
1960	1 397.1	740.7	656.4	847.9	549.2	604.7	792.4	53.0	39.3	43.3
1961	1 414.3	743.0	671.3	891.2	523.1	612.8	801.5	52.5	37.0	43.3
1962	1 476.4	768.9	707.5	995.9	480.5	535.4	941.0	52.1	32.5	36.3
1963	1 537.1	800.7	736.4	1 043.1	494.0	543.9	993.2	52.1	32.1	35.4
1964	1 595.1	831.3	763.8	1 091.4	503.7	564.3	1 030.8	52.1	31.6	35.4
1965	1 639.1	850.1	789.0	1 118.9	520.2	578.7	1 060.4	51.9	31.7	35.3
1966	1 679.3	869.4	809.9	1 152.9	526.4	589.1	1 090.2	51.8	31.3	35.1
1967	1 722.1	891.7	830.4	1 179.9	542.2	604.4	1 117.7	51.8	31.5	35.1
1968	1 766.3	910.4	855.9	1 210.6	555.7	619.1	1 147.2	51.5	31.5	35.1
1969	1 808.2	932.0	876.2	1 265.6	542.6	625.4	1 182.8	51.5	30.0	34.6
1970	1 860.4	959.0	901.4	1 305.3	555.1	629.4	1 231.0	51.5	29.8	33.8
1971	1 915.2	983.8	931.4	1 336.3	578.9	647.7	1 267.5	51.4	30.2	33.8
1972	1 962.7	1 008.3	951.4	1 366.2	596.5	718.4	1 244.3	51.4	30.4	36.6
1973	2 007.9	1 032.1	975.8	1 396.4	611.5	702.0	1 305.9	51.4	30.5	35.0
1974	2 034.5	1 045.5	989.0	1 419.8	614.7	711.5	1 323.0	51.4	30.2	35.0
1975	2 063.9	1 060.5	1 003.4	1 443.4	620.5	722.7	1 341.2	51.4	30.1	35.0
1976	2 092.6	1 075.1	1 017.5	1 460.0	632.6	738.1	1 354.5	51.4	30.2	35.3
1977	2 117.9	1 087.8	1 030.1	1 481.6	636.3	747.8	1 370.1	51.4	30.0	35.3
1978	2 149.3	1 102.3	1 047.0	1 489.8	659.5	774.0	1 375.3	51.3	30.7	36.0
1979	2 184.6	1 119.0	1 065.6	1 483.4	701.2	810.4	1 374.2	51.2	32.1	37.1
1980	2 210.7	1 132.1	1 078.6	1 487.4	723.3	853.8	1 356.9	51.2	32.7	38.6
1981	2 230.9	1 141.4	1 089.5	1 485.2	745.7	871.7	1 359.2	51.2	33.4	39.1
1982	2 257.6	1 155.1	1 102.5	1 493.9	763.7	893.9	1 363.7	51.2	33.8	39.6
1983	2 269.5	1 162.3	1 107.2	1 487.4	782.1	877.8	1 391.7	51.2	34.5	38.7
1984	2 284.5	1 170.7	1 113.8	1 481.9	802.6	1 256.1	1 028.4	51.2	35.1	55.0
1985	2 298.0	1 177.4	1 120.6	1 461.0	837.0	1 421.8	876.2	51.2	36.4	61.9
1986	2 315.3	1 186.4	1 128.9	1 458.3	857.0	1 470.7	844.6	51.2	37.0	63.5
1987	2 336.4	1 196.9	1 139.5	1 452.9	883.5	1 597.7	738.7	51.2	37.8	68.4
1988	2 357.4	1 208.3	1 149.1	1 448.7	908.7	1 728.6	628.8	51.3	38.5	74.2
1989	2 395.4	1 228.2	1 167.2	1 464.6	930.8	1 778.3	617.1	51.3	38.9	73.3
1990	2 440.2	1 248.1	1 192.1	1 498.3	951.9	1 888.0	552.2	51.1	39.0	77.4
1991	2 459.7	1 258.5	1 201.2	1 493.5	966.2	1 908.3	551.4	51.2	39.3	77.6
1992	2 474.0	1 265.3	1 208.7	1 488.6	985.4	2 060.2	413.8	51.1	39.8	83.3
1993	2 496.1	1 276.0	1 220.1	1 474.9	1 021.2	2 126.7	369.4	51.1	40.9	85.2
1994	2 515.6	1 285.9	1 229.7	1 465.2	1 050.4	2 197.1	318.5	51.1	41.8	87.3
1995	2 550.9	1 302.8	1 248.1	1 473.1	1 077.8	2 218.8	332.1	51.1	42.3	87.0

注：本表是公安部门年报数字，以下各表同。

3—2 按人口规模分组的市数

	1995年			1994年		
	市 数（个）	人口数（万人）	占人口总计（%）	市 数（个）	人口数（万人）	占人口总计（%）
总 计	**27**	**1 622.34**	**100.00**	**26**	**1 599.70**	**100.00**
10-20万人	2	32.45	2.00	2	32.22	2.01
20-30万人	4	94.76	5.84	4	93.92	5.87
30-50万人	12	515.11	31.75	10	429.40	26.84
50-80万人	3	182.20	11.23	3	183.18	11.45
80-100万人	2	169.34	10.44	3	267.42	16.72
100万人以上	4	628.48	38.74	4	593.56	37.11

3—3 按人口规模分组的县数

	1995年			1994年		
	县 数（个）	人口数（万人）	占人口总计（%）	县 数（个）	人口数（万人）	占人口总计（%）
总 计	**22**	**928.53**	**100.00**	**22**	**915.91**	**100.00**
10万人以下	1	8.65	0.93	1	8.58	0.94
10-20万人	1	14.16	1.52	1	14.07	1.54
20-30万人	5	128.86	13.88	5	131.03	14.31
30-50万人	9	328.31	35.36	9	334.88	36.56
50-80万人	4	257.54	27.74	4	238.27	26.01
80-100万人	1	82.52	8.89	1	81.64	8.91
100万人以上	1	108.49	11.68	1	107.44	11.73

3—4 各市县户数和人口数

(1995年末) 单位:万人

市、县	总户数(万户)	总人口	按农业、非农业分		按城乡分		人口密度(人/平方公里)
			农业	非农业	城镇	乡村	
长春市	**172.94**	**667.29**	**405.45**	**261.84**	**615.10**	**52.19**	**353**
市区	75.29	269.96	75.32	194.64	269.96		866
九台市	21.20	81.95	62.63	19.32	81.95		264
榆树市	31.50	119.51	103.16	16.35	119.51		254
德惠市	24.45	108.49	91.48	17.01	56.30	52.19	201
农安县	20.50	87.38	72.86	14.52	87.38		341
吉林市	**116.25**	**425.43**	**224.83**	**200.60**	**405.35**	**20.08**	**157**
市区	39.46	138.48	24.98	113.50	138.48		1 142
桦甸市	12.64	44.34	24.96	19.38	44.34		71
蛟河市	13.12	46.64	29.57	17.07	46.64		77
舒兰市	17.86	66.43	45.93	20.50	66.43		144
磐石市	13.63	53.50	36.79	16.71	53.50		135
永吉县	19.54	76.04	62.60	13.44	55.96	20.08	151
四平市	**89.01**	**309.95**	**205.30**	**104.65**	**250.39**	**59.56**	**220**
市区	14.85	44.39	7.93	36.46	44.39		1 091
公主岭市	26.90	100.53	74.20	26.33	100.53		248
梨树县	23.93	82.52	62.47	20.05	54.27	28.25	202
伊通县	12.27	44.85	36.32	8.53	25.98	18.87	180
双辽县	11.06	37.66	24.38	13.28	25.22	12.44	124
辽源市	**35.53**	**122.41**	**66.28**	**56.13**	**99.54**	**22.87**	**239**
市区	13.38	44.43	6.08	38.35	44.43		2 157
东丰县	10.99	39.05	28.72	10.33	26.85	12.20	157
东辽县	11.16	38.93	31.48	7.45	28.26	10.67	160
通化市	**63.10**	**226.14**	**124.79**	**101.35**	**203.09**	**23.05**	**149**
市区	12.29	42.61	6.82	35.79	42.61		560
梅河口市	17.22	62.27	35.32	26.95	62.27		296
集安市	6.58	23.04	15.46	7.58	23.04		72
通化县	7.10	25.51	17.97	7.54	17.38	8.13	73
辉南县	10.22	35.71	22.08	13.63	31.83	3.88	161

3—4 续表　　(1995年末)　　单位:万人

市、县	总户数(万户)	总人口	按农业、非农业分		按城乡分		人口密度(人/平方公里)
			农业	非农业	城镇	乡村	
柳河县	9.69	37.00	27.14	9.86	25.96	11.04	109
白山市	**39.63**	**129.05**	**46.67**	**82.38**	**118.94**	**10.11**	**72**
市区	9.99	30.87	7.34	23.53	30.87		113
临江市	5.74	18.46	7.52	10.94	18.46		61
抚松县	8.91	30.00	11.65	18.35	26.42	3.58	46
靖宇县	4.11	14.16	8.09	6.07	10.75	3.41	46
长白县	2.54	8.65	4.84	3.81	6.83	1.82	35
江源县	8.34	26.91	7.23	19.68	25.61	1.30	
松原市	**68.72**	**257.52**	**194.11**	**63.41**	**152.07**	**105.45**	**126**
市区	14.98	48.40	18.85	29.55	48.40		413
长岭县	14.22	60.11	50.14	9.97	33.45	26.66	114
前郭县	14.22	51.59	41.97	9.62	24.12	27.47	74
乾安县	7.78	27.63	19.97	7.66	16.25	11.38	81
扶余县	17.52	69.79	63.18	6.61	29.85	39.94	149
白城市	**55.11**	**195.49**	**118.58**	**76.91**	**167.53**	**27.96**	**78**
市区	14.49	45.83	19.86	25.97	45.83		469
洮南市	12.38	42.79	27.42	15.37	42.79		73
大安市	11.72	41.76	26.63	15.13	41.76		86
镇赉县	7.50	31.67	21.07	10.60	17.04	14.63	63
通榆县	9.02	33.44	23.60	9.84	20.11	13.33	40
延边朝鲜族自治州	**63.84**	**217.59**	**87.06**	**130.53**	**206.75**	**10.84**	**51**
延吉市	10.04	35.62	5.27	30.35	35.62		913
图们市	3.95	14.00	3.79	10.21	14.00		250
敦化市	13.90	47.43	22.67	24.76	47.43		41
龙井市	8.54	27.30	12.84	14.46	27.30		70
珲春市	5.98	20.84	7.96	12.88	20.84		39
和龙市	7.30	23.58	9.86	13.72	23.58		48
汪清县	7.94	26.93	13.45	13.48	20.87	6.06	31
安图县	6.19	21.89	11.22	10.67	17.11	4.78	29

3—5 全省市辖镇人口

(1995 年)　　单位:人

市 、区	镇 数(个)	总 户 数(户)	总 人 口	按农业、非农业分		平均每户人数(人/户)
				非农业人口	农业人口	
长春市	**55**	**423 300**	**1 728 885**	**174 227**	**1 554 658**	**4.08**
南关区	3	23 754	85 439	21 453	63 986	3.60
宽城区	2	21 349	82 304	24 923	57 381	3.86
朝阳区	2	19 029	64 437	16 529	47 908	3.39
二道区	2	11 267	43 698	6 456	37 242	3.88
绿园区	1	5 971	22 985	1 827	21 158	3.85
双阳区	4	22 635	87 265	5 009	82 256	3.86
九台市	12	86 270	349 959	28 836	321 123	4.06
榆树市	16	131 115	530 978	36 704	494 274	4.05
德惠市	13	101 910	461 820	32 490	429 330	4.53
吉林市	**41**	**275 618**	**1 031 642**	**253 576**	**778 066**	**3.74**
昌邑区	1	4 825	17 750	2 170	15 580	3.68
船营区	1	2 636	11 828	6 673	5 155	4.49
丰满区	1	5 385	20 358	2 681	17 677	3.78
蛟河市	8	62 296	226 790	54 136	172 654	3.64
桦甸市	8	49 638	175 648	69 913	105 735	3.54
舒兰市	8	67 708	253 667	39 768	213 899	3.75
磐石市	14	83 130	325 601	78 235	247 366	3.92
四平市	**20**	**153 953**	**607 867**	**101 992**	**505 875**	**3.95**
铁东区	1	7 203	23 224	6 519	16 705	3.22
公主岭市	19	146 750	584 643	95 473	489 170	3.98
通化市	**28**	**126 344**	**454 966**	**169 420**	**285 546**	**3.60**
东昌区	1	4 689	15 246	3 330	11 916	3.25
二道江区	3	20 447	65 375	43 789	21 586	3.20
梅河口市	14	70 149	257 508	104 175	153 333	3.67
集安市	10	31 059	116 837	18 126	98 711	3.76
白山市	**12**	**40 905**	**145 578**	**65 391**	**80 187**	**3.56**
八道江区	4	16 724	61 071	30 248	30 823	3.65
临江市	8	24 181	84 507	35 143	49 364	3.49
松原市	**2**	**11 687**	**47 006**	**4 895**	**42 111**	**4.12**
宁江区	2	11 687	47 006	4 895	42 111	4.02
白城市	**19**	**87 473**	**327 702**	**90 197**	**237 505**	**3.75**
洮北区	5	23 078	83 664	20 997	62 667	3.63
洮南市	5	25 441	99 991	25 128	74 863	3.93
大安市	9	38 954	144 047	44 072	99 975	3.70
延边朝鲜族自治州	**39**	**182 469**	**599 748**	**251 407**	**348 341**	**3.29**
延吉市	2	4 707	15 746	5 189	10 557	3.35
图们市	4	17 022	57 670	30 329	27 341	3.39
敦化市	10	68 442	228 960	94 523	134 437	3.35
珲春市	3	9 014	30 118	7 590	22 528	3.34
龙井市	10	46 410	149 609	61 602	88 007	3.22
和龙市	10	36 874	117 645	52 174	65 471	3.19

3—6 全省县辖镇人口

（1995 年）

单位：人

市、县	镇数（个）	总户数（户）	总人口	按农业、非农业分		平均每户人数（人/户）
				农业人口	非农业人口	
长春市	**14**	**134 299**	**562 978**	**417 746**	**145 232**	**4.19**
农安县	14	134 299	562 978	417 746	145 232	4.19
吉林市	**15**	**145 742**	**559 607**	**433 143**	**126 464**	**3.84**
永吉县	15	145 742	559 607	433 143	126 464	3.84
四平市	**36**	**321 526**	**1 054 705**	**662 355**	**392 350**	**3.28**
梨树县	18	166 573	542 733	352 156	190 577	3.26
伊通县	9	75 483	259 783	184 290	75 493	3.44
双辽县	9	79 470	252 189	125 909	126 280	3.17
辽源市	**25**	**160 430**	**551 122**	**388 508**	**162 614**	**3.44**
东丰县	13	77 206	268 512	173 073	95 439	3.48
东辽县	12	83 224	282 610	215 435	67 175	3.40
通化市	**38**	**211 223**	**751 629**	**460 889**	**290 740**	**3.14**
通化县	12	49 683	173 800	106 438	67 362	3.54
柳河县	12	69 298	259 543	170 056	89 487	3.75
辉南县	14	92 242	318 286	184 395	133 891	3.45
白山市	**32**	**212 441**	**696 129**	**225 544**	**470 585**	**3.28**
抚松县	12	79 788	264 153	82 964	181 189	3.31
靖宇县	7	32 465	107 497	48 808	58 689	3.31
长白县	6	20 267	68 343	33 471	34 872	3.37
江源县	7	79 921	256 136	60 301	195 835	3.20
松原市	**35**	**293 148**	**1 036 737**	**730 100**	**306 637**	**3.54**
前郭县	9	78 383	241 243	158 462	82 781	3.08
长岭县	12	83 970	334 497	242 972	91 525	3.98
乾安县	6	49 368	162 495	89 066	73 429	3.29
扶余县	8	81 427	298 502	239 600	58 902	3.67
白城市	**16**	**97 633**	**371 515**	**196 330**	**175 185**	**3.81**
镇赉县	7	41 560	170 451	86 201	84 250	4.10
通榆县	9	56 073	201 064	110 129	90 935	3.59
延边朝鲜族自治州	**15**	**112 018**	**379 745**	**147 376**	**232 369**	**3.39**
汪清县	8	62 808	208 707	78 231	130 476	3.32
安图县	7	49 210	171 038	69 145	101 893	3.48

3－7 人口出生率、死亡率、自然增长率

单位：‰

年份	全省			市			县		
	出生率	死亡率	自然增长率	出生率	死亡率	自然增长率	出生率	死亡率	自然增长率
1949	31.84	12.93	18.91	32.11	10.12	21.99	31.81	13.25	18.56
1950	41.66	12.40	29.26	41.93	9.59	32.34	41.63	12.73	28.90
1951	40.60	11.80	28.80	40.87	8.99	31.88	40.57	12.14	28.43
1952	44.38	11.50	32.88	44.65	8.69	35.96	44.35	11.87	32.48
1953	41.80	10.93	30.87	42.06	8.12	33.94	41.76	11.38	30.38
1954	48.39	10.43	37.96	51.20	7.44	43.76	47.88	10.98	36.90
1955	37.61	9.91	24.70	49.94	10.64	39.30	35.36	9.78	25.58
1956	32.64	7.53	25.11	45.76	8.34	37.42	30.16	7.38	22.78
1957	35.47	9.06	26.42	47.81	10.56	37.25	32.98	8.74	24.24
1958	33.31	9.12	24.19	43.81	8.97	34.84	30.98	9.16	21.82
1959	28.04	13.43	14.61	38.41	15.17	23.24	25.10	12.94	12.16
1960	32.51	10.13	22.38	40.29	10.73	29.56	29.66	9.91	19.75
1961	26.45	12.05	14.40	29.57	13.02	16.55	25.23	11.67	13.56
1962	40.70	9.96	30.74	41.22	10.06	31.16	40.53	9.93	30.60
1963	47.03	9.44	37.59	50.83	8.37	42.46	45.89	9.76	36.13
1964	44.19	12.62	31.57	40.06	9.42	30.64	45.41	13.55	31.86
1965	40.46	9.68	30.78	34.47	6.89	27.58	42.20	10.49	31.71
1966	34.58	8.62	25.96	27.23	6.42	20.81	36.72	9.26	27.46
1967	37.56	9.14	28.42	30.76	6.63	24.13	39.52	9.87	29.65
1968	37.60	9.14	28.46	30.82	6.64	24.18	39.55	9.86	29.69
1969	31.54	6.58	24.96	29.84	6.71	23.13	32.04	6.54	25.50
1970	33.22	6.37	26.85	29.89	6.49	23.40	34.18	6.34	27.84
1971	32.49	6.47	26.02	28.53	6.16	22.37	33.62	6.56	27.06
1972	31.40	7.53	23.87	25.75	6.38	19.37	33.04	7.87	25.17
1973	26.15	6.23	19.92	18.71	5.13	13.58	28.24	6.54	21.70
1974	20.73	6.70	14.03	13.40	5.60	7.80	22.68	6.99	15.69
1975	19.63	6.71	12.92	13.98	5.75	8.23	21.12	6.97	14.15
1976	18.61	6.16	12.45	13.34	5.44	7.90	20.00	6.34	13.66
1977	18.56	6.34	12.22	14.80	5.83	8.97	19.56	6.48	13.08
1978	19.95	6.08	13.87	17.63	5.50	12.13	20.58	6.23	14.35
1979	19.41	5.52	13.89	16.70	4.94	11.76	20.15	5.67	14.48
1980	15.81	5.79	10.02	14.30	5.36	8.94	16.26	5.91	10.35
1981	17.67	5.32	12.35	17.01	5.23	11.78	17.88	5.35	12.53
1982	16.76	5.83	10.93	18.42	5.48	12.94	16.23	5.94	10.29
1983	12.38	5.35	7.03	12.83	4.73	8.10	11.24	5.54	5.70
1984	11.84	5.34	6.50	12.71	4.90	7.81	11.58	5.47	6.11
1985	11.93	5.34	6.59	13.01	5.20	7.81	11.43	5.40	6.03
1986	13.70	5.39	8.31	15.30	5.32	9.98	12.95	5.42	7.53
1987	15.34	5.48	9.86	16.22	5.43	10.79	14.80	5.51	9.29
1988	14.09	5.18	8.91	14.72	5.10	9.62	13.50	5.25	8.25
1989	17.00	5.05	11.95	15.37	5.14	10.23	18.68	4.97	13.71
1990	18.16	5.65	12.51	18.18	5.82	12.36	18.15	5.43	12.72
1991	11.88	4.81	7.07	11.46	4.82	6.64	12.40	4.80	7.60
1992	11.52	5.00	6.52	11.27	5.00	6.27	11.85	5.00	6.85
1993	12.87	5.03	7.84	12.69	5.12	7.57	13.14	4.90	8.24
1994	11.99	5.12	6.87	12.00	5.33	6.67	11.97	4.79	7.18
1995	12.07	4.88	7.19	11.51	5.01	6.50	13.05	4.66	8.39

3—8 各市县人口自然变动情况

(1995年)　　单位:人

市、县	年平均人口	出生		死亡		自然增长	
		人数	出生率(‰)	人数	死亡率(‰)	人数	增长率(‰)
长春市	**6 623 956**	**83 252**	**12.57**	**32 824**	**4.96**	**50 428**	**7.61**
市区	2 668 974	25 533	9.57	13 997	5.24	11 536	4.33
九台市	817 210	13 078	16.00	5 359	6.56	7 719	9.44
榆树市	1 190 438	16 834	14.14	5 847	4.91	10 987	9.23
德惠市	867 697	12 343	14.23	3 579	4.12	8 764	10.11
农安县	1 079 637	15 464	14.32	4 042	3.74	11 422	10.58
吉林市	**4 232 905**	**49 204**	**11.62**	**21 706**	**5.13**	**27 498**	**6.49**
市区	1 376 272	12 431	9.03	7 596	5.52	4 835	3.51
桦甸市	440 946	4 868	11.04	1 629	3.69	3 239	7.35
蛟河市	464 681	6 547	14.09	3 196	6.88	3 351	7.21
舒兰市	660 684	9 047	13.69	3 513	5.32	5 534	8.87
磐石市	534 100	7 144	13.38	2 371	4.44	4 773	8.94
永吉县	756 222	9 167	12.12	3 401	4.50	5 766	7.62
四平市	**3 080 579**	**34 561**	**11.22**	**13 387**	**4.35**	**21 174**	**6.87**
市区	438 304	6 000	13.69	1 829	4.17	4 171	9.52
公主岭市	1 001 513	7 648	7.64	4 133	4.13	3 515	3.51
梨树县	820 792	10 156	12.37	3 327	4.05	6 829	8.32
伊通县	445 399	5 893	13.23	2 280	5.12	3 613	8.11
双辽县	374 571	4 864	12.99	1 818	4.85	3 046	8.14
辽源市	**1 218 650**	**17 397**	**14.28**	**7 345**	**6.03**	**10 052**	**8.25**
市区	440 943	6 789	15.40	2 370	5.37	4 419	10.03
东丰县	389 129	5 145	13.22	2 498	6.42	2 647	6.80
东辽县	388 578	5 463	14.06	2 477	6.37	2 986	7.69
通化市	**2 238 758**	**25 051**	**11.19**	**11 551**	**5.16**	**13 500**	**6.03**
市区	422 513	5 063	11.98	2 343	5.55	2 720	6.43
梅河口市	614 075	6 981	11.37	2 713	4.42	4 268	6.95
集安市	228 660	2 648	11.58	1 221	5.34	1 427	6.24
通化县	253 206	2 468	9.75	1 615	6.38	853	3.37
辉南县	353 619	3 842	10.86	1 766	4.99	2 076	5.87

3-8 续表 (1995年) 单位:人

市、县	年平均人口	出生		死亡		自然增长	
		人数	出生率(‰)	人数	死亡率(‰)	人数	增长率(‰)
柳河县	366 685	4 049	11.04	1 893	5.16	2 156	5.88
白山市	**1 283 452**	**13 253**	**10.33**	**5 859**	**4.57**	**7 394**	**5.76**
市区	305 299	3 715	12.17	1 392	4.56	2 323	7.61
临江市	183 670	1 892	10.30	935	5.09	957	5.21
抚松县	298 926	3 105	10.39	1 203	4.02	1 902	6.37
靖宇县	141 141	1 653	11.71	617	4.37	1 036	7.34
长白县	86 139	890	10.33	402	4.67	488	5.66
江源县	268 277	1 998	7.45	1 310	4.88	688	2.57
松原市	**2 545 600**	**41 920**	**16.47**	**10 392**	**4.08**	**31 528**	**12.39**
市区	476 721	7 134	14.96	1 532	3.21	5 602	11.75
长岭县	596 615	9 796	16.42	1 946	3.26	7 850	13.16
前郭县	510 672	8 781	17.19	2 160	4.23	6 621	12.96
乾安县	274 877	4 110	14.95	1 118	4.07	2 992	10.88
扶余县	686 715	12 099	17.62	3 636	5.29	8 463	12.33
白城市	**1 943 201**	**20 063**	**10.20**	**7 569**	**3.90**	**12 494**	**6.42**
市区	453 777	4 921	1 084.00	1 723	3.80	3 198	7.04
洮南市	426 619	3 717	8.71	1 801	4.22	1 916	4.49
大安市	415 462	5 180	12.47	1 494	3.60	3 686	8.87
镇赉县	314 696	3 044	9.67	1 179	3.75	1 865	5.92
通榆县	332 647	3 201	9.62	1 372	4.12	1 829	5.50
延边朝鲜族自治州	**2 165 295**	**21 066**	**9.73**	**13 071**	**6.04**	**7 995**	**3.69**
延吉市	349 885	3 383	9.67	1 861	5.32	1 522	4.35
图们市	139 703	1 060	7.59	960	6.87	100	0.72
敦化市	473 007	6 121	12.94	2 487	5.26	3 634	7.68
龙井市	273 043	1 739	6.37	1 983	7.26	-244	-0.89
珲春市	205 710	1 778	8.64	1 284	6.24	494	2.40
和龙市	236 021	1 813	7.68	1 565	6.63	248	1.05
汪清县	269 614	2 551	9.46	1 712	6.35	839	3.11
安图县	218 312	2 621	12.01	1 219	5.58	1 402	6.43

从业人员和职工工资 4

4 从业人员和职工工资

1995 年年末全部从业人员	1 270.77 万人
＃职工人数	520.38 万人
1995 年全部职工工资总额	221.00 亿元
＃国有单位	180.91 亿元
1995 年全部职工平均工资	4 430 元
＃国有单位	4 803 元
1995 年离休、退休、退职职工年末人数	104.09 万人
1995 年离休、退休、退职职工保险福利费	38.79 亿元

职工人数构成(%)

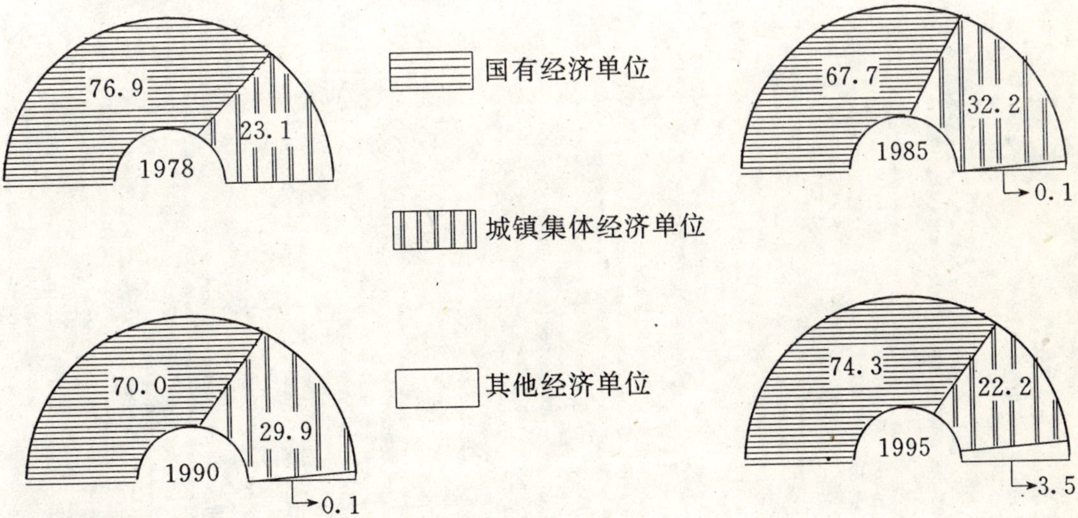

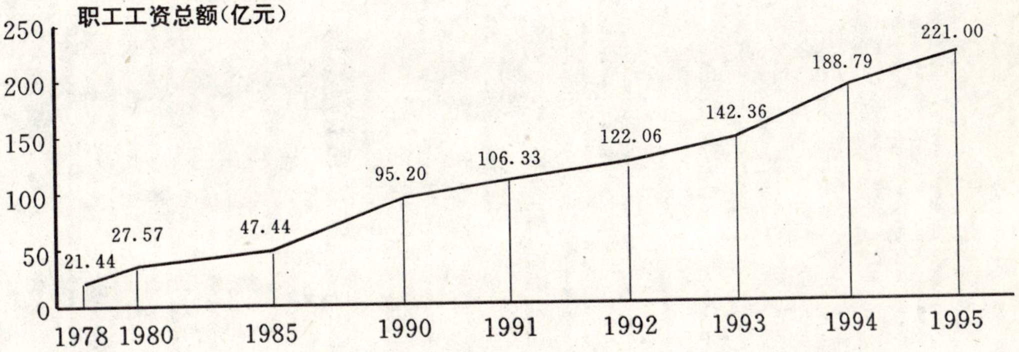

4—1 历年全部从业人员数

单位:万人

年 份	全部从业人员数	按经济类型分							按三次产业分		
		职工人数	国有单位	集体所有制单位	其他所有制单位	城镇个体劳动者	乡村劳动者	其他劳动者	第一产业	第二产业	第三产业
1949	263.89	38.73	23.38	15.35			225.16		223.7	18.8	21.4
1950	270.37	45.96	30.08	15.88			224.41				
1951	280.51	54.88	39.48	15.40			225.63				
1952	301.73	63.90	48.38	15.52			237.83		236.1	31.0	34.6
1953	321.39	77.06	59.68	17.38			244.33				
1954	318.25	75.54	60.56	14.98			242.71				
1955	321.56	72.05	57.38	14.67			249.51				
1956	327.67	84.60	71.66	12.94			243.07				
1957	327.22	93.25	74.41	18.84			233.97		231.1	43.8	52.3
1958	383.48	139.21	123.55	15.66			244.27				
1959	384.58	147.66	135.33	12.33			236.92				
1960	417.80	182.88	167.09	15.79			234.92				
1961	407.59	170.48	147.18	23.30			237.11				
1962	414.98	146.05	119.19	26.86			268.93		278.4	69.7	66.9
1963	433.95	148.34	120.56	27.78			285.61				
1964	428.75	149.36	123.38	25.98			279.39				
1965	437.79	152.25	124.50	27.75			285.54		293.1	73.3	71.4
1966	431.05	150.30	130.77	19.53			280.75				
1967	455.96	152.17	132.19	19.98			303.79				
1968	470.15	155.64	135.15	20.49			314.51				
1969	484.00	160.34	139.67	20.67			323.66				
1970	532.13	187.60	159.73	27.87			344.53		337.3	100.0	94.8
1971	568.25	215.71	183.74	31.97			352.54		344.1	118.1	106.1
1972	559.43	223.09	189.55	33.54			336.34		325.3	130.7	103.4
1973	562.10	222.58	184.81	37.77			339.52		325.6	133.9	102.6
1974	568.58	232.98	188.44	44.54			335.60		322.5	144.8	101.3
1975	590.51	256.78	196.41	60.37			333.73		326.1	160.8	103.6
1976	595.80	273.03	204.09	68.94			322.77		308.2	180.3	107.3
1977	620.54	299.36	211.33	88.03			321.18		307.7	200.0	112.8
1978	645.38	324.92	250.02	74.90			320.46		318.1	205.0	122.3
1979	671.29	348.59	257.50	91.09		0.81	321.89		318.4	216.3	136.6
1980	715.30	373.88	270.50	103.38		3.37	338.05		329.3	231.7	154.3
1981	754.52	396.48	282.81	113.67		5.57	352.47		349.8	242.0	162.7
1982	849.62	411.24	292.30	118.94		7.58	430.80		413.8	248.0	187.8
1983	847.50	421.88	296.87	125.01		10.60	415.02		410.8	256.9	179.8
1984	867.25	431.34	293.07	138.19	0.08	15.91	410.99	9.01	401.1	258.6	207.6
1985	930.20	449.51	304.43	144.91	0.17	21.37	450.01	9.31	421.9	286.2	222.1
1986	987.95	470.90	320.78	149.95	0.17	21.17	486.50	9.38	432.5	302.6	252.9
1987	1 032.75	486.11	331.87	154.03	0.21	22.96	514.75	8.93	465.8	313.9	253.0
1988	1 106.22	497.48	343.69	153.54	0.25	28.53	571.55	8.66	511.6	324.9	269.7
1989	1 142.19	509.45	352.74	156.19	0.52	29.25	594.92	8.57	549.0	329.7	263.5
1990	1 169.41	517.31	361.98	154.44	0.89	29.50	614.43	8.17	564.8	334.4	270.2
1991	1 194.69	533.44	371.80	160.03	1.61	31.52	620.94	8.79	572.4	339.2	283.1
1992	1 235.02	541.53	379.27	157.83	4.43	38.51	646.63	8.35	590.2	352.6	292.2
1993	1 237.67	542.99	379.86	152.44	10.69	46.68	638.82	9.18	572.5	352.5	312.7
1994	1 250.24	530.13	384.60	130.19	15.34	67.70	643.56	8.85	570.7	343.3	336.2
1995	1 270.77	520.38	386.65	115.71	18.02	94.12	647.99	8.28	572.1	339.2	359.4

4—2 按经济类型分各行业从业人员数

（1995年末）

行业	合计	国有单位职工	城镇集体所有制单位职工	其他所有制单位职工	城镇个体劳动者	乡村劳动者	其他
绝对数(人)	**12 707 664**	**3 866 560**	**1 157 089**	**180 182**	**941 159**	**6 479 891**	**82 783**
1. 农、林、牧、渔业	5 771 754	202 370	4 339	8 615	29 036	5 526 658	736
2. 采掘业	601 733	479 914	30 260	784	9 221	79 017	2 537
3. 制造业	2 178 359	1 146 811	630 283	113 092	115 643	160 959	11 571
4. 电力、煤气及水的生产供应业	77 719	72 869	2 941	1 667			242
5. 建筑业	509 819	211 922	117 976	9 810	9 896	156 521	3 694
6. 地质勘查业、水利管理业	49 268	40 785	552	18		7 800	113
7. 交通运输、仓储及邮电通信业	495 762	241 606	43 541	34	85 202	117 023	8 356
8. 批发和零售贸易、餐饮业	1 391 472	424 992	243 188	38 669	554 340	128 862	1 421
9. 金融、保险业	94 661	65 169	23 671	180		4 950	691
10. 房地产业	33 657	29 601	1 462	2 329	60		205
11. 社会服务业	274 009	113 774	34 257	4 228	115 084	4 960	1 706
12. 卫生、体育和社会福利业	164 545	128 433	12 296	94	3 587	19 945	190
13. 教育、文化艺术和广播电影电视业	504 838	387 012	1 023	221	5 113	64 950	46 519
14. 科学研究和综合技术服务业	55 259	50 267	1 635	69	10	2 765	513
15. 国家机关、党政机关和社会团体	283 608	260 754	1 985			16 985	3 884
16. 其他行业	221 201	10 281	7 680	372	13 967	188 496	405
构　成(%)	**100**	**100**	**100**	**100**	**100**	**100**	**100**
1. 农、林、牧、渔业	45.4	5.2	0.4	4.8	3.1	85.3	0.9
2. 采掘业	4.7	12.4	2.6	0.4	1.0	1.2	3.1
3. 制造业	17.2	29.7	54.5	62.8	12.3	2.5	14.0
4. 电力、煤气及水的生产和供应业	0.6	1.9	0.2	0.9			0.3
5. 建筑业	4.0	5.5	10.2	5.4	1.0	2.4	4.5
6. 地质勘查业、水利管理业	0.4	1.1	0.1			0.1	0.1
7. 交通运输、仓储和邮电通信业	3.9	6.2	3.8		9.1	1.8	10.1
8. 批发和零售贸易、餐饮业	11.0	11.0	21.0	21.5	58.9	2.0	1.7
9. 金融、保险业	0.7	1.7	2.0	0.1		0.1	0.8
10. 房地产业	0.3	0.8	0.1	1.3			0.2
11. 社会服务业	2.1	2.9	3.0	2.4	12.2	0.1	2.1
12. 卫生、体育和社会福利业	1.3	3.3	1.1	0.1	0.4	0.3	0.2
13. 教育、文化艺术和广播电影电视业	4.0	10.0	0.1	0.1	0.5	1.0	56.2
14. 科学研究和综合技术服务业	0.4	1.3	0.1				0.6
15. 国家机关、党政机关和社会团体	2.2	6.7	0.2			0.3	4.7
16. 其他行业	1.8	0.3	0.6	0.2	1.5	2.9	0.5

4—3 各市县全部从业人员数

（1995年末）　　单位：人

市、县	全部从业人员数	国有单位职工	集体所有制单位职工	其他所有制单位职工	城镇个体劳动者	乡村劳动者	其他劳动者
长春市	**3 447 386**	**958 517**	**308 646**	**72 238**	**286 394**	**1 796 109**	**25 482**
市区	1 597 648	745 656	255 899	64 645	168 006	349 783	13 659
九台市	372 204	50 627	14 580	320	28 387	275 957	2 333
榆树市	599 678	59 305	15 630	695	23 801	496 469	3 778
德惠市	411 986	53 051	15 191	6 578	26 034	309 797	1 335
农安县	465 870	49 878	7 346		40 166	364 103	4 377
吉林市	**2 064 225**	**684 507**	**254 188**	**31 755**	**150 978**	**930 867**	**11 930**
市区	791 476	406 227	164 822	29 011	92 855	94 588	3 973
桦甸市	185 066	49 570	19 827	673	10 877	102 835	1 284
蛟河市	205 743	41 775	19 464	327	15 714	127 239	1 224
舒兰市	304 216	85 359	18 394	566	10 828	187 506	1 563
磐石市	222 789	48 521	16 749	440	7 819	147 074	2 186
永吉县	354 935	53 055	14 932	738	12 885	271 625	1 700
四平市	**1 456 997**	**359 965**	**97 303**	**17 147**	**89 078**	**884 541**	**8 963**
市区	242 803	127 755	31 702	14 931	25 795	42 421	199
公主岭市	419 710	81 524	30 942	1 095	18 609	284 656	2 884
梨树县	392 623	76 753	15 559	374	16 284	280 600	3 053
伊通县	213 092	29 140	7 459	517	13 126	161 612	1 238
双辽县	188 769	44 793	11 641	230	15 264	115 252	1 589
辽源市	**610 449**	**195 562**	**64 373**	**4 668**	**41 512**	**301 996**	**2 338**
市区	251 451	141 606	49 083	4 564	27 390	28 629	179
东丰县	179 066	33 389	8 111	19	8 162	128 216	1 169
东辽县	179 932	20 567	7 179	85	5 960	145 151	990
通化市	**1 079 476**	**304 121**	**92 782**	**8 951**	**103 479**	**567 514**	**2 629**
市区	229 820	118 363	44 681	3 686	28 642	33 804	644
梅河口市	265 432	53 394	17 222	2 583	47 750	143 242	1 241
集安市	108 050	28 309	7 247	587	4 784	67 107	16
通化县	122 663	28 028	6 944	1 586	4 000	82 002	103
辉南县	171 574	43 761	9 680		11 217	106 776	140

4－3 续表　　(1995年末)　　单位:人

市、县	全部从业人员数	国有单位职工	集体所有制单位职工	其他所有制单位职工	城镇个体劳动者	乡村劳动者	其他劳动者
柳河县	181 937	32 266	7 008	509	7 086	134 583	485
白山市	**537 444**	**269 613**	**52 425**	**11 692**	**32 404**	**168 477**	**2 833**
市区	203 004	131 564	26 175	7 903	10 925	25 626	811
临江市	81 155	35 240	4 931	892	5 726	34 357	9
抚松县	124 310	63 154	13 363	538	4 689	41 055	1 511
靖宇县	52 323	15 988	3 428	808	4 105	27 974	20
长白县	39 344	16 015	2 805	631	2 596	17 127	170
江源县	37 308	7 652	1 723	920	4 363	22 338	312
松原市	**1 152 317**	**238 353**	**43 101**	**2 578**	**64 577**	**792 192**	**11 516**
市区	222 598	105 184	14 196	1 126	21 806	78 344	1 942
长岭县	229 820	32 502	7 705	389	9 094	177 420	2 710
前郭县	219 659	47 083	9 214	512	10 008	150 338	2 504
乾安县	130 912	26 312	5 169	551	9 497	87 660	1 723
扶余县	349 328	27 272	6 817		14 172	298 430	2 637
白城市	**843 329**	**251 278**	**61 973**	**2 715**	**65 153**	**457 893**	**4 317**
市区	206 342	90 700	18 380	1 010	19 006	76 825	421
洮南市	187 067	43 551	12 601	240	13 237	116 890	548
大安市	171 920	42 706	12 870	137	13 039	101 240	1 928
镇赉县	124 539	39 283	6 129		9 336	68 558	1 233
通榆县	153 461	35 038	11 993	1 328	10 535	94 380	187
延边朝鲜族自治州	**1 109 420**	**439 215**	**119 148**	**28 438**	**107 584**	**411 520**	**3 515**
延吉市	196 670	92 901	19 502	11 350	46 646	255 949	322
图们市	64 368	28 904	6 534	2 738	8 061	18 013	118
敦化市	242 946	82 532	32 345	6 790	11 809	107 690	1 780
龙井市	132 578	48 523	11 040	1 155	10 521	60 900	439
珲春市	110 414	47 782	10 415	1 261	9 254	41 673	29
和龙市	115 508	43 955	15 485	1 737	8 417	45 769	145
汪清县	140 309	53 824	11 918	2 051	6 237	65 670	609
安图县	106 627	40 794	11 909	1 356	6 639	45 856	73

4－4 全部职工人数

单位:人

项目	1978年	1980年	1985年	1990年	1994年	1995年
全省	**3 249 140**	**3 738 764**	**4 495 133**	**5 173 144**	**5 301 291**	**5 203 831**
#女职工	1 135 473	1 431 941	1 757 479	2 051 203	2 096 611	2 096 135
一、按经济类型分						
国有单位	2 500 183	2 704 958	3 044 311	3 619 849	3 846 035	3 866 560
集体所有制单位	748 957	1 033 806	1 449 145	1 544 368	1 301 880	1 157 089
其他所有制单位			1 677	8 927	153 376	180 182
二、按企业、事业机关分						
企业				4 144 128	4 227 436	4 113 777
事业、机关				1 029 016	1 073 855	1 090 054
三、按国民经济行业分						
1. 农、林、牧、渔业	231 515	220 033	224 661	237 597	211 961	215 324
2. 采掘业	357 518	381 348	460 060	503 345	524 582	510 958
3. 制造业	1 240 584	1 455 576	1 699 723	1 938 996	1 973 566	1 890 186
4. 电力、煤气及水的生产和供应业	38 678	40 837	53 127	72 622	75 778	77 477
5. 建筑业	230 638	263 053	320 142	345 072	363 505	339 708
6. 地质勘查业、水利管理业	39 700	44 100	52 495	55 674	42 400	41 355
7. 交通运输、仓储及邮电通信业	235 284	277 846	303 895	330 213	296 489	285 181
8. 批发和零售贸易、餐饮业	326 494	402 400	566 481	676 236	695 984	706 849
9. 金融、保险业	19 630	27 578	42 465	65 492	85 652	89 020
10. 房地产业	15 249	19 707	22 582	27 615	31 704	33 392
11. 社会服务业	55 661	83 307	92 303	110 110	158 018	152 259
12. 卫生、体育和社会福利业	81 775	90 959	109 944	127 942	140 868	140 823
13. 教育、文化艺术和广播电影电视业	254 858	283 608	314 179	361 268	380 435	388 256
14. 科学研究和综合技术服务业	22 400	25 169	40 992	49 860	53 304	51 971
15. 国家机关、党政机关和社会团体	96 135	117 192	166 835	245 414	248 239	262 739
16. 其他行业	3021	6 051	25 249	25 688	18 806	18 333

4—5 国有单位职工人数

单位:人

项目	1978年	1980年	1985年	1990年	1994年	1995年
全省	**2 500 183**	**2 704 958**	**3 044 311**	**3 619 849**	**3 846 035**	**3 866 560**
一、按隶属关系分						
中央	230 585	379 612	636 339	739 604	780 143	785 200
地方	2 269 598	2 325 346	2 407 972	2 880 245	3 065 892	3 081 360
二、按企业、事业、机关分						
企业				2 634 845	2 810 663	2 804 944
事业、机关				985 004	1 035 372	1 061 616
三、按国民经济行业分						
1. 农、林、牧、渔业	166 314	180 442	199 956	216 245	200 802	202 370
2. 采掘业	333 433	348 887	386 711	422 488	474 676	479 914
3. 制造业	746 310	789 421	946 842	1 104 080	1 142 391	1 146 811
4. 电力、煤气及水的生产和供应业	38 678	40 837	47 842	66 796	72 947	72 869
5. 建筑业	192 241	176 468	167 336	202 169	227 686	211 922
6. 地质勘查业、水利管理业	36 787	42 339	46 322	54 735	41 801	40 785
7. 交通运输、仓储和邮电通信业	198 159	218 529	227 816	270 748	250 814	241 606
8. 批发和零售贸易、餐饮业	294 501	314 276	281 654	352 745	412 970	424 992
9. 金融、保险业	14 492	22 176	34 312	48 773	62 225	65 169
10. 房地产业	14 506	18 087	20 909	26 087	29 186	29 601
11. 社会服务业	40 780	50 846	58 778	78 831	113 673	113 774
12. 卫生、体育和社会福利业	65 547	77 908	95 630	112 275	126 486	128 433
13. 教育、文化艺术和广播电影电视业	241 160	280 420	310 352	358 151	379 400	387 012
14. 科学研究和综合技术服务业	22 340	25 110	40 614	48 105	51 731	50 267
15. 国家机关、党政机关和社会团体	93 768	114 616	161 801	240 143	246 533	260 754
16. 其他行业	1167	4 596	17 436	17 478	12 714	10 281

4—6 城镇集体所有制单位职工人数

单位:人

项目	1978年	1980年	1985年	1990年	1994年	1995年
全省	**748 957**	**1 033 806**	**1 449 145**	**1 544 368**	**1 301 880**	**1 157 089**
一、按企业、事业、机关分						
企业				1 500 385	1 263 868	1 128 873
事业、机关				43 983	38 012	28 216
二、按国民经济行业分						
1. 农、林、牧、渔业	65 201	39 591	24 607	20 880	4 057	4 339
2. 采掘业	24 085	32 461	73 349	80 857	49 575	30 260
3. 制造业	494 274	666 155	751 312	828 213	726 930	630 283
4. 电力、煤气及水的生产和供应业			5285	5 826	2 709	2 941
5. 建筑业	38 397	86 585	152 806	142 903	130 493	117 976
6. 地质勘查业、水利管理业	2913	1 769	6 173	939	460	552
7. 交通运输、仓储及邮电通信业	37 125	59 317	76 069	59 465	45 660	43 541
8. 批发和零售贸易、餐饮业	31 993	88 124	284 827	322 432	252 630	243 188
9. 金融、保险业	5138	5 402	8 153	16 719	23 243	23 671
10. 房地产业	743	1 620	1 673	1 528	1 229	1 462
11. 社会服务业	14 881	32 461	33 525	30 615	40 904	34 257
12. 卫生、体育和社会福利业	16 228	13 051	14 314	15 638	14 305	12 296
13. 教育、文化艺术和广播电影电视业	13 698	3 188	3 827	3 117	828	1 023
14. 科学研究和综合技术服务业	60	59	378	1 755	1 436	1 635
15. 国家机关、党政机关和社会团体	2367	2 576	5 034	5 271	1 706	1 985
16. 其他行业	1854	1 447	7 813	8 210	5 715	7 680

4—7 其他各种所有制单位职工人数

单位:人

项　目	1991年	1992年	1993年	1994年	1995年
全　省	**16 054**	**44 298**	**106 929**	**153 376**	**180 182**
1. 农、林、牧、渔业	2084	1 027	5 844	7 102	8 615
2. 采掘业				331	784
3. 制造业	9615	25 266	76 089	104 245	113 092
4. 电力、煤气、水的生产供应业			80	122	1 667
5. 建筑业	359	2 402	829	5 326	9 810
6. 地质普查、水利管理业				139	18
7. 交通运输、仓储及邮电通信业				15	34
8. 批发和零售贸易、餐饮业	2791	13 344	19 405	30 384	38 669
9. 金融、保险业			317	184	180
10. 房地产业	25	978	1 248	1 289	2 329
11. 社会服务业	1149	1 064	2 974	3 441	4 228
12. 卫生、体育和社会福利业	31	35	65	77	94
13. 教育、文化艺术和广播电视业			25	207	221
14. 科学研究和综合技术服务业		182	47	137	69
15. 国家机关、党政机关和社会团体					
16. 其他			6	377	372

4—8 城 镇 失 业 人 数

单位:万人

项　目	1991年	1992年	1993年	1994年	1995年
城镇失业人数	10.31	9.08	7.72	7.46	7.76
#失业青年	9.60	8.68	7.26	6.98	6.61
占城镇失业人数的比重(%)	93.1	95.6	94.0	93.6	85.2
失业率(%)	1.8	1.5	1.3	1.2	1.3

4—9 历年职工工资总额、平均工资和指数

年份	工资总额（万元）	#国有单位	城镇集体所有制单位	平均工资（元）	#国有单位	城镇集体所有制单位	平均工资指数（以上年为100）	#国有单位
1952	21 456	21 456		480	480		100.0	100.0
1953	34 406	34 406		573	573		112.7	112.7
1954	37 207	37 207		588	588		99.1	99.1
1955	36 284	36 284		600	600		101.5	101.5
1956	46 209	46 209		671	671		114.1	114.1
1957	53 424	53 424		699	699		101.6	101.6
1958	59 552	59 552		647	647		93.8	93.8
1959	80 860	80 860		615	615		95.4	95.4
1960	94 761	94 761		611	611		91.6	91.6
1961	92 024	92 024		602	602		86.9	86.9
1962	83 614	83 614		661	661		106.5	106.5
1963	85 589	85 589		721	721		100.3	110.3
1964	91 377	91 377		744	744		104.9	104.9
1965	90 881	90 881		740	740		99.0	99.0
1966	94 388	94 388		718	718			
1967	91 533	91 533		685	685		94.6	94.6
1968	96 172	96 172		670	670		97.6	97.6
1969	102 119	102 119		744	744		111.8	111.8
1970	105 069	105 069		698	698		94.6	94.6
1971	118 161	118 161		677	677		96.7	96.7
1972	139 101	139 101		736	736		108.4	108.4
1973	149 429	129 729	19 700	638	690	553	86.4	93.5
1974	154 505	132 327	22 178	671	700	539	105.1	101.3
1975	163 236	135 328	27 908	657	690	534	97.8	98.5
1976	172 629	140 669	31 960	636	680	496	96.1	97.9
1977		144 867			680			99.8
1978	214 393	176 392	38 001	651	712	467		104.6
1979	234 639	189 914	44 725	700	753	539	105.7	104.0
1980	275 684	219 028	56 656	763	827	588	103.2	104.0
1981	298 349	232 138	66 211	770	840	611	99.3	100.0
1982	323 142	250 121	73 021	799	863	637	99.6	98.6
1983	340 615	259 049	81 566	823	881	680	98.6	97.7
1984	393 211	292 497	100 635	927	1 008	751	108.8	110.5
1985	474 432	352 057	122 217	1 081	1 175	880	105.7	105.7
1986	556 845	417 486	139 173	1 221	1 333	974	106.6	107.0
1987	644 136	484 259	159 616	1 366	1 491	1 088	104.0	104.0
1988	789 012	595 701	192 919	1 630	1 771	1 311	99.2	98.7
1989	870 776	662 084	207 837	1 755	1 914	1 388	91.9	92.2
1990	951 989	734 882	215 591	1 888	2 068	1 456	102.6	103.0
1991	1 063 309	816 534	243 947	2 045	2 233	1 596	101.4	101.1
1992	1 220 550	945 410	264 870	2 308	2 526	1 759	104.2	105.7
1993	1 423 561	1 109 906	281 071	2 701	2 974	1 952	103.4	104.0
1994	1 887 916	1 509 813	314 723	3 666	3 997	2 568	110.2	109.1
1995	2 210 027	1 809 128	318 902	4 430	4 803	3 032	104.9	104.3

注：本表平均工资指数按实际工资计算，即扣除了职工生活费用价格变动因素。

4—10 分行业职工工资总额和平均工资

(1995 年)

行业	工资总额(万元)			平均工资(元)		
	全部职工	#国有	城镇集体	全部职工	#国有	城镇集体
全省	**2 210 027**	**1 809 128**	**318 902**	**4 430**	**4 803**	**3 032**
1. 农、林、牧、渔业	63 855	58 316	1 293	3 064	2 959	3 639
2. 采掘业	213 617	205 728	7 403	4 423	4 489	3 086
3. 制造业	737 726	522 708	162 860	4 132	4 716	2 857
4. 电力、煤气及水的生产和供应业	57 370	53 177	2 390	7 499	7 395	8 282
5. 建筑业	164 594	115 107	45 856	4 832	5 182	4 184
6. 地质勘查业、水利管理业	17 436	17 201	221	4 274	4 270	4 027
7. 交通运输、仓储及邮电通信业	173 876	163 395	10 462	6 339	6 925	2 734
8. 批发和零售贸易、餐饮业	198 710	130 228	53 274	2 998	3 238	2 391
9. 金融、保险业	58 666	45 303	13 251	6 689	7 034	5 742
10. 房地产业	15 237	13 074	622	4 807	4 667	4 334
11. 社会服务业	65 316	52 002	11 141	4 416	4 625	3 547
12. 卫生、体育和社会福利业	71 652	66 434	5 133	5 133	5 217	4 218
13. 教育、文化艺术和广播电影电视业	198 110	197 393	531	5 158	5 156	5 227
14. 科学研究和综合技术服务业	31 111	30 262	798	6 041	6 067	4 985
15. 国家机关、党政机关和社会团体	134 168	133 465	703	5 231	5 234	4 695
16. 其他行业	8 583	5 335	2 964	4 664	5 175	3 843

4—11 各市县职工工资

（1995 年）

市、县	职工工资总额（万元）	国有	集体	其他	平均工资（元）	国有	集体	其他
长春市	**663 052**	**522 003**	**104 569**	**36 480**	**5 013**	**5 478**	**3 474**	**5 305**
市区	565 802	442 396	91 007	32 399	5 342	5 941	3 600	5 242
九台市	22 398	18 935	3 321	142	3 705	3 854	3 017	4 438
榆树市	26 157	22 043	3 864	250	3 558	3 812	2 574	3 611
德惠市	26 273	18 457	4 127	3 689	3 604	3 538	2 790	6 207
农安县	22 422	20 172	2 250		3 958	4 094	3 050	
吉林市	**456 148**	**352 367**	**83 809**	**19 972**	**4 812**	**5 215**	**3 480**	**6 389**
市区	327 118	243 362	64 544	19 212	5 474	5 996	3 954	6 752
桦甸市	26 047	19 445	6 394	208	3 901	4 078	3 490	2 711
蛟河市	19 463	15 943	3 415	105	3 294	3 806	2 021	3 645
舒兰市	32 720	30 067	2 507	146	3 566	3 764	2 219	2 549
磐石市	25 004	21 495	3 290	219	3 671	4 061	2 277	2 958
永吉县	25 796	22 055	3 659	82	3 995	4 645	2 198	1 880
四平市	**153 827**	**125 820**	**21 874**	**6 133**	**3 512**	**3 718**	**2 622**	**3 782**
市区	62 682	50 511	7 091	5 080	3 758	4 092	2 423	3 604
公主岭市	37 364	28 991	7 610	763	3 792	3 971	3 108	7 297
梨树县	25 326	22 313	2 915	98	3 130	3 270	2 360	2 988
伊通县	12 543	10 775	1 648	120	3 313	3 651	2 104	2 321
双辽县	15 912	13 230	2 610	72	2 953	2 996	2 750	3 091
辽源市	**78 408**	**66 506**	**10 825**	**1 077**	**3 315**	**3 632**	**2 196**	**2 629**
市区	56 200	47 906	7 236	1 058	3 336	3 685	2 100	2 650
东丰县	13 391	11 559	1 823	9	3 276	3 498	2 334	4 316
东辽县	8 817	7 041	1 766	10	3 242	3 504	2 517	1 259
通化市	**145 841**	**120 805**	**21 856**	**3 180**	**3 803**	**4 081**	**2 783**	**3 790**
市区	70 201	56 402	12 396	1 403	4 336	4 784	3 057	4 042
梅河口市	22 446	18 731	2 977	738	3 602	3 810	2 764	3 086
集安市	12 059	10 468	1 452	139	3 497	3 778	2 348	2 367
通化县	12 258	9 764	1 702	792	3 514	3 587	2 751	5 367
辉南县	17 148	14 978	2 170		3 266	3 440	2 418	

4－11 续表 （1995年）

市、县	职工工资总额（万元）	国有	集体	其他	平均工资（元）	国有	集体	其他
柳河县	11 729	10 462	1 159	108	3 183	3 428	1 978	2 305
白山市	**116 561**	**100 922**	**11 915**	**3 724**	**3 578**	**3 852**	**2 268**	**3 324**
市区	60 073	50 107	7 132	2 834	3 729	3 950	2 709	3 546
临江市	14 431	12 962	1 162	307	3 528	3 707	2 282	3 626
抚松县	24 527	22 606	1 802	119	3 289	3 745	1 317	2 253
靖宇县	6 569	5 716	676	177	3 294	3 572	2 093	2 496
长白县	7 193	6 314	752	127	3 764	4 027	2 732	1 876
江源县	3 768	3 217	391	160	3 897	4 541	2 247	1 896
松原市	**129 911**	**117 380**	**11 852**	**679**	**4 795**	**5 131**	**2 982**	**2 803**
市区	72 374	66 973	5 084	317	6 412	6 750	4 011	3 238
长岭县	13 676	11 956	1 700	20	3 396	3 701	2 243	514
前郭县	22 107	18 944	2 965	198	4 064	4 210	3 333	3 935
乾安县	10 255	9 236	875	144	3 330	3 607	1 886	2 610
扶余县	11 499	10 271	1 228		3 529	3 857	2 062	
白城市	**97 973**	**84 303**	**13 031**	**639**	**3 216**	**3 453**	**2 251**	**2 501**
市区	38 159	33 324	4 609	226	3 574	3 782	2 611	2 241
洮南市	16 045	13 539	2 379	127	3 061	3 250	2 261	5 300
大安市	14 469	12 153	2 316		2 665	2 939	1 792	
镇赉县	15 832	14 478	1 354		3 535	3 746	2 204	
通榆县	13 468	10 809	2 373	286	2 905	3 143	2 227	2 188
延边朝鲜族自治州	**222 800**	**185 896**	**26 792**	**10 112**	**4 006**	**4 374**	**2 553**	**3 852**
延吉市	60 118	48 151	6 521	5 446	5 032	5 311	3 635	5 014
图们市	16 117	13 616	1 916	585	4 379	4 843	3 103	2 330
敦化市	37 016	29 923	5 054	2 039	3 376	3 814	2 026	3 268
龙井市	23 796	20 141	3 327	328	4 059	4 277	3 169	3 156
珲春市	24 219	21 132	2 641	446	4 299	4 607	2 820	4 090
和龙市	19 784	16 665	2 685	434	3 320	3 772	1 927	2 925
汪清县	21 060	18 743	1 885	432	3 316	3 663	1 786	2 418
安图县	20 690	17 525	2 763	402	3 961	4 441	2 396	3 248

4—12 国有单位分行业职工工资总额

单位:万元

行　　业	1978年	1980年	1985年	1990年	1994年	1995年
全　　省	**176 392**	**219 028**	**344 252**	**723 612**	**1 509 813**	**1 809 128**
1. 农、林、牧、渔业	10 012	12 139	17 625	29 478	47 542	58 316
2. 采掘业	29 195	35 341	52 454	102 763	176 792	205 728
3. 制造业	51 387	62 862	101 441	213 777	422 219	522 708
4. 电力、煤气及水的生产和供应业	3198	3 899	6 132	15 180	42 645	53 177
5. 建筑业	15 206	16 793	24 464	50 407	105 612	115 107
6. 地质勘查业、水利管理业	2869	4 050	6 102	12 862	18 038	17 201
7. 交通运输、仓储及邮电通信业	13 716	17 462	27 850	61 169	130 653	163 395
8. 批发和零售贸易、餐饮业	20 131	23 585	28 793	58 292	106 532	130 228
9. 金融、保险业	934	1 527	3 588	9 146	40 879	45 303
10. 房地产业	1027	1 446	2 342	4 817	11 839	13 074
11. 社会服务业	2852	3 591	5 870	14 056	42 259	52 002
12. 卫生、体育和社会福利业	4045	5 598	10 265	21 687	53 570	66 434
13. 教育、文化艺术和广播电影电视业	13 928	19 299	34 237	70 424	167 884	197 393
14. 科学研究和综合技术服务业	1488	2 055	4 501	10 273	27 360	30 262
15. 国家机关、党政机关和社会团体	6323	9 014	16 753	45 917	110 717	133 465
16. 其他行业	81	367	1 835	3 364	5 272	5 335

4—13 国有单位分行业职工平均工资

单位:元

行　　业	1978年	1980年	1985年	1990年	1994年	1995年
全　省	**711**	**827**	**1 149**	**2 036**	**3 997**	**4 803**
1. 农、林、牧、渔业	607	687	908	1 391	2 426	2 959
2. 采掘业	883	1 034	1 381	2 490	3 865	4 489
3. 制造业	693	811	1 091	1 973	3 763	4 716
4. 电力、煤气及水的生产和供应业	834	977	1 305	2 353	5 931	7 395
5. 建筑业	798	972	1 358	2 332	4 403	5 182
6. 地质勘查业、水利管理业	786	977	1 342	2 380	4 252	4 270
7. 交通运输、仓储及邮电通信业	698	805	1 254	2 373	5 324	6 925
8. 批发和零售贸易、餐饮业	664	754	1 043	1 736	2 701	3 238
9. 金融、保险业	676	753	1 113	1 936	6 703	7 034
10. 房地产业	714	816	1 098	1 903	4 286	4 667
11. 社会服务业	705	721	999	1 770	3 714	4 625
12. 卫生、体育和社会福利业	641	752	1 097	1 976	4 280	5 217
13. 教育、文化艺术和广播电影电视业	595	715	1 126	1 988	4 516	5 156
14. 科学研究和综合技术服务业	690	842	1 121	2 157	5 470	6 067
15. 国家机关、党政机关和社会团体	704	818	1 075	1 938	4 535	5 234
16. 其他行业	715	830	1 092	1 936	4 242	5 175

4—14 国有单位分行业分项目职工工资总额

（1995 年） 单位:万元

行业	职工工资总额	计时和计件标准工资	奖金和计件超额工资	津贴和补贴
全　省	**1 809 128**	**1 054 838**	**253 113**	**441 379**
1. 农、林、牧、渔业	58 316	39 239	2 569	12 960
2. 采掘业	205 728	119 931	25 494	58 005
3. 制造业	522 708	305 118	105 709	95 308
4. 电力、煤气及水的生产和供应业	53 177	28 432	14 087	9 104
5. 建筑业	115 107	69 126	23 849	18 431
6. 地质勘查业、水利管理业	17 201	10 081	757	5 754
7. 交通运输、仓储及邮电通信业	163 395	83 249	34 781	38 431
8. 批发和零售贸易、餐饮业	130 228	87 275	8 741	26 184
9. 金融、保险业	45 303	21 459	2 336	20 479
10. 房地产业	13 074	7 898	1 433	3 523
11. 社会服务业	52 002	29 664	7 722	12 959
12. 卫生、体育和社会福利业	66 434	36 885	4 553	22 589
13. 教育、文化艺术和广播电影电视业	197 393	111 704	11 403	69 972
14. 科学研究和综合技术服务业	30 262	16 871	2 285	9 630
15. 国家机关、党政机关和社会团体	133 465	84 637	6 989	36 508
16. 其他行业	5 335	3 269	405	1 542

4—15 城镇集体所有制单位分行业职工工资总额和平均工资

行　　业	1978年	1980年	1985年	1990年	1994年	1995年
工资总额(万元)	**38 001**	**56 656**	**118 620**	**210 896**	**314 723**	**318 902**
1. 农、林、牧、渔业	2420	1 789	1 377	2 051	924	1 293
2. 采掘业	1427	2 044	6 820	11 631	12 004	7 403
3. 制造业	24 768	35 479	58 540	108 755	163 117	162 860
4. 电力、煤气及水的生产和供应业			464	1 407	1 689	2 390
5. 建筑业	2536	6 064	16 691	27 172	46 002	45 856
6. 地质勘查业、水利管理业	109	82	581	110	113	221
7. 交通运输、仓储及邮电通信业	2590	3 824	6 310	8 437	10 129	10 462
8. 批发和零售贸易、餐饮业	1578	4 145	21 182	38 610	50 525	53 274
9. 金融、保险业	252	348	719	2 662	11 577	13 251
10. 房地产业	39	89	154	257	448	622
11. 社会服务业	711	1 605	2 868	4 241	10 453	11 141
12. 卫生、体育和社会福利业	897	823	1 351	2 553	4 400	5 133
13. 教育、文化艺术和广播电影电视业	473	150	383	413	315	531
14. 科学研究和综合技术服务业	3	2	39	299	578	798
15. 国家机关、党政机关和社会团体	126	135	436	898	680	703
16. 其他行业	72	77	705	1 400	1 769	2 964
平均工资(元)		**588**	**854**	**1 425**	**2 568**	**3 032**
1. 农、林、牧、渔业		498	616	1 103	2 297	3 639
2. 采掘业		674	983	1 506	2 571	3 086
3. 制造业		570	824	1 373	2 438	2 857
4. 电力、煤气及水的生产和供应业			929	2 437	6 043	8 282
5. 建筑业		714	1 063	1 897	3 535	4 184
6. 地质勘查业、水利管理业		512	988	1 187	3 157	4 027
7. 交通运输、仓储及邮电通信业		700	864	1 485	2 297	2 734
8. 批发和零售贸易、餐饮业		533	775	1 265	2 086	2 391
9. 金融、保险业		654	920	1 616	5 176	5 742
10. 房地产业			949	1 718	3 631	4 334
11. 社会服务业		530	883	1 443	2 685	3 547
12. 卫生、体育和社会福利业			961	1 668	3 140	4 218
13. 教育、文化艺术和广播电影电视业			1069	1 358	3 802	5 227
14. 科学研究和综合技术服务业			1095	1 781	3 999	4 985
15. 国家机关、党政机关和社会团体		556	908	1 773	3 971	4 695
16. 其他行业		568	945	1 775	3 069	3 843

4—16 城乡劳动力资源与分配平衡表

单位:万人

项　　目	1994年			1995年		
	城乡合计	城　镇	乡　村	城乡合计	城　镇	乡　村
一、年末劳动力资源总数	**1 722.1**	**733.8**	**988.3**	**1 728.6**	**734.7**	**993.9**
#当年新增加的劳动力资源	41.4	18.3	23.1	49.0	21.2	27.8
年末劳动年龄内全部人数	1 773.5	754.6	1 018.9	1 791.2	761.5	1 029.7
#不计入劳动力资源的人数	62.9	20.8	42.1	63.0	20.8	42.2
二、经济活动人口	**1 257.7**	**614.2**	**643.5**	**1 278.5**	**617.1**	**661.4**
(一) 从业人员	1 250.2	606.7	643.5	1 270.7	609.3	661.4
1. 按经济类型分组						
(1) 国有经济	392.2	392.2		410.6	384.6	26.0
(2) 集体经济	774.9	131.4	643.5	747.9	113.6	634.3
(3) 私有经济	11.8	11.8		14.7	14.4	0.3
(4) 个体经济	55.9	55.9		79.4	78.8	0.6
(5) 联营经济	0.2	0.2		0.3	0.2	0.1
(6) 股份制经济	8.9	8.9		9.9	9.8	0.1
(7) 外商投资经济	5.3	5.3		6.2	6.2	
(8) 港、澳、台投资经济	0.9	0.9		1.5	1.5	
(9) 其他经济	0.1	0.1		0.2	0.2	
2. 按国民经济行业分组						
(1) 农、林、牧、渔业	575.9	22.2	553.7	577.2	23.6	553.6
(2) 采掘业	61.4	53.4	8.0	60.1	50.6	9.5
(3) 制造业	222.3	206.0	16.3	217.9	198.6	19.3
(4) 电力、煤气及水的生产和供应业	7.9	7.9		7.8	7.7	0.1
(5) 建筑业	51.7	37.1	14.6	51.0	33.0	18.0
(6) 地质勘查业、水利管理业	5.5	4.3	1.2	4.9	4.0	0.9
(7) 交通运输、仓储及邮电通信业	48.0	37.9	10.1	49.6	37.1	12.5
(8) 批发和零售贸易、餐饮业	125.3	113.2	12.1	139.2	124.4	14.8
(9) 金融、保险业	9.1	8.7	0.4	9.5	8.9	0.6
(10) 房地产业	3.2	3.2		3.4	3.3	0.1
(11) 社会服务业	21.6	21.2	0.4	27.2	26.6	0.6
(12) 卫生、体育和社会福利业	16.3	14.4	1.9	16.4	14.4	2.0
(13) 教育、文化艺术和广播电影电视业	49.5	43.3	6.2	50.5	42.1	8.4
(14) 科学研究和综合技术服务业	5.7	5.5	0.2	5.9	5.6	0.3
(15) 国家机关、政党机关和社会团体	28.5	25.4	3.1	28.6	26.5	2.1
(16) 其他行业	18.3	3.0	15.3	21.5	2.9	18.6
(二) 失业人员	7.5	7.5		7.8	7.8	
三、非经济活动人口	**464.4**	**119.6**	**344.8**	**450.1**	**117.6**	**332.5**
#16岁以上在校学生	96.2	65.5	30.7	62.3	39.1	23.2
家务劳动者	289.3	43.6	245.7	289.5	76.8	212.7

4－17 国有单位在职职工分行业保险福利费

(1995 年)　　单位:万元

行　　业	费用总额	医疗卫生费	丧葬费及抚恤费	生活困难补助费	文娱体育宣传费
全　　省	**171 771**	**79 761**	**4 749**	**2 678**	**14 905**
1. 农、林、牧、渔业	6027	2 427	201	139	1 182
2. 采掘业	21 361	9 751	1 072	432	2 088
3. 制造业	67 252	27 777	1 205	692	6 528
4. 电力、煤气及水的生产和供应业	4342	2 307	72	52	274
5. 建筑业	9069	3 723	219	145	1 529
6. 地质勘查业、水利管理业	1369	715	45	31	103
7. 交通运输、仓储及邮电通信业	7166	4 114	149	127	436
8. 批发和零售贸易、餐饮业	10 624	6 444	227	170	367
9. 金融、保险业	4454	2 760	123	66	190
10. 房地产业	2727	1 732	26	94	108
11. 社会服务业	2098	1 232	42	38	66
12. 卫生、体育和社会福利业	5737	2 537	177	109	226
13. 教育、文化艺术和广播电影电视业	10 168	3 621	544	246	631
14. 科学研究和综合技术服务业	4219	2 538	91	54	376
15. 国家机关、党政机关和社会团体	13 204	7 415	505	271	690
16. 其他行业	1954	668	51	12	111

4－17 续表　　(1995 年)　　单位:万元

行　　业	计划生育补贴	集体福利设施及集体福利事业补贴	冬季取暖补贴	其他
全　　省	**5 558**	**35 415**	**11 451**	**17 254**
1. 农、林、牧、渔业	382	395	596	705
2. 采掘业	603	4 062	1 326	2 027
3. 制造业	1766	22 748	2 922	3 614
4. 电力、煤气及水的生产和供应业	96	886	140	515
5. 建筑业	235	1 104	834	1 280
6. 地质勘查业、水利管理业	50	168	120	137
7. 交通运输、仓储及邮电通信业	249	985	428	678
8. 批发和零售贸易、餐饮业	433	707	1 139	1 137
9. 金融、保险业	140	263	518	394
10. 房地产业	54	170	130	413
11. 社会服务业	85	196	194	245
12. 卫生、体育和社会福利业	309	570	659	1 150
13. 教育、文化艺术和广播电影电视业	544	1 322	1 122	2 138
14. 科学研究和综合技术服务业	134	621	115	290
15. 国家机关、党政机关和社会团体	420	863	1 127	1 913
16. 其他行业	58	355	81	618

4—18 离休、退休、退职职工年末人数

单位:人

项　　目	1991年	1992年	1993年	1994年	1995年
全　省	**700 102**	**756 714**	**828 854**	**874 731**	**1 040 941**
国有单位	530 712	572 577	633 765	678 221	807 670
城镇集体所有制单位	168 959	181 735	190 440	186 322	219 454
其他所有制单位	431	2 402	4 649	10 188	13 817

4—19 离休、退休、退职职工保险福利费用总额

单位:万元

项　　目	1991年	1992年	1993年	1994年	1995年
全　省	**148 770**	**182 825**	**235 838**	**289 090**	**387 871**
国有单位	124 329	150 809	196 392	248 762	336 474
城镇集体所有制单位	24 327	31 072	38 214	37 075	46 447
其他所有制单位	114	944	1 232	3 253	4 950

4—20 国有单位非在职职工保险福利费

单位:万元

项　　目	1991年	1992年	1993年	1994年	1995年
全　省	**124 329**	**150 809**	**196 392**	**248 762**	**336 474**
离 休 金	13 792	17 571	20 641	28 934	39 472
退 休 金	66 266	75 324	96 201	156 840	210 232
退职生活费	877	1 433	1 478	1 996	2 669
医疗卫生费	18 363	20 356	27 632	33 932	42 137
护 理 费	453	607	798		
生 活 补 贴	4 458	8 205	9 483		
交通费补贴	1 488	1 550	2 434	2 771	5 518
丧葬抚恤救济费	2 693	2 580	3 249	3 767	3 834
其他(含冬季取暖补贴)	15 939	23 183	34 476	20 522	32 612

固定资产投资 5

5 固定资产投资

1995 年全社会固定资产投资	341.85 亿元
国有经济单位及其他经济类型单位投资	279.78 亿元
集体经济单位投资	21.21 亿元
城镇	4.58 亿元
农村	16.63 亿元
城乡个人投资	40.86 亿元
城镇	10.55 亿元
农村	30.31 亿元

全社会固定资产投资(亿元)

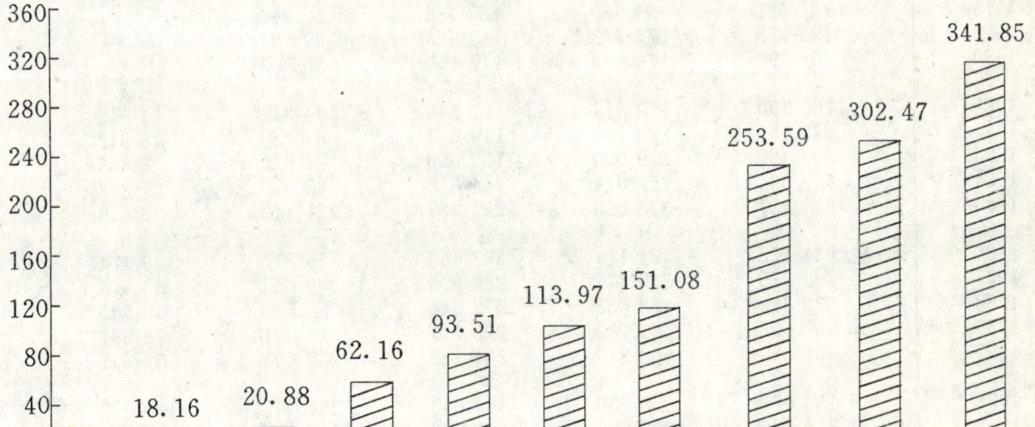

年 份	全社会固定资产投资	国有单位及其他经济类型				
		合 计	基本建设	更新改造	其他投资	房地产业
1952	18 559	17 800	17 309	491		
1953	32 089	30 200	29 372	828		
1954	53 921	51 500	49 675	1 825		
1955	55 683	53 700	52 227	1 473		
1956	64 701	61 900	60 050	1 850		
1957	42 240	38 010	36 921	1 089		
1958	83 650	75 258	65 493	9 765		
1959	107 435	95 630	89 267	6 363		
1960	110 695	105 096	97 854	7 242		
1961	51 020	43 581	38 035	5 546		
1962	39 150	27 149	24 246	2 903		
1963	52 134	44 736	38 819	5 917		
1964	68 986	60 732	55 310	5 422		
1965	67 887	58 956	53 217	5 739		
1966	59 437	47 670	43 442	4 228		
1967	43 541	31 215	26 141	5 074		
1968	41 954	28 418	22 978	5 440		
1969	64 356	49 104	40 518	8 586		
1970	88 184	70 600	58 290	12 310		
1971	116 194	97 499	72 650	24 849		
1972	115 949	100 700	72 899	27 801		
1973	133 886	110 800	81 487	29 313		
1974	136 825	115 800	86 732	29 068		
1975	154 449	127 299	95 063	32 236		
1976	124 218	102 700	83 694	19 006		
1977	117 327	92 100	75 052	17 048		
1978	181 631	155 969	135 389	20 580		
1979	195 372	172 123	142 929	29 194		
1980	208 798	176 463	140 100	36 363		
1981	209 790	170 519	91 594	64 812	14 113	
1982	275 055	220 784	119 683	82 759	18 342	
1983	293 320	219 905	133 050	78 220	8 635	
1984	409 334	255 014	144 818	82 339	27 857	
1985	621 557	373 829	223 967	121 442	28 420	
1986	634 122	421 174	232 483	159 217	29 474	
1987	769 970	539 577	269 896	206 065	63 616	
1988	930 322	678 053	372 848	254 625	50 580	
1989	800 996	581 280	290 737	213 991	76 552	
1990	935 080	669 374	291 155	225 695	87 691	64 833
1991	1 139 671	856 280	404 643	254 042	120 297	77 298
1992	1 510 786	1 216 686	620 762	340 093	112 528	143 303
1993	2 535 919	2 076 697	1 068 260	451 247	260 930	296 260
1994	3 024 672	2 494 908	1 372 110	543 772	154 138	424 888
1995	3 418 533	2 797 845	1 670 545	541 280	229 646	356 374

定资产投资

单位：万元

集体经济单位			个人投资		
合计	城镇	农村	合计	城镇	农村
221	128	93	538	118	420
1 453	332	1 121	436	136	300
1 335	326	1 009	1 086	156	930
1 263	259	1 004	720	180	540
2 264	707	1 557	537	207	330
3 692	772	2 920	538	238	300
7 800	999	6 801	592	292	300
11 179	548	10 631	626	326	300
5 007	280	4 727	592	382	210
6 807	507	6 300	632	414	218
10 895	662	10 233	1 106	476	630
4 031	279	3 752	3 367	547	2 820
4 561	181	4 380	3 693	783	2 910
4 754	172	4 582	4 177	877	3 300
6 856	236	6 620	4 911	831	4 080
8 130	296	7 834	4 196	956	3 240
8 777	405	8 372	4 759	1 099	3 660
7 388	495	6 893	7 864	1 264	6 600
11 330	718	10 612	6 254	1 454	4 800
11 443	745	10 698	7 252	1 672	5 580
8 016	791	7 225	7 233	1 923	5 310
15 385	810	14 575	7 701	2 211	5 490
14 252	927	13 325	6 773	2 543	4 230
19 496	1 285	18 211	7 654	3 424	4 230
14 685	1 899	12 786	6 833	3 863	2 970
16 974	2 765	14 209	8 253	4 383	3 870
18 495	1 507	16 988	7 167	4 447	2 720
15 575	1 334	14 241	7 674	5 114	2 560
19 574	4 097	15 477	12 761	5 881	6 880
22 588	6 713	15 875	16 683	6 763	9 920
23 762	8 271	15 491	30 509	8 021	22 488
33 907	9 449	24 458	39 508	12 648	26 860
21 571	12 675	8 896	132 749	14 794	117 955
43 985	19 223	24 762	203 743	21 446	182 297
43 798	23 255	20 543	169 150	27 279	141 871
63 668	24 424	39 244	166 725	34 261	132 464
72 600	37 936	34 664	179 669	46 542	133 127
42 792	25 087	17 705	176 924	44 423	132 501
28 236	17 990	10 246	237 470	40 658	196 812
59 834	26 912	32 922	223 557	37 153	186 404
121 667	43 453	78 214	172 433	30 833	141 600
233 622	62 191	171 431	225 600	97 957	127 643
256 935	59 734	197 201	272 829	133 482	139 347
212 110	45 811	166 299	408 578	105 539	303 039

5—1 续表

单位：万元

年份	按构成分			按用途分		
	建筑安装工程	设备、工具、器具购置	其他费用	生产性建设	非生产性建设	#住宅
1952	12 168	4 612	1 779	11 464	7 095	2 708
1953	20 045	8 625	3 419	20 790	11 299	5 003
1954	29 823	17 114	6 984	40 224	13 697	6 235
1955	26 865	25 548	3 270	50 679	5 004	1 957
1956	34 988	26 060	3 653	54 327	10 374	4 176
1957	27 845	12 789	1 606	33 393	8 847	4 203
1958	49 248	30 412	3 990	75 609	8 041	3 132
1959	59 184	44 289	3 962	91 731	15 704	5 260
1960	63 539	42 674	4 482	93 016	17 679	7 011
1961	30 855	17 863	2 302	41 215	9 805	5 105
1962	22 565	15 163	1 422	34 221	4 929	2 525
1963	32 688	16 402	3 044	40 959	11 175	6 950
1964	46 382	18 834	3 770	51 749	17 237	9 460
1965	40 450	23 580	3 857	55 139	12 748	7 594
1966	34 563	19 177	5 697	50 277	9 160	6 347
1967	26 698	11 566	5 277	36 711	6 830	5 149
1968	23 866	11 710	6 378	34 196	7 758	5 832
1969	43 402	15 724	5 230	52 691	11 665	9 882
1970	52 072	30 224	5 888	76 739	11 445	8 554
1971	75 459	37 431	3 304	94 908	21 286	11 440
1972	75 038	36 188	4 723	93 114	22 835	13 331
1973	83 258	45 323	5 305	109 501	24 385	15 630
1974	90 349	41 932	4 544	111 665	25 160	14 360
1975	99 634	48 692	6 123	127 553	26 896	15 059
1976	80 986	37 388	5 844	100 124	24 094	13 703
1977	78 515	31 377	7 435	91 021	26 306	15 452
1978	110 853	61 811	8 967	149 582	32 049	19 754
1979	129 980	54 584	10 808	143 822	51 550	34 264
1980	148 578	52 772	7 448	140 360	68 438	49 115
1981	153 595	47 899	8 296	126 030	83 760	57 153
1982	200 499	60 991	13 565	154 441	120 614	82 136
1983	207 339	68 435	17 546	173 754	119 566	74 796
1984	322 621	71 806	14 907	238 187	171 147	118 432
1985	481 529	107 709	32 319	370 440	251 117	172 342
1986	429 468	175 307	29 347	362 757	271 365	182 512
1987	489 975	245 887	34 108	481 527	288 443	220 034
1988	600 742	246 015	83 565	624 970	305 352	203 785
1989	531 282	211 054	58 660	534 925	266 071	190 408
1990	608 594	253 669	72 817	604 996	330 084	241 290
1991	711 498	294 718	133 455	756 293	383 378	275 610
1992	962 770	341 451	206 565	955 493	555 293	368 529
1993	1 619 650	574 362	341 907	1 607 197	928 722	740 171
1994	1 858 118	761 485	405 069	1 930 132	1 094 540	497 648
1995	2 240 811	747 086	430 636	2 189 764	1 228 769	842 257

5－2 国有单位按三次产业分的固定资产投资

年份	投资额（万元）			比重(以国有投资总额为100)		
	第一产业	第二产业	第三产业	第一产业	第二产业	第三产业
1949	3	1 432	396	0.2	78.2	21.6
1950	45	4 277	1 281	0.8	76.3	22.9
1951	217	4 272	2 060	3.3	65.2	31.5
1952	171	12 419	5 210	1.0	69.8	29.2
1953	497	20 987	8 716	1.6	69.5	28.9
1954	513	44 586	6 401	1.0	86.6	12.4
1955	895	47 354	5 451	1.7	88.2	10.1
1956	1 973	48 609	11 318	3.2	78.5	18.3
1957	901	27 901	9 208	2.4	73.4	24.2
1958	2 268	59 820	13 170	3.0	79.5	17.5
1959	2 846	71 269	21 497	3.0	74.5	22.5
1960	5 499	73 271	26 326	5.2	69.7	25.1
1961	2 508	30 453	10 620	5.8	69.9	24.3
1962	3 654	18 200	5 295	13.5	67.0	19.5
1963	5 273	29 860	9 603	11.8	66.7	21.5
1964	4 975	38 727	17 030	8.2	63.8	28.0
1965	4 791	29 926	14 239	8.1	67.7	24.2
1966	2 165	340 210	11 295	4.5	71.8	23.7
1967	1 886	19 015	9 414	6.0	63.8	30.2
1968	1 939	19 043	7 436	6.8	67.0	26.2
1969	2 134	36 772	10 198	4.3	74.9	20.8
1970	2 307	55 970	12 323	3.3	79.3	17.4
1971	4 042	71 109	22 348	4.1	72.9	23.0
1972	3 979	71 430	25 291	4.0	70.9	25.1
1973	3 635	81 129	26 036	3.3	73.2	23.5
1974	3 989	83 697	28 114	3.4	72.3	24.3
1975	3 807	98 524	29 968	3.0	73.5	23.5
1976	3 986	69 304	29 410	3.9	67.5	28.6
1977	2 113	65 502	24 485	2.3	71.1	26.6
1978	3 155	124 609	28 205	2.0	79.9	18.1
1979	4 824	127 019	40 280	2.8	73.8	23.4
1980	5 049	122 699	48 715	2.9	69.5	27.6
1981	3 987	112 839	53 693	2.3	66.2	31.5
1982	6 307	148 441	66 036	2.8	67.2	29.9
1983	2 673	154 933	62 299	1.2	70.5	28.3
1984	2 640	171 366	81 008	1.0	67.2	31.8
1985	3 388	251 374	119 067	0.9	67.2	31.9
1986	2 607	293 910	124 657	0.6	69.8	29.6
1987	4 861	419 567	115 149	0.9	77.8	21.3
1988	6 676	496 746	174 631	1.0	73.3	25.7
1989	10 860	434 633	135 787	1.8	74.8	23.4
1990	21 130	458 840	189 391	3.2	68.5	28.3
1991	16 755	586 802	252 723	2.0	68.5	29.5
1992	15 997	791 812	408 877	1.3	65.1	33.6
1993	18 169	1 068 443	847 836	0.9	55.3	43.8
1994	14 784	1 389 373	1 086 497	0.6	55.8	43.6
1995	4 742	1 893 144	899 959	0.2	67.7	32.1

5—3 地方全社会

年份	地方全社会固定资产投资	国有单位及其他经济类型				
		合计	基本建设	更新改造	其他投资	房地产业
1952	4 710	3 951	3 559	392		
1953	8 597	6 708	6 046	662		
1954	9 513	7 092	5 362	1 730		
1955	9 035	7 052	5 874	1 178		
1956	12 767	9 966	8 486	1 480		
1957	14 849	10 619	9 748	871		
1958	56 223	47 831	40 214	7 617		
1959	71 458	59 653	54 690	4 963		
1960	75 055	69 456	63 807	5 649		
1961	33 275	25 836	21 510	4 326		
1962	25 272	13 271	11 007	2 264		
1963	26 209	18 811	14 197	4 614		
1964	32 682	24 428	20 199	4 229		
1965	32 846	23 915	19 439	4 476		
1966	36 821	25 054	21 756	3 298		
1967	33 936	21 610	17 652	3 958		
1968	33 410	19 874	15 794	4 080		
1969	46 715	31 463	25 023	6 440		
1970	59 459	41 875	32 642	9 233		
1971	76 703	58 008	39 371	18 637		
1972	78 423	63 174	42 323	20 851		
1973	86 961	63 875	41 890	21 985		
1974	84 614	63 589	41 788	21 801		
1975	98 850	71 700	47 523	24 177		
1976	80 797	59 279	45 024	14 255		
1977	75 154	49 927	37 141	12 786		
1978	94 751	69 089	52 934	16 155		
1979	103 379	80 130	57 417	22 713		
1980	124 503	92 168	63 684	28 484		
1981	139 858	100 587	38 510	61 066	1 011	
1982	193 959	139 688	41 687	80 159	17 842	
1983	182 119	108 704	46 662	53 457	8 585	
1984	304 291	149 971	62 294	60 320	27 357	
1985	480 443	232 715	106 804	97 991	27 920	
1986	483 744	270 796	110 392	132 256	28 148	
1987	585 604	355 211	120 534	171 718	62 959	
1988	690 714	438 445	176 323	212 988	49 134	
1989	606 213	387 140	135 959	176 056	74 525	
1990	693 643	428 960	137 730	146 053	85 180	59 997
1991	831 765	551 180	194 742	166 888	116 527	73 023
1992	1 053 038	763 891	279 138	241 565	108 212	134 976
1993	1 919 559	1 465 655	639 548	297 973	253 713	274 421
1994	2 419 356	1 890 362	946 025	389 221	152 670	402 446
1995	2 673 703	2 053 015	1 146 018	373 113	187 109	346 775

固定资产投资

单位:万元

集体经济单位			个人投资		
合计	城镇	农村	合计	城镇	农村
221	128	93	538	118	420
1 453	332	1 121	436	136	300
1 335	326	1 009	1 086	156	930
1 263	259	1 004	720	180	540
2 264	707	1 557	537	207	330
3 692	772	2 920	538	238	300
7 800	999	6 801	592	292	300
11 179	548	10 631	626	326	300
5 007	280	4 727	592	382	210
6 807	507	6 300	632	414	218
10 895	662	10 233	1 106	476	630
4 031	279	3 752	3 367	547	2 820
4 561	181	4 380	3 693	783	2 910
4 754	172	4 582	4 177	877	3 300
6 856	236	6 620	4 911	831	4 080
8 130	296	7 834	4 196	956	3 240
8 777	405	8 372	4 759	1 099	3 660
7 388	495	6 893	7 864	1 264	6 600
11 330	718	10 612	6 254	1 454	4 800
11 443	745	10 698	7 252	1 672	5 580
8 016	791	7 225	7 233	1 923	5 310
15 385	810	14 575	7 701	2 211	5 490
14 252	927	13 325	6 773	2 543	4 230
19 496	1 285	18 211	7 654	3 424	4 230
14 685	1 899	12 786	6 833	3 863	2 970
16 974	2 765	14 209	8 253	4 383	3 870
18 495	1 507	16 988	7 167	4 447	2 720
15 575	1 334	14 241	7 674	5 114	2 560
19 574	4 097	15 477	12 761	5 881	6 880
22 588	6 713	15 875	16 683	6 763	9 920
23 762	8 271	15 491	30 509	8 021	22 488
33 907	9 449	24 458	39 508	12 648	26 860
21 571	12 675	8 896	132 749	14 794	117 955
43 985	19 223	24 762	203 743	21 446	182 297
43 798	23 255	20 543	169 150	27 279	141 871
63 668	24 424	39 244	166 725	34 261	132 464
72 600	37 936	34 664	179 669	46 542	133 127
42 149	24 444	17 705	176 924	44 423	132 501
27 213	16 967	10 246	237 470	40 658	196 812
57 028	24 106	32 922	223 557	37 153	186 404
116 714	38 500	78 214	172 433	30 833	141 600
228 304	57 601	170 703	225 600	97 957	127 643
256 165	58 964	197 201	272 829	133 482	139 347
212 110	45 811	166 299	408 578	105 539	303 039

5—4 全社会新

年　份	全社会新增固定资产	国有单位及其他经济类型				
		合　计	基本建设	更新改造	其他投资	房地产业
1952	15 224	14 491	14 000	491		
1953	26 994	25 155	24 421	734		
1954	27 543	25 184	23 495	1 689		
1955	50 981	49 034	47 656	1 378		
1956	62 613	59 939	58 225	1 714		
1957	53 499	49 400	48 397	1 003		
1958	61 120	52 848	45 285	7 563		
1959	81 489	69 788	64 524	5 264		
1960	84 780	79 220	73 161	6 059		
1961	39 035	31 682	27 111	4 571		
1962	35 112	23 217	20 915	2 302		
1963	39 924	32 579	27 749	4 830		
1964	54 370	46 141	41 836	4 305		
1965	76 820	67 917	63 441	4 476		
1966	50 833	39 092	35 900	3 192		
1967	33 532	21 250	17 532	3 718		
1968	33 939	20 476	16 326	4 150		
1969	45 637	30 454	24 303	6 151		
1970	64 449	46 958	37 972	8 986		
1971	86 819	68 243	50 103	18 140		
1972	78 742	63 651	44 463	19 188		
1973	96 330	73 382	52 277	21 105		
1974	97 095	76 246	55 599	20 647		
1975	114 217	87 273	62 774	24 499		
1976	86 879	65 684	51 389	14 295		
1977	95 379	70 650	60 864	9 786		
1978	109 603	84 411	72 907	11 504		
1979	141 793	118 827	96 794	22 033		
1980	152 593	122 024	95 908	26 116		
1981	184 018	145 392	69 676	63 720	11 996	
1982	229 186	176 501	80 080	80 830	15 591	
1983	325 672	254 188	186 407	60 142	7 639	
1984	411 045	258 958	155 680	68 353	34 925	
1985	500 730	255 551	146 676	88 092	20 783	
1986	554 999	342 485	199 115	121 816	21 554	
1987	669 709	443 462	232 120	159 018	52 324	
1988	756 589	515 452	296 152	181 725	37 575	
1989	690 755	473 601	246 010	166 632	60 959	
1990	862 131	593 250	227 339	232 876	72 946	60 089
1991	969 732	694 655	329 114	198 991	95 584	70 966
1992	836 881	557 752	231 461	192 860	21 929	111 502
1993	1 761 676	1 313 618	531 448	337 421	173 641	271 108
1994	2 193 107	1 664 616	741 726	419 864	190 975	312 051
1995	2 229 127	1 603 124	700 853	417 579	240 338	244 354

增固定资产

单位:万元

集体经济单位			个人投资		
合计	城镇	农村	合计	城镇	农村
195	102	93	538	118	420
1 403	282	1 121	436	136	300
1 273	264	1 009	1 086	156	930
1 227	223	1 004	720	180	540
2 137	580	1 557	537	207	330
3 561	641	2 920	538	238	300
7 680	879	6 801	592	292	300
11 075	444	10 631	626	326	300
4 968	241	4 727	592	382	210
6 721	421	6 300	632	414	218
10 789	556	10 233	1 106	476	630
3 978	226	3 752	3 367	547	2 820
4 536	156	4 380	3 693	783	2 910
4 726	144	4 582	4 177	877	3 300
6 830	210	6 620	4 911	831	4 080
8 086	252	7 834	4 196	956	3 240
8 704	332	8 372	4 759	1 099	3 660
7 319	426	6 893	7 864	1 264	6 600
11 237	625	10 612	6 254	1 454	4 800
11 324	626	10 698	7 252	1 672	5 580
7 858	633	7 225	7 233	1 923	5 310
15 247	672	14 575	7 701	2 211	5 490
14 076	751	13 325	6 773	2 543	4 230
19 290	1 079	18 211	7 654	3 424	4 230
14 362	1 576	12 786	6 833	3 863	2 970
16 476	2 267	14 209	8 253	4 383	3 870
18 025	1 037	16 988	7 167	4 447	2 720
15 292	1 051	14 241	7 674	5 114	2 560
17 808	2 331	15 477	12 761	5 881	6 880
21 943	6 068	15 875	16 683	6 763	9 920
22 176	6 685	15 491	30 509	8 021	22 488
31 976	7 518	24 458	39 508	12 648	26 860
19 338	10 442	8 896	132 749	14 794	117 955
41 436	16 674	24 762	203 743	21 446	182 297
43 364	22 821	20 543	169 150	27 279	141 871
59 522	20 278	39 244	166 725	34 261	132 464
61 468	26 804	34 664	179 669	46 542	133 127
40 230	22 525	17 705	176 924	44 423	132 501
31 411	21 165	10 246	237 470	40 685	196 785
51 520	18 598	32 922	223 557	37 153	186 404
106 696	28 482	78 214	172 433	30 833	141 600
222 458	51 755	170 703	225 600	97 957	127 643
255 662	58 461	197 201	272 829	133 482	139 347
217 425	51 126	166 299	408 578	105 539	303 039

5—5 地方全社会

年　份	地方全社会新增固定资产	国有单位及其他经济类型				
		合　计	基本建设	更新改造	其他投资	房地产业
1952	3 201	2 468	2 076	392		
1953	7 464	5 625	5 039	586		
1954	6 246	3 887	2 536	1 351		
1955	8 307	6 360	5 257	1 103		
1956	12 267	9 593	8 223	1 370		
1957	17 680	13 581	12 779	802		
1958	41 963	33 691	27 788	5 903		
1959	75 346	63 645	59 541	4 104		
1960	58 016	52 456	47 728	4 728		
1961	26 255	18 902	15 337	3 565		
1962	23 189	11 294	9 499	1 795		
1963	25 262	17 917	14 151	3 766		
1964	26 847	18 628	15 270	3 358		
1965	35 705	26 802	23 311	3 491		
1966	32 201	20 460	17 970	2 490		
1967	27 027	14 745	11 844	2 901		
1968	27 805	14 342	11 229	3 113		
1969	34 783	19 600	14 989	4 611		
1970	45 480	27 989	21 249	6 740		
1971	59 308	40 732	27 127	13 605		
1972	55 297	40 206	25 817	14 389		
1973	65 670	42 722	26 893	15 829		
1974	63 114	42 265	26 786	15 479		
1975	76 684	49 740	31 365	18 375		
1976	59 559	38 364	27 645	10 719		
1977	62 189	37 460	30 121	7 339		
1978	71 672	46 480	37 449	9 031		
1979	78 990	56 024	38 871	17 153		
1980	98 783	68 214	47 762	20 452		
1981	118 071	79 445	29 306	49 280	859	
1982	159 787	107 102	27 889	64 047	15 166	
1983	185 262	113 778	65 373	41 108	7 297	
1984	292 372	140 285	66 966	50 066	23 253	
1985	409 733	164 554	69 779	71 043	23 732	
1986	428 729	216 215	94 496	101 175	20 544	
1987	514 509	288 262	103 659	132 566	52 037	
1988	580 343	341 206	140 000	152 073	49 133	
1989	532 236	315 652	118 291	138 043	59 318	
1990	646 252	378 573	99 098	152 003	71 256	56 216
1991	687 951	414 188	135 220	121 589	92 585	64 794
1992	807 248	551 042	231 461	192 860	21 929	104 792
1993	1 047 769	697 082	376 552	193 809	103 559	218 023
1994	1 683 137	1 178 604	437 074	313 822	127 571	300 137
1995	1 706 290	1 111 707	364 176	288 285	238 170	221 076

新增固定资产

单位:万元

集体经济单位			个人投资		
合计	城镇	农村	合计	城镇	农村
195	102	93	538	118	420
1 403	282	1 121	436	136	300
1 273	264	1 009	1 086	156	930
1 227	223	1 004	720	180	540
2 137	580	1 557	537	207	330
3 561	641	2 920	538	238	300
7 680	879	6 801	592	292	300
11 075	444	10 631	626	326	300
4 968	241	4 727	592	382	210
6 721	421	6 300	632	414	218
10 789	556	10 233	1 106	476	630
3 978	226	3 752	3 367	547	2 820
4 526	156	4 370	3 693	783	2 910
4 726	144	4 582	4 177	877	3 300
6 830	210	6 620	4 911	831	4 080
8 086	252	7 834	4 196	956	3 240
8 704	332	8 372	4 759	1 099	3 660
7 319	426	6 893	7 864	1 264	6 600
11 237	625	10 612	6 254	1 454	4 800
11 324	626	10 698	7 252	1 672	5 580
7 858	633	7 225	7 233	1 923	5 310
15 247	672	14 575	7 701	2 211	5 490
14 076	751	13 325	6 773	2 543	4 230
19 290	1 079	18 211	7 654	3 424	4 230
14 362	1 576	12 786	6 833	3 863	2 970
16 476	2 267	14 209	8 253	4 383	3 870
18 025	1 037	16 988	7 167	4 447	2 720
15 292	1 051	14 241	7 674	5 114	2 560
17 808	2 331	15 477	12 761	5 881	6 880
21 943	6 068	15 875	16 683	6 763	9 920
22 176	6 685	15 491	30 509	8 021	22 488
31 976	7 518	24 458	39 508	12 648	26 860
19 338	10 442	8 896	132 749	14 794	117 955
41 436	16 674	24 762	203 743	21 446	182 297
43 364	22 821	20 543	169 150	27 279	141 871
59 522	20 278	39 244	166 725	34 261	132 464
61 468	26 804	34 664	177 669	46 542	131 127
39 661	21 956	17 705	176 923	44 423	132 500
30 209	19 963	10 246	237 470	40 658	196 812
50 206	17 214	32 992	223 557	37 153	186 404
83 773	28 482	55 291	172 433	30 833	141 600
125 087	46 873	78 214	225 600	97 957	127 643
231 704	55 016	176 688	272 829	133 482	139 347
186 005	49 326	136 679	408 578	105 539	303 039

5—6 全社会竣

年份	总计	国有单位及其他经济类型				
		合计	基本建设	更新改造	其他投资	房地产业
1952	116.72	62.23	62.23			
1953	145.29	90.70	90.70			
1954	251.19	132.17	132.47			
1955	192.02	112.17	112.17			
1956	204.66	134.64	134.64			
1957	271.72	187.50	187.50			
1958	309.98	215.86	215.86			
1959	420.99	303.97	303.97			
1960	426.43	362.53	362.53			
1961	223.72	149.00	149.00			
1962	193.75	55.52	55.52			
1963	412.12	83.48	83.48			
1964	486.73	132.98	132.98			
1965	395.61	158.59	158.59			
1966	415.10	134.00	134.00			
1967	328.10	78.00	78.00			
1968	366.20	84.00	84.00			
1969	547.43	118.00	118.00			
1970	478.73	146.00	146.00			
1971	475.14	202.00	202.00			
1972	470.05	216.27	216.27			
1973	482.68	169.78	169.78			
1974	457.72	180.02	180.02			
1975	489.51	184.81	184.81			
1976	403.07	157.47	157.47			
1977	429.00	136.20	136.20			
1978	864.02	188.32	188.32			
1979	664.48	274.48	274.48			
1980	773.92	378.82	318.86	59.96		
1981	1 135.03	390.63	220.05	170.58		
1982	1 495.41	440.00	246.00	194.00		
1983	1 671.62	383.50	290.00	93.50		
1984	1 862.53	466.15	300.00	103.20	62.95	
1985	2 006.65	501.72	380.27	97.06	24.39	
1986	2 352.81	576.01	443.40	103.88	28.73	
1987	1 933.32	436.94	310.93	111.01	15.00	
1988	1 463.45	500.19	350.69	128.71	20.79	
1989	1 368.34	477.39	232.78	76.51	168.10	
1990	1 096.12	433.10	231.24	74.49	10.81	116.56
1991	1 074.09	508.26	260.38	71.45	30.64	145.79
1992	1 379.95	731.66	381.49	88.73	14.36	247.08
1993	1 833.56	1 019.81	481.59	75.74	58.67	403.81
1994	1 987.49	968.95	488.04	82.53	71.06	327.32
1995	2 007.60	859.50	447.00	62.70	21.90	327.90

工房屋面积

单位:万平方米

集体经济单位			个人投资		
合计	城镇	农村	合计	城镇	农村
0.49	0.49		54.00	12.00	42.00
10.59	0.59	10.00	44.00	14.00	30.00
9.72	0.72	9.00	109.00	16.00	93.00
7.85	4.85	3.00	72.00	18.00	54.00
16.02	1.02	15.00	54.00	21.00	33.00
30.22	1.22	29.00	54.00	24.00	30.00
35.12	1.12	34.00	59.00	29.00	30.00
54.02	1.02	53.00	63.00	33.00	30.00
23.90	0.90	23.00	40.00	19.00	21.00
31.72	0.72	31.00	43.00	21.00	22.00
51.23	1.23	50.00	87.00	24.00	63.00
19.64	1.64	18.00	309.00	27.00	282.00
23.75	1.75	22.00	330.00	39.00	291.00
28.02	2.02	26.00	209.00	44.00	165.00
35.10	2.10	33.00	246.00	42.00	204.00
40.10	1.10	39.00	210.00	48.00	162.00
44.20	2.20	42.00	238.00	55.00	183.00
36.43	2.43	34.00	393.00	63.00	330.00
56.73	3.73	53.00	276.00	36.00	240.00
45.14	3.14	42.00	228.00	42.00	186.00
28.78	2.78	26.00	225.00	48.00	177.00
74.90	3.90	71.00	238.00	55.00	183.00
72.70	3.70	69.00	205.00	64.00	141.00
95.70	4.70	91.00	209.00	68.00	141.00
69.60	5.60	64.00	176.00	77.00	99.00
75.80	4.80	71.00	217.00	88.00	129.00
518.70	5.70	513.00	157.00	89.00	68.00
224.00	6.00	218.00	166.00	102.00	64.00
105.10	7.10	98.00	290.00	118.00	172.00
361.40	17.40	344.00	383.00	135.00	248.00
99.86	18.18	81.68	955.55	107.40	848.15
280.86	28.02	252.84	1 007.26	159.04	848.22
55.28	36.00	19.28	1 341.10	161.55	1 179.55
143.25	36.87	106.38	1 361.68	182.31	1 179.37
87.86	39.91	47.95	1 688.94	211.19	1 477.75
88.81	33.81	55.00	1 407.57	236.57	1 171.00
111.08	38.72	72.36	852.18	270.25	581.93
38.58	24.05	14.53	852.37	213.05	639.32
35.59	19.86	15.73	627.43	145.02	482.41
35.12	20.46	14.66	530.71	171.10	359.61
63.76	23.24	40.52	584.53	101.41	483.12
147.40	45.51	101.89	666.35	254.01	412.34
293.84	14.41	279.43	724.70	290.41	434.29
124.00	31.90	92.10	1 024.10	220.10	804.00

5—7 全社会竣工

年份	总计	国有单位及其他经济类型				
		合计	基本建设	更新改造	其他投资	房地产业
1952	89.81	35.81	35.81			
1953	82.67	38.67	38.67			
1954	173.91	64.78	64.78			
1955	100.84	28.80	28.80			
1956	112.69	58.22	58.22			
1957	134.45	79.64	79.64			
1958	116.41	56.66	56.66			
1959	149.29	85.25	85.25			
1960	168.86	128.31	128.31			
1961	106.96	63.32	63.32			
1962	109.31	22.00	22.00			
1963	344.14	34.57	34.57			
1964	388.74	58.05	58.05			
1965	266.85	57.01	57.01			
1966	274.95	28.00	28.00			
1967	225.88	15.00	15.00			
1968	258.17	19.00	19.00			
1969	421.01	27.00	27.00			
1970	311.62	34.00	34.00			
1971	288.32	59.00	59.00			
1972	300.12	74.16	74.16			
1973	310.30	70.35	70.35			
1974	279.37	72.36	72.36			
1975	274.12	62.34	62.34			
1976	232.28	54.35	54.35			
1977	266.64	48.40	48.40			
1978	248.46	80.50	80.50			
1979	326.01	155.72	155.72			
1980	505.02	212.80	190.48	22.32		
1981	623.12	227.00	136.17	90.83		
1982	1 203.03	250.00	161.00	89.00		
1983	1 131.75	213.36	184.00	29.36		
1984	1 484.83	226.89	178.00	24.00	24.89	
1985	1 476.58	263.79	232.55	21.99	9.25	
1986	1 973.58	287.64	262.15	15.93	9.56	
1987	1 536.12	189.21	152.49	30.68	6.04	
1988	1 059.38	211.19	164.07	33.61	13.51	
1989	930.15	148.51	122.61	17.21	8.69	
1990	917.24	292.67	114.26	10.15	51.70	116.56
1991	761.58	290.19	136.41	18.42	6.46	128.90
1992	834.35	428.85	204.46	14.81	2.66	206.92
1993	1 183.86	668.32	296.85	11.19	25.83	334.45
1994	1 162.90	566.54	285.12	10.86	19.96	250.60
1995	1 423.10	526.70	256.90	6.70	5.90	257.20

5—9 各时期按用途和建设性质分基本建设投资

单位:亿元

	按用途分			按建设性质分	
	生产性建设	非生产性建设	#住宅	#新建项目	改扩建项目
"一五"时期	18.34	4.48	1.81	15.05	7.50
"二五"时期	26.53	4.96	1.92	13.87	16.32
1963-1965	12.01	2.72	1.26	5.57	8.67
"三五"时期	17.38	1.76	0.73	6.19	9.92
"四五"时期	32.80	8.08	3.24	18.36	21.50
"五五"时期	42.83	14.89	8.45	20.57	36.28
1976	6.76	1.61	0.67	3.95	4.16
1977	5.79	1.72	0.71	3.12	4.21
1978	11.18	2.36	1.17	5.21	8.26
1979	9.98	4.31	2.62	4.87	9.23
1980	9.12	4.89	3.28	3.42	10.42
"六五"时期	36.61	34.71	19.17	21.05	44.21
1981	5.22	3.94	2.56	2.93	6.18
1982	6.46	5.51	3.45	3.20	8.37
1983	7.04	6.27	3.23	4.37	8.75
1984	7.29	7.19	3.40	5.18	7.51
1985	10.60	11.80	6.53	5.37	13.40
"七五"时期	89.58	56.13	27.46	40.85	86.05
1986	12.30	10.95	5.69	5.54	14.64
1987	17.64	9.35	4.02	5.79	19.03
1988	22.12	15.16	7.93	9.56	21.31
1989	17.80	11.27	6.05	8.30	15.81
1990	19.72	9.40	3.77	11.66	15.26
"八五"时期	354.83	158.78	81.14	180.61	286.59
1991	27.54	12.92	6.18	15.69	21.44
1992	39.14	22.94	10.79	22.83	34.01
1993	69.63	37.19	22.25	36.70	58.89
1994	93.85	43.35	22.04	52.28	72.82
1995	124.67	42.38	19.88	53.11	99.43

5—10 各时期农、轻、重和运输邮电业基本建设投资

单位:亿元

	农　业	轻工业	重工业	#能源工业	运输邮电业
“一五”时期	0.79	1.06	16.53	3.69	0.67
“二五”时期	2.32	1.82	20.05	7.02	1.86
1963-1965	2.13	0.89	8.29	2.67	1.14
“三五”时期	2.93	1.24	12.07	2.66	0.83
“四五”时期	4.77	2.43	25.17	10.60	3.19
“五五”时期	5.10	3.12	37.34	13.84	1.71
1976	0.90	0.29	5.32	2.74	0.57
1977	0.88	0.31	4.93	2.26	0.40
1978	1.05	0.59	9.83	3.41	0.25
1979	1.15	0.61	9.45	3.02	0.24
1980	1.06	1.32	7.81	2.41	0.32
“六五”时期	2.55	4.54	36.20	19.69	1.75
1981	0.52	1.11	4.46	2.22	0.12
1982	0.57	0.76	6.87	3.10	0.37
1983	0.62	0.72	7.18	4.54	0.29
1984	0.40	0.73	7.23	4.14	0.37
1985	0.44	1.22	10.46	5.69	0.59
“七五”时期	5.74	10.35	75.79	43.69	7.02
1986	0.74	1.11	10.97	6.03	0.95
1987	1.14	2.54	15.27	8.37	0.94
1988	0.99	2.64	18.97	11.31	1.61
1989	0.91	1.47	15.28	8.06	1.52
1990	1.96	2.59	15.30	9.92	2.00
“八五”时期	6.26	31.36	301.55	112.52	41.55
1991	1.64	3.77	22.22	13.20	2.16
1992	1.42	2.91	37.33	19.62	2.86
1993	1.50	3.59	56.80	28.59	8.24
1994	1.26	6.79	76.30	23.94	13.78
1995	0.44	14.30	108.90	27.17	14.51

5—11 按概况分的固定资产投资和新增固定资产

（1995 年） 单位:万元

	总计	#基本建设	更新改造	其他投资	#城镇集体	房地产业
投资额和新增固定资产						
计划总投资	8 666 470	5 787 404	1 354 510	430 163	76 561	1 094 493
实际需要的投资	9 924 901	6 687 502	1 622 662	441 493	81 512	1 173 244
累计完成投资	5 873 654	3 725 552	1 170 314	343 161	72 252	634 627
累计新增固定资产	2 767 424	1 403 819	756 284	269 163	63 489	338 158
本年底未完工程累计投资	2 941 282	2 234 919	364 055	65 221	7 924	277 087
本年计划投资	3 078 468	1 795 788	585 295	276 863	46 863	420 522
本年完成投资	**2 843 656**	**1 670 545**	**541 280**	**275 457**	**45 811**	**356 374**
按构成分:						
1. 建筑工程	1 413 322	758 448	145 023	210 365	23 712	299 486
2. 安装工程	286 961	201 548	58 821	11 594	2 750	14 998
3. 设备、工具、器具购置	725 570	382 557	294 578	41 137	16 516	7 298
#购置旧设备	6 340	87	6 036	217	119	
4. 其他费用	417 803	327 992	42 858	12 361	2 833	34 592
#旧建筑物购置费	5 646	2 712	674	56	45	2 204
按工程用途分:						
1. 农、林、牧、渔业用	23 745	8 511	14 873	361	30	
2. 工业、建筑业用	1 672 260	1 075 096	418 719	178 445	28 376	
3. 商业、运输邮电业用	405 493	163 063	92 135	70 447	2 669	79 848
4. 住宅	434 611	198 779	4 863	17 334	12 984	213 635
5. 其他	307 547	225 096	10 690	8 870	1 752	62 891
按隶属关系分:						
1. 中央	704 555	524 527	168 167	2 262	1 800	9 599
2. 省	1 051 103	735 172	104 903	138 694	5 851	72 334
3. 地区	691 112	231 604	202 246	84 133	14 230	173 129
4. 县	312 665	171 290	57 221	47 200	21 795	36 954
5. 其他	84 221	7 952	8 743	3 168	2 135	64 358
本年新增固定资产	**1 603 124**	**700 853**	**417 579**	**240 338**	**51 126**	**244 354**

5—12 按行业分

（19

	总　　计	#国有经济	基本建设	#国有经济
总　　计	**2 487 282**	**2 034 682**	**1 670 545**	**1 421 737**
一、农、林、牧、渔业	4 742	4 480	4 445	4 183
二、采　　掘　　业	242 916	241 143	82 265	82 265
#煤炭采选业	29 953	28 580	18 570	18 570
石油和天然气开采业	173 950	173 950	43 390	43 390
三、制　　造　　业	1 342 368	973 217	888 172	643 679
#食品加工业	45 587	11 359	25 742	8 533
食品制造业	22 712	910	20 967	910
饮料制造业	14 385	10 242	1 070	1 070
纺织业	17 198	16 222	2 333	2 333
石油加工及炼焦业	31 483	31 483	18 508	18 508
医药制造业	17 183	8 677	4 820	707
四、电力、煤气及水的生产和供应业	277 434	277 434	261 956	261 956
#电力、蒸汽、热水的生产和供应业	199 538	199 538	187 063	187 063
自来水的生产和供应业	68 767	68 767	67 336	67 336
五、建　　筑　　业	30 426	29 663	13 122	13 122
六、地质勘查业、水利管理业	4 697	4 697	4 347	4 347
#水利管理业	3 541	3 541	3 191	3 191
七、交通运输、仓储及邮电通信业	228 302	228 162	148 745	148 745
#邮电通信业	63 620	63 620	31 911	31 911
八、批发和零售贸易、餐饮业	82 090	38 582	31 178	30 789
九、金融、保险业	31 677	27 313	29 399	27 069
十、社会服务业	44 846	18 363	19 267	18 049
十一、卫生、体育和社会福利业	11 412	11 102	11 013	11 013
十二、教育、文化艺术及广播电影电视业	65 179	61 619	60 863	60 863
十三、科学研究和综合技术服务业	3 921	3 921	3 727	3 727
十四、国家机关、政党机关和社会团体	114 776	113 390	110 450	110 334
十五、其　他　行　业	2 496	1 596	1 596	1 596
农轻重				
农业	4 742	4 480	4 445	4 183
轻工业	262 255	146 340	143 003	83 959
农产品	167 434	67 063	69 766	15 468
非农产品	94 821	79 277	73 237	68 491
重工业	1 600 463	1 345 454	1 089 390	903 941
采掘业	242 916	241 143	82 265	82 265
原材料业	335 356	313 877	218 831	214 842
制造业	1 022 191	790 434	788 294	606 834

的固定资产投资

95 年）

单位：万元

更新改造	#国有经济	其他投资	#国有经济	集体经济
541 280	**425 374**	**275 457**	**187 571**	**45 811**
297	297			
18 952	18 952	141 699	139 926	1 773
9 308	9 308	2 075	702	1 373
6 611	6 611	123 949	123 949	
412 386	327 262	41 810	2 276	34 221
19 395	2 826	450		450
845		900		
9 469	9 156	3 846	16	3 830
14 274	13 889	591		18
12 975	12 975			
10 386	7 970	1 977		1 382
15 478	15 478			
12 475	12 475			
1 431	1 431			
607	607	16 697	15 934	763
350	350			
350	350			
51 625	51 605	27 932	27 812	120
31 709	31 709			
38 193	7 551	12 719	242	3 784
244	244	2 034		2 034
120		25 459	314	682
89	89	310		310
756	756	3 560		
194	194			
1 989	1 989	2 337	1 067	1 224
		900		900
297	297			
102 757	61 825	16 495	556	12 221
88 419	51 039	9 249	556	6 642
14 338	10 786	7 246		5 579
344 059	299 867	167 014	141 646	23 773
18 952	18 952	141 699	139 926	1 773
109 575	97 331	6 950	1 704	4 436
215 532	183 584	18 365	16	17 564

5—13 按行业分

(19

	总计	#国有经济	基本建设	#国有经济
总　　计	**1 358 770**	**1 165 431**	**700 853**	**646 462**
一、农、林、牧、渔业	3 321	3 321	3 024	3 024
二、采　　掘　　业	221 159	219 584	64 389	64 389
#煤炭采选业	12 880	11 565	4 551	4 551
石油和天然气开采业	176 436	176 436	43 390	43 390
三、制　　造　　业	522 265	377 360	177 874	124 251
#食品加工业	11 207	4 569	2 470	2 470
食品制造业	1 325	480	480	480
饮料制造业	18 088	14 398	1 370	1 370
纺织业	5 246	4 390	1 711	1 711
石油加工及炼焦业	49 253	49 253	33 841	33 841
医药制造业	27 888	8 937	11 812	480
四、电力、煤气及水的生产和供应业	182 791	182 791	169 047	169 047
#电力、蒸汽、热水的生产和供应业	174 952	174 952	163 311	163 311
自来水的生产和供应业	3 345	3 345	2 814	2 814
五、建　　筑　　业	17 376	16 613	13 348	13 348
六、地质勘查业、水利管理业	3 005	3 005	2 910	2 910
#水利管理业	1 949	1 949	1 854	1 854
七、交通运输、仓储及邮电通信业	141 087	140 967	53 393	53 393
#邮电通信业	71 511	71 511	33 337	33 337
八、批发和零售贸易、餐饮业	63 782	34 709	31 473	30 905
九、金融、保险业	29 231	27 077	26 648	26 648
十、社会服务业	23 643	15 170	15 153	15 153
十一、卫生、体育和社会福利业	9 258	9 258	9 169	9 169
十二、教育、文化艺术及广播电影电视业	53 959	50 399	49 643	49 643
十三、科学研究和综合技术服务业	3 125	3 125	2 931	2 931
十四、国家机关、政党机关和社会团体	83 165	81 349	81 148	80 948
十五、其　他　行　业	1 603	703	703	703
农轻重				
农业	3 321	3 321	3 024	3 024
轻工业	103 713	57 431	26 840	11 819
农产品	68 390	44 122	10 988	8 077
非农产品	35 323	13 309	15 852	3 742
重工业	822 502	722 304	384 470	345 868
采掘业	221 159	219 584	64 389	64 389
原材料业	336 145	309 698	202 267	202 267
制造业	265 198	193 022	117 814	79 212

的新增固定资产

95年）　　　　单位:万元

更新改造	#国有经济	其他投资	#国有经济	集体经济
417 579	**351 364**	**240 338**	**167 605**	**51 126**
297	297			
14 132	14 132	142 638	141 063	1 575
6 426	6 426	1 903	588	1 315
6 611	6 611	126 435	126 435	
300 862	252 327	43 529	782	39 126
8 737	2 099			
845				
13 042	13 012	3 676	16	3 660
3 064	2 679	471		18
15 412	15 412			
9 277	8 457	3 799		3 292
13 744	13 744			
11 641	11 641			
531	531			
331	331	3 697	2 934	763
95	95			
95	95			
65 007	65 007	22 687	22 567	120
38 174	38 174			
21 122	3 562	11 187	242	3 732
429	429	2 154		2 154
120		8 370	17	1 140
89	89			
756	756	3 560		
194	194			
401	401	1 616		1 616
		900		900
297	297			
60 766	45 056	16 107	556	13 498
50 379	35 489	7 023	556	5 476
10 387	9 567	9 084		8 022
267 972	235 147	170 060	141 289	27 203
14 132	14 132	142 638	141 063	1 575
123 346	107 221	10 532	210	9 452
130 494	113 794	16 890	16	16 176

5—14 按行业分的

(19

	总 计	#国有经济	基本建设	#国有经济
总 计	**1 792 326**	**1 525 316**	**1 146 018**	**1 081 000**
一、农、林、牧、渔业	4 742	4 480	4 445	4 183
二、采 掘 业	218 939	217 166	64 974	64 974
#煤炭采选业	8 830	7 457	4 015	4 015
石油和天然气开采业	173 950	173 950	43 390	43 390
三、制 造 业	978 894	793 003	626 815	563 782
#食品加工业	45 587	11 359	25 742	8 533
食品制造业	22 712	910	20 967	910
饮料制造业	14 385	10 242	1 070	1 070
纺织业	17 198	16 222	2 333	2 333
石油加工及炼焦业	15 714	15 714	13 111	13 111
医药制造业	15 717	7 211	4 511	398
四、电力、煤气及水的生产和供应业	121 148	121 148	115 681	115 681
#电力、蒸汽、热水的生产和供应业	43 252	43 252	40 788	40 788
自来水的生产和供应业	68 767	68 767	67 336	67 336
五、建 筑 业	28 767	28 004	11 463	11 463
六、地质勘查业、水利管理业	3 997	3 997	3 647	3 647
#水利管理业	3 541	3 541	3 191	3 191
七、交通运输、仓储及邮电通信业	127 564	127 424	99 193	99 193
#邮电通信业	464	464	464	464
八、批发和零售贸易、餐饮业	81 391	37 883	30 503	30 114
九、金融、保险业	3 109	1 075	1 075	1 075
十、社会服务业	44 846	18 363	19 267	18 049
十一、卫生、体育和社会福利业	11 295	10 985	10 896	10 896
十二、教育、文化艺术及广播电影电视业	52 670	49 110	48 354	48 354
十三、科学研究和综合技术服务业	2 027	2 027	1 994	1 994
十四、国家机关、政党机关和社会团体	110 441	109 055	106 115	105 999
十五、其 他 行 业	2 496	1 596	1 596	1 596
农轻重				
农业	4 742	4 480	4 445	4 183
轻工业	253 979	138 064	142 694	83 650
农产品	160 624	60 253	69 766	15 468
非农产品	93 355	77 811	72 928	68 182
重工业	1 065 002	993 253	664 776	660 787
采掘业	218 939	217 166	64 974	64 974
原材料业	155 772	134 293	67 159	63 170
制造业	690 291	641 794	532 643	532 643

地方固定资产投资

95年）

单位：万元

更新改造	#国有经济	其他投资	#国有经济	集体经济
373 113	**257 207**	**273 195**	**187 109**	**44 011**
297	297			
12 728	12 728	141 237	139 464	1 773
3 202	3 202	1 613	240	1 373
6 611	6 611	123 949	123 949	
312 069	226 945	40 010	2 276	32 421
19 395	2 826	450		450
845		900		
9 469	9 156	3 846	16	3 830
14 274	13 889	591		18
2 603	2 603			
9 229	6 813	1 977		1 382
5 467	5 467			
2 464	2 464			
1 431	1 431			
607	607	16 697	15 934	763
350	350			
350	350			
439	419	27 932	27 812	120
38 169	7 527	12 719	242	3 784
		2 034		2 034
120		25 459	314	682
89	89	310		310
756	756	3 560		
33	33			
1 989	1 989	2 337	1 067	1 224
		900		900
297	297			
94 790	53 858	16 495	556	12 221
81 609	44 229	9 249	556	6 642
13 181	9 629	7 246		5 579
235 474	191 282	164 752	141 184	21 973
12 728	12 728	141 237	139 464	1 773
81 663	69 419	6 950	1 704	4 436
141 083	109 135	16 565	16	15 764

5—15 按行业分的

（19

	总计	#国有经济	基本建设	#国有经济
总　　计	**890 631**	**737 694**	**364 176**	**348 387**
一、农、林、牧、渔业	3 321	3 321	3 024	3 024
二、采　　掘　　业	209 226	207 651	58 371	58 371
#煤炭采选业	2 744	1 429	231	231
石油和天然气开采业	176 436	176 436	43 390	43 390
三、制　　造　　业	371 998	267 495	78 775	63 754
#食品加工业	11 207	4 569	2 470	2 470
食品制造业	1 325	480	480	480
饮料制造业	18 088	14 398	1 370	1 370
纺织业	5 246	4 390	1 711	1 711
石油加工及炼焦业	35 922	35 922	31 132	31 132
医药制造业	23 126	7 175	11 485	153
四、电力、煤气及水的生产和供应业	32 555	32 555	27 988	27 988
#电力、蒸汽、热水的生产和供应业	24 716	24 716	22 252	22 252
自来水的生产和供应业	3 345	3 345	2 814	2 814
五、建　　筑　　业	16 025	15 262	11 997	11 997
六、地质勘查业、水利管理业	2 405	2 405	2 310	2 310
#水利管理业	1 949	1 949	1 854	1 854
七、交通运输、仓储及邮电通信业	31 591	31 471	8 485	8 485
#邮电通信业	604	604	604	604
八、批发和零售贸易、餐饮业	63 042	33 969	30 757	30 189
九、金融、保险业	3 259	1 105	1 105	1 105
十、社会服务业	23 643	15 170	15 153	15 153
十一、卫生、体育和社会福利业	9 258	9 258	9 169	9 169
十二、教育、文化艺术及广播电影电视业	41 769	38 209	37 453	37 453
十三、科学研究和综合技术服务业	1 193	1 193	1 160	1 160
十四、国家机关、政党机关和社会团体	79 743	77 927	77 726	77 526
十五、其　他　行　业	1 603	703	703	703
农轻重				
农业	3 321	3 321	3 024	3 024
轻工业	95 041	48 759	26 513	11 492
农产品	61 480	37 212	10 988	8 077
非农产品	33 561	11 547	15 525	3 415
重工业	518 738	458 942	138 621	138 621
采掘业	209 226	207 651	58 371	58 371
原材料业	170 743	144 296	58 499	58 499
制造业	138 769	106 995	21 751	21 751

地方新增固定资产

95年)

单位:万元

更新改造	#国有经济	其他投资	#国有经济	集体经济
288 285	**222 070**	**238 170**	**167 237**	**49 326**
297	297			
8 585	8 585	142 270	140 695	1 575
978	978	1 535	220	1 315
6 611	6 611	126 435	126 435	
251 494	202 959	41 729	782	37 326
8 737	2 099			
845				
13 042	13 012	3 676	16	3 660
3 064	2 679	471		18
4 790	4 790			
7 842	7 022	3 799		3 292
4 567	4 567			
2 464	2 464			
531	531			
331	331	3 697	2 934	763
95	95			
95	95			
419	419	22 687	22 567	120
21 098	3 538	11 187	242	3 732
		2 154		2 154
120		8 370	17	1 140
89	89			
756	756	3 560		
33	33			
401	401	1 616		1 616
		900		900
297	297			
52 421	36 711	16 107	556	13 498
43 469	28 579	7 023	556	5 476
8 952	8 132	9 084		8 022
212 225	179 400	167 892	140 921	25 403
8 585	8 585	142 270	140 695	1 575
101 712	85 587	10 532	210	9 452
101 928	85 228	15 090	16	14 376

5-16 各市县固定资产投资

(1995年) 单位:万元

市、县	固定资产投资合计	基本建设	更新改造	房地产开发	国有其他	城镇集体
长春市	**953 493**	**474 862**	**214 733**	**225 432**	**18 875**	**19 591**
市区	865 938	431 094	186 310	219 592	16 356	12 586
九台市	15 610	7 993	1 140	3 720	374	2 383
榆树市	14 420	4 894	7 593			1 933
德惠市	33 861	17 138	15 949	400		374
农安县	23 664	13 743	3 741	1 720	2 145	2 315
吉林市	**807 692**	**629 471**	**110 037**	**51 296**	**9 500**	**7 388**
市区	785 246	618 458	102 717	49 046	8 097	6 928
桦甸市	3 594	1 750	613	960	217	
蛟河市	2 349	807		410	1 132	
舒兰市	3 771	2 904	437	430		
磐石市	9 051	2 694	5 447	450		460
永吉县	3 681	2 858	823			
四平市	**149 902**	**96 072**	**29 974**	**20 742**	**806**	**2 308**
市区	74 629	33 569	21 363	19 050		647
公主岭市	12 895	9 651	1 423		460	1 361
梨树县	5 695	1 865	2 730	1 000	100	
伊通县	1 825	305	1 070	450		
双辽县	54 858	50 682	3 388	242	246	300
辽源市	**55 995**	**19 481**	**19 559**	**9 216**	**5 822**	**1 917**
市区	49 573	18 774	16 208	8 666	4 328	1 597
东丰县	4 991	100	2 941	550	1 400	
东辽县	1 431	607	410		94	320
通化市	**94 127**	**39 113**	**40 845**	**8 125**	**1 720**	**4 324**
市区	53 893	9 695	33 796	7 935	1 720	747
梅河口市	20 500	17 977	1 078			1 445
集安市	8 465	6 783	685	150		847
通化县	6 760	2 575	3 055	40		1 090
辉南县	2 526	1 583	848			95
柳河县	1 983	500	1 383			100

5—16 续表 (1995年) 单位:万元

市、县	固定资产投资合计	基本建设	更新改造	房地产开发	国有其他	城镇集体
白山市	**107 230**	**75 331**	**21 938**	**1 004**	**6 405**	**2 552**
市区	53 138	31 728	19 131		634	1 645
临江市	15 622	14 904			468	250
抚松县	20 822	17 541		280	2 951	50
靖宇县	5 237	3 790	1 065	154		228
长白县	3 856	3 079		570		207
江源县	8 555	4 289	1 742		2 352	172
松原市	**216 080**	**66 881**	**17 997**	**3 333**	**126 386**	**1 483**
市区	208 320	64 527	16 573	450	125 337	1 433
长岭县	2 614	1 934	630			50
前郭县	5 146	420	794	2 883	1 049	
乾安县						
扶余县						
白城市	**66 176**	**41 306**	**11 484**	**9 297**	**3 866**	**223**
市区	38 415	24 079	5 797	8 316		223
洮南市	8 977	4 856	3 600	521		
大安市	5 830	3 013	1 400	350	1 067	
镇赉县	8 945	6 459	687		1 799	
通榆县	4 009	2 899		110	1 000	
延边朝鲜族自治州	**249 905**	**110 460**	**54 597**	**27 223**	**14 191**	**5 622**
延吉市	121 782	43 747	20 455	18 143	670	1 985
图们市	21 962	9 411	7 929	2 882		1 740
敦化市	24 592	12 907	6 014	120	4 920	631
龙井市	26 363	17 864	5 404	2 622		473
珲春市	20 435	10 833	8 056	821		490
和龙市	10 126	5 237	1 977		2 163	
汪清县	11 609	4 833	2 585	1 895	2 101	195
安图县	13 036	5 628	2 177	740	4 337	108
不分地区	132 420	112 943	19 477			

5—17 固定资产投

（19

	总计	#国有经济	基本建设	#国有经济	更新改造	#国有经济
一、本年资金来源合计	2 935 767	2 205 700	1 573 227	1 349 388	585 666	443 271
1. 上年末结余资金	155 060	70 063	17 026	8 135	30 497	24 871
2. 本年资金来源小计	2781 362	2 135 637	1 556 201	1 341 253	555 169	418 400
①国家预算内资金	51 959	51 624	34 919	34 919	12 325	12 300
②国内贷款	709 316	557 754	461 974	391 643	139 965	119 786
③债券	22 180	9 211	6 430	1 510	7 650	7 650
④利用外资	549 851	338 208	432 518	316 392	65 946	21 266
#外商直接投资	77 323	5 438	10 285	5 011	21 848	427
⑤自筹资金	1 102 167	920 878	458 105	436 038	322 281	251 368
（1）中央各部门自筹	43 414	42 014	21 051	19 651	16 363	16 363
（2）省自筹	96 012	93 087	83 947	81 177	5 001	5 001
（3）地(市)自筹	79 452	75 965	57 365	54 405	9 042	8 525
（4）县自筹	34 067	32 626	19 954	18 578	3 943	3 943
（5）企、事业单位自有资金	849 222	677 186	275 788	262 227	287 932	217 536
#发行股票	115 449	111 649	103 411	103 411	9 000	5 200
⑥其他资金来源	345 889	257 962	162 255	160 751	7 002	6 030
#集资	172 078	149 220	131 013	129 616	3 201	3 141
二、本年各项应付款合计	637 741	475 320	299 775	250 623	69 218	58 363
#工程款	369 912	286 084	145 480	137 489	36 026	30 054
设备、器材款	115 184	102 494	71 934	63 799	18 801	17 524

资资金来源财务表

95 年）　　　　单位：万元

其他投资	#国有经济	城镇集体	房地产业	#国有经济	城镇集体
275 691	184 304	47 110	501 183	228 737	7 184
1 084		1 084	106 453	37 057	1 076
274 607	184 304	46 026	395 385	191 680	6 108
3 446	3 136	260	1 269	1 269	
21 653	2 343	15 688	85 724	43 982	728
1 046		1 046	7 054	51	
29 408	400	973	21 979	150	
29 008		973	16 182		
195 664	174 448	17 487	126 117	59 024	1 200
6 000	6 000				
7 064	6 909	155			
13 045	13 035	10			
10 170	10 105	35			
159 385	138 399	7 287	126 117	59 024	1 200
3 038	3 038				
23 390	3 977	10 572	153 242	87 204	4 180
14 672	1 904	9 592	23 192	14 559	2 587
67 476	63 956	2 779	201 272	102 378	69 864
51 656	48 677	2 238	136 750	69 864	1 565
15 760	15 279	481	8 689	5 892	120

(19

国别(地区)名称	总计	#国有经济	基本建设	#国有经济
总计	**555 036**	**343 243**	**432 627**	**316 501**
亚洲	357 882	275 803	267 660	265 274
#香港	23 416	5 330	312	175
台湾	2 364	286	286	286
日本	199 775	182 693	177 319	177 319
马来西亚	5 333			
新加坡	726	388	388	388
韩国	117 065	85 856	85 856	85 856
泰国	9 203	1 250	3 499	1 250
欧洲	4 067	3 340		
#德国	16 835	12 515	12 225	12 225
法国	247			
意大利	26 930	26 660	26 930	26 660
美洲	12 997	6 616	3 419	597
#加拿大	884	884		
美国	12 113	5 732	3 419	597
大洋洲	136 078	18 309	122 393	11 745
#澳大利亚	6 133	5 255		
新西兰	116		116	
其他	129 829	13 054	122 277	11 745

资利用外资情况

95 年）

单位:万元

更新改造	#国有经济	其他投资	#国有经济	集体经济	房地产业
71 022	**26 342**	**29 408**	**400**	**973**	**21 979**
42 602	10 129	28 300	400	889	19 320
8 603	5 155	1 504			12 997
1 833					245
21 651	4 974	560	400		245
					5 333
338					
4 473		26 236		889	500
5 704					
4 067	3 340				
4 406	290	84		84	120
247					
6 944	6 019	595			2 039
884	884				
6 060	5 135	595			2 039
12 756	6 564	429			500
5 255	5 255	378			500
7 501	1 309	51			

5—19 基本建设投资和新增固定资产

单位:万元

项目	1978年	1980年	1985年	1990年	1994年	1995年
投资总额	**135 389**	**140 100**	**223 967**	**291 155**	**1 372 110**	**1 670 545**
新增固定资产	72 907	95 903	146 676	227 339	741 726	700 853
固定资产交付使用率(%)	53.9	68.5	65.5	78.1	54.1	42.0
在投资总额中地方项目						
投资额	52 934	63 684	106 804	137 730	946 025	1 146 018
新增固定资产	37 449	47 762	69 779	99 098	437 075	364 176
固定资产交付使用率(%)	70.7	75.0	65.0	72.0	46.2	31.8

5—20 基本建设施工和建成的项目个数

项目	1978年	1980年	1985年	1990年	1994年	1995年
施工项目(个)	1 212	1 504	1 601	1 117	1 490	1 271
#大中型	53	35	16	24	24	24
全部建成投产项目(个)	302	689	810	666	920	808
#大中型	5	5		1	1	3
投产项目占施工项目(%)	24.9	45.8	50.6	59.6	61.7	63.6
#大中型	9.4	14.3		4.2	4.2	3.7

5—21 按行业分的基本建设投资和新增固定资产

（1995年） 单位：万元

行业	按工程用途分						新增固定资产
	投资额	农林牧渔业用	工业、建筑业用	商业、运输邮电业用	住宅	其他	
全省	**1 670 545**	**8 511**	**075 096**	**163 063**	**198 779**	**225 096**	**700 853**
（一）农、林、牧、渔业	4 445	2 205		240	1 903	97	3 024
（二）采掘业	82 265	538	76 281	930	3 461	1 055	64 389
（三）制造业	888 172	337	760 316	3 859	48 778	74 882	177 874
（四）电力、煤气及水的生产和供应业	261 956	3 820	232 251	740	11 266	13 879	169 047
（五）建筑业	13 122		6 091		5 904	1 127	13 348
（六）地质勘查业、水利管理业	4 347	955			1 058	2 334	2 910
（七）交通运输、仓储及邮电通信业	148 745			122 035	15 388	11 322	53 393
（八）批发和零售贸易、餐饮业	31 178			15 885	13 557	1 736	31 473
（九）金融、保险业	29 399			168	9 130	20 101	26 648
（十）房地产业							
（十一）社会服务业	19 267			4 529	4 750	9 988	15 153
（十二）卫生、体育和社会福利业	11 013	49	110	66	4 107	6 681	9 169
（十三）教育、文化艺术和广播电影电视业	60 863		17	131	25 286	35 429	49 643
（十四）科学研究和综合技术服务业	3 727	180		40	2 158	1 349	2 931
（十五）国家机关、政党机关和社会团体	110 450	427	30	14 440	50 437	45 116	81 148
（十六）其他行业	1 596				1 596		703

5－22 按行业分的地方基本建设投资和新增固定资产

（1995年） 单位：万元

行业	按工程用途分						新增固定资产
	投资额	农林牧渔业用	工业、建筑业用	商业、运输邮电业用	住宅	其他	
全省	**1 146 018**	**8 061**	**702 075**	**130 319**	**133 811**	**171 752**	**364 176**
（一）农、林、牧、渔业	4 445	2 205		240	1 903	97	3 024
（二）采掘业	64 974	88	61 560		2 681	645	58 371
（三）制造业	626 815	337	534 730	3 806	23 632	64 310	78 775
（四）电力、煤气及水的生产和供应业	115 681	3 820	100 135	470	2 140	9 116	27 988
（五）建筑业	11 463		5 493		4 843	1 127	11 997
（六）地质勘查业、水利管理业	3647	955			548	2 144	2 310
（七）交通运输、仓储及邮电通信业	99 193			91 018	5 098	3 077	8 485
（八）批发和零售贸易、餐饮业	30 503			15 659	13 208	1 636	30 757
（九）金融、保险业	1075				530	545	1 105
（十）房地产业							
（十一）社会服务业	19 267			4 529	4 750	9 988	15 153
（十二）卫生、体育和社会福利业	10 896	49	110	66	3 990	6 681	9 169
（十三）教育、文化艺术和广播电影电视业	48 354		17	131	20 834	27 372	37 453
（十四）科学研究和综合技术服务业	1994	180		40	938	836	1 160
（十五）国家机关、政党机关和社会团体	106 115	427	30	14 360	47 120	44 178	77 726
（十六）其他行业	1596				1 596		703

5—23 各市县基本建设施工、投产项目个数

（1995年） 单位：个

市、县	施工项目个数	全部建成投产项目个数
长春市	**227**	**129**
市区	131	48
九台市	26	22
榆树市	23	22
德惠市	8	5
农安县	39	32
吉林市	**138**	**81**
市区	81	39
桦甸市	14	9
蛟河市	6	2
舒兰市	9	6
磐石市	14	13
永吉县	14	12
四平市	**88**	**53**
市区	45	23
公主岭市	20	16
梨树县	7	4
伊通县	4	1
双辽县	12	9
辽源市	**53**	**40**
市区	35	23
东丰县	5	5
东辽县	13	12
通化市	**166**	**131**
市区	53	42
梅河口市	36	24
集安市	21	16
通化县	28	27
辉南县	18	14
柳河县	10	8
白山市	**120**	**67**
市区	32	16
临江市	31	14
抚松县	20	14
靖宇县	11	8
长白县	16	8
江源县	10	7
松原市	**38**	**31**
市区	31	26
长岭县	4	4
前郭县	3	1
乾安县		
扶余县		
白城市	**168**	**117**
市区	69	52
洮南市	21	11
大安市	17	13
镇赉县	39	28
通榆县	22	13
延边朝鲜族自治州	**252**	**144**
延吉市	62	33
图们市	34	16
敦化市	33	17
龙井市	38	22
珲春市	35	21
和龙市	25	14
汪清县	15	12
安图县	10	9
不分地区	4	1

5—24 各市县基本建设投资和新增固定资产

(1995年)　　　　单位:万元

市、县	按工程用途分						新增固定资产
	投资额	农林牧渔业用	工业、建筑业用	商业、运输邮电业用	住宅	其他	
长春市	**474 862**	**773**	**336 194**	**16 902**	**62 570**	**58 423**	**240 624**
市区	431 094	109	321 457	11 150	46 984	51 394	211 207
九台市	7 993	247	17	344	6 254	1 131	7 713
榆树市	4 894		200	862	1 301	2 531	4 718
德惠市	17 138		13 770	2 730	70	568	3 353
农安县	13 743	417	750	1 816	7 961	2 799	13 633
吉林市	**629 471**	**1 131**	**519 155**	**4 661**	**30 948**	**73 576**	**91 493**
市区	618 458	180	518 681	3 875	24 788	70 934	81 841
桦甸市	1 750	76	254		462	958	2 279
蛟河市	807	255	220			332	418
舒兰市	2 904	590			1 516	798	1 434
磐石市	2 694	20		265	2 115	294	2 535
永吉县	2 858	10		521	2 067	260	2 986
四平市	**96 072**	**259**	**78 442**	**3 583**	**4 535**	**9 253**	**99 652**
市区	33 569	65	21 930	2 126	3 156	6 292	12 926
公主岭市	9 651	40	7 315	840	185	1 271	3 092
梨树县	1 865	154	938	92		681	646
伊通县	305		245			60	214
双辽县	50 682		48 014	525	1 194	949	82 774
辽源市	**19 481**		**12 734**	**529**	**1 210**	**5 008**	**6 562**
市区	18 774		12 599	370	1 202	4 603	5 734
东丰县	100			12		88	120
东辽县	607		135	147	8	317	708
通化市	**39 113**	**853**	**4 793**	**7 908**	**6 232**	**19 327**	**24 191**
市区	9 695	41		684	2 870	6 100	8 822
梅河口市	17 977	51	3 150	1 810	1 976	10 990	9 726
集安市	6 783	8	758	5 386	378	253	1 295
通化县	2 575	579	415	13	577	991	2 903
辉南县	1 583	12	470	15	405	681	1 094
柳河县	500	162			26	312	351

市、县	按工程用途分 投资额	农林牧渔业用	工业、建筑业用	商业、运输邮电业用	住宅	其他	新增固定资产
白山市	**75 331**	**316**	**45 006**	**7 197**	**8 689**	**14 123**	**28 135**
市区	31 728	245	16 733	1 743	4 219	8 788	11 924
临江市	14 904		7 700	4 392	665	2 147	4 704
抚松县	17 541		14 266	774	1 206	1 295	2 500
靖宇县	3 790	71	1 856		1 339	524	1 838
长白县	3 079		1 150	288	767	874	3 146
江源县	4 289		3 301		493	495	4 023
松原市	**66 881**	**107**	**47 947**	**6 148**	**5 090**	**7 589**	**62 084**
市区	64 527	67	47 647	5 470	4 590	6 753	61 074
长岭县	1 934			678	500	756	1 010
前郭县	420	40	300			80	
乾安县							
扶余县							
白城市	**41 306**	**1 183**	**2 199**	**8 779**	**20 515**	**8 630**	**34 938**
市区	24 079	913	1 209	7 414	8 896	5 647	18 637
洮南市	4 856			1 065	3 086	705	2 735
大安市	3 013		20		2 199	794	2 579
镇赉县	6 459	270	970	300	3 555	1 364	8 358
通榆县	2 899				2 779	120	2 629
延边朝鲜族自治州	**110 460**	**3 889**	**13 908**	**16 310**	**49 182**	**27 171**	**82 716**
延吉市	43 747		2 048	9 768	19 133	12 798	32 902
图们市	9 411		30	585	6 603	2 193	4 548
敦化市	12 907	49	1 613	28	8 110	3 107	7 886
龙井市	17 864		6 162	3 273	4 684	3 745	20 867
珲春市	10 833		806	2 085	7 372	570	8 295
和龙市	5 237		195	531	1 632	2 879	5 482
汪清县	4 833		3 054		1 054	725	1 626
安图县	5 628	3 840		40	594	1 154	1 110
不分地区	112 943		14 718	90 665	6 560	100	26 063

5—25 各市县基本建设施工、竣工房屋面积

(1995年)

市、县	施工面积(平方米)		竣工面积(平方米)		竣工率(%)	
	合计	#住宅	合计	#住宅	合计	#住宅
长春市	**2 020 562**	**1 035 936**	**1 273 142**	**783 749**	**63.0**	**75.7**
市区	1 577 811	769 497	906 004	522 658	57.4	67.9
九台市	122 651	90 310	102 803	84 962	83.8	94.1
榆树市	62 211	24 104	55 555	24 104	89.3	100.0
德惠市	59 363	3 800	20 739	3 800	34.9	100.0
农安县	198 526	148 225	188 041	148 225	94.7	100.0
吉林市	**1 522 819**	**661 127**	**794 926**	**422 476**	**52.2**	**63.9**
市区	1 330 927	540 944	665 667	343 778	50.0	63.6
桦甸市	36 900	7 300	23 880	6 260	64.7	85.8
蛟河市	9 343		5 643		60.4	
舒兰市	57 273	42 581	20 305	11 081	35.5	26.0
磐石市	41 213	32 913	35 993	27 693	87.3	84.1
永吉县	47 163	37 389	43 438	33 664	92.1	90.0
四平市	**447 861**	**98 230**	**210 512**	**59 551**	**47.0**	**60.6**
市区	259 700	69 770	82 451	38 921	31.7	55.8
公主岭市	90 421	3 530	55 721	3 300	61.6	93.5
梨树县	19 164		9 764		50.9	
伊通县						
双辽县	78 576	24 930	62 576	17 330	79.6	69.5
辽源市	**128 676**	**20 217**	**76 634**	**17 337**	**59.6**	**85.8**
市区	119 129	19 917	67 087	17 037	56.3	85.5
东丰县	2 700		2 700		100.0	
东辽县	6 847	300	6 847	300	100.0	100.0
通化市	**350 945**	**124 307**	**207 516**	**100 807**	**59.1**	**81.1**
市区	128 242	53 236	78 252	40 236	61.0	75.6
梅河口市	147 562	38 476	69 659	33 976	47.2	88.3
集安市	15 011	9 170	10 321	5 170	68.8	56.4
通化县	27 096	13 267	27 096	13 267	100.0	100.0
辉南县	26 208	7 958	17 328	5 958	66.1	74.9
柳河县	6 826	2 200	4 860	2 200	71.2	100.0

（1995年）

市、县	施工面积（平方米）		竣工面积（平方米）		竣工率（%）	
	合计	#住宅	合计	#住宅	合计	#住宅
白山市	**356 653**	**147 683**	**205 559**	**121 718**	**57.6**	**82.4**
市区	170 577	70 934	82 275	57 103	48.2	80.5
临江市	52 318	12 680	30 540	12 680	58.4	100.0
抚松县	46 240	20 828	31 712	17 144	68.6	82.3
靖宇县	29 204	18 661	25 826	18 661	88.4	100.0
长白县	39 385	16 180	21 726	8 730	55.2	54.0
江源县	18 929	8 400	13 480	7 400	71.2	88.1
松原市	**383 087**	**70 980**	**328 851**	**61 444**	**85.8**	**86.6**
市区	358 519	66 645	312 283	57 109	87.1	85.7
长岭县	15 068	4 335	15 068	4 335	100.0	100.0
前郭县	9 500		1 500		15.8	
乾安县						
扶余县						
白城市	**546 211**	**414 463**	**355 106**	**286 451**	**65.0**	**69.1**
市区	200 075	135 481	144 284	110 408	72.1	81.5
洮南市	83 711	68 011	49 450	42 450	59.1	62.4
大安市	48 618	36 753	29 053	20 613	59.8	56.1
镇赉县	137 677	101 588	88 589	70 250	64.3	69.2
通榆县	76 130	72 630	43 730	42 730	57.4	58.8
延边朝鲜族自治州	**1 450 871**	**898 251**	**848 416**	**575 891**	**58.5**	**64.1**
延吉市	535 668	324 123	285 426	213 412	53.3	65.8
图们市	141 662	109 811	49 868	43 622	35.2	69.7
敦化市	204 071	155 166	133 292	107 638	65.3	69.4
龙井市	263 538	102 075	184 455	82 155	70.0	80.5
珲春市	170 563	138 212	101 098	77 847	59.3	56.3
和龙市	76 596	40 489	46 604	27 842	60.8	68.8
汪清县	41 316	20 998	30 216	15 998	73.1	76.2
安图县	17 457	7 377	17 457	7 377	100.0	100.0
不分地区	122 839	98 398	115 598	96 898	94.1	98.5

5—26 基本建设

(19

单位名称	项目名称	经济类型	行业类别
中国第一汽车集团公司	一汽大众年产15万辆轿车工程	中外合资	汽车
长春热电一厂扩建工程管理处	长春热电一厂扩建工程	国有经济	火电
中国第一汽车集团公司	年产15万辆轿车一汽配套工程	国有经济	汽车
长春市引松入长工程建设办公室	长春市引松入长供水与环境工程	国有经济	供水
长春市工业供水公司	长春工业供水厂	国有经济	供水
吉林新源玉米开发有限公司	二期工程	中外合资	食品
吉林化学工业公司	三十万吨乙烯及其配套工程	国有经济	化工
丰满发电厂	三期扩建工程	国有经济	水电
吉林市化纤股份有限公司	六万吨腈纶工程	股份公司	化纤
舒兰矿务局	矿区建设	国有经济	煤炭
吉林省红石林业局	基建木材加工	国有经济	森工
四平热电厂建设管理处	热电厂新建工程	国有经济	火电
双辽发电厂建设管理处	新建工程1号2号机组	国有经济	火电
双辽发电厂建设管理处	新建工程3号4号机组	国有经济	火电
辽源矿务局	矿区基建	国有经济	煤炭
通化矿务局	扩建	国有经济	煤炭
浑江发电厂	浑江发电厂四期工程	国有经济	火电
松江河发电厂建设管理处	松江河梯级水电站	国有经济	水电
吉林省油田管理局	油田基建项目	国有经济	石油
珲春矿务局	珲春矿务局基建	国有经济	煤炭
珲春林业局	珲春林业局	国有经济	森工
吉林省电力建设局	吉林省电力送变电工程	国有经济	供电
吉林省交通厅	长春-四平高速公路	股份经济	公路

大中型项目一览表

95年）

隶属关系	建设性质	开工时间	计划总投资	本年完成投资	本年新增固定资产
中　　央	新　　建	1990年10月	890 636	181 460	38 602
中　　央	扩　　建	1992年04月	37 803	19 350	37 805
中　　央	扩　　建	1994年04月	78 430	29 006	15 921
市	新　　建	1994年05月	146 000	39 815	
市	扩　　建	1995年07月	69 979	20 353	
省	扩　　建	1993年05月	34 745	16 100	
省	扩　　建	1993年11月	1 214 738	521 280	9 180
中　　央	扩　　建	1993年11月	53 000	8 000	
市	扩　　建	1994年10月	161 940	14 121	
中　　央	新　　建	1958年08月	68 830	450	
省	扩　　建	1973年05月	26 034	76	774
中　　央	新　　建	1992年07月	56 146	17 000	408
中　　央	新　　建	1990年10月	282 265	46 700	79 093
中　　央	扩　　建		270 261	1 000	
中　　央	扩　　建	1950年11月	89 122	8 955	450
中　　央	扩　　建	1956年01月	62 207	2 963	1 249
中　　央	扩　　建	1994年08月	40 247	12 750	722
中　　央	新　　建	1994年06月	149 800	13 500	239
省	扩　　建	1991年01月	188 461	43 390	43 390
中　　央	新　　建	1977年01月	73 105	1 925	2 621
市	扩　　建	1994年03月	20 658	6 907	5 784
中　　央	新　　建	1979年03月	112 594	14 838	13 888
省	新　　建	1995年04月	249 300	80 000	

5—27 基本建设大中型项目建设规模及新增生产能力

(1995年)

单位名称	能力名称	单位	建设规模	本年施工规模合计	累计新增生产能力	#本年新增
中国第一汽车集团公司	轿车	万辆/年	15.00	15.00		
长春热电一厂扩建工程管理处	火力发电	万千瓦	10.00	10.00	2.50	2.50
长春市引松入长工程建设办公室	自来水供应	万吨/日供水	30.00	30.00		
长春市工业供水公司	自来水供应	万吨/日供水	25.00	25.00		
吉林新源玉米开发有限公司	化学药制剂	吨/年	1 000	1 000		
吉林化学工业公司	乙烯	万吨/年	30.00	30.00		
丰满发电厂	水力发电	万千瓦	28.00	28.00		
吉林市化纤股份有限公司	化学纤维	万吨/年	6.00	6.00		
舒兰矿务局	原煤开采	万吨/年	447.00	45.00	351.00	
吉林省红石林业局	木材采运	万立方米/年	36.00	4.00	34.00	4.00
四平热电厂建设管理处	火力发电	万千瓦	20.00	20.00		
双辽发电厂建设管理处	火力发电	万千瓦	60.00	30.00	60.00	30.00
双辽发电厂建设管理处	火力发电	万千瓦	60.00			
辽源矿务局	原煤开采	万吨/年	414.00	120.00	294.00	
通化矿务局	原煤开采	万吨/年	637.00	85.00	552.00	
浑江发电厂	火力发电	万千瓦	20.00	20.00		
松江河发电厂建设管理处	水力发电	万千瓦	51.00	51.00		
吉林省油田管理局	原油开采	万吨/年	7.42	7.42	7.42	7.42
珲春矿务局	原煤开采	万吨/年	500.00	90.00	150.00	
吉林省电力建设局	输电线路	公里	724.00	557.00	379.00	212.00
吉林省交通厅	高速公路	公里	133.00	133.00		

5—28 更新改造投资

单位:万元

项目	1978年	1980年	1985年	1990年	1994年	1995年
投资总额	**20 580**	**36 363**	**121 442**	**225 695**	**543 772**	**541 280**
1. 按隶属关系分						
部直属项目	4425	7 879	23 451	79 642	154 551	168 167
地方项目	16 155	28 484	97 991	146 053	389 221	373 113
# 省属项目			15 801	59 278	112 731	104 903
地(市)属项目			52 705	55 802	211 988	202 246
县属项目			29 485	30 973	62 417	57 221
2. 按资金来源分						
国家投资		5454	5 434	8 147	5 371	12 325
国内贷款		5 818	54 950	85 939	192 211	139 965
利用外资			213	5 110	56 953	65 946
煤代油投资				35		
自筹投资		25 091	56 196	117 932	263 992	322 281
# 企事业自筹			34 829	32 592	208 410	287 932
其他投资			4 649	8 532	25 245	763
3. 按农轻重分						
# 农业	42	311	1 836	1 607	462	297
轻工业	1 736	6 503	34 153	54 504	118 139	102 757
重工业	15 857	21 791	68 176	143 259	326 216	344 059
4. 按构成分						
建筑安装工程	12 039	21 268	57 718	101 145	212 298	203 844
设备工器具购置	7 903	13 976	55 046	108 913	298 505	294 578
其他投资	638	1 119	8 678	15 637	32 969	42 858
5. 按建设性质分						
# 新建			2520	11 581	23 585	19 934
改建	11 879	17 549	62 413	95 474	266 395	265 400
扩建	7 634	12 501	51 316	114 369	244 368	248 484

5—29 按用途分的更新改造投资和构成

项目	1978年	1980年	1985年	1990年	1994年	1995年
绝对数(万元)	**20 580**	**36 363**	**121 442**	**225 695**	**543 772**	**541 280**
一、生产性建设	19 869	30 050	109 601	213 495	524 613	525 727
#增　　产	7 990	11 290	52 163	102 202	147 110	131 756
节约措施	572	3 502	6 465	6 516	11 639	13 668
#节约能源	152	2 823	5 930	5 837	6 459	11 674
增加品种	2 241		14 845	40 714	176 872	169 676
提高产品质量	618	2 951	6 251	7 795	32 947	54 480
三废治理	201	1 129	1 740	2 764	17 301	10 930
二、非生产性建设	711	6 313	11 841	12 200	19 159	15 553
#住　　宅	460	3 358	4 380	4 808	9 729	4 863
构　成(%)	**100**	**100**	**100**	**100**	**100**	**100**
一、生产性建设	96.5	82.6	90.2	94.6	96.5	97.1
#增　　产	38.8	31.1	43.0	45.2	27.1	24.3
节约措施	2.8	9.6	5.3	2.9	2.1	2.5
# 节约能源	0.7	7.8	4.9	2.6	1.9	2.2
增加品种	10.9		12.2	18.0	32.5	31.3
提高产品质量	3.0	8.1	5.1	3.5	6.1	10.1
三废治理	0.9	3.1	1.4	1.3	3.2	2.0
二、非生产性建设	3.5	17.4	9.8	5.4	3.5	2.9
#住　　宅	2.2	9.2	3.6	2.1	1.8	0.9

5—30 按行业分更新改造投资和新增固定资产

（1995 年） 单位：万元

行业	按工程用途分						新增固定资产
	投资额	农林牧渔业用	工业、建筑业用	商业、运输邮电业用	住宅	其他	
全省	**541 280**	**14 873**	**418 719**	**92 135**	**4 863**	**10 690**	**417 579**
（一）农、林、牧、渔业	297	200	47		12	38	297
（二）采掘业	18 952		18 049	696		207	14 132
（三）制造业	412 386	14 269	386 332	7 390	879	3 516	300 862
（四）电力、煤气及水的生产和供应业	15 478	4	11 923		1 337	2 214	13 744
（五）建筑业	607		348			259	331
（六）地质勘查业、水利管理业	350	350					95
（七）交通运输、仓储及邮电通信业	51 625		826	45 560	2 500	2 739	65 007
（八）批发和零售贸易、餐饮业	38 193		1 184	36 952		57	21 122
（九）金融、保险业	244			19		225	429
（十）房地产业							
（十一）社会服务业	120				120		120
（十二）卫生、体育和社会福利业	89					89	89
（十三）教育、文化艺术和广播电影电视业	756					756	756
（十四）科学研究和综合技术服务业	194	50	10	18	15	101	194
（十五）国家机关、政党机关和社会团体	1989			1 500		489	401
（十六）其他行业							

5—31 按行业分地方更新改造投资和新增固定资产

(1995 年)　　　　单位:万元

行业	按工程用途分						新增固定资产
	投资额	农林牧渔业用	工业、建筑业用	商业、运输邮电业用	住宅	其他	
全省	**373 113**	**14 823**	**305 161**	**46 735**	**711**	**5 683**	**288 285**
(一) 农、林、牧、渔业	297	200	47		12	38	297
(二) 采掘业	12 728		12 252	476			8 585
(三) 制造业	312 069	14 269	286 757	7 390	579	3 074	251 494
(四) 电力、煤气及水的生产和供应业	5 467	4	4 563			900	4 567
(五) 建筑业	607		348			259	331
(六) 地质勘查业、水利管理业	350	350					95
(七) 交通运输、仓储及邮电通信业	439			417		22	419
(八) 批发和零售贸易、餐饮业	38 169		1 184	36 934		51	21 098
(九) 金融、保险业							
(十) 房地产业							
(十一) 社会服务业	120				120		120
(十二) 卫生、体育和社会福利业	89					89	89
(十三) 教育、文化艺术和广播电影电视业	756					756	756
(十四) 科学研究和综合技术服务业	33		10	18		5	33
(十五) 国家机关、政党机关和社会团体	1 989			1 500		489	401
(十六) 其他行业							

5—32 各市县更新改造施工、投产项目个数

（1995年） 单位：个

市、县	施工项目个数	全部建成投产项目个数
长春市	**211**	**47**
市区	183	36
九台市	4	4
榆树市	8	4
德惠市	12	
农安县	4	3
吉林市	**217**	**148**
市区	193	134
桦甸市	3	1
蛟河市		
舒兰市	1	
磐石市	16	11
永吉县	4	2
四平市	**67**	**48**
市区	32	20
公主岭市	10	8
梨树县	7	6
伊通县	10	10
双辽县	8	4
辽源市	**55**	**38**
市区	51	35
东丰县	2	1
东辽县	2	2
通化市	**95**	**67**
市区	73	51
梅河口市	3	3
集安市	4	3
通化县	4	4
辉南县	5	4
柳河县	6	2
白山市	**34**	**7**
市区	25	2
临江市		
抚松县		
靖宇县	7	4
长白县		
江源县	2	1
松原市	**17**	**11**
市区	12	10
长岭县	2	
前郭县	3	1
乾安县		
扶余县		
白城市	**17**	**9**
市区	12	7
洮南市	2	
大安市	1	
镇赉县	2	2
通榆县		
延边朝鲜族自治州	**164**	**115**
延吉市	78	69
图们市	8	4
敦化市	20	13
龙井市	16	5
珲春市	17	6
和龙市	16	10
汪清县	3	2
安图县	6	6
不分地区	127	114

5—33 各市县更新改造施工、竣工房屋面积

（1995年）

市、县	施工面积（平方米）		竣工面积（平方米）		竣工率（%）	
	合计	#住宅	合计	#住宅	合计	#住宅
长　春　市	**681 452**	**3 229**	**195 644**	**1 600**	**28.7**	**49.6**
市　　区	528 597	3 229	172 516	1 600	32.6	49.6
九台市	2 000		2 000		100.0	
榆树市	9 900		9 900		100.0	
德惠市	133 316		3 589		2.7	
农安县	7 639		7 639		100.0	
吉　林　市	**215 350**	**36 993**	**126 654**	**25 420**	**58.8**	**68.7**
市　　区	196 963	36 993	118 289	25 420	60.1	68.7
桦甸市	2 326		2 326		100.0	
蛟河市						
舒兰市	754		754		100.0	
磐石市	13 031		3 009		23.1	
永吉县	2 276		2 276		100.0	
四　平　市	**36 918**		**8 826**		**23.9**	
市　　区	28 732		5 664		19.7	
公主岭市	3 189					
梨树县	1 835					
伊通县						
双辽县	3 162		3 162		100.0	
辽　源　市	**24 784**		**21 069**		**85.0**	
市　　区	16 698		13 153		78.8	
东丰县	6 786		6 616		97.5	
东辽县	1 300		1 300		100.0	
通　化　市	**59 919**	**250**	**44 045**	**250**	**73.5**	**100.0**
市　　区	45 876		32 379		70.6	
梅河口市	7 393		7 393		100.0	
集安市						
通化县	2 389		2 389		100.0	
辉南县	480	250	480	250	100.0	100.0
柳河县	3 781		1 404		37.1	

5—33 续表　　　　　　　　　　(1995年)

市、县	施工面积(平方米)		竣工面积(平方米)		竣工率(%)	
	合计	#住宅	合计	#住宅	合计	#住宅
白　山　市	**36 539**		**24 723**		**67.7**	
市　区	33 081		21 915		66.2	
临江市						
抚松县						
靖宇县	1 640		990		60.4	
长白县						
江源县	1 818		1 818		100.0	
松　原　市	**16 798**		**10 118**		**60.2**	
市　区	9 968		9 968		100.0	
长岭县	4 856					
前郭县	1 974		150		7.6	
乾安县						
扶余县						
白　城　市	**23 943**		**15 709**		**65.6**	
市　区	19 734		11 500		58.3	
洮南市	1 600		1 600		100.0	
大安市						
镇赉县	2 609		2 609		100.0	
通榆县						
延边朝鲜族自治州	**135 154**	**4 590**	**83 653**	**4 590**	**61.9**	**100.0**
延吉市	67 948	4 500	52 184	4 500	76.8	100.0
图们市	8 910		6 410		71.9	
敦化市	23 962		4 935		20.6	
龙井市	9 850		1 940		19.7	
珲春市	13 995		8 295		59.3	
和龙市	4 629	90	4 029	90	87.0	100.0
汪清县	5 800		5 800		100.0	
安图县	60		60		100.0	
不分地区	108 742	35 419	96 840	35 419	89.1	100.0

5—34 更新改造新增生产能力

(1995年)

项　　　目	单　位	数　　量
原油开采	万吨/年	8
铁矿石原矿开采	万吨/年	60
连铸	万吨/年	15
铁合金	吨/年	8
铜冶炼	吨/年	500
水泥	万吨/年	20
耐火材料制品	吨/年	10 500
胶合板	万立方米/年	1
纤维板	万立方米/年	3
硫酸	吨/年	20 000
浓硝酸	吨/年	20 000
农用氮、磷、钾化学肥料	吨/年	70 000
化学农药	吨/年	3 250
乙烯	吨/年	12 000
化学纤维	吨/年	1 400
毛纺锭	锭	3 212
酒	吨/年	65 300
市内电话自动交换机	门	139 556

5—35 更新改造限额以上项目建设规模及新增生产能力

（1995 年）

单位名称	能力名称	单位	建设规模	本年施工规模合计	累计新增生产能力	#本年新增
长春拖拉机制造厂						
引进迪尔拖拉机底盘创造技术	拖拉机制造	台/年	3 000	2 000	2 000	2 000
	大中型拖拉机制造	台/年	3 000	2 000	2 000	2 000
长春轮胎厂						
年产75万条子午胎项目	轮胎外胎	万条/年	75	75		
长春市电信局						
改造项目	市内电话自动交换机	万门	40.0	40.0	40.0	40.0
	长途自动电话交换设备	路端	1 500	1 500	1 500	1 500
吉林纸业股份有限公司						
增产3.9万吨/年纸袋纸	机制纸及纸板	万吨/年	3.90	3.90		
四平市华泰制药厂(康乐制药厂)						
大输液生产线	化学药制剂	吨/年	500	500	500	500
中化四平联合化工总厂						
2万吨/年离子膜烧碱技术改造	烧碱	万吨/年	20 000	20 000		
中国第一汽车集团公司四平专用汽车厂						
扩大拖车出口创汇技术改造	汽车制造	辆/年	1 500	1 500	1 500	1 500
	载货汽车制造	辆/年	1 500	1 500	1 500	1 500
四平市邮电局						
市话扩容	市内电话自动交换机	万门	3.17	3.17	3.17	3.17
双辽县玻璃厂						
浮法玻璃技术改造工程	平板玻璃	万重量箱/年	95	95		
大安市轴承厂						
滚针轴承生产线	轴承	套/年	200	200	200	200

5—36 更新改造

(19

单位名称	项目名称	经济类型	行业类别
总计			
中国第一汽车集团公司	中高级轿车项目	国有经济	小轿车制造
中国第一汽车集团公司	中轻型车项目	国有经济	载重汽车制造
中国第一汽车集团公司	模具中心	国有经济	载重汽车制造
卫生部长春生物制品研究所	脑炎狂犬生产线	国有经济	生物制品业
长春拖拉机制造厂	引进迪尔拖拉机底盘创造技术	国有经济	拖拉机制造
长春轮胎厂	年产75万条子午胎项目	国有经济	轮胎制造业
长春市半导体厂	发光管生产线技术改造	国有经济	半导体器件
中国第一汽车集团公司	一汽配套工程车轮钢圈	国有经济	小轿车制造
中国第一汽车集团公司	一汽配套工程散热器厂	国有经济	小轿车制造
中国第一汽车集团公司	一汽配套工程吉标厂(改造)	国有经济	小轿车制造
中国第一汽车集团公司	一汽配套工程转向机厂(改造)	国有经济	小轿车制造
中国第一汽车集团公司	一汽配套工程内饰件厂(改造)	国有经济	小轿车制造
长春市电信局	市话扩容	国有经济	电信业
吉林纸业股份有限公司	增产3.9万吨/年纸袋纸	股份有限公司	机制纸及纸板
丰满发电厂	大坝加固工程	国有经济	水力发电业
四平仪表厂	八五技改项目	国有经济	汽车仪器仪表
四平市华泰制药厂(康乐制药厂)	大输液生产线	国有经济	化学药品制剂
四平联合收割机总厂	半喂水稻收割机	国有经济	机械化农机具
中化四平联合化工总厂	2万吨/年离子膜烧碱技术改造	国有经济	烧碱制造
中国第一汽车集团公司四平专用汽车厂	扩大拖车出口创汇技术改造	国有经济	特种车辆及改装汽车
四平市邮电局	市话扩容	国有经济	电信业
双辽县玻璃厂	浮法玻璃技术改造工程	国有经济	建筑用玻璃
中国第一汽车集团公司(辽弹)	八五轻型轿车电机改造	国有经济	小轿车制造
白城市汽车电器总厂	轿车玻璃升降器生产线	国有经济	汽车零部件及配件制造业
白城市麻纺织厂	麻纺织厂纺粘法非织造新材料	国有经济	麻纺织业
大安市轴承厂	滚针轴承生产线	国有经济	轴承制造
延边农药厂	多抗霉素技改工程	国有经济	农药原药制造
石岘造纸厂	亚硫酸盐木浆废液综合利用	国有经济	机制纸及纸板
沈阳铁路长铁分局	龙泉—长北联络线	国有经济	铁路运输

限额以上项目一览表

95年）

隶属关系	建设性质	开工时间	计划总投资（万元）	本年完成投资（万元）	本年新增固定资产（万元）
			340 391	**69 897**	**42 644**
中　央	扩　建	1986年09月	28 850	5 283	
中　央	扩　建	1986年09月	88 743	6 992	472
中　央	扩　建	1986年09月	7 226	1 307	1 976
中　央	扩　建	1989年12月	6 231	442	
地　属	扩　建	1985年07月	3 740	671	671
地　属	扩　建	1991年11月	33 113	12 342	
地　属	扩　建	1991年08月	4 350	75	75
中　央	扩　建	1993年12月	7 974	1 705	
中　央	扩　建	1993年05月	8 126	507	
中　央	扩　建	1994年06月	3 978	453	
中　央	扩　建	1994年06月	3 109	742	
中　央	扩　建	1994年06月	4 711	666	6
中　央	改　建	1994年02月	13 038	4 954	13 038
地　属	改　建	1993年05月	19 963	6 900	
中　央	改　建	1986年01月	7 237	1 758	1 758
中　央	扩　建	1990年01月	3 436	155	655
地　属	扩　建	1993年06月	4 291	3 902	4 929
地　属	扩　建	1993年11月	3 987	317	19
中　央	扩　建	1994年10月	9 197	4 654	
中　央	扩　建	1994年03月	3 134	244	2 740
中　央	扩　建	1995年03月	4 340	4 340	4 340
县　属	新　建	1995年12月	30 346	1 000	
中　央	扩　建	1993年01月	4 839	799	
地　属	扩　建	1991年07月	3 258	700	630
地　属	扩　建	1993年05月	4 877	2 042	
县　属	扩　建	1993年10月	4 013	1 400	1 400
地　属	扩　建	1991年10月	4 605	543	
地　属	扩　建	1993年11月	9 152	4 704	9 935
中　央	扩　建	1992年07月	10 527	300	

5—37 按行业分的农

(19

	本年固定资产投资资金来源				
	小　计	国家资金	国内贷款	引进外资	自筹资金
总　　计	**166 299**	**2 364**	**38 509**	**3 782**	**73 097**
一、农、林、牧、渔业	28 551	886	5 337	871	15 568
二、采掘业	12 391	196	5 762	118	5 450
#煤炭采选业	5 698		3 508		2 145
石油和天然气开采业	100		50	50	
三、制造业	94 467	355	23 645	2 242	38 146
#食品加工业	12 636	22	3 477	557	5 993
食品制造业	10 299	50	1 385	40	2 995
饮料制造业	17 055	50	8 511	670	6 233
纺　织　业	4 862	50	169		1 547
医药制造业	330		100		230
四、电力、蒸汽、热水生产和供应业	2 823	178	620	92	1 258
五、建筑业	1 192	24	75		605
六、地质勘查业、水利管理业	959	411			548
七、交通运输、仓储及邮电通信业	1 264	120	80		616
八、批发和零售贸易、餐饮业	14 687	92	1 318	130	8 596
九、房地产业	2 935				35
十、社会服务业	480		50		370
十一、卫生、体育和社会福利业	417		200	7	5
十二、教育、文化艺术和广播电影电视业	3 289	85	37	90	1 128
十三、科学研究和综合技术服务业					
十四、国家机关、政党机关和社会团体	1 383	11	996		347
十五、其他行业	1 461	6	389	232	425

村集体固定资产投资

95年)　　　　　　　　　　　　　　　　　　　　　　　　　　单位:万元

		房屋建筑面积(平方米)			
群众集资	其他资金	施工面积	#住宅	竣工面积	#住宅
11 539	**37 008**	**1 046 531**	**88 501**	**921 044**	**78 703**
1 646	4 243	253 133	28 270	227 040	24 970
176	689	47 737	540	46 837	540
45		4 610	100	4 210	100
		500			
2 541	27 538	371 670	15 642	283 012	156 420
494	2 093	75 177	740	59 365	740
544	5 285	25 500	2 000	20 500	2 000
260	1 331	62 820		57 406	
125	2 971	16 885		12 583	
		3 000		3 000	
210	465	6 597	3 838	4 688	3 838
401	87	80 380		80 380	
172	276	21 404	1 400	21 292	1 400
1 420	3 131	137 920	9 200	136 487	9 200
2 900		5 000	900	4 100	900
60					
203	2	990	206	990	206
1 621	328	82 535	13 910	82 155	13 910
19	10	8 298	685	6 116	685
170	239	28 749	13 910	25 829	7 412

5—38 商品房屋销售与出租情况

（1995年） 单位：万平方米

	实际销售	预 售	空 置	出 租	实际销售额（万元）
房屋面积合计	**122.1**	**27.7**	**93.4**	**2.4**	**173 267**
#外销(租)	0.6	0.6			3 530
个人	51.1	10.2		0.2	61 955
1. 住 宅	96	20.1	68.9	0.2	116 565
#别墅、高档公寓	0.9	0.3			2 000
安居工程	11.5	2			8 408
#个人	46.8	9.5	2.4		54 687
2. 办公楼	9.7	3.1	7.2	0.1	20 798
3. 商业营业用房	15.7	4.5	16.7	2.1	34 654
4. 其他	0.7		0.6		1 250

5—39 商品房施工、竣工房屋面积及竣工价值

（1995年） 单位：万平方米

	施工面积	#新开工	竣工面积	竣工房屋价值（万元）
房屋建筑面积合计	**694.3**	**283.2**	**327.9**	**350 090**
按用途分:				
1. 住宅	454.6	230.9	257.2	234 741
#别墅、高档公寓	15.4	4.5	6.8	3 891
安居工程	59.8	35.3	39.9	27 974
2. 办公楼	80.2	26	22.9	42 899
3. 商业营业用房	135.2	17.8	37.8	49 736
4. 其他	24.3	8.5	10	22 714

能源和原材料消费 6

6 能源和原材料消费

1995 年能源生产总量	2 512.9 万吨标准煤
原煤	1 698.3 万吨标准煤
原油	489.6 万吨标准煤
天然气	22.3 万吨标准煤
水电	302.7 万吨标准煤

能源生产总量构成（%）

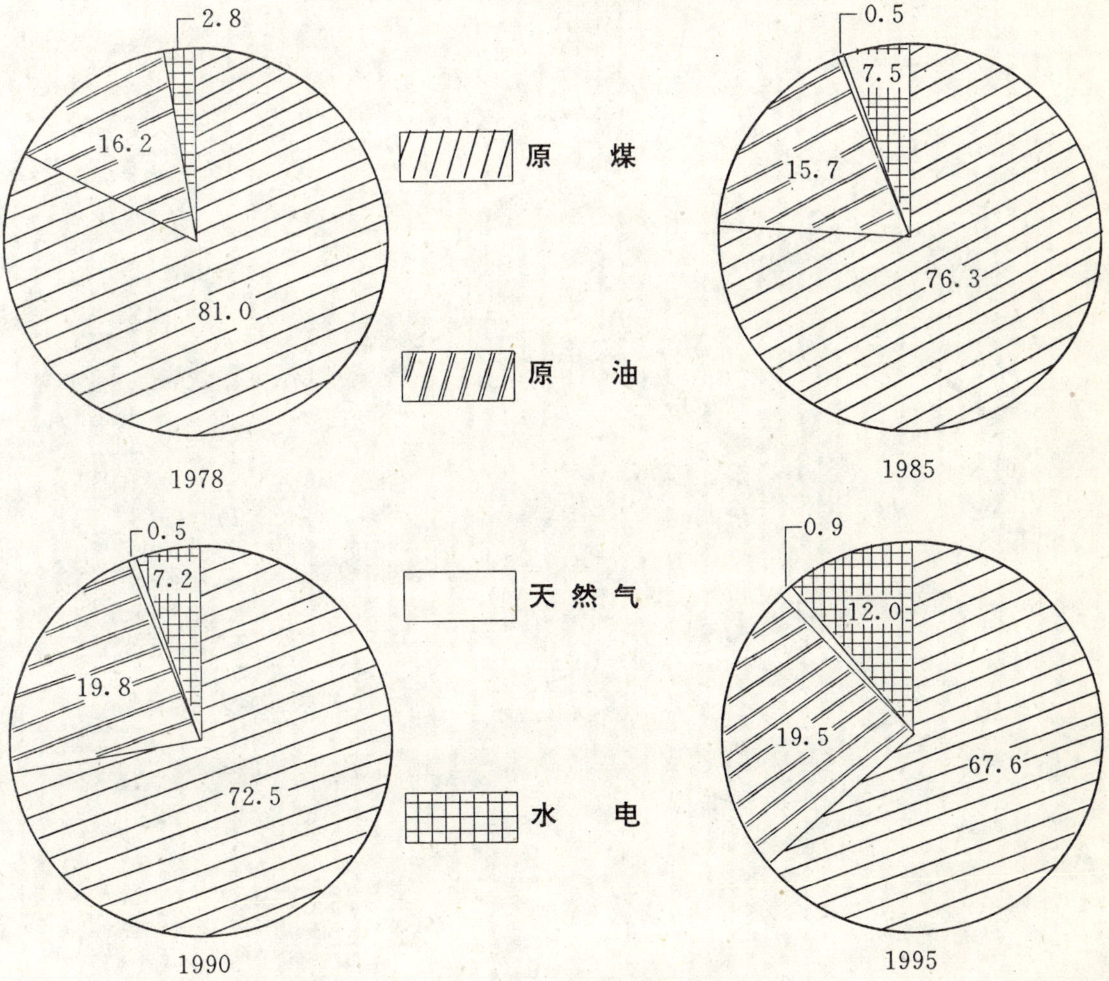

6—1 历年能源生产总量及构成

单位:万吨标准煤

年 份	能源生产总量	原 煤	原 油	天然气	水 电	占能源生产总量的(%) 原 煤	原 油	天然气	水 电
1952	313.9	269.3	0.9		43.7	85.79	0.29		13.92
1953	342.0	288.1	1.3		52.6	84.24	0.38		15.38
1954	372.9	293.0	2.9		77.0	78.60	0.72		20.68
1955	412.4	325.8	3.7		82.9	79.00	0.90		20.10
1956	442.8	370.6	4.9		67.3	83.69	1.11		15.20
1957	528.1	436.8	5.3		86.0	82.72	1.00		16.28
1958	714.1	643.8	6.2		64.1	90.16	0.87		8.97
1959	940.7	884.8	8.0		47.9	94.06	0.85		5.09
1960	815.5	696.6	8.7		110.2	85.42	1.07		13.51
1961	899.1	830.8	4.2		64.1	92.40	0.47		7.13
1962	749.7	676.4	4.4		68.9	90.22	0.59		9.19
1963	742.3	657.2	6.3		78.8	88.54	0.85		10.61
1964	749.5	636.6	6.7		106.2	84.94	0.89		14.17
1965	745.3	661.0	7.7		76.6	88.69	1.03		10.28
1966	849.0	733.7	15.7		99.6	86.42	1.85		11.73
1967	719.8	603.8	13.9		102.1	83.88	1.93		14.19
1968	717.3	639.8	15.7		61.8	89.20	2.19		8.61
1969	862.1	745.2	32.9		84.0	86.44	3.82		9.74
1970	1 073.4	906.6	115.1		51.7	84.46	10.72		4.82
1971	1 248.3	982.5	160.9		104.9	78.71	12.89		8.40
1972	1 297.9	992.2	180.8		124.9	76.45	13.93		9.62
1973	1 331.1	1 005.7	189.6		135.8	75.56	14.24		10.20
1974	1 308.3	1 032.7	171.2		104.4	78.93	13.09		7.98
1975	1 393.1	1 103.5	193.8		95.8	79.21	13.91		6.88
1976	1 449.6	1 153.5	232.4		63.7	79.57	16.04		4.39
1977	1 549.7	1 231.9	254.4		63.4	79.49	16.42		4.09
1978	1 635.6	1 324.6	264.7		46.3	80.99	16.18		2.83
1979	1 689.4	1 337.4	266.3	20.2	65.5	79.16	15.76	1.20	3.88
1980	1 530.3	1 162.0	252.3	30.5	85.5	75.93	16.49	1.99	5.59
1981	1 493.2	1 111.5	233.4	12.3	136.0	74.44	15.63	0.82	9.11
1982	1 538.5	1 217.3	243.1	11.2	66.9	79.12	15.80	0.73	4.35
1983	1 637.2	1 274.2	254.4	11.1	97.5	77.83	15.54	0.68	5.95
1984	1 787.6	1 373.9	273.7	9.5	130.5	76.86	15.31	0.53	7.30
1985	1 947.2	1 486.5	304.5	10.1	146.1	76.34	15.64	0.52	7.50
1986	2 142.2	1 521.1	338.7	12.4	270.0	71.00	15.81	0.58	12.61
1987	2 201.6	1 505.7	409.7	12.8	273.4	68.39	18.61	0.58	12.42
1988	2 292.4	1 591.4	450.1	12.9	238.0	69.43	19.63	0.56	10.38
1989	2 369.9	1 741.8	488.9	13.5	125.7	73.50	20.63	0.57	5.30
1990	2 572.3	1 864.5	509.6	13.1	185.1	72.48	19.81	0.51	7.20
1991	2 593.3	1 827.7	489.0	16.8	259.8	70.50	18.85	0.65	10.00
1992	2 259.4	1 609.5	491.5	22.4	136.0	71.24	21.75	0.99	6.02
1993	2 248.7	1 558.2	483.5	27.3	179.7	69.30	21.50	1.21	7.99
1994	2 311.1	1 590.8	474.9	23.1	222.2	68.83	20.55	1.00	9.62
1995	2 512.9	1 698.3	489.6	22.3	302.7	67.58	19.48	0.89	12.05

注：水电用3.64折算。

6—2 分行业电力消费量

行业	1994年		1995年	
	实物量（万千瓦时）	标准量（吨标准煤）	实物量（万千瓦时）	标准量（吨标准煤）
总计	**1 628 762**	**6 580 198**	**1 860 217**	**7 515 277**
采掘业	223 867	904 423	213 766	863 615
煤炭采选业	114 199	461 364	95 410	385 456
石油和天然气开采业	58 240	235 290	63 363	255 987
黑色金属矿采选业	458	1 850	1 470	5 939
有色金属矿采选业	15 580	62 943	19 135	77 305
非金属矿采选业	5 896	23 820	4 529	18 297
其他矿采选业			21	85
木材及竹材采运业	29 494	119 156	29 838	120 546
制造业	1 183 332	4 780 661	1 390 461	5 617 462
食品加工业	37 885	153 055	30 470	123 099
食品制造业	15 124	61 101	14 112	57 012
饮料制造业	18 481	74 663	17 751	71 714
烟草加工业	2 768	11 183	2 701	10 912
纺织业	87 199	352 284	102 502	414 108
服装及其他纤维制品制造业	2 330	9 413	2 507	10 128
皮革、毛皮、羽绒及其制品业	1 035	4 181	964	3 895
木材加工及竹、藤、棕、草制品业	15 681	63 351	8 368	33 807
家具制造业	1 547	6 250	1 805	7 292
造纸及纸制品业	74 686	301 731	75 918	306 709
印刷业	2 937	11 865	4 691	18 952
文教体育用品制造业	639	2 582	492	1 988
石油加工及炼焦业	14 038	56 714	15 119	61 081
化学原料及化学制品制造业	304 961	1 232 042	347 320	1 403 173
医药制造业	8 338	33 686	9 374	37 871
化学纤维制造业	29 547	119 370	33 083	133 655
橡胶制品业	4 927	19 905	4 360	17 614

注：1. 统计范围为县及县以上独立核算的工业企业、建筑企业和运输邮电企业。
2. 折标准煤系数为4.04。

6－2 续表

行　　业	1994年		1995年	
	实物量（万千瓦时）	标准量（吨标准煤）	实物量（万千瓦时）	标准量（吨标准煤）
塑料制品业	7 482	30 227	8 840	35 714
非金属矿物制品业	120 995	488 820	154 035	622 301
黑色金属冶炼及压延加工业	167 413	676 349	243 307	982 960
有色金属冶炼及压延加工业	103 632	418 673	131 525	531 361
金属制品业	8 746	35 334	9 462	38 226
普通机械制造业	14 513	58 633	17 957	72 546
专用设备制造业	20 707	83 656	21 058	85 074
交通运输设备制造业	90 690	366 388	109 577	442 691
武器弹药制造业	3 177	12 835	4 003	16 172
电气机械及器材制造业	9 646	38 970	10 913	44 089
电子及通信设备制造业	3 964	16 015	3 484	14 075
仪器仪表及文化、办公用机械制造业	3 072	12 411	3 352	13 542
其他制造业	7 172	28 975	1 411	5 700
电力、煤气及水的生产和供应业	190 113	768 057	216 297	873 840
电力、蒸汽、热水生产和供应业	161 996	654 464	187 468	757 371
煤气生产和供应业	3 458	13 970	3 581	14 467
自来水生产和供应业	24 659	99 622	25 248	102 002
建筑业	15 363	62 067	20 936	84 581
土木工程建筑业	14 892	60 164	19 609	79 220
线路、管道和设备安装业	445	1 798	1 169	4 723
装修装饰业	26	105	158	638
运输邮电业	16 087	64 991	18 757	75 778
铁路运输业	5 788	23 384	5 427	21 925
公路运输业	2 271	9 175	1 963	7 931
管道运输业	4 051	16 366	4 632	18 713
航空运输业				
邮电通信业	3 977	16 067	6 735	27 209

6—3 主 要 物 资 消 费 量

项　　目	单位	1991年	1992年	1993年	1994年	1995年
生　铁	吨	843 267	929 909	1 116 348	1 011 784	1 122 679
钢　材	吨	1 334 133	1 543 905	1 906 450	1 682 803	1 567 993
铜	吨	4 332	4 039	5 080	5 297	6 664
铝	吨	18 831	30 581	27 752	10 350	14 522
铅	吨	2 218	2 361	2 661	3 187	2 611
锌	吨	6 457	5 858	5 761	6 674	4 511
铜　材	吨	7 188	8 994	9 361	10 223	15 194
铝　材	吨	4 150	4 365	4 395	7 434	7 389
硫　酸	吨	125 908	132 592	124 558	97 015	162 724
烧　碱	吨	95 109	103 680	99 740	107 943	117 598
纯　碱	吨	98 058	105 784	104 873	96 051	97 283
橡　胶	吨	25 631	24 462	22 835	19 876	9 564
水　泥	吨	1 778 687	2 220 141	2 739 022	2 151 437	2 276 491
平板玻璃	重量箱	649 343	747 769	891 852	448 875	461 582
原　木	立方米	3 684 756	3 319 791	2 911 855	2 756 289	3 993 417
# 原木直接消费	立方米	2 667 155	2 559 640	2 011 121	2 290 526	3 101 408
锯　材	立方米	459 782	459 447	744 661	521 039	398 425

6—4 国民经济各行业生产用钢材消费量

单位:吨

行　　业	1991年	1992年	1993年	1994年	1995年
总　　计	**1 055 031**	**1 147 535**	**1 502 825**	**1 682 803**	**1 567 993**
采掘业	87 287	81 706	113 047	96 415	131 445
煤炭采选业	47 575	39 726	12 910	22 158	24 275
石油和天然气开采业	22 787	27 745	84 492	59 169	92 556
黑色金属矿采选业		228	9	42	199
有色金属矿采选业	5 049	3 431	2 750	3 152	3 627
非金属矿采选业	345	663	1 807	1 169	954
木材及竹材采运业	11 531	9 913	11 081	10 725	9 834
制造业	825 276	931 775	1 272 205	1 140 053	1 025 622
食品加工业	2 175	2 086	2 683	2 376	2 213
食品制造业	1 865	1 976	2 541	2 251	196
饮料制造业	1 303	1 202	1 546	1 369	1 407
烟草加工业	180	165	212	188	545
纺织业	1 535	1 478	569	1 066	705
服装及其他纤维制品制造业	16	28	738	93	198
皮革、毛皮、羽绒及其制品业	58	267	43	117	15
木材加工及竹、藤、棕、草制品业	2 323	1 908	1 631	9 086	2 614
家具制造业	2 945	2 371	968	1 108	1 504
造纸及纸制品业	5 182	7 623	8 424	5 921	6 769
印刷、记录媒介的复制	33	571	175	276	118
文教体育用品制造业	371	162	231	162	229
石油加工及炼焦业	2 591	2 625	2 383	4 413	4 670
化学原料及化学制品制造业	53 717	62 698	238 685	41 165	33 986
医药制造业	910	777	755	374	876
化学纤维制造业	3 037	2 507	959	1 955	11 393
橡胶制品业	1 044	722	1 272	2 300	547
塑料制品业	516	455	1 031	1 067	609

注：94年以后口径是县及县以上各种经济类型的独立核算的工业企业、县及县以上独立核算的建筑企业和运输邮电企业。

6—4 续表

单位:吨

行　　业	1991年	1992年	1993年	1994年	1995年
非金属矿物制品业	24 413	31 678	31 227	29 158	29 603
黑色金属冶炼及压延加工业	45 643	41 667	113 489	125 811	92 573
有色金属冶炼及压延加工业	4 730	5 120	5 304	4 971	3 705
金属制品业	113 226	110 890	107 613	97 652	81 697
普通机械制造业	66 046	65 057	83 690	73 577	81 237
专用设备制造业	77 079	78 068	100 428	88 999	99 577
交通运输设备制造业	358 985	449 744	513 489	594 347	526 358
武器弹药制造业	7 868	7 989	10 277	9 107	7 417
电气机械及器材制造业	36 952	41 274	32 884	34 078	28 241
电子及通信设备制造业	3 017	3 552	2 397	1 603	1 405
仪器仪表及文化、办公用机械制造业	7 087	7 010	6 330	5 180	4 097
其他制造业	429	105	231	283	1 118
电力、煤气及水的生产和供应业	14 721	12 503	41 378	27 285	22 716
电力、蒸汽、热水生产和供应业	14 067	11 345	39 578	25 868	17 806
煤气生产和供应业	400	396	1 311	866	4 173
自来水生产和供应业	254	762	489	551	737
建筑业				392 387	359 227
土木工程建筑业				373 663	343 387
线路、管道和设备安装业				17 437	13 640
建筑物的装修装饰业				1 287	2 200
交通运输、仓储及邮电通讯业	46 999	58 734	67 454	26 663	28 983
铁路运输业	46 498	51 214	58 145	24 277	21 445
公路运输业		1 388	1 593	63	
管道运输业		1 079	1 239	49	
水上运输业		740	849	85	
邮电通信业	501	4 313	5 628	2 189	7 538

6—5 国民经济各行业生产用木材消费量

单位:立方米

行业	1991年	1992年	1993年	1994年	1995年
总计	**3 016 570**	**2 862 504**	**2 590 830**	**3 034 570**	**3 670 355**
采掘业	529 296	565 590	426 537	826 803	929 163
煤炭采选业	247 791	217 186	91 460	153 466	187 537
石油和天然气开采业	4 250	6 051	9 778	5 851	11 300
黑色金属矿采选业	2	398			29
有色金属矿采选业	13 046	9 466	6 677	8 817	14 549
非金属矿采选业	2 863	6 653	4 685	3 978	2 657
木材及竹材采运业	261 344	325 836	313 937	654 691	713 091
制造业	2 399 672	2 224 383	2 080 914	1 945 161	2 472 919
食品加工业	664	673	626	729	3 669
食品制造业	20	22	21	33	3
饮料制造业	178	180	167	165	718
烟草加工业					
纺织业	601	625	94	377	537
服装及其他纤维制品制造业	482	62	261	159	134
皮革、毛皮、羽绒及其制品业	3 195	405		66	
木材加工及竹、藤、棕、草制品业	339 980	319 726	402 259	446 147	497 801
家具制造业	90 413	79 056	52 847	36 430	42 872
造纸及纸制品业	1 367 117	1 301 545	1 187 378	1 064 054	1 400 418
印刷、记录媒介的复制	17	54	19	285	1 018
文教体育用品制造业	11 827	6 268	7 544	19 185	6 116
石油加工及炼焦业	484	636	1 131	814	943
化学原料及化学制品制造业	36 275	41 924	22 151	26 366	18 265
医药制造业	4 284	829	405	1 326	3 701
化学纤维制造业	414 589	343 939	231 832	226 161	394 982
橡胶制品业	344	90	49	17	104
塑料制品业	39	58	121	130	4 272

:94年以后口径是县及县以上各种经济类型的独立核算的工业企业、县及县以上独立核算的建筑企业和运输邮电企业。

6—5 续表

单位:立方米

行业	1991年	1992年	1993年	1994年	1995年
非金属矿物制品业	20 453	22 769	19 330	30 988	22 313
黑色金属冶炼及压延加工业	9 141	9 327	16 479	5 658	8 303
有色金属冶炼及压延加工业	3 574	3 583	3 769	1 749	679
金属制品业	10 984	11 095	960	2 855	2 323
普通机械制造业	8 868	8 979	8 341	8 122	5 599
专用设备制造业	4 378	4 489	4 171	3 867	2 819
交通运输设备制造业	64 029	59 080	105 986	62 893	48 876
武器弹药制造业	2 134	2 245	2 085	2 401	3 284
电气机械及器材制造业	4 508	3 526	3 332	2 030	1 539
电子及通信设备制造业	553	253	429	91	13
仪器仪表及文化、办公用机械制造业	521	2 844	5 009	709	406
其他制造业	20	101	4 118	1 354	1 212
电力、煤气及水的生产和供应业	6 016	4 913	6 891	9 434	9 456
电力、蒸汽、热水生产和供应业	5 519	4 801	6 776	9 282	9 109
煤气生产和供应业	11	10	19	17	13
自来水生产和供应业	486	102	96	135	334
建筑业				231 279	237 861
土木工程建筑业				229 109	234 702
线路、管道和设备安装业				1 530	1 663
建筑物的装修装饰业				640	1 496
交通运输、仓储及邮电通讯业	45 979	38 914	41 140	21 893	20 956
铁路运输业	44 132	38 681	37 565	17 410	1 206
公路运输业		117	213	70	261
管道运输业					
水上运输业		116	123	7	
邮电通信业	1 847	2 199	3 239	4 406	8 089

6—6 主要能源按国民经济行业分组消费量

（1995 年）

行　　业	原　　煤（吨）	焦　　炭（吨）	焦炉煤气（万立方米）	原　　油（吨）	汽　　油（吨）
总　　计	**30 939 420**	**1 639 301**	**46 287**	**4 836 519**	**278 452**
采掘业					
煤炭采选业	1 092 257	593			9 990
石油和天然气开采业	58 364	947		413 392	19 643
黑色金属矿采选业	4 355				679
有色金属矿采选业	61 449	742			2 943
非金属矿采选业	50 440	61			1.560
其他矿采选业	334				110
木材及竹材采运业	684 347	226			31 623
制造业	684 347				
食品加工业	628 980	4 817		4 488	5 861
食品制造业	463 259	53			2 239
饮料制造业	583 768				6 817
烟草加工业	26 780				1 076
纺织业	328 464	39			2 943
服装及其他纤维制品制造业	42 921				896
皮革、毛皮、羽绒及其制品业	19 451				416
木材加工及竹、藤、棕、草制品业	139 357	15			3 516
家具制造业	21 597				318
造纸及纸制品业	791 422	387			4 825
印刷业	41 572		1	24	1 319
文教体育用品制造业	18 649				112
石油加工及炼焦业	11 254	5		1 386 887	1 281
化学原料及化学制品制造业	1 507 822	267 135	9 140	2 984 211	14 128
医药制造业	403 572	2	11		3 326
化学纤维制造业	759 396	231		4 722	982
橡胶制品业	122 994	62			822
塑料制品业	55 984	200		11	1 648

注：统计范围为县及县以上独立核算工业、交通运输邮电企业。

6—6 续表 1　　　　　　　　　　(1995 年)

行　　业	原　煤 (吨)	焦　炭 (吨)	焦炉煤气 (万立方米)	原　油 (吨)	汽　油 (吨)
非金属矿物制品业	1 790 935	188 429	766	28 364	11 652
黑色金属冶炼及压延加工业	322 933	1 032 892	28 816	5 504	8 027
有色金属冶炼及压延加工业	116 737	1 932		1 820	1 746
金属制品业	65 772	29 129	11	1 583	2 090
普通机械制造业	189 927	19 144			4 140
专用设备制造业	213 797	13 200			4 403
交通运输设备制造业	1 483 826	59 236		2 156	24 141
武器弹药制造业	47 317	370			1 349
电气机械及器材制造业	101 227	1 956	359	2 751	2 999
电子及通信设备制造业	58 103	78	1		550
仪器仪表及文化、办公用机械制造业	48 000	462			626
其他制造业	12 819	59			684
电力、煤气及水的生产和供应业					
电力、蒸汽、热水生产和供应业	16 945 523	17		595	6 071
煤气生产和供应业	77 407	15 917	7 182		591
自来水生产和供应业	36 488				1 253
建筑业					
土木工程建筑业	180 085	534		11	29 977
线路、管道和设备安装业	9 072	394			1 055
装修装饰业	6 343				312
运输邮电业					
铁路运输业	1 244 572	37			2 586
公路运输业	32 873				51 233
管道运输业					258
航空运输业					
交通运输辅助业中港口业					
邮电通信业	36 876				3 636

6—6 续表 2 (1995年)

行业	煤油（吨）	柴油（吨）	燃料油（吨）	液化石油气（吨）	炼厂干气（吨）
总计	**32 150**	**276 952**	**756 483**	**30 924**	**133 116**
采掘业					
煤炭采选业	3	3 648	3		
石油和天然气开采业		51 624	39 590	8 070	5 862
黑色金属矿采选业		301			
有色金属矿采选业	10	1 795		130	
非金属矿采选业		1 039			
其他矿采选业		23			
木材及竹材采运业		17 481			
制造业					
食品加工业		1 797	98		
食品制造业	2	937		2	
饮料制造业	12	462	210		
烟草加工业		31			
纺织业	10	770	4	74	
服装及其他纤维制品制造业		269			
皮革、毛皮、羽绒及其制品业		16			
木材加工及竹、藤、棕、草制品业		442	1 971		
家具制造业	4	40			
造纸及纸制品业	22	806	6 117		
印刷业	3	88			
文教体育用品制造业	2	12			
石油加工及炼焦业	25	2 378	35 287	18 512	57 612
化学原料及化学制品制造业	32	7 929	570 827		69 642
医药制造业	16	259	14	9	
化学纤维制造业	15	928			
橡胶制品业		53			
塑料制品业		253		1	

6—6 续表 3 (1995 年)

行　　业	煤　油（吨）	柴　油（吨）	燃料油（吨）	液化石油气（吨）	炼厂干气（吨）
非金属矿物制品业	33	44 767	28 168	956	
黑色金属冶炼及压延加工业	1	4 624	6 277		
有色金属冶炼及压延加工业	4	1 295	7		
金属制品业	5	325			
普通机械制造业	84	1 123	11		
专用设备制造业	39	1 250	165		
交通运输设备制造业	2 496	4 464	23 363	1 953	
武器弹药制造业	29	202			
电气机械及器材制造业	3	438	128	67	
电子及通信设备制造业	1	24			
仪器仪表及文化、办公用机械制造业	33	62			
其他制造业		49			
电力、煤气及水的生产和供应业					
电力、蒸汽、热水生产和供应业	3	24 131	19 765		
煤气生产和供应业		367		1 150	
自来水生产和供应业		123			
建筑业					
土木工程建筑业	54	22 050	270		
线路、管道和设备安装业	7	1 420	46		
装修装饰业					
运输邮电业					
铁路运输业	17	64 458			
公路运输业	26	11 351			
管道运输业		5	24 161		
航空运输业	29 159	823			
交通运输辅助业中港口业		44			
邮电通信业		176	1		

6—7 地区能源平衡表(实物量)

(1995 年)

	原煤（万吨）	焦炭（万吨）	原油（万吨）	汽油（万吨）	煤油（万吨）
一、可供本地区消费的能源量	**4 665.23**	**45.68**	**493.30**	**-68.66**	**0.59**
1. 年初库存量	678.40	10.39	17.17	34.15	1.40
2. 一次能源生产量	2642.02		342.73		
3. 回收能			157.09		
4. 外省(区、市) 调入量	2018.65	45.80			0.69
5. 进口量					
6. 我轮、机在外国加油量					
7. 本省(区、市) 调出量(-)	-87.41			-69.80	-0.76
8. 出口量(-)					
9. 外轮、机在我国的加油量(-)					-0.74
10. 年末库存量(-)	-586.43	-10.51	-23.69	-33.01	
二、加工转换投入(-) 产出(+) 量	**-1966.79**	**130.54**	**-464.54**	**151.33**	**1.96**
1. 火力发电	-1388.78		-0.01	-0.04	
2. 供　热	-414.29		-0.04		
3. 洗选煤	-163.72				
4. 炼　焦		90.95			
5. 炼　油			-464.49	151.37	1.96
6. 制　气		39.59			
#焦炭再投入量(-)					
7. 煤制品加工					
三、损失量			**8.95**		
#运输和输配损失			8.95		
四、终端消费量	**2 767.44**	**176.22**	**19.81**	**82.67**	**2.55**
(一) 第一产业	43.85			3.52	
1. 农、林、牧、渔业	43.85			3.52	
(二) 第二产业	2010.83	176.22	19.81	25.84	0.30
1. 工　业	1991.28	176.13	19.81	22.70	0.29
#用作原料、材料	71.23				
2. 建筑业	19.55	0.09		3.14	0.01
(三) 第三产业	394.29			50.76	2.25
1. 交通运输、仓储及邮电通讯业	131.44			15.83	2.25
2. 批发和零售贸易业、餐饮业	115.87			4.53	
3. 其　他	146.98			30.40	
(四) 生活消费	318.47			2.55	
城　镇	256.14			2.55	
乡　村	62.33				
五、平衡差额	**-69.00**				
六、消费量合计	**4 734.23**	**176.22**	**493.30**	**82.71**	**2.55**

6－7 续表　　　　　　　　　　（1995年）

	柴　　油 （万　吨）	燃 料 油 （万　吨）	液化石油气 （万　吨）	天　然　气 （亿立方米）	电　　力 （亿千瓦小时）
一、可供本地区消费的能源量	**-32.53**	**-8.67**	**5.48**	**1.83**	**66.34**
1. 年初库存量	14.14	9.98	0.22		
2. 一次能源生产量				1.83	83.16
3. 回收能					
4. 外省(区、市）调入量	7.06		5.55		48.09
5. 进口量					0.02
6. 我轮、机在外国加油量					
7. 本省(区、市）调出量(-)	-39.21	-3.27			
8. 出口量(-)					-64.43
9. 外轮、机在我国的加油量(-)					
10. 年末库存量(-)	-14.52	-15.38	-0.29		
二、加工转换投入(-）产出(+）量	**98.10**	**62.84**	**13.84**	**-0.23**	**200.76**
1. 火力发电	-1.45	-21.05		-0.15	200.76
2. 供　热	-0.12	-0.54			
3. 洗 选 煤					
4. 炼　焦					
5. 炼　油	99.67	84.43	13.84		
6. 制　气				-0.08	
#焦炭再投入量(-)					
7. 煤制品加工					
三、损失量					**8.98**
#运输和输配损失					8.98
四、终端消费量	**65.57**	**54.17**	**19.32**	**1.60**	**258.62**
（一）第一产业	30.13				4.79
1. 农、林、牧、渔业	30.13				4.79
（二）第二产业	20.85	51.75	3.09	1.60	202.63
1. 工　业	18.50	51.72	3.09	1.60	200.53
#用作原料、材料		30.56			
2. 建　筑　业	2.35	0.03			2.10
（三）第三产业	14.59	2.42	2.08		17.16
1. 交通运输、仓储及邮电通讯业	7.69	2.42			1.88
2. 批发和零售贸易业、餐饮业	1.55		2.08		4.91
3. 其　他	5.35				10.37
（四）生活消费			14.15		34.04
城　镇			14.15		17.53
乡　村					16.51
五、平衡差额					
六、消费量合计	**67.14**	**75.76**	**19.32**	**1.83**	**267.60**

6—8 地区能源平衡表（标准量）

（1995 年）　　单位：万吨标准煤

	原煤	焦炭	原油	汽油	柴油
一、可供本地区消费的能源量	**2 998.81**	**44.37**	**704.73**	**-101.02**	**-47.40**
1. 年初库存量	436.08	10.09	24.53	50.25	20.60
2. 一次能源生产量	1 698.29		489.62		
3. 回收能					
4. 外省(区、市) 调入量	1 297.59	44.49	224.42		10.29
5. 进口量					
6. 我轮、机在外国加油量					
7. 本省(区、市) 调出量(-)	-56.19			-102.70	-57.13
8. 出口量(-)					
9. 外轮、机在我国的加油量(-)					
10. 年末库存量(-)	-376.96	-10.21	-33.84	-48.57	-21.16
二、加工转换投入(-) 产出(+) 量	**-1 264.26**	**126.81**	**-663.64**	**222.67**	**142.95**
1. 火力发电	-892.71		-0.01	-0.06	-2.11
2. 供　热	-266.31		-0.06		-0.17
3. 洗选煤	-105.24				
4. 炼　焦		88.35			
5. 炼　油			-663.57	222.73	145.23
6. 制　气		38.46			
#焦炭再投入量(-)					
7. 煤制品加工					
三、损失量			**12.79**		
#运输和输配损失			12.79		
四、终端消费量	**1 778.90**	**171.18**	**28.30**	**121.65**	**95.55**
(一) 第一产业	28.19			5.18	43.91
1. 农、林、牧、渔业	28.19			5.18	43.91
(二) 第二产业	1 292.56	171.18	28.30	38.02	30.38
1. 工　业	1 279.99	171.09	28.30	33.40	26.96
#用作原料、材料	45.79				
2. 建筑业	12.57	0.09		4.62	3.42
(三) 第三产业	253.45			74.69	21.26
1. 交通运输、仓储及邮电通讯业	84.49			23.29	11.21
2. 批发和零售贸易业、餐饮业	74.48			6.67	2.26
3. 其　他	94.48			44.73	7.80
(四) 生活消费	204.71			3.75	
城　镇	164.65			3.75	
乡　村	40.07				
五、平衡差额	**-44.35**				
发电、供热效率、消费合计					

6—8 续表

(1995年)

单位:万吨标准煤

	燃料油	液化石油气	天然气	电　力	合　计 (当量值)
一、可供本地区消费的能源量	**-12.38**	**9.39**	**22.22**	**82.15**	**3 909.87**
1. 年初库存量	14.26	0.38			578.56
2. 一次能源生产量			22.22	102.20	2 312.33
3. 回收能					49.03
4. 外省(区、市) 调入量		9.51		59.10	1 796.45
5. 进口量				0.02	0.02
6. 我轮、机在外国加油量					
7. 本省(区、市) 调出量(-)	-4.67				-221.81
8. 出口量(-)				-79.18	-79.18
9. 外轮、机在我国的加油量(-)					-1.09
10. 年末库存量(-)	-21.97	-0.50			-524.45
二、加工转换投入(-) 产出(+) 量	**89.78**	**23.73**	**-2.79**	**246.73**	**-826.32**
1. 火力发电	-30.07		-1.82	246.73	-658.37
2. 供　热	-0.77				-90.50
3. 洗选煤					-34.12
4. 炼　焦					-6.20
5. 炼　油	120.62	23.73			-32.10
6. 制　气			-0.97		-5.02
#焦炭再投入量(-)					
7. 煤制品加工					
三、损失量				**11.04**	**23.83**
#运输和输配损失				11.04	23.83
四、终端消费量	**77.40**	**33.12**	**19.43**	**317.84**	**3 104.07**
(一) 第一产业				5.89	83.17
1. 农、林、牧、渔业				5.89	83.17
(二) 第二产业	73.94	5.30	19.43	249.03	2 310.03
1. 工　业	73.90	5.30	19.43	246.45	2 286.07
#用作原料、材料	43.67				89.46
2. 建　筑　业	0.04			2.58	23.96
(三) 第三产业	3.46	3.57		21.09	386.17
1. 交通运输、仓储及邮电通讯业	3.46			2.31	128.72
2. 批发和零售贸易业、餐饮业		3.57		6.03	93.49
3. 其　他				12.74	163.96
(四) 生活消费		24.26		41.84	324.73
城　镇		24.26		21.54	264.37
乡　村				20.29	60.36
五、平衡差额					**-44.35**
发电、供热效率、消费合计				**27.26**	**3 954.22**

6－9 分行业产值能耗表

（1995 年）　　　　单位：万吨标准煤

	产值能耗（吨/万元）	产　值（亿元）	能源消费合　计	终端消费	损 失 量	加工转换损失合计
一、工　业	**3.28**	**966.54**	**3 167.62**	**3 042.39**	**47.79**	**77.44**
轻 工 业	2.36	342.76	809.77	809.77		
重 工 业	3.78	623.78	2 357.84	2 232.61	47.79	77.44
（一）采 掘 业	6.15	61.72	379.32	328.05	12.79	38.48
煤炭采选业	11.86	14.02	166.31	132.19		34.12
石油和天然气开采业	10.76	10.90	117.33	100.18	12.79	4.36
黑色金属矿采选业	1.81	0.84	1.52	1.52		
有色金属矿采选业	3.78	3.59	13.58	13.58		
非金属矿采选业	1.61	8.92	14.36	14.36		
其他矿采选业	1.60	0.67	1.07	1.07		
木材及竹材采运业	2.86	22.78	65.15	66.15		
（二）制造业	2.88	868.53	2 501.37	2 464.51		36.86
食品加工业	1.30	86.13	112.34	112.34		
食品制造业	5.29	18.36	97.14	97.14		
饮料制造业	2.39	24.02	57.31	57.31		
烟草加工业	0.24	12.85	3.11	3.11		
纺织业	4.63	21.34	98.85	98.85		
服装及其他纤维制品制造业	0.87	13.99	12.19	12.19		
皮革、毛皮、羽绒及其制品业	0.85	3.49	2.97	2.97		
木材加工及竹、藤、棕、草制品业	2.23	29.55	65.87	65.87		
家具制造业	1.53	10.21	15.64	15.64		
造纸及纸制品业	5.29	21.75	115.05	115.05		
印刷业、记录媒介的复制	2.69	6.97	18.76	18.76		
文教体育用品制造业	1.77	0.87	1.54	1.54		
石油加工及炼焦业	4.42	9.61	42.44	33.51		8.93
化学原料及化学制品制造业	6.02	97.82	589.03	567.36		21.67
医药制造业	1.55	44.30	68.69	68.69		
化学纤维制造业	3.94	14.07	55.42	55.42		
橡胶制品业	1.92	6.00	11.53	11.53		
塑料制品业	0.74	14.59	10.78	10.78		

注：电、热按等值计算。下表同。

6—9 续表 (1995 年) 单位:万吨标准煤

	产值能耗(吨/万元)	产值(亿元)	能源消费合计	终端消费	损失量	加工转换损失合计
非金属矿物制品业	6.55	55.75	364.99	364.99		
黑色金属冶炼及压延加工业	7.74	38.78	299.97	296.13		3.84
有色金属冶炼及压延加工业	7.75	12.31	95.42	95.42		
金属制品业	2.93	24.77	72.55	72.55		
普通机械制造业	1.40	23.52	32.93	32.93		
专用设备制造业	1.42	20.50	29.09	29.09		
交通运输设备制造业	0.86	212.86	182.16	179.74		2.42
武器弹药制造业	2.48	3.33	8.26	8.26		
电气机械及器材制造业	1.05	17.71	18.60	18.60		
电子及通信设备制造业	0.43	12.99	5.63	5.63		
仪器仪表、文化办公用机械制造业	1.58	3.75	5.91	5.91		
其他制造业	1.11	6.34	7.04	7.04		
(三) 电力、煤气及水的生产和供应业	7.91	36.29	286.94	249.79	35.00	2.15
电力、蒸汽、热水生产和供应业	7.45	32.71	243.81	208.81	35.00	
煤气生产和供应业	10.00	2.27	22.69	20.54		2.15
自来水的生产和供应业	15.60	1.31	20.44	20.44		
二、建筑业	**0.24**	**127.99**	**31.12**	**31.12**		
土木工程建筑业	0.26	109.80	28.77	28.77		
线路、管道和设备安装业	0.10	16.10	1.60	1.60		
装修装饰业	0.36	2.09	0.75	0.75		
三、交通运输、仓储及邮电通信业	**2.93**	**46.13**	**135.20**	**135.20**		
铁路运输业	4.93	18.71	92.20	92.20		
公路运输业	4.86	5.54	26.94	26.94		
管道运输业	5.70	0.98	5.59	5.59		
水上运输业	0.29	0.42	0.12	0.12		
航空运输业	7.23	0.47	3.40	3.40		
交通运输辅助业						
其他交通运输业						
仓储业						
邮电通信业	0.35	20.01	6.97	6.97		

财　政　7

7 财政

1995 年地方财政收入	63.28 亿元
#各项税收	47.76 亿元
企业收入	3.06 亿元
1995 年地方财政支出	120.90 亿元
#基本建设支出	5.71 亿元
支援农村生产支出和各项农业事业费	9.16 亿元
文教科技卫生事业费	35.04 亿元

地方财政收入、支出（亿元）

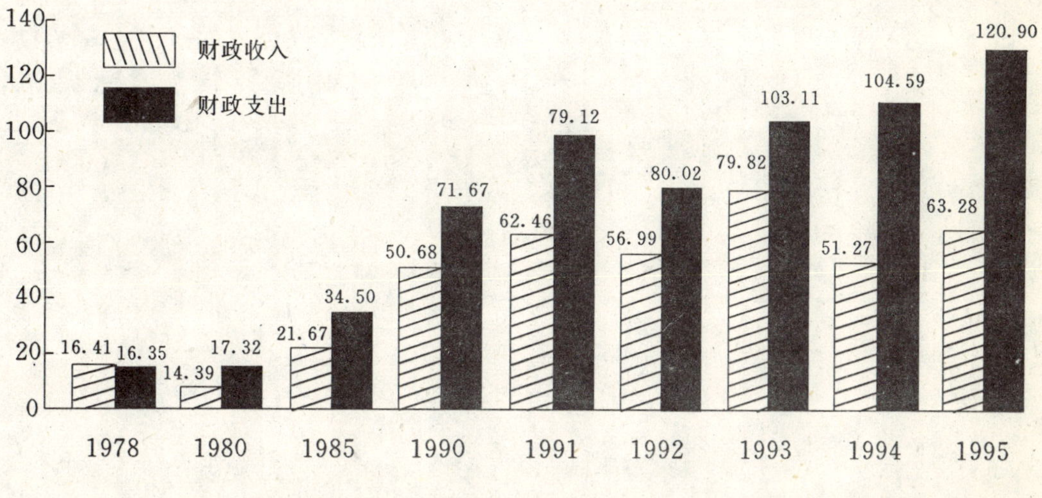

7—1 历年地方财政收支总额

单位：亿元

年份	总收入	#企业收入	#各项税收	总支出	#基本建设支出	#支援农村生产和各项农业事业费	#文教、科学、卫生事业费	#行政管理费
1952	3.57	1.07	2.30	1.02	0.33	0.01	0.22	0.27
1953	4.70	1.61	3.00	1.59	0.36	0.11	0.53	0.37
1954	5.12	1.92	3.08	2.02	0.61	0.10	0.52	0.43
1955	5.04	1.96	2.96	1.79	0.57	0.10	0.53	0.44
1956	5.83	2.46	3.29	2.73	0.96	0.16	0.65	0.59
1957	6.85	3.35	3.44	2.62	0.69	0.29	0.75	0.55
1958	8.19	3.96	4.13	6.55	3.50	0.26	0.92	0.59
1959	11.51	6.09	5.36	8.50	3.82	0.58	1.23	0.81
1960	14.08	7.77	6.21	11.63	5.58	1.12	1.63	0.88
1961	6.90	2.66	4.15	6.03	1.84	0.82	1.39	0.85
1962	4.92	0.70	4.17	3.93	0.71	0.77	1.09	0.66
1963	6.00	1.57	4.37	5.20	1.12	0.50	1.20	0.72
1964	6.74	1.83	4.87	5.26	1.41	0.56	1.31	0.81
1965	7.26	1.51	5.69	5.34	1.72	0.44	1.36	0.76
1966	8.18	2.05	6.09	6.53	2.14	0.50	1.56	0.82
1967	5.36	0.57	4.75	5.75	1.86	0.49	1.62	0.74
1968	3.54	-0.66	4.18	4.97	1.40	0.43	1.36	0.82
1969	7.17	1.17	5.97	7.13	2.79	0.52	1.39	0.96
1970	10.31	2.43	7.85	9.65	4.63	0.59	1.45	0.78
1971	13.64	3.46	10.14	9.74	3.84	0.60	1.73	1.01
1972	14.42	4.24	10.15	10.94	4.44	0.98	1.93	1.08
1973	13.35	4.44	8.90	11.30	4.23	1.16	2.11	0.12
1974	12.20	2.96	9.22	12.18	4.32	0.94	2.33	1.03
1975	12.71	2.23	10.46	12.32	4.24	1.19	2.40	1.01
1976	12.34	1.38	10.93	12.54	4.11	1.28	2.54	1.08
1977	12.27	0.81	11.44	13.35	3.95	1.35	2.64	1.14
1978	16.41	3.68	11.87	16.35	5.54	1.89	3.02	1.25
1979	12.65	0.40	11.93	17.88	5.17	2.36	3.40	1.50
1980	14.39	1.30	12.58	17.32	3.13	2.45	4.32	1.70
1981	10.72	-2.24	12.44	15.87	2.21	2.18	4.94	1.76
1982	11.97	-2.17	13.49	17.30	2.25	2.35	5.72	2.06
1983	14.12	-1.83	15.18	19.41	3.02	2.31	6.51	2.44
1984	15.22	-2.75	17.28	23.34	3.41	2.66	7.56	3.09
1985	21.67	-2.16	23.30	34.50	4.90	3.03	9.15	2.99
1986	29.52	1.40	27.18	50.12	5.11	4.24	11.02	3.69
1987	37.52	3.21	32.02	53.23	3.66	3.71	11.25	4.22
1988	43.32	0.97	38.03	61.26	4.47	3.95	13.36	4.99
1989	49.40	-0.79	44.59	67.14	3.80	5.22	15.02	5.81
1990	50.68	-1.58	46.14	71.67	3.51	4.94	16.25	6.50
1991	62.46	0.26	48.76	79.12	4.21	5.12	17.43	5.77
1992	56.99	-0.90	53.01	80.02	4.52	5.82	20.10	7.33
1993	79.82	-1.22	74.51	103.11	6.71	6.89	23.56	9.06
1994	51.27	0.08	41.85	104.59	5.27	7.86	31.89	10.87
1995	63.28	3.06	47.76	120.90	5.71	9.16	35.04	12.04

7—2 地方财政收支总额和指数

单位:万元

项 目	1978年	1980年	1985年	1990年	1994年	1995年
绝对数						
总收入	164 131	143 939	216 673	506 822	512 669	632 803
总支出	163 536	173 219	344 985	716 705	1 045 932	1 209 012
收支差额	595	-29 280	-128 312	-209 883	-533 263	-576 209
指数(以上年为100)						
总收入	133.8	113.8	142.3	102.6	64.2	123.4
总支出	122.5	96.9	147.8	106.7	101.4	115.6

7—3 地方财政分项目收支

(1995年)

单位:万元

项 目	绝对数	比重(%)	项 目	绝对数	比重(%)
一、财政收入	**632 803**	**100**	挖潜改造和科技三项费用	88 432	7.3
各项税收	477 560	75.5	工、交、商业部门事业费	28 570	2.4
工商税收	423 689	67.0	支援农村生产支出和各项农业事业费	91 569	7.6
农业税	53 871	8.5	文教、科技、卫生事业费	350 393	29.0
企业收入	30 593	4.8	抚恤和社会福利救济费	35 025	2.9
国家能源交通重点建设基金收入	433	0.1	行政管理费	120 431	10.0
其他收入	124 217	19.6	价格补贴支出	128 179	10.6
二、财政支出	**1 209 012**	**100**	其他支出	309 339	25.5
基本建设支出	57 074	4.7			

注:1995年财政体制改革,财政收入为地方级财政收入,财政支出口径不变。

7—4 地方财政分项目收入

单位:万元

项　　目	1978年	1980年	1985年	1990年	1994年	1995年
企业收入	36 762	13 014	-21 624	-15 835	814	30 593
# 工业收入	48 899	47 360	46 465	41 524	26 397	36 944
各项税收	118 655	125 792	232 950	461 359	418 457	477 560
工商税收	108 991	115 331	221 849	435 969	361 204	423 689
农 业 税	9 664	10 461	11 101	18 882	35 125	53 871
其他收入	8 714	5 133	5 347	61 298	93 398	124 650

注：其他收入包括国家能源交通重点建设基金收入。下表同。

7—5 地方财政收入构成

(以财政收入总计为100)

单位:%

项　　目	1978年	1980年	1985年	1990年	1994年	1995年
企业收入	22.4	9.0	-10.0	-3.1	0.2	4.8
# 工业收入	29.8	32.9	21.4	8.2	5.1	5.8
各项税收	72.3	87.4	107.5	91.0	81.6	75.5
工商税收	66.4	80.1	102.4	86.0	70.5	67.0
农 业 税	5.9	7.3	5.1	3.7	6.9	8.5
其他收入	5.3	3.6	2.5	12.1	18.2	19.7

7—6 地方财政分项目支出

单位:万元

项目	1978年	1980年	1985年	1990年	1994年	1995年
基本建设支出	55 442	31 325	48 992	35 145	52 739	57 074
支援农村生产支出和各项农业事业费	18 890	24 476	30 270	49 355	78 646	91 569
文教科技卫生事业费	30 153	43 175	91 494	162 491	318 911	350 393
抚恤和社会福利救济费	3 572	4 873	9 384	15 462	28 567	35 025
工交商部门事业费	2 871	2 869	6 630	13 139	25 637	28 570
行政管理费	12 542	16 956	29 892	64 981	108 683	120 431
其　他	40 066	49 545	128 323	376 132	432 749	525 950

注：其他支出中包括价格补贴、挖潜改造资金和科技三项费用。下表同。

7—7 地方财政支出构成

(以财政支出总计为100)

单位:%

项目	1978年	1980年	1985年	1990年	1994年	1995年
基本建设支出	33.9	18.1	14.2	4.9	5.0	4.7
支援农村生产支出和各项农业事业费	11.6	14.1	8.8	6.9	7.5	7.6
文教科技卫生事业费	18.4	24.9	26.5	22.7	30.5	29.0
抚恤和社会福利救济费	2.2	2.8	2.7	2.2	2.7	2.8
工交商部门事业费	1.7	1.7	1.9	1.8	2.5	2.4
行政管理费	7.7	9.8	8.7	9.1	10.4	10.0
其　他	24.5	28.6	37.2	52.4	41.4	43.5

7－8 各市县财政收支与国内生产总值的比例

（1995年）

市、县	财政收入（万元）	财政支出（万元）	财政收入占国内生产总值的比重（%）	市、县	财政收入（万元）	财政支出（万元）	财政收入占国内生产总值的比重（%）
长春市	**121 279**	**257 387**	**3.3**	柳河县	2 073	6 568	2.4
市区	101 548	197 091		**白山市**	**19 469**	**44 906**	**3.8**
九台市	4 666	12 865	2.2	市区	10 090	21 405	
榆树市	5 803	17 028	1.3	临江市	2 357	5 362	2.5
德惠市	5 298	15 566	1.5	抚松县	4 365	7 578	4.0
农安县	3 964	14 837	0.9	靖宇县	1 000	5 496	4.1
吉林市	**80 284**	**148 748**	**2.7**	长白县	1 657	5 065	3.8
市区	62 935	94 722		江源县			
桦甸市	2 292	12 473	1.4	**松原市**	**21 892**	**55 264**	**2.3**
蛟河市	2 995	8 341	2.0	市区	13 853	24 422	
舒兰市	4 061	11 315	2.2	长岭县	1 748	8 760	1.1
磐石市	3 985	11 411	2.0	前郭县	5 241	15 839	2.5
永吉县	4 016	10 486	2.2	乾安县	1 050	6 243	0.9
四平市	**30 348**	**77 813**	**2.6**	扶余县			
市区	13 642	32 301		**白城市**	**11 505**	**53 587**	**2.5**
公主岭市	7 254	14 903	2.7	市区	4 845	21 458	3.3
梨树县	4 061	12 560	1.3	洮南市	1 437	8 242	1.3
伊通县	2 876	8 895	2.2	大安市	2 120	8 727	2.4
双辽县	2 515	9 154	1.9	镇赉县	1 630	7 862	2.1
辽源市	**11 180**	**32 234**	**2.9**	通榆县	1 473	7 298	2.6
市区	6 564	16 590	4.7	**延边朝鲜族自治州**	**39 274**	**111 876**	**4.2**
东丰县	2 569	8 719	2.3	延吉市	12 511	23 555	4.7
东辽县	2 047	6 925	2.0	图们市	3 413	6 959	4.5
通化市	**27 206**	**73 545**	**3.2**	敦化市	6 547	11 549	3.4
市区	8 877	25 091		龙井市	4 132	8 769	3.9
梅河口市	6 062	13 765	2.3	珲春市	3 501	8 192	4.4
集安市	2 330	6 112	2.9	和龙市	3 406	7 108	4.8
通化县	5 944	11 863	7.1	汪清县	3 677	7 841	4.9
辉南县	1 920	10 146	2.3	安图县	3 193	6 237	3.4

物 价 8

8 物价

（以 1994 年为 100）

1995 年商品零售价格指数	114.2
1995 年居民消费价格指数	115.2
1995 年农副产品收购价格指数	126.6
1995 年农村工业品零售价格总指数	114.2
1995 年集市贸易价格总指数	116.6
1995 年工农业商品综合比价指数	90.2

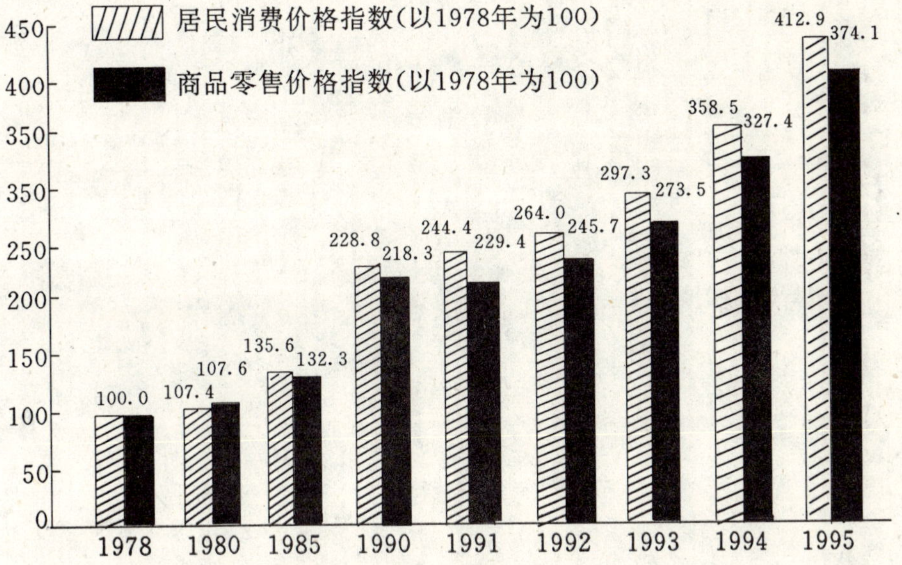

8—1 历年各种物价总指数

（以上年价格为100）

年 份	零售物价总指数	居民生活消费价格总指数	农副产品收购价格总指数	农村工业品零售价格总指数	集市贸易价格总指数	工农业商品综合比价指数（以农副产品收购价格总指数为100）
1951	109.7		117.2	109.7		93.6
1952	110.8		113.3	110.8		97.8
1953	103.9	105.9	112.3	104.8		93.3
1954	102.5	103.5	103.5	102.4		98.9
1955	102.2	100.5	103.8	100.8		97.1
1956	99.0	98.0	101.6	98.9		97.3
1957	102.8	102.5	106.3	102.2		96.1
1958	99.8	98.7	108.8	100.2		92.1
1959	99.5	99.6	103.4	101.8		98.5
1960	108.1	108.5	103.2	102.5		99.3
1961	112.6	113.4	124.2	107.5		86.6
1962	103.4	103.1	99.9	105.6		105.7
1963	99.0	98.9	95.5	99.8		104.5
1964	98.3	98.4	98.5	97.7		99.2
1965	99.5	100.5	99.1	94.9		95.8
1966	99.2	99.2	111.9	97.9		87.5
1967	100.2	100.8	100.0	98.7		98.7
1968	100.2	100.2	100.0	100.0		100.0
1969	99.5	99.3	100.0	99.7		99.7
1970	99.4	99.2	100.0	99.5		99.5
1971	99.9	100.3	101.7	99.5		97.8
1972	100.0	100.3	103.1	99.4		96.4
1973	100.2	100.3	101.4	100.1		98.7
1974	100.0	100.1	101.7	100.0		98.3
1975	100.0	100.1	100.2	100.1		99.9
1976	100.6	100.7	100.0	100.4		100.4
1977	100.1	100.2	100.2	100.1		99.9
1978	100.2	100.1	104.1	100.2		96.3
1979	101.2	101.7	117.5	100.4	97.2	85.4
1980	106.3	105.6	109.4	100.8	96.9	92.1
1981	101.7	101.6	110.0	101.3	104.0	92.1
1982	103.0	104.2	100.5	101.9	104.4	101.4
1983	102.6	104.5	102.9	101.6	105.7	98.7
1984	104.2	103.5	105.6	102.5	105.2	97.1
1985	109.7	110.3	106.0	105.3	118.2	99.3
1986	105.4	106.0	109.8	102.1	105.6	93.0
1987	107.5	107.6	108.0	104.7	115.9	96.9
1988	119.9	120.3	107.0	115.9	123.2	108.3
1989	116.9	117.2	118.7	117.1	113.9	98.7
1990	103.9	104.9	104.5	106.4	97.3	101.8
1991	105.1	106.8	89.5	105.9	99.9	118.3
1992	107.1	108.0	99.6	104.8	100.9	105.2
1993	111.3	112.6	118.4	111.3	111.3	94.0
1994	119.9	120.6	132.8	113.5	126.3	85.5
1995	114.2	115.2	126.6	114.2	116.6	90.2

8—2 各种物价总指数

（以1978年价格为100）

项　目	1991年	1992年	1993年	1994年	1995年
零售物价总指数	229.4	245.7	273.5	327.4	373.9
居民消费价格总指数	244.4	264.0	297.3	358.5	413.0
农副产品收购价格总指数	230.8	229.9	272.2	361.5	457.7
农村工业品零售价格总指数	187.3	196.3	218.5	248.0	283.2
工农业商品综合比价指数					
（以农产品收购价格总指数为100）	81.2	85.4	80.3	68.7	62.0

8—3 各种物价总指数

（1995年）

项　目	以1978年为100	以1980年为100	以1985年为100	以1990年为100	以1994年为100
零售物价总指数	373.9	647.6	283.0	171.5	114.2
居民消费价格总指数	413.0	384.9	304.6	180.3	115.2
农副产品收购价格总指数	45 737.0	355.9	279.3	177.4	126.6
农村工业品零售价格总指数	283.2	279.7	247.1	160.1	114.2
工农业商品综合比价指数					
（以农产品收购价格总指数为100）	62.0	78.5	88.5	90.5	90.2

8—4 零售物价分类指数

(以上年价格为100)

项　　目	1991年	1992年	1993年	1994年	1995年
零售物价总指数	**105.1**	**107.1**	**111.3**	**119.9**	**114.2**
一、食品类	104.7	108.2	113.5	131.0	121.9
粮　食	105.6	128.9	122.4	139.5	140.4
鲜　菜	115.6	103.8	108.7	139.7	115.8
肉禽蛋	96.4	99.8	112.0	133.8	119.7
水产品	99.8	99.0	112.8	119.1	110.8
其它食品	107.6	102.6	113.8	126.0	123.8
# 鲜果	110.0	99.9	114.8	117.9	113.7
二、饮料、烟酒类	99.4	102.7	103.3	113.7	111.4
三、服装、鞋帽类	105.0	102.4	103.8	114.3	118.6
四、纺织品类	105.0	102.4	103.8	110.7	112.8
五、中西药品类	103.0	106.3	108.2	109.7	109.1
六、化妆品类				111.3	109.0
七、书报杂志类	100.5	104.8	105.8	129.2	114.0
八、文化体育用品类	96.8	97.5	101.0	110.8	107.7
九、日用品类	103.0	103.0	105.3	110.8	107.6
十、家用电器类				103.5	100.5
十一、首饰类				116.6	97.7
十二、燃料类	149.4	127.5	159.7	117.1	103.6
十三、建筑材料类	101.5	105.3	127.3	115.4	105.1
十四、机电产品类				100.4	95.0
十五、农业生产资料价格指数	105.9	104.5	109.3	120.2	130.2

8—5 零售物价分类指数

（以1978年价格为100）

项　　目	1991年	1992年	1993年	1994年	1995年
零售物价总指数	**229.4**	**245.7**	**273.5**	**327.4**	**373.9**
一、食品类	259.2	280.5	318.4	417.1	508.4
粮　　食	163.0	210.1	257.2	358.8	503.8
鲜　　菜	394.8	409.8	445.5	622.4	720.7
肉禽蛋	342.6	341.9	382.9	512.3	613.2
水产品	636.1	629.7	710.3	846.0	937.4
其它食品	259.9	266.7	303.5	382.4	473.4
# 鲜果	185.5	185.3	212.7	250.8	285.2
二、饮料、烟酒类		176.1	181.9	206.8	230.4
三、服装、鞋帽类	177.0	181.2	188.1	215.0	255.0
四、纺织品类	177.0	181.2	188.1	208.2	234.8
五、中西药品类	212.8	226.2	244.7	268.4	292.8
六、化妆品类					
七、书报杂志类	375.2	393.2	416.0	537.5	612.8
八、文化体育用品类	139.2	135.7	137.1	151.9	163.6
九、日用品类	174.7	179.9	189.4	210.0	226.0
十、家用电器类					
十一、首饰类					
十二、燃料类	266.2	339.4	542.0	634.7	657.5
十三、建筑材料类	120.1	126.5	161.0	185.8	195.3
十四、机电产品类					
十五、农业生产资料价格指数	189.5	198.0	216.4	260.1	338.7

8—6 零售物价分类指数

(1995 年)

项　　目	以 1978 年为 100	以 1980 年为 100	以 1985 年为 100	以 1990 年为 100	以 1994 年为 100
零售物价总指数	**373.9**	**347.6**	**283.0**	**171.5**	**114.2**
一、食品类	508.4	454.8	353.9	205.4	121.9
粮　　食	503.8	502.8	482.1	326.3	140.4
鲜　　菜	720.7	778.8	386.7	211.0	115.8
肉禽蛋	613.2	463.7	372.0	172.5	119.7
水产品	937.4	635.9	312.6	147.0	110.8
其它食品	473.4	473.4	322.9	196.0	123.8
# 鲜果	285.2	540.6	267.9	169.2	113.7
二、饮料、烟酒类	230.4	230.4	190.3	133.7	111.4
三、服装、鞋帽类	255.0	253.1	242.1	151.3	118.6
四、纺织品类	234.8	233.2	223.0	139.3	112.8
五、中西药品类	292.8	284.9	241.8	141.8	109.1
六、化妆品类					109.0
七、书报杂志类	612.8	612.9	485.2	164.2	114.0
八、文化体育用品类	163.6	158.7	153.6	113.7	107.7
九、日用品类	226.0	221.4	201.1	133.2	107.6
十、家用电器类					100.5
十一、首饰类					97.7
十二、燃料类	657.5	656.0	616.7	369.0	103.6
十三、建筑材料类				165.0	105.1
十四、机电产品类					95.0
十五、农业生产资料价格指数	338.7	336.4	269.9	189.3	130.2

8—7 城镇零售物价分类指数

（以上年价格为100）

项目	1991年	1992年	1993年	1994年	1995年
城镇零售物价总指数	**105.5**	**107.7**	**111.9**	**120.1**	**114.0**
一、食品类	104.9	108.7	114.0	131.0	121.5
粮　　食	105.5	130.4	123.6	141.6	140.8
鲜　　菜	115.6	103.8	108.7	138.8	115.7
肉禽蛋	96.3	99.9	112.6	132.1	119.5
水产品	99.8	99.0	112.7	119.7	110.5
其它食品	108.3	102.6	114.7	127.3	123.7
# 鲜果	110.9	99.8	115.8	125.2	113.1
二、饮料、烟酒类	99.6	103.2	103.1	114.5	111.2
三、服装、鞋帽类	104.8	102.6	104.0	114.4	119.9
四、纺织品类	104.8	102.6	104.0	111.2	112.9
五、中西药品类	102.4	106.9	109.5	110.1	108.6
六、化妆品类				111.0	108.7
七、书报杂志类	100.4	104.4	105.7	131.8	113.4
八、文化体育用品类	96.8	97.6	101.3	111.8	107.5
九、日用品类	103.0	103.1	105.7	111.1	107.4
十、家用电器类				103.2	99.5
十一、首饰类				117.3	97.4
十二、燃料类	152.1	129.3	159.2	118.7	103.2
十三、建筑材料类	101.6	105.7	105.7	116.8	103.3
十四、机电产品类				98.7	93.6

8—8　农村零售物价分类指数

（以上年价格为100）

项　　目	1991年	1992年	1993年	1994年	1995年
农村零售物价总指数	**104.7**	**103.7**	**108.6**	**119.7**	**115.4**
一、食品类	103.9	105.3	108.9	130.9	124.7
粮　食	106.2	114.0	116.1	136.4	139.6
鲜　菜				141.7	116.8
肉禽蛋	97.9	99.2	99.9	141.4	120.5
水产品	100.8	100.9	115.0	117.2	112.4
其它食品	102.4	102.8	105.4	121.0	124.9
# 鲜果	101.2	100.6	103.7	109.6	118.8
二、饮料、烟酒类	99.1	100.8	103.7	106.6	114.2
三、服装、鞋帽类	105.9	101.1	102.3	114.1	111.3
四、纺织品类	105.9	101.1	102.3	109.4	111.9
五、中西药品类	105.4	104.6	103.8	107.7	111.3
六、化妆品类				111.8	110.4
七、书报杂志类	100.6	109.8	106.7	122.6	116.3
八、文化体育用品类	96.7	96.8	99.1	106.8	109.8
九、日用品类	103.4	102.8	103.4	107.9	109.0
十、家用电器类				104.5	105.6
十一、首饰类				115.8	100.1
十二、燃料类	126.5	103.6	169.0	112.1	106.0
十三、建筑材料类	101.2	104.6	130.6	113.6	110.3
十四、机电产品类				103.3	102.5
十五、农业生产资料价格指数	105.9	104.5	109.3	120.2	130.2

8—9 居民生活消费价格分类指数

(以上年价格为100)

项目	1991年	1992年	1993年	1994年	1995年
居民生活消费价格总指数	**106.8**	**108.0**	**112.6**	**120.6**	**115.2**
一、食品	104.7	108.2	113.5	127.3	120.6
二、衣着类	105.0	102.4	103.8	112.0	114.5
三、家庭设备及用品类	103.0	103.0	105.3	108.2	107.1
四、医疗保健类	103.0	106.3	108.2	108.6	108.5
五、交通和通讯工具	112.5	106.1		105.5	98.0
六、娱乐教育文化用品类	96.8	97.5	101.0	110.5	106.1
七、居住			136.1	130.7	104.3
1. 住房	103.8	114.6		126.7	106.2
2. 水、电、燃料	161.1	108.4		134.1	103.2
八、服务项目类	123.4	112.2	124.5	116.3	113.6
1. 电讯费				126.3	106.0
2. 邮电费	139.0	102.2	113.1	102.2	100.2
3. 交通费	112.5	106.1	130.1	109.7	106.6
4. 洗理美容费				128.2	119.5
5. 文娱费	141.8	126.2	173.2	126.3	120.3
6. 学杂保育费	125.3	110.3	110.1	117.8	117.7
7. 修理及其他服务费	108.2	110.2	124.2	116.2	113.3
8. 医疗保健服务费	108.6	143.7	130.8	104.9	107.7

8—10 居民生活消费价格分类指数

（以1978年价格为100）

项　　目	1991年	1992年	1993年	1994年	1995年
居民生活消费价格总指数	**244.4**	**264.0**	**297.3**	**358.5**	**413.0**
一、食品	259.2	280.5	318.4	405.3	488.8
二、衣着类	177.0	181.2	188.1	210.7	241.3
三、家庭设备及用品类	174.7	179.9	189.4	204.9	219.5
四、医疗保健类	212.8	226.2	244.7	265.7	288.3
五、交通和通讯工具					
六、娱乐教育文化用品类	139.2	135.7	137.1	151.5	160.7
七、居住					
1. 住房	149.4	171.2			
2. 水、电、燃料	218.6	237.0			
八、服务项目类	279.6	313.7	390.6	454.3	516.1
1. 电讯费					
2. 邮电费	241.0		278.6	284.7	285.3
3. 交通费	244.4	259.3	337.3	370.0	394.4
4. 洗理美容费					
5. 文娱费	376.8	475.5	823.6	1 040.2	1 251.4
6. 学杂保育费	356.5	393.2	432.9	510.0	600.3
7. 修理及其他服务费	280.6		384.0	446.2	505.5
8. 医疗保健服务费	319.2	458.7	600.0	629.4	677.9

8—11 居民生活消费价格分类指数

（1995年）

项　　目	以1978年为100	以1980年为100	以1985年为100	以1990年为100	以1994年为100
居民生活消费价格总指数	**413.0**	**384.9**	**304.6**	**180.3**	**115.2**
一、食品	488.8	347.4	340.2	205.4	120.6
二、衣着类	241.3	239.4	229.0	143.1	114.5
三、家庭设备及用品类	219.5	215.2	195.5	129.5	107.1
四、医疗保健类	288.3	280.5	238.1	127.8	108.5
五、交通和通讯工具					98.0
六、娱乐教育文化用品类	160.7	156.0	150.9	111.7	106.1
七、居住					104.3
1. 住房					106.2
2. 水、电、燃料					103.2
八、服务项目类	516.1	506.1	432.4	227.8	113.6
1. 电讯费					106.0
2. 邮电费	285.3	285.3	232.2		100.2
3. 交通费	394.4	355.9	339.8	181.7	106.6
4. 洗理美容费					119.5
5. 文娱费	1251.4	1 235.7	1 228.7	471.0	120.3
6. 学杂保育费	600.3	600.3	513.5	325.3	117.7
7. 修理及其他服务费	505.5	489.8	376.5	199.1	113.3
8. 医疗保健服务费	677.9	677.9	441.8	240.7	107.7

8—12 集市贸易价格分类指数

（以1978年价格为100）

项　　目	1991年	1992年	1993年	1994年	1995年
总 指 数	**224.0**	**226.0**	**251.5**	**317.6**	**370.3**
1. 粮　　食	116.5	116.0	124.9	178.0	286.8
2. 油　　脂	119.6	115.1	126.6	183.4	224.3
3. 肉 禽 蛋	210.6	207.9	233.7	312.0	372.5
4. 水 产 品	358.4	349.4	400.1	466.1	521.6
5. 鲜　　菜	313.4	320.3	348.5	439.5	479.5
6. 干　　菜	204.5	235.0	255.2	287.0	273.8
7. 鲜　　果	363.3	357.5	400.0	451.2	521.1
8. 干　　果	233.3	240.3	301.6	368.9	411.7

8—13 集市贸易价格分类指数

（以上年价格为100）

项　　目	1991年	1992年	1993年	1994年	1995年
总 指 数	**99.9**	**100.9**	**111.3**	**126.3**	**116.6**
1. 粮　　食	78.8	99.6	107.7	142.5	161.1
2. 油　　脂	97.1	96.2	110.0	144.9	122.3
3. 肉 禽 蛋	94.9	98.7	112.4	133.5	119.4
4. 水 产 品	97.7	97.5	114.5	116.5	111.9
5. 鲜　　菜	118.4	102.2	108.8	126.1	109.1
6. 干　　菜	99.1	114.9	108.6	112.5	95.4
7. 鲜　　果	107.1	98.4	111.9	112.8	115.5
8. 干　　果	91.1	103.0	125.5	122.3	111.6

8—14 集市贸易价格分类指数

（1995年）

项　　目	以1978年为100	以1980年为100	以1985年为100	以1990年为100	以1994年为100
总指数	**370.3**	**385.5**	**277.2**	**165.2**	**116.6**
粮　　食	286.8	321.6	516.3	192.8	161.1
食用植物油	224.3	275.4	324.8	182.0	122.3
鲜　　菜	479.5	534.8	281.3	181.0	109.1
干　　菜	273.8	279.0	242.1	132.8	95.4
肉禽蛋	372.5	397.9	309.6	167.8	119.4
水产品	521.6	468.0	234.7	142.2	111.9
鲜　　果	521.1	493.3	223.2	153.6	115.5
干　　果	411.7	390.1	268.1	160.6	111.6

8—15 农副产品收购价格分类指数

（以1978年价格为100）

项　　目	1991年	1992年	1993年	1994年	1995年
总 指 数	**230.8**	**229.9**	**272.2**	**361.5**	**457.7**
一、粮食类	180.8	198.5	242.0	331.5	426.3
二、经济作物类	186.3	182.2	184.0	285.0	370.2
三、竹木材类	675.7	1 069.6	1 365.9	1 621.3	1 663.5
四、工业用油漆类	108.6	121.1	198.5	271.5	291.3
五、禽蛋产品类	298.2	309.2	360.8	479.5	661.2
六、蚕茧蚕丝类	188.3	282.5	282.8	289.3	289.3
七、干鲜果类	473.9	355.0	362.5	441.5	507.7
八、干鲜菜及调味品类	283.9	368.2	415.0	519.6	610.5
#鲜　　菜	317.9	275.0	298.9	405.9	502.9
九、药　材　类	122.4	107.3	123.4	105.6	207.2
十、土副产品类	191.2	186.4	186.6	212.4	317.6
十一、水产品类	393.4	472.5	480.5	595.8	619.0

8—16 农副产品收购价格分类指数

（以上年价格为100）

项　　目	1991年	1992年	1993年	1994年	1995年
总 指 数	**89.5**	**99.6**	**118.4**	**132.8**	**126.6**
一、粮食类	86.2	109.8	121.9	137.0	128.6
二、经济作物类	99.4	97.8	101.0	154.9	129.9
三、竹木材类	127.8	158.3	127.7	118.7	102.6
四、工业用油漆类	73.2	111.5	163.9	136.8	107.3
五、禽蛋产品类	100.6	103.7	116.7	132.9	137.9
六、蚕茧蚕丝类	90.9	150.0	100.1	102.3	100.0
七、干鲜果类	178.7	74.9	102.1	121.8	115.0
八、干鲜菜及调味品类	118.3	129.7	112.7	125.2	117.5
#鲜　　菜	117.9	86.8	108.7	135.8	123.9
九、药　材　类	117.1	87.7	115.0	85.6	196.2
十、土副产品类	99.4	97.5	100.1	113.8	149.6
十一、水产品类	69.0	120.1	101.7	124.0	103.9

8—17 农副产品收购价格分类指数

(1995年)

项目	以1978年为100	以1980年为100	以1985年为100	以1990年为100	以1994年为100
总指数	**457.7**	**355.9**	**279.3**	**177.4**	**126.6**
一、粮食类	462.3	354.7	326.5	203.2	128.6
二、经济作物类	370.2	313.7	303.4	197.6	129.9
食用植物油及油料	359.6	310.8	309.5	207.7	128.1
烟叶	351.4	325.0	245.8	180.6	142.1
糖料	541.3	433.2	433.2	231.2	185.7
三、竹木材类	1 663.5	1 126.8	1 126.8	314.6	102.6
四、工业用油漆类	291.3	291.3	291.3	196.3	107.3
五、禽畜产品类	661.2	535.2	416.3	221.2	137.9
肉畜	790.0	633.3	478.9	220.4	128.9
禽蛋	546.9	429.6	325.2	152.4	115.9
皮张	521.8	448.3	367.1	343.5	109.9
鬃毛	217.6	217.6	191.7	161.8	150.2
六、蚕茧蚕丝类	289.3	285.3	309.3	139.6	100.0
七、干鲜果类	507.7	485.0	381.8	191.4	115.0
八、干鲜菜及调味品类	610.5	423.8	289.5	254.4	117.5
#鲜菜	502.9	369.2	235.0	185.5	123.9
九、药材类	207.2	193.6	173.2	198.4	196.2
十、土副产品类	317.8	307.3	252.8	165.3	149.6
十一、水产品类	619.0	472.3	136.8	108.6	103.9

人民生活 9

9 人民生活

1995 年居民人均消费水平(按当年价格计算)	2 292 元
#农民	1 291 元
非农业居民	3 665 元
1995 年城乡居民储蓄存款余额	726.28 亿元
城镇	640.60 亿元
农村	85.68 亿元
1995 年城镇居民人均生活费收入	2 914.08 元
1995 年农民人均纯收入	1 609.60 元

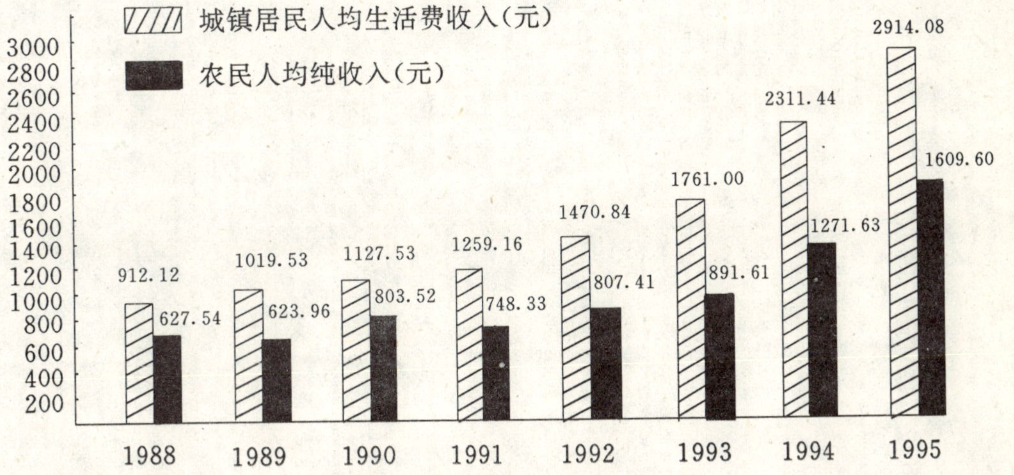

9—1 历年居民消费水平

年　份	居　民消费水平（元）	农　民	非农业居民	居民消费水平指数（以1952年为100）	农　民	非农业居民
1952	104	86	165	100	100	100
1953	123	100	180	110.4	110.0	103.6
1954	121	96	186	107.0	102.0	107.9
1955	121	97	181	104.3	99.0	103.0
1956	133	108	195	112.2	106.0	112.1
1957	123	90	201	100.9	84.0	115.2
1958	127	90	207	107.6	91.1	118.6
1959	142	93	237	118.7	94.1	134.0
1960	136	81	233	105.9	74.9	122.0
1961	145	91	246	91.5	69.8	100.2
1962	149	100	237	94.9	76.9	102.0
1963	165	109	269	105.1	84.0	114.6
1964	167	108	280	114.4	88.1	130.6
1965	171	120	266	114.4	95.1	122.0
1966	176	120	296	121.2	98.2	137.5
1967	180	128	288	120.3	102.2	131.8
1968	172	123	275	115.3	96.2	127.7
1969	184	129	303	127.1	106.3	143.2
1970	202	143	334	141.5	108.3	172.4
1971	199	136	338	139.8	103.2	174.1
1972	190	120	345	138.4	98.6	177.2
1973	194	122	354	139.8	98.6	181.4
1974	194	134	329	143.4	100.1	188.1
1975	208	142	355	148.3	102.4	195.3
1976	219	143	389	146.2	99.4	196.9
1977	233	155	409	156.1	107.8	206.7
1978	246	165	427	166.0	117.0	215.0
1979	283	203	449	178.7	130.7	218.1
1980	305	214	491	192.1	137.6	237.7
1981	335	245	513	204.1	147.5	247.0
1982	369	267	564	222.3	162.5	263.3
1983	424	331	599	242.9	194.2	261.3
1984	487	376	691	272.9	219.8	289.2
1985	522	384	765	279.1	214.8	305.8
1986	593	420	884	292.9	217.9	327.4
1987	689	476	1 038	317.2	237.8	349.4
1988	860	573	1 316	329.1	241.5	366.0
1989	933	628	1 405	305.4	219.8	342.5
1990	955	649	1 427	302.2	212.9	344.0
1991	1 037	678	1 585	311.3	209.6	362.8
1992	1 233	749	1 958	330.0	215.8	389.5
1993	1 458	850	2 341	349.0	224.0	411.9
1994	1 872	1 062	2 995	389.8	242.4	460.1
1995	2 292	1 291	3 665	421.0	259.1	496.9

注：本表绝对数按当年价格计算，指数按可比价格计算。

9—2 各市县居民年平均消费水平

（1995 年）

市、县	居民消费水平（元）	农民	非农业居民	居民消费水平指数（以上年为100）	农民	非农业居民
长春市	**2 085**	**1 362**	**3 183**	**104.7**	**103.3**	**104.3**
九台市	1 608	1 306	2 589	103.9	104.2	103.1
榆树市	1 664	1 545	2 429	116.1	111.4	138.1
德惠市	2 026	1 927	2 522	112.9	117.6	96.7
农安县	2 133	1 871	3 552	120.9	119.2	124.6
吉林市	**2 376**	**1 136**	**3 749**	**103.9**	**100.3**	**104.4**
桦甸市	1 417	1 126	1 799	76.6	76.8	75.8
蛟河市	1 457	1 176	1 945	103.0	105.6	100.1
舒兰市	1 148	815	1 882	102.8	104.9	100.5
磐石市	1 694	1 296	2 570	110.4	121.1	100.4
永吉县	1 242	1 118	1 828	111.5	110.9	111.5
四平市	**1 884**	**1 550**	**2 544**	**122.1**	**121.3**	**120.1**
公主岭市	1 387	1 192	1 935	126.9	127.4	125.3
梨树县	2 125	1 825	3 063	116.1	121.9	106.1
伊通县	1 917	1 796	2 394	112.3	114.7	111.4
双辽县	1 902	1 781	2 124	108.9	108.7	109.1
辽源市	**2 012**	**1 577**	**2 524**	**99.4**	**101.8**	**96.6**
东丰县	1 719	1 845	1 366	118.9	120.0	116.2
东辽县	1 167	1 035	1 729	112.2	113.1	108.0
通化市	**2 024**	**1 374**	**2 808**	**109.5**	**100.2**	**114.5**
梅河口市	2 549	2 177	3 030	120.6	114.1	125.5
集安市	1 611	1 547	1 728	123.0	126.1	117.5
通化县	1 735	1 418	2 497	132.8	152.8	108.9
辉南县	1 439	915	2 283	98.2	90.7	103.2
柳河县	1 299	1 043	2 005	96.8	99.4	92.5
白山市	**2 200**	**1 824**	**2 405**	**117.5**	**127.0**	**113.0**

9—2 续表 (1995年)

市、县	居民消费水平(元)	农民	非农业居民	居民消费水平指数(以上年为100)	农民	非农业居民
临江市	2 664	2 368	2 871	116.1	124.4	110.9
抚松县	1 933	1 346	2 314	126.2	129.4	124.1
靖宇县	1 384	1 069	1 804	104.1	104.4	102.9
长白县	3 023	2 355	3 533	107.0	103.1	106.6
江源县	2 387	2 327	2 409	104.1	105.0	104.3
松原市	**1 725**	**1 348**	**2 695**	**109.7**	**107.7**	**111.0**
长岭县	1 609	1 354	2 884	105.0	106.1	103.6
前郭县	1 879	1 495	2 735	118.1	120.4	105.1
乾安县	1 651	1 566	1 864	113.8	123.1	104.7
扶余县	1 293	1 244	1 720	99.1	98.7	101.7
白城市	**1 649**	**1 178**	**2 383**	**102.3**	**101.9**	**101.5**
洮南市	1 557	1 265	2 082	90.4	109.5	75.3
大安市	1 031	643	1 721	91.6	76.2	105.6
镇赉县	1 203	1 074	1 464	90.6	90.4	90.9
通榆县	1 377	1 139	1 954	92.3	79.4	111.4
延边朝鲜族自治州	**2 803**	**1 661**	**3 578**	**101.6**	**95.0**	**103.0**
延吉市	4 217	2 079	4 583	105.2	100.8	105.1
图们市	2 863	1 808	3 255	104.4	103.8	104.6
敦化市	2 154	1 367	2 884	108.9	96.1	115.3
龙井市	2 621	1 844	3 322	110.1	105.2	112.4
珲春市	3 262	2 590	3 689	103.1	98.5	104.5
和龙市	1 803	1 439	2 066	89.8	90.8	88.8
汪清县	1 511	1 189	1 890	92.2	91.1	92.3
安图县	2 500	1 832	3 210	110.9	109.4	111.3

9—3 城乡居民储蓄存款余额

项　　目	1991年	1992年	1993年	1994年	1995年
年末余额(万元)	**2 532 826**	**3 154 161**	**3 894 402**	**5 355 545**	**7 262 777**
城　镇	2 148 772	2 711 717	3 358 443	4 660 488	6 405 960
农　村	384 054	442 444	535 959	695 057	856 817
每个居民平均(元)	**1 030**	**1 275**	**1 560**	**2 129**	**2 847**
城　镇	1 126	1 316	1 579	2 121	2 887
农　村	697	1 069	1 451	2 182	2 580

9—4 城乡居民家庭生活抽样调查情况

项　　目	1991年	1992年	1993年	1994年	1995年
农民家庭					
每一农村劳动力负担人数(人)	1.66	1.66	1.58	1.51	1.52
人均纯收入(元)	748.33	807.41	891.61	1 271.63	1 609.60
人均生活费支出(元)	648.41	643.13	670.02	853.73	1 494.62
#食品支出(元)	366.51	381.52	399.89	532.47	841.85
人均生活用房面积(平方米)	13.87	14.19	15.96	18.14	16.07
城镇居民家庭					
每一城镇就业者负担人数(人)	1.74	1.73	1.74	1.72	1.79
人均生活费收入(元)	1 259.16	1 470.84	1 761.00	2 311.44	2 914.08
人均生活费支出(元)	1 193.88	1 374.72	1 596.00	2 096.40	2 598.00
#食品支出(元)	638.16	690.72	780.24	1 034.52	1 330.44
人均居住面积(平方米)	7.71	8.30	8.61	9.04	8.92

9—5 城镇居民家庭基本情况

项　　目	单　位	1991 年	1992 年	1993 年	1994 年	1995 年
调　查　户　数	户	1 350	1 350	1 350	1 350	1 350
平均每户人口	人	3.42	3.35	3.30	3.26	3.21
平均每户就业人口数	人	1.96	1.94	1.90	1.89	1.79
全民职工	人	1.48	1.49	1.49	1.52	1.42
集体职工	人	0.42	0.39	0.35	0.31	0.27
个体劳动者	人	0.02	0.04	0.03	0.04	0.06
其他就业者	人	0.04	0.02	0.01	0.01	0.01
平均每户就业面	%	57.30	57.90	57.60	58.00	55.76
平均每一就业者负担人数	人	1.74	1.73	1.74	1.72	1.79
平均每户退休人口数	人	0.26	0.27	0.29	0.30	0.40
平均每人每年全部收入	元	1 405.80	1 642.20	1 957.44	2 581.44	3 176.28
#生活费收入	元	1 259.16	1 470.84	1 761.00	2 311.44	2 914.08
平均每人每年生活费支出	元	1 193.88	1 374.72	1 596.00	2 096.40	2 598.00
就业人员平均劳动收入	元	2 072.05	2 279.46	2 763.58	3 609.25	4 109.24
国有职工	元	2 032.32	2 253.72	2 645.40	3 472.32	4 287.72
集体职工	元	1 343.28	1 549.92	1 843.20	2 345.28	2 738.76
个体劳动者	元	2 562.76	4 892.52	3 965.64	3 888.55	6 243.24
其他就业者	元	872.29	984.24	1 473.60	1 175.28	1 461.24
退休人员年收入	元	1 875.26	3 483.36	4 806.24	3 023.92	6 163.08

注：1992 年以后个体劳动者收入为雇主经营者净收益和个体被雇者收入之和。

9－6 城镇居民家庭平均每人购买的主要商品数量

项目	单位	1991年	1992年	1993年	1994年	1995年
粮食	公斤	133.68	93.84	83.28	89.40	94.20
菜类	公斤	164.40	138.72	155.52	125.04	139.68
油脂类	公斤	6.36	5.28	5.64	7.20	7.20
猪肉	公斤	13.32	13.44	13.68	11.76	12.60
牛羊肉	公斤	3.12	3.00	3.24	2.52	2.40
家禽	公斤	2.04	2.76	3.24	3.00	2.16
蛋类	公斤	5.76	8.04	8.64	8.88	9.72
鱼虾	公斤	6.12	7.08	6.84	8.04	6.60
食糖	公斤	0.96	1.08	1.08	0.96	1.08
卷烟	盒	22.92	25.08	23.52	22.32	21.48
酒和饮料	公斤	10.92	11.28	12.48	11.52	14.04
棉布	米	0.93	0.84	0.70	0.50	0.36
化纤布	米	1.73	1.13	1.01	0.83	0.68
呢绒	米	0.19	0.15	0.15	0.17	0.16
绸缎	米	0.32	0.19	0.14	0.13	0.12
皮鞋	双	0.77	0.75	0.84	0.84	0.89
肥皂	块	4.56	5.14	4.69	4.91	3.92
煤炭	公斤	351.72	283.98	231.11	187.43	234.79

9—7 城镇居民家庭平均每百户年末耐用消费品拥有量

项　　目	单位	1991年	1992年	1993年	1994年	1995年
自行车	辆	189.41	200.39	204.24	205.63	180.58
缝纫机	架	52.55	53.44	53.97	51.96	52.45
电风扇	台	38.99	43.18	45.72	49.01	47.99
洗衣机	台	84.12	87.26	88.99	89.40	86.84
电冰箱	台	26.45	29.82	35.64	40.96	48.28
大衣柜	个	65.15	62.28	63.26	61.46	56.10
写字台	个	44.44	45.88	46.74	46.88	44.43
电炊具	个	89.03	104.61	110.61	118.16	113.35
彩色电视机	台	57.40	68.04	72.71	81.08	85.49
黑白电视机	台	48.61	42.92	39.18	35.81	28.49
录音机	台	66.83	69.50	71.76	72.11	68.10
照相机	架	19.17	18.00	20.63	23.50	21.47

9—8 城镇居民家庭基本情况

(1995年)

项　　目	单位	总平均	最低收入户	低收入户	中等偏下户	中等收入户	中等偏上户	高收入户	最高收入户
调查户数	户	1 350	135	135	270	270	270	135	135
各组户数占总户数比重	%	100	10	10	20	20	20	10	10
平均每户家庭人口数	人	3.21	3.58	3.65	3.37	3.25	3.04	2.86	2.73
平均每户就业人口数	人	1.79	1.61	1.92	1.88	1.82	1.81	1.74	1.60
平均每户就业面	%	55.76	44.97	52.6	55.79	56.0	59.54	60.84	58.61
平均每一就业者负担人数(包括本人)	人	1.79	2.22	1.90	1.79	1.79	1.68	1.64	1.71
平均每人实际收入	元	3 176.28	1 551.24	1 992.36	2 482.08	2 977.44	3 648.72	4 714.56	6 415.92
#生活费收入	元	2 914.08	1 416.96	1 850.16	2 266.32	2 717.64	3 343.56	4 344.84	5 912.64
平均每人实际支出	元	2 909.28	1 649.16	1 931.40	2 407.92	2 939.88	3 312.60	3 915.60	5 083.68
#生活费支出	元	2 598.00	1 517.28	1 790.40	2 188.68	2 548.56	2 961.36	3 463.68	4 507.80

9—9 城镇居民家庭平均每人消费支出

(1995年)　　　　单位:元

项　　目	总平均	最低收入户	低收入户	中等偏下户	中等收入户	中等偏上户	高收入户	最高收入户
消费性支出	**2 598.00**	**1 517.28**	**1 790.40**	**2 188.68**	**2 548.56**	**2 961.36**	**3 463.68**	**4 507.80**
一、食品类	1 330.44	889.80	1 042.80	1 199.16	1 323.96	1 488.84	1 665.60	1 928.88
粮食	253.68	215.52	243.96	245.64	243.36	263.16	275.64	317.16
淀粉及薯类	31.92	26.64	30.84	27.36	32.64	33.72	38.28	39.24
干豆类及制品	31.56	25.08	25.08	28.92	30.96	35.40	37.56	41.76
油脂类	64.92	56.16	61.08	61.92	66.84	64.68	72.96	76.32
肉禽及制品	279.84	161.64	205.44	241.92	280.44	318.96	382.56	431.64
蛋类	62.52	43.92	49.68	56.88	64.68	67.56	76.56	87.00
水产品类	60.60	36.96	45.12	54.48	60.12	66.96	74.16	100.08
菜类	178.68	128.64	138.36	162.48	177.36	198.48	231.12	242.64
调味类	23.04	17.64	17.76	21.48	23.40	26.64	24.96	30.60
糖类	12.48	7.68	7.44	11.04	13.32	14.64	16.20	18.48
烟草类	36.60	24.24	35.52	30.12	34.08	44.64	38.40	56.64
酒和饮料	57.60	32.04	43.92	53.64	58.80	67.08	74.88	76.80
干鲜瓜果类	95.40	50.52	64.32	82.44	98.52	110.16	129.36	152.04
坚果及果仁	16.20	10.08	11.16	13.44	17.40	18.96	20.76	23.88
糕点类	21.84	12.00	13.44	18.36	23.04	26.76	28.92	33.84
奶及奶制品	21.96	8.76	11.04	23.16	18.96	28.68	29.52	35.76
其他食品	31.08	17.04	18.60	25.56	33.12	39.60	35.40	52.32
在外用餐	50.04	14.76	19.92	39.96	46.80	62.52	78.12	112.08
食品加工费	0.24	0.48	0.12	0.24	0.24	0.24	0.36	0.60
二、衣着类	449.28	202.68	267.12	357.24	448.68	536.40	666.72	823.08
三、设备用品及服务	121.56	42.72	54.96	90.96	109.44	126.72	158.04	368.52
四、医疗保健	101.52	67.08	65.64	70.32	104.28	106.08	167.16	186.00
五、交通和通讯	112.68	45.24	48.84	68.04	90.96	146.40	218.88	262.08
交通	46.68	18.00	23.40	32.16	42.84	57.72	86.40	94.92
通讯	66.00	27.24	25.32	35.88	48.12	88.68	132.48	167.28
六、娱乐文教服务	182.64	76.68	98.52	131.28	172.20	227.64	226.80	438.84
耐用消费品	36.24	6.36	9.72	6.48	29.88	38.16	48.12	182.88
教育	105.48	55.20	71.04	94.32	102.84	133.92	121.20	171.72
文化娱乐	40.80	15.00	17.64	30.36	39.60	55.56	57.60	84.36
七、居住	213.00	157.08	174.00	197.64	215.28	225.72	235.68	319.56
住房	58.08	27.84	43.44	56.52	62.52	59.04	50.16	116.64
水、电、燃料、其他	154.92	129.24	130.56	141.12	149.16	166.68	185.52	202.80
水	12.12	9.84	11.04	10.92	11.16	12.96	15.84	16.44
电	46.68	33.60	36.24	41.64	45.24	53.64	58.80	65.04
燃料	81.48	73.44	79.32	74.64	80.88	81.72	93.48	100.32
其它	14.64	12.36	3.84	13.92	15.48	18.24	17.28	21.00
八、杂项商品和服务	86.88	36.12	38.52	74.16	83.64	103.68	124.80	180.72
个人消费	72.72	30.60	33.00	56.76	73.08	91.56	104.52	144.12
其他商品	7.20	4.08	2.40	6.36	5.52	8.40	10.80	17.40
其他服务	7.08	1.44	3.12	11.04	5.16	3.84	9.48	19.20

9—10 城镇居民家庭平均每人购买的主要商品数量

(1995年)

项目	单位	总平均	最低收入户	低收入户	中等偏下户	中等收入户	中等偏上户	高收入户	最高收入户
粮食	公斤	94.20	84.72	94.20	90.36	90.24	95.28	103.08	114.48
油脂类	公斤	7.20	6.12	7.08	6.84	7.32	7.08	7.92	8.28
菜类	公斤	139.68	117.96	119.52	125.16	137.52	146.64	176.28	181.68
猪肉	公斤	12.60	8.16	9.48	11.16	12.84	13.68	16.80	18.24
牛羊肉	公斤	2.40	1.32	1.92	2.04	2.40	2.88	3.36	3.84
家禽	公斤	2.16	1.32	1.92	1.80	1.92	2.40	3.12	3.60
蛋类	公斤	9.72	6.84	7.80	9.12	9.96	10.44	11.76	13.32
鱼虾	公斤	6.60	4.44	5.16	6.12	6.48	7.68	7.68	9.84
食糖	公斤	1.08	0.84	0.72	0.96	1.08	1.32	1.20	1.44
卷烟	盒	21.48	17.88	22.92	18.84	20.76	23.64	21.84	26.64
酒和饮料	公斤	14.04	8.16	11.40	13.68	14.16	16.08	18.72	17.64
#啤酒	公斤	8.16	3.96	6.36	8.40	8.16	9.12	11.40	10.44
茶叶	公斤	0.12					0.12		0.12
鲜奶	公斤	1.80	0.72	0.60	1.68	1.44	2.52	2.64	4.08
棉布	米	0.36	0.15	0.34	0.22	0.42	0.42	0.36	0.72
化纤布	米	0.68	0.33	0.39	0.60	0.76	0.79	0.86	1.08
呢绒	米	0.16	0.06	0.12	0.10	0.18	0.18	0.30	0.30
绸缎	米	0.12	0.07	0.07	0.06	0.10	0.16	0.18	0.28
皮鞋	双	0.89	0.45	0.56	0.79	0.94	1.01	1.22	1.49
肥皂	块	3.92	3.73	2.89	3.75	3.82	3.78	5.58	4.83
洗衣粉	公斤	1.24	1.07	1.10	1.19	1.50	1.13	1.28	1.38
煤炭	公斤	234.79	269.03	271.26	246.72	235.29	175.42	230.99	246.52
液化石油气	公斤	13.79	9.32	11.44	11.65	14.51	15.60	17.69	18.24

9—11 城镇居民家庭平均每百户年末耐用消费品拥有量

(1995年)

项目	单位	总平均	最低收入户	低收入户	中等偏下户	中等收入户	中等偏上户	高收入户	最高收入户
毛皮大衣	件	36.70	18.34	35.83	27.91	37.85	42.27	41.33	55.38
呢大衣	件	195.45	141.50	172.87	186.01	187.19	221.96	214.57	235.26
大衣柜	个	56.10	49.23	56.40	51.07	54.74	57.23	60.24	69.07
沙发	个	140.55	91.22	123.12	140.14	140.12	149.72	157.57	173.60
写字台	个	44.43	38.91	37.65	42.35	38.81	51.36	50.20	52.51
组合家具	套	45.83	41.54	50.61	46.90	46.78	48.22	41.99	40.40
沙发床	个	36.18	30.32	37.08	29.64	36.62	41.78	37.37	40.93
自行车	辆	180.58	162.35	183.16	189.68	192.25	180.93	163.24	171.34
缝纫机	架	52.45	50.20	52.67	50.81	49.47	54.68	57.37	54.33
电风扇	台	47.99	31.46	34.86	50.71	51.05	54.41	46.24	55.02
洗衣机	台	86.84	77.25	84.53	86.70	87.45	88.74	86.88	93.93
电冰箱	台	48.28	25.38	34.86	45.16	54.19	48.78	58.30	67.97
摩托车	辆	2.61	2.06	4.01	1.52	2.35	2.89	1.66	4.82
彩色电视机	台	85.49	71.30	78.46	85.02	86.40	89.92	85.51	96.92
黑白电视机	台	28.49	42.63	35.02	28.54	25.79	27.94	23.44	19.31
立体声收录机	台	26.68	15.99	26.60	31.23	24.47	23.99	29.64	35.14
普通录音机	台	41.42	39.72	40.00	42.81	37.37	49.64	35.18	39.72
照相机	架	21.47	8.26	14.74	20.95	18.74	29.23	21.50	32.39
电炊具	个	113.35	94.09	94.86	112.65	115.04	127.51	116.11	118.06

9—12 农民家庭基本情况

项目	单位	1991年	1992年	1993年	1994年	1995年
一、调查户数	户	1 600	1 600	1 600	1 600	1 600
二、调查户常住人口	人	7 090	6 926	6 742	6 612	6 436
户均常住人口	人/户	4.43	4.33	4.21	4.13	4.02
三、户均整半劳动力	人/户	2.67	2.61	2.67	2.74	2.64
平均每个劳动力负担人数	人	1.66	1.66	1.58	1.51	1.52
整半劳动力占人口比重	%	60.25	60.37	63.45	66.34	65.62
四、常住人口中国家职工人数	人/户	0.04	0.04	0.04	0.05	0.05
职工人数占常住人口比重	%	0.79	0.90	1.02	1.23	1.15
五、乡村企业从业人数	人	31	30	43	56	63
乡村企业人数占常住人口比重	%	0.44	0.43	0.64	0.85	0.98
六、平均每百名劳动力中:						
文盲半文盲	人	7.84	7.06	6.97	6.65	5.02
小学文化程度	人	40.07	38.77	39.50	37.77	37.06
初中文化程度	人	42.65	44.68	44.02	46.10	49.21
高中文化程度	人	8.45	8.47	8.60	8.52	7.60
中专文化程度	人	0.83	0.91	0.75	0.80	0.73
大专文化程度	人	0.16	0.12	0.16	0.16	0.38
七、年末使用房屋间数	间/户	4.00	4.84	2.96	3.10	3.00
#新建房屋间数	间/户	0.10	0.14	0.05	0.04	0.09
八、年末使用房屋面积	平方米/人	17.61	18.10	15.96	16.06	16.07
#住房面积	平方米/人	13.87	14.19	15.96	16.06	16.07
#砖木结构	平方米/人	7.28	7.72	9.86	10.06	9.45
钢筋混凝土结构	平方米/人	0.18	0.21	0.39	0.46	0.81
九、年末每间房屋价值	元/间	1 562.97	1 348.93	2 082.25	2 114.01	3 475.98
新建房屋价值	元/间	3 091.40	1 978.54	2 894.14	3 959.06	5 738.68
新建房屋每平方米价值	元	140.00	147.61	149.93	173.91	238.71
十、年末生产性固定资产原值	元/户	2 517.49	2 581.05	3 037.38	3 520.48	4 533.16

9—13 农民家庭平均每人总收入

单位:元

项　　目	1991 年	1992 年	1993 年	1994 年	1995 年
全年总收入	**1 256.90**	**1 333.27**	**1 462.88**	**2 008.67**	**2 819.54**
一、劳动者的报酬收入	83.83	105.20	97.06	110.82	165.59
1. 在集体组织中劳动的报酬	26.67	26.54	37.13	46.85	32.24
2. 在企业劳动得到的报酬	11.28	62.97	52.59	60.58	103.81
3. 其他单位劳动得到的报酬	45.88	15.69	7.34	3.39	29.54
二、家庭经营收入	1 141.59	1 204.33	1 339.92	1 814.74	2 481.45
1. 种植业收入	929.48	990.10	1 099.31	1 526.81	2 057.34
2. 林业收入	1.11	0.77	2.08	2.26	3.10
3. 牧业收入	133.82	145.44	147.97	183.66	256.64
4. 渔业收入	0.63	0.47	0.28	0.44	1.68
5. 手工业收入	6.32	6.52	5.57	2.53	39.11
6. 采集捕猎收入	19.76	13.79	13.99	18.93	32.83
7. 工业收入	7.18	7.98	6.15	7.57	12.67
8. 建筑业收入	2.77	5.61	5.31	11.35	13.76
9. 运输业收入	21.86	15.26	22.04	22.97	20.15
10. 商业收入	3.70	4.19	14.44	19.88	11.31
11. 饮食业收入	0.03	0.69	1.87	2.00	6.15
12. 服务业收入	2.00	1.65	1.95	2.30	3.71
13. 其他家庭经营收入	12.93	11.86	18.96	13.53	23.00
三、转移性收入	20.88	21.97	17.87	17.60	27.14
1. 在外人口寄回和带回	0.20	0.72	0.57	1.00	3.47
2. 农村外部亲友赠送收入	2.90	3.15	4.12	3.87	4.69
3. 调查补贴	4.90	6.79	4.79	5.70	5.97
4. 保险赔款	0.12		0.44	0.19	0.15
5. 救济金	0.10			0.01	0.18
6. 救灾款					0.02
7. 退休金				0.41	0.32
8. 抚恤金					0.48
9. 五保户的供给	0.26	0.01	0.80	0.08	0.18
10. 奖励收入	0.73	0.50	0.19	0.22	0.60
11. 土地征用补偿收入			0.57	0.29	0.75
12. 其他转移收入	11.67	10.80	6.39	5.83	10.33
四、财产性收入	10.60	1.77	8.03	65.51	145.36
1. 利息收入	0.12	0.12	2.51	0.16	1.88
2. 股息收入			0.01		0.16
3. 租金收入	0.48		0.74	0.32	3.15
4. 出让特许权收入					
5. 集体财产收入	0.55			0.38	0.04
6. 其他财产收入	9.45	1.65	4.77	64.65	140.13

注：本表按国家定购价和市场价的综合平均价计算。下表同。

9—14 农民家庭平均每人纯收入

单位:元

项　　目	1991年	1992年	1993年	1994年	1995年
全 年 纯 收 入	**748.33**	**807.41**	**891.61**	**1 271.63**	**1 609.60**
按来源分:					
一、劳动者的报酬收入	83.83	105.20	97.06	110.81	165.59
二、家庭经营纯收入	637.92	685.26	773.97	1 083.41	1 277.47
种植业收入	528.45	580.54	648.14	950.17	1 129.53
林业收入	0.88	0.61	1.80	1.96	1.40
牧业收入	48.72	48.35	49.82	44.24	38.72
渔业收入	0.39	0.28	0.28	0.27	0.70
手工业收入	3.55	4.93	4.76	1.15	9.02
采集捕猎收入	19.76	13.79	13.99	18.93	32.83
工业收入	4.93	5.62	4.40	6.06	8.12
#粮食加工收入	3.87	4.52	4.15	6.05	6.14
建筑业收入	2.35	5.47	4.41	9.67	10.81
运输业收入	12.52	9.58	14.12	14.49	12.23
商业收入	3.42	3.80	10.99	19.42	6.35
饮食业收入	0.03	0.54	1.39	1.87	5.50
服务业收入	1.62	1.60	1.36	1.92	2.32
其　　他	11.30	10.15	18.51	13.26	19.94
三、转移性收入	15.98	15.18	13.08	11.90	21.17
四、财产性收入	10.60	1.77	7.50	65.51	145.36

9—15 农民家庭平均每人现金收入

单位:元

项目	1991年	1992年	1993年	1994年	1995年
年内现金收入	**1 046.89**	**1 028.01**	**1 183.96**	**1 586.26**	**2 330.62**
一、劳动者的报酬收入	83.79	104.56	96.92	110.37	165.32
1. 在集体组织中劳动得到的报酬	26.63	26.16	37.11	46.82	32.22
2. 在企业劳动得到的报酬	11.28	62.98	52.47	60.16	103.58
3. 其他单位劳动得到的报酬	45.88	15.42	7.34	3.39	29.52
二、家庭经营现金收入	639.03	668.31	767.20	1 176.59	1 586.13
1. 出售产品的现金	591.66	624.75	694.70	1 095.17	1 488.48
2. 工业加工费的现金收入	6.54	7.32	6.15	7.47	12.58
3. 建筑业的现金收入	2.77	5.60	5.31	11.35	13.76
4. 运输业的现金收入	21.86	15.26	22.04	22.97	20.15
5. 商业的现金收入	3.70	4.19	14.44	19.88	11.31
6. 饮食业的现金收入	0.03	0.69	1.87	2.00	6.15
7. 服务业的现金收入	2.00	1.65	1.95	2.30	3.71
8. 其他家庭经营的现金收入	10.47	8.85	20.74	15.45	29.99
三、转移性收入	34.77	29.63	29.76	30.71	47.01
1. 在外人口寄回和带回	0.20	0.71	0.48	0.96	3.43
2. 亲友赠送收入	19.30	13.15	17.41	17.96	26.25
3. 调查补贴	4.39	5.48	3.75	5.15	4.43
4. 保险赔款	0.12		0.44	0.19	0.15
5. 救济金	0.10			0.01	0.18
6. 救灾款					0.02
7. 退休金				0.41	0.32
8. 抚恤金			0.80	0.08	0.48
9. 五保户的供给	0.26	0.01			0.18
10. 奖励收入	0.73	0.49	0.18	0.22	0.60
11. 土地征用补贴收入			0.57	0.29	0.75
12. 其他转移性收入	9.67	9.79	6.13	5.44	10.22
四、财产性收入	37.53	21.93	35.00	26.43	55.42
1. 利息收入	0.12	0.12	2.51	0.16	1.88
2. 股息收入			0.01		0.16
3. 租金收入	0.48		0.74	0.32	3.15
4. 出让特许权收入					
5. 出售财物的收入	27.13	20.16	26.97	22.80	39.57
6. 集体财产收入	0.55			0.38	0.04
7. 其他财产收入	9.25	1.65	4.77	2.77	10.62
五、储蓄借贷现金收入	251.77	203.58	255.08	242.16	476.74
1. 银行信用社得到的贷款	52.14	50.28	40.50	33.82	40.54
2. 借入款	117.92	84.08	117.88	130.72	276.62
3. 收回借出款	53.30	52.05	81.12	56.51	100.32
4. 从银行信用社取回存款	25.91	16.97	15.58	21.07	58.11
5. 转让股票收入				0.03	
6. 收回投资款	2.50	0.20		0.01	1.15

9—16 农民家庭平均每人总支出

单位:元

项　　目	1991年	1992年	1993年	1994年	1995年
全 年 总 支 出	**1 211.12**	**1 184.06**	**1 260.95**	**1 646.87**	**2 864.23**
一、家庭经营费用支出	367.59	374.33	418.19	558.80	975.76
1. 种植业生产支出	264.95	264.80	302.89	404.12	699.57
2. 林业生产支出	0.23	0.16	0.28	0.80	1.70
3. 牧业生产支出	85.10	97.09	98.15	139.42	217.92
4. 渔业生产支出	0.24	0.20	0.68	0.17	0.98
5. 手工业生产支出	2.77	1.59	0.81	1.38	30.09
6. 工业生产支出	2.25	2.36	1.75	1.51	4.55
7. 建筑业支出	0.42	0.14	0.90	1.68	2.95
8. 运输业支出	9.34	5.68	7.92	8.48	7.92
9. 商业支出	0.28	0.39	3.45	0.46	4.96
10. 运输业支出		0.15	0.48	0.13	0.65
11. 服务业支出	0.38	0.05	0.59	0.38	1.39
12. 其他经营支出	1.63	1.72	0.29	0.27	3.08
二、购置生产用固定资产支出	54.64	29.50	51.27	52.60	156.47
# 大中型铁木农具	0.94	0.47	0.80	0.60	5.99
农林牧渔业机械	17.84	15.89	11.14	16.32	42.29
工业机械	1.34	0.73	0.70	0.77	0.88
运输机械	13.23	3.55	14.89	2.57	34.74
役畜、产品畜	9.67	8.86	16.19	27.30	56.61
三、缴纳税金	24.69	40.03	35.63	42.64	52.03
第一产业的税金	22.65	37.87	33.53	40.48	50.29
第二产业的税金	0.03	0.04	0.04	0.05	0.07
第三产业的税金	2.01	2.12	2.06	2.11	1.67
四、上交集体承包任务	38.73	36.25	40.64	36.17	43.53
五、集体提留和摊派	34.80	28.71	23.95	36.92	57.54
六、生活消费支出	648.41	643.13	670.02	853.73	1 494.62
七、其他非借贷性支出	42.26	32.11	21.25	66.01	84.28

9—17 农民家庭平均每人现金支出

单位:元

项目	1991年	1992年	1993年	1994年	1995年
年内现金支出合计	**1 111.49**	**1 032.83**	**1 127.51**	**1 355.32**	**2 521.16**
一、生产费用支出的现金	315.29	290.56	356.38	454.39	936.10
1. 家庭经营费用支出的现金	260.65	261.06	305.11	401.80	779.63
(1) 种植业生产支出	213.17	212.40	253.47	335.48	620.27
(2) 林业生产支出	0.23	0.16	0.28	0.74	1.70
(3) 牧业生产支出	30.18	36.31	34.75	51.18	101.34
(4) 渔业生产支出	0.24	0.20	0.41	0.16	0.74
(5) 手工业生产支出	2.77	1.59	0.81	1.38	30.09
(6) 工业生产支出	2.25	2.36	1.75	1.50	4.55
(7) 建筑业支出	0.42	0.14	0.90	1.68	2.95
(8) 运输业支出	9.34	5.68	7.92	8.48	7.92
(9) 商业支出	0.28	0.34	3.45	0.46	4.96
(10) 饮食业支出		0.15	0.48	0.08	0.65
(11) 服务业支出	0.38	0.05	0.59	0.38	1.39
(12) 其他现金支出	1.39	1.67	0.29	0.27	3.07
2. 购置生产用固定资产支出	54.64	29.50	51.27	52.60	156.47
二、缴纳税金	24.50	40.03	34.36	42.64	51.72
第一产业的税金	22.35	37.82	32.26	40.48	49.98
第二产业的税金	0.03	0.05	0.04	0.05	0.07
第三产业的税金	2.12	2.16	2.06	2.11	1.67
三、上交集体承包任务现金	38.42	35.39	40.30	36.17	41.06
四、集体提留和摊派	34.53	28.27	23.95	36.92	57.54
五、生活消费支出的现金	423.47	393.65	423.13	539.00	1 092.91
六、其他非借贷性支出	85.30	68.08	66.86	85.66	131.30
1. 寄给和带给在外人口的	4.58	3.48	4.40	4.77	8.96
2. 赠送亲友的现金	49.73	43.96	50.13	58.22	96.95
3. 利息支出	1.50		1.58	1.70	0.88
4. 租金支出	0.02		0.01	0.19	0.58
5. 支付保险费支出			0.39	0.48	0.67
6. 购买特许权支出			0.27	0.05	0.12
7. 土地有偿使用费支出			0.67	0.64	3.13
8. 罚款	1.35			2.01	2.20
9. 其他现金支出	28.12	20.64	9.41	17.60	17.81
七、储蓄借贷现金支出	189.98	176.85	182.53	160.54	210.53

9—18 农民家庭平均每人主要消费品消费量

项目	单位	1991年	1992年	1993年	1994年	1995年
粮食(原粮)	公斤	304.04	304.11	324.16	331.54	348.60
#稻谷	公斤	133.98	138.32	134.95	133.00	143.46
蔬菜	公斤	151.08	148.60	142.91	168.67	159.83
植物油	公斤	4.34	4.45	4.08	4.97	5.48
动物油	公斤	1.74	1.73	1.43	1.19	2.09
猪肉	公斤	9.30	8.56	8.70	7.49	10.61
牛羊肉	公斤	0.37	0.45	0.35	0.31	0.49
家禽	公斤	0.61	0.88	0.88	1.31	1.97
蛋类	公斤	4.81	3.45	4.05	5.14	6.90
鱼虾	公斤	1.92	1.72	1.98	2.27	3.54
食糖	公斤	0.57	0.70	0.45	0.48	0.63
水果	公斤	5.06	6.11	8.66	9.49	9.23
糕点	公斤	1.14	1.05	1.22	1.35	1.92
卷烟	盒	16.65	15.50	15.05	15.55	21.90
酒类	公斤	7.01	6.61	7.65	8.21	8.08
棉布	米	0.70	0.45	0.54	0.36	0.54
化纤布	米	1.86	1.55	1.49	1.28	1.70
呢绒	米	0.10	0.07	0.06	0.06	0.09
绸缎	米	0.03	0.03	0.01	0.01	0.02
毛线及毛线织品	克	79.53	58.00	51.88	104.36	186.76
胶鞋、球鞋、皮鞋	双	1.02	0.90	0.81	0.79	1.07
肥皂	块	2.60	2.43	2.10	1.78	1.91
洗衣粉	公斤	0.74	0.68	0.76	0.77	1.16

9—19 农民家庭平均每百户年末耐用消费品拥有量

项目	单位	1991年	1992年	1993年	1994年	1995年
自行车	辆	116.94	121.56	122.63	120.75	129.75
缝纫机	台	64.44	65.38	69.75	73.69	71.63
收音机	台	44.75	43.94	39.44	38.75	31.19
钟表	只	241.19	244.07	234.75	249.38	221.88
#手表	只	155.63	157.69	147.88	159.44	129.69
电视机	台	75.63	79.69	84.81	91.44	95.63
#彩电	台	5.44	6.31	9.06	12.81	18.63
收录机	台	24.13	26.50	27.81	32.69	35.44
电风扇	台	1.50	1.50	1.50	9.31	6.69
洗衣机	台	26.63	28.81	30.63	35.75	41.25
电冰箱	台	0.25	0.38	0.50	1.44	2.25
摩托车	辆	0.88	0.81	1.56	1.31	3.38

9—20 农民家庭经营耕地情况

项　　目	单 位	1991 年	1992 年	1993 年	1994 年	1995 年
一、经营耕地面积	亩/人	4.87	4.99	5.28	5.69	5.59
#承包地面积	亩/人	4.27	4.45	4.56	5.03	4.99
自留地面积	亩/人	0.45	0.44	0.54	0.51	0.34
二、经营山地面积	亩/人	0.91	0.74	0.09	0.16	0.08
#承包山地面积	亩/人	0.02	0.02	0.03	0.02	0.05
自留山地面积	亩/人	0.06	0.02	0.06	0.13	0.02

9—21 按农民人均纯收入分组的农民家庭基本情况

(1995 年)

项　　目	单 位	总 平 均	0—100 元	100—200 元	200—300 元	300—400 元	400—500 元	500—600 元
调查户数	户	1 600	4	21	24	31	45	46
平均每户常住人口	人	4.02	4.50	3.90	4.08	4.19	4.40	4.02
调查户常住人口	人	6 436	18	82	98	130	198	185
平均每户整半劳动力	人	2.64	3.00	2.48	2.75	2.77	2.87	2.54
平均每个劳动力负担人口	人	1.52	1.50	1.57	1.48	1.51	1.53	1.58
平均每户年内新建房屋间数	间	0.09				0.10	0.13	0.22
平均每户年末使用房屋间数	间	3.00	3.00	3.05	2.83	3.03	3.18	2.70
平均每人年末使用房屋面积	平方米	16.07	13.06	16.37	14.26	16.63	15.28	14.86
#居住面积	平方米	16.07	13.06	16.37	14.26	16.63	15.28	14.86
平均每户经营耕地面积	亩	22.46	20.23	19.94	60.75	18.57	16.42	16.53

9—21 续表 1

(1995 年)

项目	单位	600—800 元	800—1000 元	1000—1200 元	1200—1300 元	1300—1500 元	1500—1700 元	1700—2000 元
调查户数	户	111	150	156	79	155	130	180
平均每户常住人口	人	4.45	4.13	4.21	4.11	4.12	4.04	3.94
调查户常住人口	人	494	619	656	325	639	525	709
平均每户整半劳动力	人	2.79	2.63	2.72	2.72	2.58	2.62	2.63
平均每个劳动力负担人口	人	1.59	1.57	1.53	1.51	1.60	1.54	1.50
平均每户年内新建房屋间数	间	0.03	0.07	0.08	0.18	0.11	0.05	0.06
平均每户年末使用房屋间数	间	2.99	2.91	2.90	3.10	2.96	2.94	3.03
平均每人年末使用房屋面积	平方米	14.62	15.23	14.62	16.75	15.04	15.35	15.96
#居住面积	平方米	14.62	15.23	14.62	16.75	15.04	15.35	15.96
平均每户经营耕地面积	亩	17.23	16.49	41.22	15.11	18.13	17.88	21.35

9—21 续表 2

(1995 年)

项目	单位	2000—2500 元	2500—3000 元	3000—3500 元	3500—4000 元	4000—4500 元	4500—5000 元	5000 元以上
调查户数	户	192	130	54	38	30	9	15
平均每户常住人口	人	3.99	3.62	3.70	3.71	3.40	3.44	3.04
调查户常住人口	人	767	471	200	141	102	31	46
平均每户整半劳动力	人	2.69	2.52	2.65	2.47	2.10	2.33	2.13
平均每个劳动力负担人口	人	1.48	1.44	1.40	1.50	1.62	1.48	1.43
平均每户年内新建房屋间数	间	0.13	0.10	0.04		0.20	0.67	0.47
平均每户年末使用房屋间数	间	3.10	3.10	2.96	3.24	3.17	3.44	2.73
平均每人年末使用房屋面积	平方米	16.96	17.85	18.25	20.33	21.03	25.61	20.54
#居住面积	平方米	19.96	17.85	18.25	20.33	21.03	25.61	20.54
平均每户经营耕地面积	亩	21.34	22.86	25.60	25.33	23.46	34.76	31.83

9—22 按农民人均纯收入分组的农民家庭平均每人生活消费支出

(1995 年)

项　　目	总平均	0—100元	100—200元	200—300元	300—400元	400—500元	500—600元
生活消费支出合计	**1 494.62**	**989.17**	**1 437.18**	**1 430.98**	**1 538.06**	**1 186.12**	**1 462.91**
一、食　　品	841.85	615.67	884.34	786.45	754.07	716.53	783.38
主　　食	372.75	304.83	376.91	329.63	333.32	306.53	341.31
副　　食	332.94	235.22	359.12	331.31	305.05	298.45	313.60
其他食品	112.78	62.67	123.40	103.49	102.09	92.31	97.85
在外饮食	15.03	1.67	17.17	13.44	4.41	12.01	19.70
食品加工费	8.35	11.28	7.74	8.58	9.20	7.23	10.92
二、衣　　着	134.03	136.17	125.21	110.73	138.18	105.47	107.19
服　　装	61.61	50.39	70.28	46.61	71.12	43.68	45.86
衣着材料	21.34	52.28	19.61	24.48	20.26	14.96	16.30
鞋袜帽类	43.38	29.06	33.46	34.43	41.84	39.91	40.49
衣着加工修理费	1.42	0.56	0.65	1.35	1.49	1.04	0.49
其　　他	6.28	3.88	1.21	3.87	3.47	5.88	4.05
三、居　　住	189.80	46.00	110.28	126.20	355.18	140.62	253.52
住　　房	118.19		33.01	52.24	245.57	87.41	195.64
电　　费	18.46	10.33	23.56	15.32	36.17	18.37	15.06
燃　　料	47.38	35.67	53.46	50.44	73.44	34.35	42.29
其　　他	5.77		0.25	8.20		0.49	0.53
四、家庭设备、用品及服务	64.91	35.17	85.09	71.42	50.75	55.64	88.95
耐用消费品	15.92	1.39	18.16	11.58	16.59	18.01	31.82
室内装饰品	0.25		0.51	0.31		0.02	0.03
床上用品	4.51	15.06	1.11	6.13	0.94	2.86	9.57
家庭日用杂品	40.28	18.17	58.63	40.93	32.65	30.46	44.21
家俱材料	1.41		3.71	11.63	0.03	0.76	0.30
设备用品加工修理费	0.84				0.10	2.79	2.49
其　　他	1.70	0.55	2.97	0.84	0.44	0.74	0.53
五、医疗保健	57.83	27.39	35.23	49.38	60.93	40.92	42.86
医疗卫生保健用品	40.07	16.78	21.21	38.00	35.55	31.69	32.15
医疗保健服务费	16.70	40.61	12.17	11.38	24.48	8.99	9.91
其他	1.06		1.85		0.90	0.24	0.80
六、交通和通讯	33.11	33.11	48.44	24.51	56.02	45.47	23.68
交通工具	13.61	31.11	33.82	3.97	42.23	33.40	8.18
通讯工具	0.04		0.01				
交通费	16.68	1.94	13.12	18.70	8.45	10.60	12.58
邮电费	0.84	0.06	1.12	0.05	0.17	0.62	0.31
交通、通讯工具修理费	1.94		0.27	1.79	5.17	0.85	2.61
七、文教娱乐用品及服务	138.33	64.89	133.69	254.77	83.01	70.97	125.97
文化教育娱乐用品	39.35	17.94	42.01	85.32	42.87	13.62	54.44
文化教育娱乐服务	98.98	46.94	91.67	169.45	40.14	57.35	71.53
八、其他商品和服务	34.76	0.77	14.91	7.52	39.92	10.50	37.36
商品性支出	17.31		1.74	1.68	30.46	7.30	27.66
服务支出	17.45	0.77	13.17	5.84	9.46	3.20	9.70

9—22 续表 1

(1995年)

项　　目	600—800元	800—1000元	1000—1200元	1200—1300元	1300—1500元	1500—1700元	1700—2000元
生活消费支出合计	**1 260.30**	**1 258.99**	**1 301.04**	**1 390.92**	**1 408.62**	**1 546.30**	**1 485.98**
一、食　品	731.67	797.12	751.89	795.98	848.92	842.15	840.87
主　食	329.22	370.56	339.23	357.62	386.73	374.81	363.12
副　食	291.95	313.67	297.93	306.78	330.78	319.46	333.50
其他食品	92.66	96.65	97.63	109.14	112.05	123.32	113.00
在外饮食	8.55	8.37	8.93	16.06	11.72	17.25	22.07
食品加工费	9.29	7.87	8.17	6.38	7.64	7.31	9.18
二、衣　着	115.02	106.68	108.23	135.18	122.80	148.10	147.48
服　装	53.01	46.67	42.90	62.49	57.50	68.85	71.16
衣着材料	16.88	13.58	22.31	18.86	18.31	26.51	21.03
鞋袜帽类	37.94	39.41	36.57	46.94	38.80	44.39	45.96
衣着加工修理费	1.05	1.04	1.63	1.74	1.18	1.18	1.38
其　他	6.14	5.97	4.82	5.15	7.01	7.17	7.95
三、居　住	134.02	109.03	140.97	195.42	126.94	216.10	165.86
住　房	80.35	51.86	72.88	128.31	54.53	143.69	97.12
电　费	16.46	16.98	15.08	18.49	15.78	19.40	18.03
燃　料	34.38	36.30	36.93	39.56	51.24	50.98	40.65
其　他	2.82	3.98	16.08	9.06	5.39	2.03	10.06
四、家庭设备、用品及服务	50.95	44.99	57.57	59.48	55.51	86.04	62.48
耐用消费品	11.83	6.97	9.43	3.31	9.36	26.60	11.98
室内装饰品	0.04	0.37	0.19	0.03	0.34	0.16	0.13
床上用品	2.13	2.74	2.08	5.03	5.52	9.50	5.96
家庭日用杂品	34.48	33.12	41.44	39.30	36.90	43.49	39.09
家俱材料	0.13	0.24	1.44	0.42	1.00	4.84	0.43
设备用品加工修理费	0.40	0.36	0.73	0.46	1.29	0.45	1.29
其　他	1.94	1.21	1.46	0.93	1.10	1.00	3.60
五、医疗保健	61.94	36.08	58.28	47.34	62.79	65.53	67.67
医疗卫生保健用品	34.74	27.93	42.83	34.67	49.82	47.60	51.04
医疗保健服务费	24.26	7.24	14.19	12.29	12.58	16.58	16.00
其他	2.94	0.91	1.26	0.38	0.39	1.35	0.63
六、交通和通讯	34.63	23.51	32.41	21.35	23.94	30.42	29.71
交通工具	12.59	9.73	18.67	5.82	6.00	11.09	7.08
通讯工具	0.02					0.01	0.02
交通费	19.71	11.55	12.85	14.67	16.08	18.12	20.02
邮电费	0.48	0.12	0.32	0.14	0.80	0.12	0.49
交通、通讯工具修理费	1.83	2.11	0.57	0.72	1.06	1.08	2.10
七、文教娱乐用品及服务	112.57	112.27	117.45	118.09	146.68	130.85	147.64
文化教育娱乐用品	34.23	24.14	22.02	29.41	33.67	49.86	27.69
文化教育娱乐服务	78.34	88.14	95.42	88.68	113.01	80.99	119.95
八、其他商品和服务	19.50	29.31	34.24	18.08	21.04	27.11	24.27
商品性支出	11.87	6.95	19.79	3.97	10.90	14.44	6.40
服务支出	7.62	22.36	14.45	14.11	10.14	12.67	17.87

9—22 续表 2　　　　　　　　　　　　(1995 年)

项　　目	2000—2500 元	2500—3000 元	3000—3500 元	3500—4000 元	4000—4500 元	4500—5000 元	5000 元以上
生活消费支出合计	**1 624.02**	**1 742.20**	**1 964.05**	**1 735.09**	**2 526.96**	**2 631.26**	**2 656.24**
一、食　品	883.72	962.88	1 010.51	958.88	1 203.95	1 158.81	1 254.78
主　食	390.43	428.42	436.31	392.18	531.85	508.71	374.00
副　食	349.04	383.45	380.63	392.54	461.86	479.06	631.37
其他食品	118.05	130.89	141.14	143.96	181.67	130.98	216.95
在外饮食	17.37	11.83	46.49	20.11	15.04	33.03	23.09
食品加工费	8.83	8.29	5.94	10.09	13.53	7.03	8.57
二、衣　着	142.40	152.96	189.85	190.85	205.91	187.65	192.46
服　装	61.16	77.52	89.33	106.87	89.42	71.87	94.43
衣着材料	23.43	20.64	29.20	30.60	41.37	66.74	35.50
鞋袜帽类	50.17	47.02	56.13	47.09	64.03	44.48	48.35
衣着加工修理费	1.59	1.15	3.46	2.16	4.07	1.74	1.70
其　他	6.05	6.63	11.73	4.13	7.02	2.82	12.48
三、居　住	262.10	255.45	213.22	134.32	501.75	468.42	606.30
住　房	188.21	162.16	119.65	51.55	397.57	398.74	480.26
电　费	18.26	20.18	20.50	22.19	29.90	20.61	44.57
燃　料	54.09	69.87	62.20	57.58	54.70	49.07	80.39
其　他	1.34	3.24	10.87	2.98	19.58		1.08
四、家庭设备、用品及服务	63.55	69.44	83.80	108.86	105.39	112.29	135.39
耐用消费品	15.02	21.65	25.22	45.21	35.77	55.65	40.50
室内装饰品	0.07	1.28	0.09	0.07	0.56		
床上用品	3.03	2.77	4.38	11.18	2.16	4.32	3.87
家庭日用杂品	41.20	42.07	48.22	49.34	65.40	52.03	80.15
家俱材料	1.20	0.28		1.11			2.78
设备用品加工修理费	0.62	0.30	1.98	1.70	0.90		0.79
其　他	2.41	1.09	3.91	0.25	0.60	0.29	7.28
五、医疗保健	66.63	65.89	47.78	48.46	68.42	23.19	91.74
医疗卫生保健用品	37.67	43.13	28.16	37.22	41.72	18.16	77.52
医疗保健服务费	27.64	21.94	19.00	10.94	23.90	5.03	11.83
其他	1.32	0.82	0.62	0.30	2.80		2.39
六、交通和通讯	32.48	33.23	89.66	51.41	49.27	35.48	30.61
交通工具	10.96	12.17	42.76	25.11	21.40	13.39	7.61
通讯工具	0.29	0.03					
交通费	19.90	17.44	23.27	18.09	24.27	20.93	21.67
邮电费	0.55	0.38	14.57	0.27	0.35		0.13
交通、通讯工具修理费	0.78	3.21	9.06	7.94	3.25	1.16	1.20
七、文教娱乐用品及服务	134.45	138.40	284.10	147.23	276.49	551.87	135.04
文化教育娱乐用品	51.98	51.64	73.99	52.94	110.48	14.87	31.09
文化教育娱乐服务	82.47	86.76	210.11	94.29	166.01	537.00	103.95
八、其他商品和服务	38.69	63.95	45.13	95.08	115.76	93.55	209.92
商品性支出	18.02	45.42	22.97	25.82	36.76	87.87	155.85
服务支出	20.67	18.53	22.16	69.26	79.00	5.68	54.07

9—23 按农民人均纯收入分组的农民家庭平均每人购买主要商品数量

（1995 年）

项　　目	单　位	总平均	0—100元	100—200元	200—300元	300—400元	400—500元	500—600元
蔬菜	公斤	42.12	22.28	70.46	34.72	41.25	29.97	41.28
猪肉	公斤	5.66	5.11	4.02	7.35	5.34	8.95	4.29
牛肉	公斤	0.37	0.06	0.39	0.26	0.15	0.25	0.42
羊肉	公斤	0.03		0.12	0.01	0.11	0.06	0.04
食糖	公斤	0.63	0.39	0.60	0.41	0.62	0.47	0.62
糕点	公斤	1.88	0.94	1.98	2.13	1.33	1.42	1.44
糖果	公斤	0.33	9.11	0.40	0.23	0.10	0.30	0.19
卷烟	盒	21.90	17.06	20.83	27.50	15.57	19.60	19.75
酒	公斤	13.37	14.72	15.50	10.35	13.73	10.74	12.70
#啤酒	公斤	6.02	9.11	6.34	4.39	7.30	4.74	6.02
茶叶	公斤	0.12	0.10	0.10	0.10	0.12	0.11	0.08
水果	公斤	17.11	4.56	27.20	15.47	17.70	14.79	11.09
棉布(包括成衣折量)	米	0.54	3.89	0.93	1.03	0.12	0.46	0.37
化纤布(包括成衣折量)	米	1.70	2.39	1.68	1.14	1.46	1.29	1.22
呢绒(包括成衣折量)	米	0.09		0.01	0.09	0.10	0.06	0.06
绸缎	米	0.02			0.03	0.01		0.01
毛线及毛线织品	公斤	0.19	0.35	0.14	0.12	0.16	0.16	0.54
尼龙衫裤	件	0.06	0.11		0.05	0.02	0.04	0.09
棉毛衫裤	件	0.10	0.11	0.09	0.05	0.02	0.05	0.12
卫生衫裤	件	0.26	0.28	0.26	0.27	0.10	0.10	0.16
皮鞋	双	0.31	0.61	0.34	0.22	0.31	0.25	0.25
胶鞋	双	0.66	0.39	0.40	0.65	0.73	0.69	0.66
球鞋	双	0.10		0.13	0.06	0.12	0.06	0.07
床褥单	条	0.03	0.17		0.06		0.01	0.02
肥皂	块	1.91	1.39	1.04	2.41	1.45	2.23	2.06
洗衣粉	公斤	1.16	0.61	1.35	1.02	0.98	0.85	3.17

9—23 续表 1 (1995年)

项目	单位	600—800元	800—1000元	1000—1200元	1200—1300元	1300—1500元	1500—1700元	1700—2000元
蔬菜	公斤	35.48	36.29	38.14	32.87	46.78	40.77	40.85
猪肉	公斤	4.44	5.67	4.30	5.38	5.42	5.55	5.73
牛肉	公斤	0.37	0.28	0.30	0.37	0.39	0.26	0.36
羊肉	公斤	0.02	0.03	0.03	0.05	0.01	0.01	0.05
食糖	公斤	0.79	0.56	0.82	0.49	0.54	0.54	0.68
糕点	公斤	2.01	2.39	1.91	1.78	1.88	1.92	1.77
糖果	公斤	0.51	0.26	0.39	0.23	0.46	0.32	0.21
卷烟	盒	17.84	20.69	19.20	23.44	20.15	21.58	23.47
酒	公斤	10.60	9.90	12.58	10.82	13.25	13.86	12.73
#啤酒	公斤	4.36	3.79	4.76	4.53	6.33	5.71	5.39
茶叶	公斤	0.05	0.10	0.09	0.47	0.08	0.11	0.12
水果	公斤	14.16	16.59	15.22	16.45	15.92	22.62	16.60
棉布(包括成衣折量)	米	0.47	0.43	0.96	0.61	0.39	0.44	0.41
化纤布(包括成衣折量)	米	1.56	1.28	1.96	1.44	1.42	1.99	1.66
呢绒(包括成衣折量)	米	0.09	0.05	0.07	0.10	0.11	0.09	0.08
绸缎	米	0.01	0.01	0.01		0.05		0.02
毛线及毛线织品	公斤	0.19	0.14	0.14	0.10	0.16	0.19	0.10
尼龙衫裤	件	0.06	0.02	0.05	0.05	0.06	0.07	0.07
棉毛衫裤	件	0.08	0.10	0.09	0.12	0.10	0.12	0.10
卫生衫裤	件	0.22	0.28	0.24	0.30	0.25	0.19	0.31
皮鞋	双	0.29	0.31	0.23	0.30	0.27	0.33	0.34
胶鞋	双	0.66	0.66	0.81	0.90	0.56	0.69	0.65
球鞋	双	0.07	0.08	0.10	0.10	0.10	0.09	0.09
床褥单	条	0.02	0.03	0.03	0.04	0.05	0.05	0.02
肥皂	块	2.80	1.57	2.59	2.79	1.75	1.89	1.42
洗衣粉	公斤	1.01	1.11	0.99	1.01	1.04	1.09	1.01

9—23 续表 2 （1995 年）

项　　目	单　位	2000—2500 元	2500—3000 元	3000—3500 元	3500—4000 元	4000—4500 元	4500—5000 元	5000 元以上
蔬菜	公斤	44.49	51.56	38.97	50.45	57.30	56.90	123.67
猪肉	公斤	6.28	5.89	6.74	7.88	7.25	3.52	8.43
牛肉	公斤	0.44	0.50	0.53	0.36	1.15	0.10	0.76
羊肉	公斤	0.02	0.01	0.16	0.01	0.04	0.16	0.04
食糖	公斤	0.61	0.55	0.80	0.65	0.57	0.68	1.54
糕点	公斤	1.76	1.88	1.71	1.82	2.03	1.94	2.78
糖果	公斤	0.25	0.20	0.29	0.52	0.41	0.16	0.46
卷烟	盒	23.53	24.18	27.24	24.26	34.16	28.52	29.46
酒	公斤	14.26	16.37	17.51	19.20	21.89	21.19	33.93
#啤酒	公斤	7.16	8.08	8.45	9.65	10.25	6.32	23.13
茶叶	公斤	0.12	0.17	0.14	0.08	0.12	0.19	0.38
水果	公斤	16.67	19.23	18.06	17.58	25.90	21.13	29.93
棉布(包括成衣折量)	米	0.37	0.62	0.47	0.43	0.76	3.06	0.74
化纤布(包括成衣折量)	米	1.69	1.82	2.69	2.26	3.36	2.39	2.67
呢绒(包括成衣折量)	米	0.08	0.08	0.28	0.24	0.10	0.13	0.13
绸缎	米	0.02	0.02	0.05	0.01			
毛线及毛线织品	公斤	0.21	0.19	0.19	0.22	0.21	0.27	0.34
尼龙衫裤	件	0.07	0.07	0.09	0.04	0.04		0.09
棉毛衫裤	件	0.12	0.12	0.11	0.05	0.08		0.22
卫生衫裤	件	0.26	0.29	0.36	0.40	0.28	0.13	0.57
皮鞋	双	0.35	0.38	0.47	0.30	0.40	0.32	0.39
胶鞋	双	0.62	0.72	0.47	0.44	0.56	0.48	0.35
球鞋	双	0.11	0.11	0.06	0.13	0.27	0.26	0.11
床褥单	条	0.01	0.01	0.03	0.06		0.10	0.07
肥皂	块	1.00	1.62	1.64	1.11	0.88	0.10	2.74
洗衣粉	公斤	1.32	1.26	1.25	1.10	1.17	1.39	1.26

9—24 按农民人均纯收入分组的农民家庭平均每百户年末耐用消费品拥有量

(1995年)

项目	单位	总平均	0—100元	100—200元	200—300元	300—400元	400—500元	500—600元
自行车	辆	129.75	150.00	119.00	108.00	135.00	144.00	126.00
缝纫机	架	71.63	25.00	67.00	67.00	81.00	82.00	67.00
钟	只	92.19	75.00	105.00	79.00	100.00	98.00	96.00
手表	只	129.69	75.00	110.00	96.00	110.00	144.00	107.00
#电子表	只	39.31	25.00	29.00	42.00	42.00	71.00	35.00
电风扇	台	6.69		5.00		6.00	4.00	9.00
洗衣机	台	41.25	50.00	48.00	29.00	61.00	38.00	37.00
电冰箱	台	2.25		5.00			2.00	4.00
摩托车	辆	3.38		14.00		6.00	7.00	
大型家具	件	196.88	225.00	219.00	171.00	252.00	200.00	202.00
#沙发	个	25.75	25.00	14.00	17.00	65.00	22.00	28.00
大衣柜	个	61.56	75.00	48.00	67.00	61.00	51.00	41.00
写字台	张	32.06	25.00	19.00	25.00	45.00	38.00	28.00
收音机	台	31.19	75.00	38.00	25.00	32.00	49.00	28.00
黑白电视机	台	77.00	100.00	86.00	88.00	68.00	84.00	78.00
彩色电视机	台	18.63		19.00	13.00	32.00	18.00	15.00
收录机	台	35.44		29.00	42.00	42.00	24.00	30.00
照相机	架	0.94	25.00				2.00	

9－24 续表 1 （1995年）

项目	单位	600—800元	800—1000元	1000—1200元	1200—1300元	1300—1500元	1500—1700元	1700—2000元
自行车	辆	135.00	129.00	126.00	142.00	128.00	119.00	134.00
缝纫机	架	75.00	68.00	71.00	63.00	66.00	75.00	73.00
钟	只	88.00	92.00	90.00	94.00	89.00	90.00	90.00
手表	只	119.00	137.00	138.00	125.00	123.00	115.00	131.00
#电子表	只	45.00	36.00	37.00	37.00	40.00	31.00	32.00
电风扇	台	7.00	4.00	6.00	8.00	6.00	4.00	4.00
洗衣机	台	38.00	39.00	31.00	34.00	38.00	34.00	43.00
电冰箱	台		1.00	3.00	1.00	2.00	2.00	1.00
摩托车	辆	3.00	3.00	3.00	4.00	1.00	3.00	4.00
大型家具	件	203.00	177.00	194.00	195.00	197.00	181.00	197.00
#沙发	个	20.00	15.00	22.00	28.00	29.00	25.00	26.00
大衣柜	个	59.00	62.00	68.00	58.00	63.00	58.00	68.00
写字台	张	31.00	32.00	35.00	30.00	31.00	25.00	36.00
收音机	台	23.00	28.00	35.00	37.00	34.00	28.00	24.00
黑白电视机	台	77.00	82.00	83.00	78.00	76.00	80.00	77.00
彩色电视机	台	19.00	13.00	12.00	15.00	48.00	18.00	17.00
收录机	台	31.00	33.00	31.00	27.00	38.00	31.00	39.00
照相机	架			1.00	1.00	1.00	2.00	2.00

9－24 续表 2 （1995 年）

项目	单位	2000—2500元	2500—3000元	3000—3500元	3500—4000元	4000—4500元	4500—5000元	5000元以上
自行车	辆	133.00	125.00	139.00	139.00	107.00	111.00	113.00
缝纫机	架	73.00	72.00	72.00	74.00	80.00	89.00	73.00
钟	只	98.00	93.00	106.00	87.00	73.00	89.00	93.00
手表	只	140.00	144.00	146.00	121.00	150.00	133.00	87.00
#电子表	只	45.00	42.00	48.00	34.00	47.00	33.00	20.00
电风扇	台	11.00	8.00	9.00	8.00	7.00	11.00	13.00
洗衣机	台	46.00	55.00	43.00	47.00	63.00	56.00	47.00
电冰箱	台	2.00	4.00	9.00	3.00	3.00		7.00
摩托车	辆	3.00	4.00	11.00	3.00	7.00	11.00	
大型家具	件	189.00	222.00	194.00	200.00	220.00	189.00	233.00
#沙发	个	24.00	41.00	26.00	26.00	27.00		27.00
大衣柜	个	64.00	63.00	67.00	55.00	50.00	44.00	53.00
写字台	张	32.00	32.00	33.00	34.00	37.00	44.00	33.00
收音机	台	33.00	35.00	26.00	18.00	37.00	44.00	53.00
黑白电视机	台	74.00	72.00	67.00	74.00	60.00	56.00	67.00
彩色电视机	台	22.00	24.00	31.00	21.00	27.00	33.00	20.00
收录机	台	43.00	35.00	46.00	34.00	43.00	44.00	53.00
照相机	架	1.00		4.00				

市政公用事业和市县概况 10

10—1 城市公用事业国有单位职工人数

（系统内）　　　　单位：人

项　目	1991年	1992年	1993年	1994年	1995年
合　计	**49 010**	**52 795**	**56 883**	**60 351**	**66 444**
市内公共交通业	13 668	14 828	16 157	17 358	21 471
园林绿化业	5 476	6 515	6 685	6 732	6 700
环境卫生业	15 353	16 334	17 155	18 719	19 163
市政工程业	14 513	15 118	16 886	17 542	19 110

10—2 城市规模和建设用地

项　目	单　位	1991年	1992年	1993年	1994年	1995年
城市人口	万人	1 063.2	774.7	1 460.3	1 574.6	1 561.6
# 非农业人口	万人	671.2	624.0	723.2	777.5	813.3
建成区面积	平方公里	639.1	569.5	650.2	703.8	757.9
# 城市建设用地面积	平方公里	570.3	534.5	579.0	614.2	617.9
工业用地	平方公里	119.8	121.2	134.0	137.3	139.0
仓储用地	平方公里	33.2	33.0	34.6	36.7	37.6
对外交通用地	平方公里	29.9	29.4	33.4	30.9	27.0
生活居住用地	平方公里	231.6	200.0	215.5	223.1	234.9
其他用地	平方公里	155.8	150.9	161.5	186.2	179.1
国家建设征用土地	平方公里	2.1	5.3	7.8	7.5	27.1
市区人口密度	人/平方公里	273.0	846.0	167.0	170.0	172.0

10—3 城市公用事业基本情况

（全社会）

项　　目	单　位	1991年	1992年	1993年	1994年	1995年
自来水全年供水总量	万吨	170 408	147 546	130 453	144 722	146 139
# 生活用水量	万吨	22 979	24 570	27 534	29 343	30 323
平均人均生活用水	吨	41.3	47.8	48.9	49.8	49.3
用水普及率	%	79.4	82.4	77.8	75.9	75.6
公共车辆(汽车、电车) 总数	辆	1665	2 865	2 540	2 969	4 662
平均每万人拥有	辆	3.3	4.9	3.7	4.0	4.8
铺装道路长度	公里	3 162	2 402	2 703	2 896	3 395
平均每万人拥有	公里	4.7	3.8	3.7	3.7	4.2
铺装道路面积	万平方米	2 786	2 433	2 775	3 028	3 407
平均每万人拥有	万平方米	4.2	3.9	3.8	3.9	4.2
下水道长度	公里	1 916	1 908	2 195	2 321	2 962
平均每万人拥有	公里	2.9	3.1	3.0	3.0	3.6
公用煤气、液化气						
人工煤气全年供气量	万立方米	32 994	16 835	15 658	16 718	28 768
# 家庭用量	万立方米	21 173	13 174	11 204	11 664	11 815
煤气管道长度	公里	1 072	1 151	1 243	1 342	1 466
液化气家庭用量	万吨	7.6	7.9	8.9	3.5	7.9
用气普及率	%	40.1	48.4	47.7	45.9	51.4
城市绿化						
绿地面积	公顷	11 705	11 862	13 264	13 218	16 611
平均每万人拥有	公顷	17.4	19.0	18.3	17.0	20.4
公园、动物园个数	个	45	43	51	53	66
公园、动物园面积	公顷	1 126	1 128	1 243	1 334	2 274
清洁卫生						
清运垃圾	万吨	508.0	483.0	550.0	565.0	594.0
清运粪便	万吨	119.0	118.0	125.0	145.0	154.0
每万人拥有公共厕所	座	16.6	14.3	10.0	10.0	9.0

注：人均拥有指标按城市人口中的非农业人口计算。

10—4 城市房屋建筑及住房情况

项　　目	单　位	1991年	1992年	1993年	1994年	1995年
年末实有房屋建筑面积	万平方米	13 344	13 475	14 983	16 156	17 334
# 私人自管房	万平方米	2 459	2 401	3 030	3 754	4 225
年末实有住宅建筑面积	万平方米	7 288	7 426	8 401	9 330	10 197
# 私人自管房	万平方米	2 348	2 316	2 902	3 520	3 900
年内新建房屋竣工面积	万平方米	661.3	816.0	1 068.7	1 013.7	1 291.1
# 住宅面积	万平方米	487.6	581.1	744.2	761.4	921.4
年内房屋减少面积	万平方米	166.7	262.9	264.5	196.8	160.5
# 住宅面积	万平方米	114.1	184.0	193.6	147.1	115.4
年末住宅居住面积	万平方米	3 746.4	3 802.8	4 317.9	4 743.1	5 239.7
# 人均居住面积	万平方米	5.7	5.9	6.2	6.5	6.9
解决缺房户	户	43 800	49 844	63 539	47 710	69 621

10—5 城市自来水情况

（系统内）

项　　目	单　位	1991年	1992年	1993年	1994年	1995年
水厂个数	个	47	42	56	61	63
年末自来水生产能力	万吨/日	130.1	146.8	161.8	163.7	168.9
年末自来水管道长度	公里	3 323	3 854	4 129	4 212	3 679
全年供水总量	万吨	38 213	40 834	44 897	49 516	51 140
# 生活用水	万吨	19 631	21 078	22 424	24 223	24 399
生产用水	万吨	9 697	14 535	15 941	15 486	15 128
用水人口	万人	466.4	443.5	472.4	491.6	492.7
# 非农业用水人口	万人	449.4	430.4	456.9	476.2	475.5
人均生活日用水量	升	119.5	134.2	128.8	131.1	128.8

10—6 城市煤气、液化石油气情况

（系统内）

项目	单位	1991年	1992年	1993年	1994年	1995年
人工煤气生产能力	万立方米/日	65.8	56.8	87.8	109.9	111.5
人工煤气管道长度	公里	1 072	1 151	1 243	1 342	1 466
全年供气量						
人工煤气	万立方米	18 435	10 779	10 913	11 567	12 234
#生活用量	万立方米	16 224	8 246	7 669	7 876	8 584
液化石油气	吨	27 066	30 281	30 273	22 747	23 708
#生活用量	吨	27 056	30 262	30 167	22 641	23 553
用气人口						
人工煤气	万人	64.4	71.6	78.1	83.4	103.4
液化石油气	万人	103.7	107.7	115.6	109.1	113.5

10—7 城市集中供热情况

（系统内）

项目	单位	1991年	1992年	1993年	1994年	1995年
供热能力						
蒸气	吨/小时	82	132	172	172	187
热水	百万千卡/小时	534	902	1 596	1 684	2 091
供热总量						
蒸气	吨/年	486 011	526 393	486 977	513 008	511 103
热水	万百万千焦/年	11 176.0	86 976.0	1 238.0	1 580.3	1 535.1
管道长度						
蒸气	公里	8	10	12	13	11
热水	公里	194	305	392	611	654
供热面积	万平方米	769	1 208	1 663	2 104	2 328

10—8 城 市 市 政 情 况

（系统内）

项 目	单 位	1991 年	1992 年	1993 年	1994 年	1995 年
年末实有铺装道路长度	公里	2 378	2 288	2 449	2 629	2 584
年末实有铺装道路面积	万平方米	2 307	2 338	2 549	2 760	2 743
人行道面积	万平方米	486	629	680	740	1 162
城市桥梁数	座	269	244	269	284	465
城市下水道总长度	公里	1 733	1 798	1 998	2 101	2 319
城市污水排放量	万吨/日	346.6	100.6	228.0	110.0	116.0
城市路灯	千盏	54.0	60.2	65.7	72.4	69.7

10—9 城市公共汽（电）车和出租汽车情况

（系统内）

项 目	单 位	1991 年	1992 年	1993 年	1994 年	1995 年
年末实有公共汽(电）车	**辆**	**1438**	**2 020**	**2 301**	**2 578**	**3 353**
公共汽车	辆	1 175	1 775	2 071	2 341	3 116
无轨电车	辆	196	206	191	198	198
有轨电车	辆	67	39	39	39	39
营运线路长度	**公里**	**1 837**	**1 979**	**2 030**	**2 072**	**2 417**
公共汽车	公里	1 763	1 910	1 965	2 004	2 355
无轨电车	公里	56	56	55	55	49
有轨电车	公里	18	13	10	13	13
运客总数	**万人次**	**66 420**	**63 597**	**64 126**	**62 867**	**67 760**
公共汽车	万人次	45 225	51 230	51 555	49 470	55 119
无轨电车	万人次	15 887	9 461	10 331	11 020	10 413
有轨电车	万人次	5 308	2 906	2 240	2 377	2 228
出租汽车	**辆**	**441**	**284**	**311**	**214**	**135**

10—10 城市园林绿化情况

（系统内）

项　　目	单 位	1991 年	1992 年	1993 年	1994 年	1995 年
城市园林绿地面积	公顷	9 076	10 320	11 700	12 266	7 376
# 公共绿地	公顷	2 752	2 840	3 198	3 315	2 316
公园个数	个	40	40	48	50	55
动物园个数	个	1	1	1	1	1
年游人量	万人次	1 009	1 132	1 201	1 240	1 667
全年植树	万株	669.0	607.0	645.0	589.0	488.0
苗圃面积	公顷	913.0	963.0	992.0	1 048.0	919.0

10—11 城市环境卫生情况

项　　目	单 位	1991 年	1992 年	1993 年	1994 年	1995 年
实际清扫面积	万平方米	4 103	4 982	5 466	5 672	6 193
生活垃圾清运量	万吨	508.0	483.0	550.0	565.0	594.0
粪便清运量	万吨	119.0	118.0	125.0	145.0	154.0
环卫机械						
总　数	辆	1 384	1 451	1 542	1 542	1 576
总 功 率	千瓦	95 827	113 537	117 957	119 278	102 522
公共厕所	座	11 163	8 927	7 134	7 041	7 272

10—12 城市设施水平

项目	单位	1991年	1992年	1993年	1994年	1995年
人均居住面积	平方米	5.7	6.0	6.2	6.5	6.9
城市人口用水普及率	%	79.4	82.4	77.8	75.9	75.6
城市煤气普及率	%	40.1	48.4	47.7	45.9	51.4
每万人拥有公共汽(电)车	辆	3.3	4.9	3.7	4.0	4.8
人均拥有铺装道路面积	平方米	4.2	3.9	3.8	3.9	4.2
人均公共绿地面积	平方米	4.4	4.7	4.6	4.3	3.0
每万人拥有公共厕所	座	16.6	14.3	10.0	10.0	9.0

10—13 城市建设固定资产投资完成情况

单位:万元

项目	1991年	1992年	1993年	1994年	1995年
本年完成投资额	**32 198**	**58 926**	**77 349**	**115 596**	**123 559**
按资金来源分:					
国家预算内投资	10 762	4 632	6 482	2 554	5 030
国内贷款	7 669	10 574	11 941	22 357	13 926
利用外资				2 500	20 318
煤代油投资				4 516	500
自筹投资	11 279	32 669	38 643	42 561	41 832
其他	2 488	11 051	20 283	41 108	41 953
按投资行业分:					
公用事业	17 494	22 370	26 646	53 371	49 630
市政工程	10 816	14 970	24 067	26 239	24 390
园林绿化	617	2 082	1 359	1 287	1 315
清洁卫生	875	841	1 934	1 841	1 402
其他	2 396	18 663	23 343	33 258	46 822
按资金用途分:					
生产性	19 556	24 322	25 115	46 328	48 233
非生产性	12 642	34 604	52 234	69 268	75 326
# 住宅	55	13 293	10 625	18 415	29 838

10—14 城市建设新增生产能力（或效益）

项　目	单 位	1991 年	1992 年	1993 年	1994 年	1995 年
城市自来水供水能力	万吨/日	8.2	16.1	12.4	7.5	5.2
城市公共交通车辆	辆	139	137	218	160	67.1
城市道路长度	公里	77.7	52.2	110.0	84.8	67.3
城市道路面积	万平方米	103.0	85.6	109.0	117.2	89.5
城市永久性桥梁	座	3	6	4	3	7
城市防洪堤长度	公里	6.4	4.6	2.3	5.4	4.6

10—15 环保系统人员基本情况

单位:人

项　目	1991 年	1992 年	1993 年	1994 年	1995 年
合　计	**2 603**	**2 885**	**3 074**	**3 384**	**3 572**
# 科学技术业务人员	1 394	1 716	1 768	1 976	1 678
# 工程技术人员	1 310	1 571	1 768	1 976	1 678
# 监测人员	690	813	829	924	1 226
行政干部	645	536	695	672	544

10—16 企业和事业单位废水处理设施和处理情况

项　　目	单 位	1991 年	1992 年	1993 年	1994 年	1995 年
汇总的企事业单位数	个	706	556	375	389	407
废水处理设施数量	套	750	779	784	890	946
总 投 资	万元	59 623	35 367	47 501	86 793	81 426
实际处理废水量	万吨	35 450	37 811	42 829	40 390	44 445
废水排放总量	万吨	88 097	78 408	72 566	72 826	78 884
# 工业废水	万吨	55 335	45 422	44 221	41 542	46 891
工业废水处理量	万吨	30 549	37 625	38 509	37 284	40 287
工业废水达标量	万吨	30 211	25 493	22 418	21 032	24 223
工业废水处理达标量	万吨	11 688	12 419	7 275	8 144	8 578

10—17 废 气 排 放 和 处 理 情 况

项　　目	单 位	1991 年	1992 年	1993 年	1994 年	1995 年
废气排放总量	亿立方米	2 926.03	3 360.14	2 886.12	2 842.45	3 162.74
燃料燃烧过程中废气排放量	亿立方米	2 277.12	2 576.76	2 047.61	2 035.60	2 242.48
# 经过消烟除尘的	亿立方米	2 094.69	1 710.88	1 917.80	1 853.88	2 039.99
生产工艺过程中废气排放量	亿立方米	648.91	776.83	838.51	806.86	920.26
# 经过净化处理的	亿立方米	243.85	318.05	379.85	399.63	482.80
二氧化硫	万吨	16.75	23.45	18.82	18.43	20.15
烟　尘	万吨	33.81	60.73	34.22	33.25	36.72
工业粉尘排放量	万吨	10.70	12.69	11.18	14.90	14.83
工业粉尘回收量	万吨	52.24	60.18	62.86	63.21	99.04

10—18 工业固体废物排放和处理利用情况

项　　目	单　位	1991年	1992年	1993年	1994年	1995年
工业固体废物产生量	万吨	1 601.18	1 522.37	1 674.14	1 677.33	1 671.63
工业固体废物排放量	万吨	27.64	15.78	11.88	14.98	12.29
占废物产生量的比重	%	1.73	1.04	0.71	0.89	0.74
历年工业固体废物堆存总量	万吨	15 034.30	15 690.03	14 862.42	16 450.44	17 624.49
工业固体废物占地面积	万平方米	1 589.59	1 124.51	1 568.66	2 063.96	1 861.91
# 占农田面积	万平方米	13.81	8.00	12.44	15.11	24.81
工业固体废物处置量	万吨	116.70	113.33	171.58	137.20	130.38
工业固体废物贮存量	万吨	742.14	757.68	838.36	836.50	790.98
“三废”综合利用产品产值	万吨	42 736.60	38 686.40	44 233.80	45 536.10	77 314.80
“三废”综合利用利润	万吨	13 052.70	9 544.70	25 253.40	19 932.20	37 742.10

10—19 排污收费和污染赔（罚）款情况

项　　目	单　位	1991年	1992年	1993年	1994年	1995年
排污费交纳单位	个	10 115	11 209	14 229	14 468	19 948
征 收 排 污 费	万元	5 520	8 436	7 224	7 613	8 815
支 出 排 污 费	万元	2 960	5 126	5 150	3 482	6 600
污　染　事　故	次	30	24	25	32	48
污染赔款总额	万元	159.0	32.1	143.6	189.2	193.5
污染罚款总额	万元	24.0	3.9	13.9	13.5	9.1

10—20 企事业单位污染治理情况

项目	单位	1991年	1992年	1993年	1994年	1995年
治理污染资金总额	万元	16 154	15 290	22 175	29 842	46 201
按资金来源分						
基建资金	万元	930	669	365	4 722	20 540
更改资金	万元	7 065	3 842	12 823	11 338	14 410
综合利用利润留成	万元	368	1 162	560	626	916
环保补助资金(包括贷款)	万元	2018	3 399	2 197	3 258	2 402
其他	万元	5 773	6 218	6 230	9 898	7 933
按资金使用分						
治理废水	万元	8 362	5 137	8 729	13 964	23 980
治理废气	万元	3 956	5 047	10 449	12 030	8 917
治理固体废物	万元	3 572	1 980	2 601	3 450	12 009
治理噪声	万元	87	81	120	158	378
其他	万元	177	3 045	276	240	917
当年安排治理项目	个	822	854	573	653	607
当年竣工项目	个	748	796	509	592	547
当年竣工项目中当年安排的	个	748	796	509	592	547
治理废水	个	182	135	109	139	142
治理废气	个	389	524	280	314	225
治理固体废物	个	50	35	30	29	29
治理噪声	个	65	75	61	76	119
其他	个	62	27	29	34	32

10—21 长春、吉林、四平市基本情况

(1995年)

项目	单位	长春市		吉林市		四平市	
		全市	市区	全市	市区	全市	市区
一、综合							
年末总人口	万人	667.29	269.96	425.43	138.48	309.95	44.39
# 非农业人口	万人	261.84	194.64	200.60	113.50	104.65	36.46
年平均人口	万人	662.40	246.83	423.29	137.63	308.06	43.83
年末劳动力资源总数	万人	494.73	200.15	311.26	101.32	220.66	30.33
# 乡村劳动力	万人	179.61	34.98	93.09	9.46	88.46	4.24
年末全部从业人员数	万人	344.74	159.76	211.99	83.75	145.70	24.28
# 城镇个体劳动者	万人	23.40	13.19	11.73	6.65	7.85	2.34
城镇失业人员年末数	人	12 858	9 907	8 505	4 784	9 090	3 524
土地面积	平方公里	18 881	3 116	27 120	1 748	14 080	407
# 建成区土地面积	平方公里		124		107		32
国内生产总值(当年价)	万元	3 630 068	2 179 550	2 288 708	1 478 016	1 165 985	332 675
第一产业	万元	891 541	126 874	336 431	49 774	553 946	158 050
第二产业	万元	1 491 893	1 153 246	1 194 428	910 453	292 236	83 380
# 工业	万元	1 346 813	1 088 073	1 059 056	836 380	237 802	67 849
第三产业	万元	1 246 634	899 430	757 849	517 789	319 803	91 245
二、农业							
农林牧渔业总产值(当年价)	万元	1 445 072	253 025	525 316	70 182	885 929	19 973
农林牧渔业商品产值(当年价)	万元	1 083 627	208 587	365 197	58 365	613 578	16 505
年末实有耕地面积	千公顷	1 102	148	388	29	604	13
蔬菜产量	万吨	208.37	77.41	85	25.79	63.17	7.58
水果产量	吨	23 136	10 299	61 925	6 476	52 480	6 107
猪肉产量	吨	229 417	31 669	81 824	9 889	184 482	3 391
牛羊肉产量	吨	41 176	6 265	31 830	2 010	42 641	687
牛羊奶产量	吨	42 154	28 417	17 743	15 468	25 081	3 717
禽蛋产量	吨	172 047	74 663	67 754	20 268	92 156	2 634
禽肉产量	吨	190 510	25 666	29 807	10 396	42 545	715
水产品产量	吨	16 415	2 860	17 921	5 672	5 239	61
三、工业							
企业单位数(乡及乡以上)	个	3115	2 084	2 878	1 543	1 510	537
# 国有经济	个	565	417	538	232	376	140
私营经济	个	14	14	21	21		
股份制经济	个	35	34	19	17	14	12
乡及乡以上工业销售总产值(当年价)	万元	4 004 876	3 487 075	2 780 506	2 332 624	782 120	395 275
全部工业总产值(当年价)	万元	4 126 124	3 562 700	3 133 351	2 500 697	1 060 992	434 640
乡及乡以上工业总产值(当年价)	万元	3 741 985	3 261 735	2 872 398	2 409 714	769 906	388 345
# 国有经济	万元	2 613 399	2 456 369	2 214 541	1 846 945	442 521	244 403
私营经济	万元	25 573	25 573	478	478		
股份制经济	万元	112 631	109 938	180 091	180 034	18 196	13 988
全部独立核算工业企业经济指标							
企业单位数	个	3 038	2 019	2 680	1 514	1 450	516
工业总产值(当年价)	万元	3 607 885	3 240 162	2 841 660	2 402 442	766 306	123 427

注：此部分由于资料来源不同，与其他部分分市县资料数据略有差别，此资料仅供研究市、县问题时使用。

10－21 续表 1　　(1995 年)

项　　目	单 位	长 春 市		吉 林 市		四 平 市	
		全 市	市 区	全 市	市 区	全 市	市 区
工业销售产值(当年价)	万元	186 857	175 642	156 080	133 925	42 286	25 982
工业增加值(生产法)	万元	1079 879	988 565	858 519	680 834	172 561	80 506
全部职工年平均人数	万人	57.78	48.09	51.03	34.33	20.77	9.72
流动资产年末合计	万元	3 024 020	2 803 594	2 322 888	2 019 323	690 101	368 405
流动资产年平均余额	万元	2 974 906	2 763 097	2 290 967	1 987 564	663 436	362 907
固定资产原值合计	万元	2 731 979	2 525 920	3 767 684	2 928 202	962 293	386 489
固定资产净值合计	万元	1 952 687	1 793 373	2 680 207	2 066 979	780 334	380 021
固定资产净值年平均余额	万元	1 678 081	1 532 347	2 343 900	1 802 571	672 699	331 207
产品销售收入	万元	3 562 643	3 279 840	2 678 531	2 262 773	752 809	418 028
# 产品销售税金及附加	万元	86 068	77 223	62 214	55 483	18 576	12 890
利润总额	万元	35 710	34 785	65 629	72 393	-51 735	-31 961
本年应交增值税	万元						
四、交通、邮电、电力							
铁路客运量	万人	2 448.10	2 448.10	1 350.60	622.20	759.81	281.24
铁路货运量	万吨	883	883	1 693	592	378	82
公路客运量	万人	2 493.80	644.50	1 686	343	1 389	239
公路货运量	万吨	7 875	4 897	2 222	1 490	2 037	828
年末邮电局(所) 数	处	264	132	163	40	148	19
邮电业务总量(1990 年不变价)	万元	76 213	67 242	34 634	26 560	13 048	6 878
电话交换机装机总容量	门	775 488	642 566	466 291	331 811	170 938	81 102
# 程控	门	707 566	516 484	423 717	305 611	148 407	73 062
年末电话机数	部	493 469	422 361	323 236	238 457	110 188	49 553
全年用电量	万千瓦时	511 309	406 050	832 385	481 429	198 975	92 595
# 工业用电	万千瓦时	298 407	259 160	740 145	436 710	111 804	69 208
城乡居民生活用电	万千瓦时	109 755	58 739	47 342	19 036	45 254	11 981
五、固定资产投资							
国有经济全部固定资产投资	万元	612 157	564 277	691 073	671 337	122 895	54 932
# 住宅建设	万元	62 523	46 937	30 586	23 615	4 360	3 156
城镇集体固定资产投资	万元	19 591	12 586	7 388	6 928	2 308	647
# 住宅建设	万元	5 522	1 800	1 671	1 211	150	
其它类型经济固定资产投资	万元	97 281	69 751	58 085	57 935	3 957	
# 住宅建设	万元	320	320	2 989	2 989	175	
房地产开发投资额	万元	226 138	219 592	58 368	56 118	20 742	19 050
# 商品住宅	万元	120 012	115 042	40 494	38 471	14 774	13 532
商品房销售额	万元	87 477	85 671	26 639	25 063	15 571	14 499
商品房销售建筑面积	万平方米	48.86	46.87	15.40	14.10	15.34	13.39
新增固定资产							
(1) 国有经济全部新增固定资产	万元	315 490	272 760	168 502	153 405	127 806	34 575
(2) 城镇集体新增固定资产	万元	17 065	9 612	13 470	13 010	2 690	1 564
施工住宅建筑面积(包括商品房)	万平方米	394.32	354.11	171.58	152.91	40.53	35.11
竣工住宅建筑面积(包括商品房)	万平方米	233.75	201.85	101.36	87.14	27.28	24.45
六、市政公用事业							

10－21 续表 2　　　　　　　　　　(1995年)

项　　目	单位	长春市		吉林市		四平市	
		全市	市区	全市	市区	全市	市区
年末实有住宅使用面积	万平方米		1 982.90		1 098		345.40
年末实有住宅居住面积	万平方米		1 323.90		784		247.06
城市居住人口(与居住面积同口径)	万人		181.90		119		33.56
年末供水管道总长度	公里		854		713		196
全年供水总量	万吨		24 260		88 921		2 986
生活用水量	万吨		13 258		3 301		797
生活用水人口	万人		173.90		107.50		33.80
# 非农业用水人口	万人		171.70		105.40		32.60
年末实有公共汽(电)车营运车辆数	辆		1 847		653		161
全年公共汽(电)车客运总数	万人次		58 582		17 798		2 680
年末实有出租汽车数	辆		11 400		5 936		1 440
煤气(人工、天然气)供气总量	万立方米		19 172		12 761		577
# 家庭用量	万立方米		9 497		2 755		313
家庭用煤气人口	人		1 002 000		233 000		87 000
液化石油气供气总量	吨		15 792		31 578		1 757
# 家庭用量	吨		15 792		28 844		1 757
家庭用液化气人口	人		528 000		801 000		112 000
年末实有铺装道路总长度	公里		206		589		173
年末实有铺装道路面积	万平方米		940		516		163
城市下水道总长度	公里		1 177		567		103
园林绿地面积	公顷		5 085		4 647		117
建成区绿化覆盖面积	公顷		4 600		3 348		621
工业废水排放量	万吨		4 096		17 169		855
工业废水处理量	万吨		1 470		16 162		263
生活污水排放量	万吨		8 760		4 300		520
废气排放量	万标立米		8 870 000		868 834		790 666
二氧化硫排放量	吨		37 658		27 015		10 092
工业废气处理量	万标立米		477 979		7 734 314		100 883
工业粉尘排放量	吨		14 904		16 244		2 418
工业粉尘回收量	吨		28 625		303 221		3 781
工业固体废物产生量	万吨		174		317		34
工业固体废物处理量	万吨		3		32		2
工业固体废物综合利用量	万吨		147		167		27
生活垃圾清运量	万吨		138		70		38
生活垃圾无害处理量	万吨		98		54		10
七、商业、外贸与外经、旅游							
批发零售贸易业商品销售总额	万元	2 124 026	1 753 734	924 184	647 796	538 940	159 737
# 对居民和社会集团商品零售额	万元	511 306	438 035	312 632	212 733	149 588	61 448
社会消费品零售总额	万元	1 317 980	1 075 239	1 024 929	738 524	471 197	215 050
批发零售贸易业、餐饮业网点数	个	89 275	52 458	85 637	42 823	56 565	22 836
# 个体	个	82 896	49 473	80 451	40 222	51 575	22 022
批发零售贸易业、餐饮业人员数	人	304 361	191 542	220 132	120 363	166 577	44 846

项　　目	单　位	长春市		吉林市		四平市	
		全　市	市　区	全　市	市　区	全　市	市　区
# 个体	人	156 154	106 253	121 143	66 471	69 867	25 506
实际利用外资金额	万美元	18 161	18 161	1 889	1 692	3 316	
境外旅游者人数	人	29 732		13 709		325	
旅游外汇收入	万美元	1 430		140		5	
八、财政、金融、保险							
中央财政预算内收入	万元	184 024	165 525	142 319	124 016	34 963	23 068
地方财政预算内收入	万元	180 802	154 471	116 963	92 763	40 422	19 012
# 工商税收	万元	134 371	118 727	48 488	38 672	22 924	12 035
地方财政预算内支出	万元	256 685	196 491	147 855	94 046	77 720	32 328
# 科学事业费支出	万元	957	879	1 092	969	452	311
# 教育事业费支出	万元	48 080	24 510	29 202	12 827	21 171	5 629
城乡居民储蓄年末余额	万元	2 431 510	1 922 202	1 333 639	841 938	581 352	232 759
年末银行各项贷款余额	万元	3 849 536	2 664 127	1 965 484	1 263 964	1 517 056	546 396
银行现金收入	万元	685 617	8 696 204	4 807 242	3 431 570	2 326 481	899 160
银行现金支出	万元	657 078	8 818 036	5 137 601	3 567 778	2 511 192	955 199
承保额	万元	8 399 135	7 241 707	4 029 416	2 888 575	1 588 286	612 867
保　费	万元	24 288	18 561	23 636	15 805	7 305	3 320
已决赔款	万元	15 692	1 891	17 767	6 656	5 217	2 371
九、劳动工资、人民生活							
全部职工：年末人数	万人	133.94	106.62	102.74	64.56	47.44	17.44
年平均人数	万人	132.27	105.92	99.91	63.81	43.80	16.68
工资总额	万元	663 052	565 802	480 613	347 938	153 827	62 682
其他从业人员：年末人数	万人	2.55	1.37	1.19	0.40	0.90	0.02
年平均人数	万人	2.73	1.61	1.14	0.34	0.85	0.02
劳动报酬	万元	13 831	11 449	2 704	1 217	1 517	113
城市居民人均消费收入	元		3 305		3 167		2 718
城市居民人均消费支出	元		2 842		2 949		2 516
每百户拥有黑白电视机	台		32		27		30
每百户拥有彩色电视机	台		97		91		75
每百户拥有电冰箱	台		69		61		39
每百户拥有录像机	台		21		20		14
职工生活费用价格指数(上年=100)	%		115.90		115.10		111.10
消费品零售物价指数(上年=100)	%		114.40		114.20		112.80
# 食品价格指数(上年=100)	%		123.60		117.20		116.50
十、教育、科技、卫生、文化							
学校数：高等学校	个	27	27	8	8	2	2
中等专业学校	个	57	50	23	23	10	6
普通中学	个	427	174	291	87	188	22
农、职业中学	个	90	48	48	12	25	10
技工学校	个	44	40	37	29	16	11
小　学	个	1 916	497	1 704	222	1 282	63
教师数：高等学校	人	10 548	10 548	4 631	4 631	512	512

10—21 续表 4　　(1995 年)

项　　目	单　位	长春市		吉林市		四平市	
		全　市	市　区	全　市	市　区	全　市	市　区
中等专业学校	人	3 627	3 125	3 120	3 120	773	434
普通中学	人	22 823	10 203	14 719	5 498	9 773	1 664
农、职业中学	人	2 197	1 137	1 502	717	807	273
技工学校	人	1 506	1 297	1 602	1 335	441	181
小　学	人	37 346	12 510	25 138	6 518	18 906	1 923
在校学生数：高等学校	人	70 774	70 774	15 568	15 568	4 327	4 327
中等专业学校	人	41 661	34 532	23 725	23 725	12 062	6 035
普通中学	万人	33.02	13.91	22.71	7.40	14.42	2.01
农、职业中学	人	38 412	16 291	21 219	7 755	9 130	2 240
技工学校	人	21 525	18 208	17 364	13 882	6 295	5 404
小　学	万人	68.97	24.13	41.46	11.98	34.43	4.03
成人高等教育学校在校学生数	人	31 707	31 707	12 962	8 865	1 775	1 226
成人中等教育学校在校学生数	人	30 002	27 467	4 160	2 160	4 256	2 858
科技活动机构数	个	307	275	191	168	192	168
从事科技活动人员数	人	48 109	46 089	11 065	9 800	5 776	3 319
专业技术人员数	人	319 148	246 633	199 797	124 351	95 642	25 967
# 中级技术职称以上人员	人	109 894	96 353	58 940	38 547	12 538	6 361
电影放映单位数	个	610	160	274	48	461	15
文化事业机构数	个	247	151	211	44	67	16
公共图书馆	个	11	7	9	4	5	1
公共图书馆总藏量	千册、件	4 447	4 137	1 576	1 270	497	304
图书出版印数	万册	9 434	9 434				
杂志出版印数	万册	3 591	3 591	998	998		
报纸出版印数	万印张	32 876	32 876	3 539	3 466	956	832
卫生机构数	个	830	612	660	387	350	107
# 医院	个	303	169	213	70	144	24
门诊部(所)	个	447	384	373	276	152	65
卫生机构床位数	张	25 282	19 859	18 947	11 997	10 037	4 071
# 医院床位数	张	23 644	18 412	16 766	10 273	8 845	3 738
卫生技术人员数	人	38 231	28 237	23 722	14 545	13 762	4 698
# 医生	人	15 974	12 195	9 935	6 040	5 459	1 788
社会福利院数	个	4	3	3	2	2	2
社会福利院床位数	张	910	790	575	530	544	544
十一、社会治安							
火灾起数	起		818		674		7
火灾死伤人数	人		38		22		10
火灾损失折款数	万元		279		260		23
交通事故件数	件		1 125		1 533		57
交通事故死伤人数	人		732		831		59
刑事案件发案数	件		5 822		11 578		1 618
犯罪人数	人		3 222		3 450		793

10—22 辽源、通化、白山市基本情况

(1995年)

项目	单位	辽源市		通化市		白山市	
		全市	市区	全市	市区	全市	市区
一、综合							
年末总人口	万人	122.41	44.43	226.14	42.61	129.04	57.78
# 非农业人口	万人	56.13	38.35	101.35	35.79	82.38	43.21
年平均人口	万人	121.86	44.09	223.88	42.25	128.34	57.36
年末劳动力资源总数	万人	92.34	34.16	140.59	28.39	83.91	37.93
# 乡村劳动力	万人	30.20	2.86	66.72	3.60	16.85	4.80
年末全部从业人员数	万人	61.04	25.15	107.95	22.98	54.38	24.34
# 城镇个体劳动者	万人	3.73	2.53	8.64	1.97	3.36	1.61
城镇失业人员年末数	人	5 858	4 510	15 922	5 988	12 227	8 772
土地面积	平方公里	5 123	206	15 195	761	17 852	2 721
# 建成区土地面积	平方公里		28		24		27
国内生产总值(当年价)	万元	380 232	140 782	853 736	255 835	514 822	241 753
第一产业	万元	126 740	7 675	181 416	11 775	105 720	30 683
第二产业	万元	88 085	49 291	340 244	119 612	250 544	135 738
# 工业	万元	73 239	39 383	292 791	102 346	213 600	111 908
第三产业	万元	165 407	83 816	332 076	124 448	158 558	75 332
二、农业							
农林牧渔业总产值(当年价)	万元	199 982	12 612	336 210	22 177	174 459	52 270
农林牧渔业商品产值(当年价)	万元	161 059	10 902	225 657	17 988	123 711	37 048
年末实有耕地面积	千公顷	148	4	195	5	56	15
蔬菜产量	万吨	18.31	9.90	48.97	6.47	20.72	8.26
水果产量	吨	10 751	249	16 823	1 589	7 860	3 740
猪肉产量	吨	31 872	2 342	67 034	5 774	26 041	12 026
牛羊肉产量	吨	16 361	118	14 010	996	6 803	3 221
牛羊奶产量	吨	2 928	1 942	3 682	420	206	
禽蛋产量	吨	17 098	3 628	31 347	8 929	19 317	10 804
禽肉产量	吨	11 736	1 578	55 620	4 876	3 711	2 056
水产品产量	吨	1 806	51	7 463	50	2 565	626
三、工业							
企业单位数(乡及乡以上)	个	865	481	1 527	513	709	261
# 国有经济	个	189	130	366	124	189	71
私营经济	个	4	4	6	4	1	
股份制经济	个	5	5	4	2	8	5
乡及乡以上工业销售总产值(当年价)	万元	343 282	210 745	787 773	150 274	450 437	283 938
全部工业总产值(当年价)	万元	449 051	241 470	930 373	371 321	554 937	345 649
乡及乡以上工业总产值(当年价)	万元	313 370	213 609	728 901	340 284	452 806	274 690
# 国有经济	万元	197 659	157 029	497 354	285 548	308 874	184 185
私营经济	万元	434	434	1 729	636	140	
股份制经济	万元	9 878	9 878	42 557	8 385	32 450	30 491
全部独立核算工业企业经济指标							
企业单位数	个	817	460	1 465	481	625	243
工业总产值(当年价)	万元	310 821	212 549	714 205	338 631	430 575	270 687

10—22 续表 1 (1995年)

项目	单位	辽源市		通化市		白山市	
		全市	市区	全市	市区	全市	市区
工业销售产值(当年价)	万元	14 648	10 034	41 741	24 590	15 415	8 689
工业增加值(生产法)	万元	42 041	21 820	214 931	94 837	152 109	71 943
全部职工年平均人数	万人	16.71	11.81	22.15	10.13	22.44	12.55
流动资产年末合计	万元	390 962	285 148	744 863	353 712	390 986	256 282
流动资产年平均余额	万元	384 782	276 195	724 219	364 492	388 412	266 556
固定资产原值合计	万元	460 799	364 297	911 103	546 659	694 730	462 222
固定资产净值合计	万元	333 126	259 842	680 279	423 876	504 534	336 204
固定资产净值年平均余额	万元	283 793	225 533	619 246	389 424	432 558	280 431
产品销售收入	万元	305 894	217 663	772 329	430 502	414 442	260 954
# 产品销售税金及附加	万元	4 960	2 269	7 965	4 169	7 486	3 373
利润总额	万元	-27 122	-24 739	10 734	-7 034	-13 358	-16 277
本年应交增值税	万元						
四、交通、邮电、电力							
铁路客运量	万人	182.86	89.29	1 034.18	513.35	582.60	471.18
铁路货运量	万吨	200	131	918	379	833	636
公路客运量	万人	1 179	690	1 187.70	291.50	1 807	766
公路货运量	万吨	1 847	419	2 237	668	1 485	1 095
年末邮电局(所)数	处	62	31	153	25	97	30
邮电业务总量(1990年不变价)	万元	6461	5 171	14 822	6 297	8 689	4 697
电话交换机装机总容量	门	85 988	68 386	227 148	90 939	130 864	57 634
# 程控	门	78 618	62 006	205 313	82 242	116 232	48 494
年末电话机数	部	56 076	44 061	134 315	53 568	83 154	38 727
全年用电量	万千瓦时	74 667	50 929	212 237	107 809	175 929	128 428
# 工业用电	万千瓦时	44 106	30 082	155 780	89 653	164 689	118 576
城乡居民生活用电	万千瓦时	9 565	4 487	21 647	4 002	9 743	4 917
五、固定资产投资							
国有经济全部固定资产投资	万元	53 890	48 593	82 849	46 382	96 012	56 982
# 住宅建设	万元	9 161	8 603	6 239	2 870	9 289	5 300
城镇集体固定资产投资	万元	1 917	1 597	4 324	747	2 552	1 817
# 住宅建设	万元			1 688	111	103	45
其它类型经济固定资产投资	万元			2 058	1 158	8 756	3 482
# 住宅建设	万元			45	45	60	60
房地产开发投资额	万元	9 612	9 062	8 125	7 935	1 550	546
# 商品住宅	万元	8 435	7 885	6 441	6 251	1 442	438
商品房销售额	万元	7 899	7 739	4 957	3 765	3 229	2 183
商品房销售建筑面积	万平方米	7.82	7.56	6.10	4.76	1.80	0.63
新增固定资产							
(1) 国有经济全部新增固定资产	万元	34 870	31 906	92 332	66 145	38 242	23 320
(2) 城镇集体新增固定资产	万元	2114	1 852	5 829	777	2 528	1 613
施工住宅建筑面积(包括商品房)	万平方米	16.98	15.92	25.67	15.66	19.43	11.27
竣工住宅建筑面积(包括商品房)	万平方米	10.97	10.03	21.14	12.35	16.75	9.72
六、市政公用事业							

10－22 续表 2 （1995 年）

项目	单位	辽源市		通化市		白山市	
		全市	市区	全市	市区	全市	市区
年末实有住宅使用面积	万平方米		336.50		364		334.70
年末实有住宅居住面积	万平方米		272		260		252.72
城市居住人口(与居住面积同口径)	万人		38.40		42.60		37.90
年末供水管道总长度	公里		90		217		165
全年供水总量	万吨		2 841		11 110		2 994
生活用水量	万吨		427		950		1 282
生活用水人口	万人		35.20		25.10		34.10
# 非农业用水人口	万人		33.20		25.10		32.60
年末实有公共汽(电) 车营运车辆数	辆		138		366		132
全年公共汽(电) 车客运总数	万人次		1 200		5 592		1 686
年末实有出租汽车数	辆		820		584		126
煤气(人工、天然气) 供气总量	万立方米				632		
# 家庭用量	万立方米				632		
家庭用煤气人口	人				108 000		
液化石油气供气总量	吨		2 980		655		995
# 家庭用量	吨		2 730		405		995
家庭用液化气人口	人		96 000		11 800		71 000
年末实有铺装道路总长度	公里		88		128		140
年末实有铺装道路面积	万平方米		152		118		112
城市下水道总长度	公里		89		54		66
园林绿地面积	公顷		627		480		490
建成区绿化覆盖面积	公顷		650		495		500
工业废水排放量	万吨		459		2 755		1 081
工业废水处理量	万吨		59		5 900		3 163
生活污水排放量	万吨		210		4 390		272
废气排放量	万标立米		320 136		2 610 838		2 208 853
二氧化硫排放量	吨		5 936		22 273		19 672
工业废气处理量	万标立米		302 129		772 302		1 379 527
工业粉尘排放量	吨		382		14 134		4 462
工业粉尘回收量	吨		2 419		396 837		16 353
工业固体废物产生量	万吨		35		132		252
工业固体废物处理量	万吨		1		7		1
工业固体废物综合利用量	万吨		17		98		49
生活垃圾清运量	万吨		24		19		23
生活垃圾无害处理量	万吨				14		12
二、商业、外贸与外经、旅游							
批发零售贸易业商品销售总额	万元	155 233	84 055	319 236	93 911	147 050	80 833
# 对居民和社会集团商品零售额	万元	49 067	29 923	106 989	34 046	75 729	42 588
社会消费品零售总额	万元	173 551	119 361	365 222	118 274	257 942	136 322
批发零售贸易业、餐饮业网点数	个	21 433	10 197	48 996	15 923	18 678	7 685
# 个体	个	20 192	9 470	46 349	15 108	17 438	7 129
批发零售贸易业、餐饮业人员数	人	55 486	29 672	133 583	44 623	53 766	22 427

10—22 续表 3 (1995 年)

项目	单位	辽源市		通化市		白山市	
		全市	市区	全市	市区	全市	市区
# 个体	人	27 788	14 773	86 522	28 361	30 666	9 989
实际利用外资金额	万美元	72	66	701	414	1 853	540
境外旅游者人数	人			6 950		6 000	
旅游外汇收入	万美元			135		18	
八、财政、金融、保险							
中央财政预算内收入	万元	12 048	7 370	31 200	8 885	14 701	9 242
地方财政预算内收入	万元	12 270	6 564	27 206	8 877	25 885	10 090
# 工商税收	万元	4 971	3 570	24 508	8 737	8 041	4 895
地方财政预算内支出	万元	32 185	16 590	73 123	25 091	44 776	21 345
# 科学事业费支出	万元	121	93	607	492	193	134
# 教育事业费支出	万元	9 123	4 123	17 117	4 020	9 633	3 624
城乡居民储蓄年末余额	万元	278 183	172 331	622 891	188 613	430 476	217 728
年末银行各项贷款余额	万元	579 469	323 815	917 502	342 749	517 379	316 232
银行现金收入	万元	828 204	458 706	1 703 801	527 478	1 133 056	533 090
银行现金支出	万元	893 702	492 169	1 819 466	587 339	1 270 522	598 000
承保额	万元	455 875	214 056	7 550 000	250 000	734 981	426 134
保费	万元	2 547	929	8 359	3 293	5 361	2 722
已决赔款	万元	2 361	816	6 798	2 254	4 264	2 791
九、劳动工资、人民生活							
全部职工：年末人数	万人	26.46	19.53	40.59	16.67	33.37	17.59
年平均人数	万人	23.65	16.84	38.30	16.19	32.58	17.12
工资总额	万元	78 408	56 200	145 841	70 201	116 561	63 841
其他从业人员：年末人数	万人	0.23	0.02	0.26	0.06	0.28	0.11
年平均人数	万人	0.23	0.02	0.27	0.06	0.36	0.09
劳动报酬	万元	573	66	450	263	1 066	331
城市居民人均消费收入	元		2 226		2 759		2 764
城市居民人均消费支出	元		2 200		2 492		2 487
每百户拥有黑白电视机	台		33		32		26
每百户拥有彩色电视机	台		70		91		89
每百户拥有电冰箱	台		25		38		34
每百户拥有录像机	台		9		12		9
职工生活费用价格指数(上年=100)	%		114.80		113.30		115.20
消费品零售物价指数(上年=100)	%		112.90		113.60		114
# 食品价格指数(上年=100)	%		119.60		117.90		120.20
十、教育、科技、卫生、文化							
学校数：高等学校	个	3	3	1	1		
中等专业学校	个	6	6	7	6	4	4
普通中学	个	92	26	193	29	108	45
农、职业中学	个	7	4	25	7	20	9
技工学校	个	11	11	4	2	7	7
小学	个	579	66	1 072	69	623	179
教师数：高等学校	人	137	137	219	219		

10—22 续表 4 （1995 年）

项目	单位	辽源市		通化市		白山市	
		全市	市区	全市	市区	全市	市区
中等专业学校	人	123	123	485	408	207	207
普通中学	人	4 101	1 435	8 443	1 789	4 722	2 040
农、职业中学	人	236	95	1 016	298	794	381
技工学校	人	208	208	179	135	379	379
小学	人	6 766	1 699	12 579	1 790	7 379	2 992
在校学生数：高等学校	人	3 245	3 245	1 636	1 636		
中等专业学校	人	6 416	6 416	5 868	4 508	1 942	1 942
普通中学	万人	5.82	1.97	13.25	2.27	6.21	2.61
农、职业中学	人	5 015	1 936	13 133	2 309	10 896	4 636
技工学校	人	4 875	4 875	3 807	2 727	4 710	4 710
小学	万人	11.49	4.17	23.65	3.59	12.93	5.63
成人高等教育学校在校学生数	人	1 408	1 408	2 477	2 017		
成人中等教育学校在校学生数	人	759	759	103 178	1 645	1 599	1 599
科技活动机构数	个	6	4	53	24	36	24
从事科技活动人员数	人	1 170	950	1 514	944	1 306	751
专业技术人员数	人	31 986	24 911	59 846	16 374	56 682	27 160
# 中级技术职称以上人员	人	11 347	10 573	13 377	4 922	13 019	6 821
电影放映单位数	个	113	14	426	7	173	26
文化事业机构数	个	26	12	98	12	40	10
公共图书馆	个	3	1	6	1	4	1
公共图书馆总藏量	千册、件	337	257	560	262	250	111
图书出版印数	万册						
杂志出版印数	万册						
报纸出版印数	万印张	280	280	578	400	1	1
卫生机构数	个	148	70	419	144	375	123
# 医院	个	67	18	159	27	105	38
门诊部（所）	个	57	40	221	107	226	73
卫生机构床位数	张	4 739	2 398	8 302	3 270	7 038	3 152
# 医院床位数	张	4 739	2 398	7 915	3 188	5 580	3 113
卫生技术人员数	人	5 241	2 978	11 149	3 518	8 564	4 289
# 医生	人	2 107	1 177	4 722	1 563	3 895	2 108
社会福利院数	个	2	2	1		1	1
社会福利院床位数	张	250	250	250		100	100
十一、社会治安							
火灾起数	起		124		116		62
火灾死伤人数	人		5		4		10
火灾损失折款数	万元		61		45		48
交通事故件数	件		60		132		122
交通事故死伤人数	人		50		77		135
刑事案件发案数	件		3 466		1 352		1 736
犯罪人数	人		2 118		957		1 082

10—23 松原、白城市、延边州基本情况

(1995年)

项　　目	单位	松原市		白城市		延边朝鲜族自治州
		全市	市区	全市	市区	
一、综　　合						
年末总人口	万人	257.52	118.19	195.49	45.83	217.57
# 非农业人口	万人	63.41	36.16	76.91	25.97	130.53
年平均人口	万人	254.56	116.34	194.32	45.38	216.53
年末劳动力资源总数	万人	139.11	58.97	129.65	30.22	139.72
# 乡村劳动力	万人	79.22	37.68	45.79	7.68	42.84
年末全部从业人员数	万人	115.23	46.65	84.33	20.63	110.94
# 城镇个体劳动者	万人	5.91	2.89	6.52	1.90	9.37
城镇失业人员年末数	人	8 100	2 920	2 980	1 119	9 770
土地面积	平方公里	22 034	5 863	25 767	1 864	42 700
# 建成区土地面积	平方公里		26		24	153
国内生产总值(当年价)	万元	958 996	117 505	467 401	150 772	943 091
第一产业	万元	455 941	29 526	208 543	24 614	153 963
第二产业	万元	341 179	65 717	118 330	54 570	397 405
# 工业	万元	315 084	60 464	92 992	44 391	328 364
第三产业	万元	161 876	22 262	140 528	71 588	391 723
二、农　　业						
农林牧渔业总产值(当年价)	万元	700 184	49 839	386 810	47 568	248 813
农林牧渔业商品产值(当年价)	万元	473 958	37 040	219 297	28 968	167 763
年末实有耕地面积	千公顷	703	42	534	79	224
蔬菜产量	万吨	31.77	7.99	28.19	12.05	26.04
水果产量	吨	39 728	5 142	2 043	1 555	64 971
猪肉产量	吨	69 345	5 210	51 390	8 926	31 557
牛羊肉产量	吨	12 673	682	12 261	700	15 851
牛羊奶产量	吨	8 490	1 295	10 589	1 554	2 278
禽蛋产量	吨	46 173	1 520	24 294	3 356	18 734
禽肉产量	吨	11 023	375	12 197	1 098	3 944
水产品产量	吨	21 374	2 150	34 367	1 187	3 400
三、工　　业						
企业单位数(乡及乡以上)	个	661	58	929	270	1 780
# 国有经济	个	146	4	294	83	473
私营经济	个					31
股份制经济	个	4		2		34
乡及乡以上工业销售总产值(当年价)	万元	756 192	7 211	342 764	176 234	885 987
全部工业总产值(当年价)	万元	777 300	13 592	357 643	160 772	996 732
乡及乡以上工业总产值(当年价)	万元	693 655	7 206	293 634	140 009	837 658
# 国有经济	万元	612 917	1 017	225 484	113 548	603 360
私营经济	万元					1 721
股份制经济	万元	2 769		3 784		37 537
全部独立核算工业企业经济指标						
企业单位数	个	629	58	823	226	1 613
工业总产值(当年价)	万元	690 719	7 206	288 697	138 173	824 310

10－23 续表 1 (1995 年)

项目	单位	松原市		白城市		延边朝鲜族自治州
		全市	市区	全市	市区	
工业销售产值(当年价)	万元			17 187	11 137	47 186
工业增加值(生产法)	万元	335 137	2 326	61 891	35 375	268 344
全部职工年平均人数	万人		0.44	11.96	4.96	32.57
流动资产年末合计	万元	592 995	9 765	367 078	136 723	786 457
流动资产年平均余额	万元	469 040	7 831	342 903	135 335	781 502
固定资产原值合计	万元	1 340 758	8 879	413 750	264 425	1 145 379
固定资产净值合计	万元	869 092	6 675	315 106	201 098	853 021
固定资产净值年平均余额	万元	758 224	6 446	263 864	150 078	710 149
产品销售收入	万元	646 219	9 315	270 965	139 641	815 007
# 产品销售税金及附加	万元	25 398	186	2 852	1 354	36 041
利润总额	万元	1 620	-322	-18 917	-4 212	-23 242
本年应交增值税	万元					
四、交通、邮电、电力						
铁路客运量	万人			557.92	204.31	1 037
铁路货运量	万吨			334	107	1 197
公路客运量	万人	841	390	375.60	92.30	2 655
公路货运量	万吨	888	435	514	130	1 904
年末邮电局(所)数	处	119	70	115	24	157
邮电业务总量(1990 年不变价)	万元	8081	6 412	8 270	4 296	34 327
电话交换机装机总容量	门	139 292	106 160	141 316	70 118	363 782
# 程控	门	127 042	97 040	129 234	64 334	339 252
年末电话机数	部	90 602	72 456	83 353	38 918	214 042
全年用电量	万千瓦时	147 788	43 944	80 281	27 761	245 784
# 工业用电	万千瓦时	116 219	32 727	34 794	10 627	192 845
城乡居民生活用电	万千瓦时	22 650	10 685	10 624	3 827	28 883
五、固定资产投资						
国有经济全部固定资产投资	万元	210 933	4 314	60 546	33 656	163 986
# 住宅建设	万元	5 090	906	24 234	12 024	51 301
城镇集体固定资产投资	万元	1 483	1 483	626	626	5 622
# 住宅建设	万元	650	650	217	217	2 983
其它类型经济固定资产投资	万元			725	725	53 194
# 住宅建设	万元					793
房地产开发投资额	万元	4 282		9 380	8 399	30 328
# 商品住宅	万元	3 670		6 698	6 008	22 970
商品房销售额	万元	1 628		8 585	7 759	15 877
商品房销售建筑面积	万平方米	6.10		5.52	5.04	15.27
新增固定资产						
(1) 国有经济全部新增固定资产	万元	357 006	4 670	45 141	26 055	133 500
(2) 城镇集体新增固定资产	万元	1156	1 156	626	626	5 698
施工住宅建筑面积(包括商品房)	万平方米	11.62	5.01	54.21	23.89	140.36
竣工住宅建筑面积(包括商品房)	万平方米	8.38	4.19	38.32	19.61	86.37
六、市政公用事业						

10—23 续表 2　　　　　　　　　　(1995 年)

项目	单位	松原市		白城市		延边朝鲜族自治州
		全市	市区	全市	市区	
年末实有住宅使用面积	万平方米		288		260.60	1 177
年末实有住宅居住面积	万平方米		184.80		173.70	787
城市居住人口(与居住面积同口径)	万人		26.40		22.80	121
年末供水管道总长度	公里		48		142	626
全年供水总量	万吨		867		2 170	9 390
生活用水量	万吨		118		480	3 914
生活用水人口	万人		22.50		15.60	104.20
# 非农业用水人口	万人		22		15.60	94.60
年末实有公共汽(电)车营运车辆数	辆		76		51	462
全年公共汽(电)车客运总数	万人次		370		256	6 213
年末实有出租汽车数	辆		187		76	3 296
煤气(人工、天然气)供气总量	万立方米					42
# 家庭用量	万立方米					42
家庭用煤气人口	人					20 000
液化石油气供气总量	吨		27 731		2 400	13 284
# 家庭用量	吨		4 964		2 400	12 879
家庭用液化气人口	人		175 000		141 000	579 000
年末实有铺装道路总长度	公里		116		59	3 311
年末实有铺装道路面积	万平方米		172		81	682
城市下水道总长度	公里		123		93	454
园林绿地面积	公顷		527		631	2 165
建成区绿化覆盖面积	公顷		610		631	2 003
工业废水排放量	万吨		372		1 300	8 385
工业废水处理量	万吨		1 216		890	5 783
生活污水排放量	万吨		80		600	2 379
废气排放量	万标立米		632 909		680 000	3 973 146
二氧化硫排放量	吨		3 117		6 000	103 926
工业废气处理量	万标立米		479 392		440 000	1 254 487
工业粉尘排放量	吨		45 493		5 500	10 420
工业粉尘回收量	吨				4 100	63 204
工业固体废物产生量	万吨		4		15	242
工业固体废物处理量	万吨		3		4	62
工业固体废物综合利用量	万吨		2		11	62
生活垃圾清运量	万吨		36		34	154
生活垃圾无害处理量	万吨					45
七、商业、外贸与外经、旅游						
批发零售贸易业商品销售总额	万元	370 964	12 848	295 113	107 520	570 169
# 对居民和社会集团商品零售额	万元	131 058	5 737	124 158	37 101	190 913
社会消费品零售总额	万元	297 346	21 191	321 645	127 288	585 563
批发零售贸易业、餐饮业网点数	个	44 954	8 725	38 799	13 689	47 574
# 个体	个	43 107	8 607	35 697	12 461	43 713
批发零售贸易业、餐饮业人员数	人	122 967	17 251	115 892	36 507	122 174

10—23 续表 3　　　　　　　　　　　(1995年)

项　目	单　位	松原市		白城市		延边朝鲜族自治州
		全　市	市　区	全　市	市　区	
# 个体	人	72 350	12 821	62 948	20 200	67 636
实际利用外资金额	万美元	1 409		1 923	1 016	7 382
境外旅游者人数	人			400		
旅游外汇收入	万美元			1		
八、财政、金融、保险						
中央财政预算内收入	万元	47 528	12 305	16 669	6 048	62 565
地方财政预算内收入	万元	32 913	5 681	17 447	7 319	52 917
# 工商税收	万元	24 303	3 440	13 246	5 661	21 015
地方财政预算内支出	万元	55 234	13 373	53 206	21 358	111 876
# 科学事业费支出	万元	118	17	565	513	1 022
# 教育事业费支出	万元	11 857	5 722	14 129	4 227	24 296
城乡居民储蓄年末余额	万元	379 059	134 145	292 287	119 618	860 555
年末银行各项贷款余额	万元	1 147 560	377 169	772 222	261 621	1 191 379
银行现金收入	万元	1 625 778	678 574	1 547 988	574 334	3 042 291
银行现金支出	万元	1 849 581	725 582	1 748 512	551 926	3 208 197
承保额	万元	594 857	89 559	755 216	484 425	2 419 139
保　费	万元	4 511	1 220	4 619	1 769	13 097
已决赔款	万元	2 944	949	3 519	1 326	8 687
九、劳动工资、人民生活						
全部职工：年末人数	万人	28.40	2.05	31.60	11.01	58.68
年平均人数	万人	27.09	1.83	30.46	10.68	55.62
工资总额	万元	129 911	6 821	97 973	38 159	222 800
其他从业人员：年末人数	万人	1.15	0.11	0.43	0.04	0.35
年平均人数	万人	1.14	0.11	0.41	0.04	0.33
劳动报酬	万元	2 123	181	448	81	1 766
城市居民人均消费收入	元		2 863		2 575	
城市居民人均消费支出	元		2 596		2 524	
每百户拥有黑白电视机	台		8		26	
每百户拥有彩色电视机	台		98		87	
每百户拥有电冰箱	台		54		48	
每百户拥有录像机	台		18		5	
职工生活费用价格指数(上年=100)	%		115.10		113.40	
消费品零售物价指数(上年=100)	%		113.80		113.30	
# 食品价格指数(上年=100)	%		122.70		120	
十、教育、科技、卫生、文化						
学校数：高等学校	个			1	1	4
中等专业学校	个	2	1	10	8	9
普通中学	个	170	45	155	38	195
农、职业中学	个	25	10	29	4	29
技工学校	个	3	1	8	4	15
小　学	个	1 223	469	1 007	160	796
教师数：高等学校	人			222	222	1 415

10—23 续表 4 (1995年)

项目	单位	松原市		白城市		延边朝鲜族自治州
		全市	市区	全市	市区	
中等专业学校	人	116		901	741	590
普通中学	人	8 265	3 541	6 604	1 565	9 452
农、职业中学	人	1 566	769	1 153	164	872
技工学校	人	77	52	242	99	458
小 学	人	19 481	6 567	13 065	2 212	13 755
在校学生数： 高等学校	人			1 770	1 770	6 833
中等专业学校	人	790		12 415	9 847	7 292
普通中学	万人	12.92	4.87	9.22	2.37	11.94
农、职业中学	人	20 722	8 827	17 875	1 942	11 565
技工学校	人	2 317	392	4 178	2 099	2 772
小 学	万人	31.21	10.45	21.28	4.48	23.15
成人高等教育学校在校学生数	人	1 008	181	7 878	5 986	12 278
成人中等教育学校在校学生数	人			2 425	1 031	8 020
科技活动机构数	个			33	19	151
从事科技活动人员数	人			871	631	2 787
专业技术人员数	人	48 575	18 516	42 879	13 641	122 740
# 中级技术职称以上人员	人	9 481	3 446	12 212	4 546	41 374
电影放映单位数	个	8	3	295	22	49
文化事业机构数	个	140	10	82	27	194
公共图书馆	个	4	1	6	2	9
公共图书馆总藏量	千册、件	282	83	249	146	1 004
图书出版印数	万册					1 751
杂志出版印数	万册					155
报纸出版印数	万印张	612		567	495	2 954
卫生机构数	个	191	13	285	101	636
# 医院	个	131	7	128	26	165
门诊部(所)	个	33	6	118	61	387
卫生机构床位数	张	5 719	330	6 891	2 019	9 680
# 医院床位数	张	5 290	330	6 273	1 957	8 706
卫生技术人员数	人	9 167	434	9 316	3 348	15 038
# 医生	人	3 487	434	4 057	1 506	6 461
社会福利院数	个	1	1	2		1
社会福利院床位数	张	80	80	750		300
十一、社会治安						
火灾起数	起		81		183	82
火灾死伤人数	人		9		1	10
火灾损失折款数	万元		131		293	337
交通事故件数	件		132		47	476
交通事故死伤人数	人		200		56	532
刑事案件发案数	件		778		262	14 729
犯罪人数	人		647		281	2 716

10—24 九台、榆树、德惠、蛟河、桦甸市基本情况

(1995年)

项　　目	单　位	九台市	榆树市	德惠市	蛟河市	桦甸市
一、综　　合						
年末总人口	万人	81.96	119.51	87.38	46.64	44.34
# 非农业人口	万人	19.32	16.35	14.52	17.06	19.38
年平均人口	万人	81.72	119.04	86.77	46.47	44.10
年末劳动力资源总数	万人	60.76	88.60	42.99	29.66	31.74
# 乡村劳动力	万人	27.59	49.65	30.98	12.72	10.28
年末全部从业人员数	万人	37.24	59.97	41.19	21.92	18.63
# 城镇个体劳动者	万人	2.37	2.23	2.37	1.37	0.91
城镇失业人员年末数	人	2 163	506	202	940	120
土地面积	平方公里	3 100	4 722	3 435	6 364	6 250
# 建成区土地面积	平方公里	16	13	20	12	10
国内生产总值(当年价)	万元	216 956	434 289	357 306	148 673	161 517
第一产业	万元	109 331	250 463	149 943	49 299	39 963
第二产业	万元	45 780	85 168	120 334	40 487	87 010
# 工业	万元	32 011	57 016	96 544	36 037	79 176
第三产业	万元	61 845	98 658	87 029	58 887	34 544
二、农　　业						
农林牧渔业总产值(当年价)	万元	165 802	361 484	267 523	73 018	58 287
农林牧渔业商品产值(当年价)	万元	115 773	278 180	190 153	48 534	39 606
年末实有耕地面积	千公顷	160	291	212	49	46
蔬菜产量	万吨	16.54	58.99	17.35	8.06	6.62
水果产量	吨	2 912	4 612	2 858	2 861	12 615
猪肉产量	吨	26 930	66 311	29 986	9 446	10 124
牛羊肉产量	吨	3 494	16 535	5 351	8 983	5 575
牛羊奶产量	吨	2 286	4 805	3 224	210	206
禽蛋产量	吨	16 476	36 000	18 529	9 933	9 151
禽肉产量	吨	11 050	16 872	69 201	2 265	1 476
水产品产量	吨	3 455	1 080	4 411	1 356	600
三、工　　业						
企业单位数(乡及乡以上)	个	287	238	252	237	288
# 国有经济	个	45	30	44	56	65
私营经济	个					
股份制经济	个	.	1		1	
乡及乡以上工业销售总产值(当年价)	万元	48 956	87 258	83 786	55 096	116 754
全部工业总产值(当年价)	万元	80 028	182 214	274 278	62 000	150 449
乡及乡以上工业总产值(当年价)	万元	56 925	88 937	177 153	45 299	128 117
# 国有经济	万元	22 078	32 548	37 265	37 104	105 627
私营经济	万元					
股份制经济	万元		1 512		49	
全部独立核算工业企业经济指标						
企业单位数	个	283	238	244		221
工业总产值(当年价)	万元	55 898	88 937	65 651	44 243	124 635

10—24 续表 1　　　　　　　　(1995 年)

项　　目	单 位	九 台 市	榆 树 市	德 惠 市	蛟 河 市	桦 甸 市
工业销售产值(当年价)	万元	2065	3 482	2 655	1 518	2 928
工业增加值(生产法)	万元	15 057	18 768	16 850	15 318	75 640
全部职工年平均人数	万人	2.06	2.24	2.92	3.08	3.48
流动资产年末合计	万元	53 262	59 125	58 986	44 215	50 123
流动资产年平均余额	万元	50 236	57 265	57 455	44 507	56 072
固定资产原值合计	万元	43 402	55 239	58 813	63 966	405 630
固定资产净值合计	万元	32 729	42 634	47 449	46 209	290 031
固定资产净值年平均余额	万元	30 677	40 372	42 253	41 349	282 616
产品销售收入	万元	52 912	87 258	58 385	44 788	102 002
# 产品销售税金及附加	万元	882	1 943	1 671	989	1 814
利润总额	万元	58	660	-2 331	-2 773	-2 927
本年应交增值税	万元					
四、交通、邮电、电力						
铁路客运量	万人				236	15.20
铁路货运量	万吨				107	80
公路客运量	万人	550	687	266	329	340.50
公路货运量	万吨	737	544	810	308	132
年末邮电局(所)数	处	34	39	26	25	23
邮电业务总量(1990 年不变价)	万元	2090	2 591	1 738	1 606	1 723
电话交换机装机总容量	门	38 113	47 543	19 734	27 784	32 162
# 程控	门	35 132	46 531	19 084	25 664	29 748
年末电话机数	部	19 513	20 506	12 252	17 031	16 267
全年用电量	万千瓦时	41 600	29 572	29 994	24 390	24 011
# 工业用电	万千瓦时	19 288	7 597	12 159	16 914	3 001
城乡居民生活用电	万千瓦时	10 494	16 638	13 145	4 963	5 699
五、固定资产投资						
国有经济全部固定资产投资	万元	10 146	12 037	6 068	1 939	2 634
# 住宅建设	万元	6 254	1 301	70	811	462
城镇集体固定资产投资	万元	2 383	1 933	374		
# 住宅建设	万元	2 047	350			
其它类型经济固定资产投资	万元		450	27 019		
# 住宅建设	万元					
房地产开发投资额	万元		3 720	400	410	960
# 商品住宅	万元		3 720	214	363	780
商品房销售额	万元		1 456		675	
商品房销售建筑面积	万平方米		1.98		0.75	
新增固定资产						
(1) 国有经济全部新增固定资产	万元	8675	11 156	3 397	1 869	3 099
(2) 城镇集体新增固定资产	万元	2383	2 033	820		
施工住宅建筑面积(包括商品房)	万平方米	11.49	3.17	24.55	1.96	3.03
竣工住宅建筑面积(包括商品房)	万平方米	10.96	3.17	16.75	1.76	0.63
六、市政公用事业						

10—24 续表 2 (1995年)

项 目	单 位	九台市	榆树市	德惠市	蛟河市	桦甸市
年末实有住宅使用面积	万平方米	127.36	175	115	112.30	158
年末实有住宅居住面积	万平方米	98.50	160.40	87	70.30	116
城市居住人口(与居住面积同口径)	万人	17.80	13.30	18.20	12	13.80
年末供水管道总长度	公里	67	48	101	30	89
全年供水总量	万吨	338	939	1 067	524	570
生活用水量	万吨	134	245	180	166	79
生活用水人口	万人	21.70	13.30	8.90	11.10	6.80
# 非农业用水人口	万人	14.70	11.20	7	9.60	6.30
年末实有公共汽(电)车营运车辆数	辆	20	24			
全年公共汽(电)车客运总数	万人次	7	388			
年末实有出租汽车数	辆	127	236	504	85	
煤气(人工、天然气)供气总量	万立方米					
# 家庭用量	万立方米					
家庭用煤气人口	人					
液化石油气供气总量	吨		1150	10 400	580	638
# 家庭用量	吨		1 000	10 400	580	633
家庭用液化气人口	人		28 000	125 000	40 000	80 000
年末实有铺装道路总长度	公里	52	82	100	71	43
年末实有铺装道路面积	万平方米	44	66	88	51	34
城市下水道总长度	公里	31	30	46	27	16
园林绿地面积	公顷	160	197	227	139	168
建成区绿化覆盖面积	公顷	168	154	550	139	280
工业废水排放量	万吨	69	169	388	361	190
工业废水处理量	万吨		57	27	170	151
生活污水排放量	万吨	205	610	478		32
废气排放量	万标立米	29 263	320 000	367 500	872 312	991 711
二氧化硫排放量	吨	653	2 600	3 136	516	4 673
工业废气处理量	万标立米		74 790	79 789	133 399	170 707
工业粉尘排放量	吨		120	46	460	2 029
工业粉尘回收量	吨		81	41	192	4 672
工业固体废物产生量	万吨	8	4	4	6	44
工业固体废物处理量	万吨	3	8		1	
工业固体废物综合利用量	万吨	2	4	4	4	5
生活垃圾清运量	万吨	22	27	10	7	16
生活垃圾无害处理量	万吨	18	27			8
七、商业、外贸与外经、旅游						
批发零售贸易业商品销售总额	万元	89 866	102 160	76 184	63 654	41 551
# 对居民和社会集团商品零售额	万元	19 649	16 981	23 674	23 575	16 369
社会消费品零售总额	万元	72 604	67 382	40 619	49 679	43 165
批发零售贸易业、餐饮业网点数	个	7 471	11 415	7 997	7 924	6 106
# 个体	个	7 027	10 220	7 489	7 476	5 747
批发零售贸易业、餐饮业人员数	人	24 574	30 524	30 339	20 450	14 940

10—24 续表 3 (1995年)

项目	单位	九台市	榆树市	德惠市	蛟河市	桦甸市
# 个体	人	9 803	12 291	12 708	9 347	8 950
实际利用外资金额	万美元				6	55
境外旅游者人数	人					
旅游外汇收入	万美元					
八、财政、金融、保险						
中央财政预算内收入	万元	3 715	3 817	4 418	2 156	2 974
地方财政预算内收入	万元	6 296	7 783	6 925	4 189	3 215
# 工商税收	万元	1 903	2 412	4 597	2 633	1 079
地方财政预算内支出	万元	12 865	17 028	15 464	8 341	12 473
# 科学事业费支出	万元	20	19	21	26	38
# 教育事业费支出	万元	4 670	7 210	5 564	2 649	2 965
城乡居民储蓄年末余额	万元	112 629	116 948	136 073	96 079	107 324
年末银行各项贷款余额	万元	233 541	352 096	319 006	92 900	110 331
银行现金收入	万元	447 641	418 215	612 563	282 945	304 826
银行现金支出	万元	514 867	48 223	700 632	314 498	351 953
承保额	万元	214 212	381 267	396 760	203 669	264 808
保 费	万元	1 151	1 659	1 459	1 194	1 248
已决赔款	万元	923	1 077	1 143	566	8 276
九、劳动工资、人民生活						
全部职工：年末人数	万人	6.55	7.56	7.48	6.16	7.01
年平均人数	万人	6.05	7.35	7.29	5.91	6.68
工资总额	万元	22 398	26 157	26 273	19 463	26 047
其他从业人员：年末人数	万人	0.23	0.38	0.13	0.12	0.13
年平均人数	万人	0.23	0.38	0.07	0.12	0.13
劳动报酬	万元	506	718	345	248	229
城市居民人均消费收入	元			2 624	2 406	
城市居民人均消费支出	元			2 522	1 858	
每百户拥有黑白电视机	台			34	36	
每百户拥有彩色电视机	台			64	76	
每百户拥有电冰箱	台			36	38	
每百户拥有录像机	台			14	6	
职工生活费用价格指数(上年=100)	%			115.70	115.20	
消费品零售物价指数(上年=100)	%			115.30	114.90	
# 食品价格指数(上年=100)	%			128	120.40	
十、教育、科技、卫生、文化						
学校数：高等学校	个					
中等专业学校	个	3	2	1		
普通中学	个	48	70	55	33	33
农、职业中学	个	7	11	5	4	7
技工学校	个	1	1	1	1	1
小 学	个	322	398	309	248	206
教师数：高等学校	人					

10—24 续表 4 (1995年)

项 目	单 位	九台市	榆树市	德惠市	蛟河市	桦甸市
中等专业学校	人	177	186	42		
普通中学	人	2 766	3 650	2 783	1 488	1 537
农、职业中学	人	124	225	218	137	116
技工学校	人	60	71	56	17	60
小 学	人	4 577	8 235	6 960	3 523	3 386
在校学生数：高等学校	人					
中等专业学校	人	3 129	2 195	510		
普通中学	万人	4.26	4.92	4.61	3.18	2.06
农、职业中学	人	2 835	3 950	5 145	1 904	2 571
技工学校	人	1 010	460	815	603	341
小 学	万人	8.45	11.86	10.47	5.06	5.27
成人高等教育学校在校学生数	人				271	2 476
成人中等教育学校在校学生数	人	933	635	783	553	360
科技活动机构数	个	6	8	9	2	7
从事科技活动人员数	人	165	36	126	60	167
专业技术人员数	人	16 867	25 193	12 374	12 344	14 688
# 中级技术职称以上人员	人	3 426	4 816	3 324	3 337	3 970
电影放映单位数	个	77	76	45	35	33
文化事业机构数	个	22	20	21	22	27
公共图书馆	个	1	1	1	1	1
公共图书馆总藏量	千册、件	63	68	109	59	65
图书出版印数	万册					
杂志出版印数	万册					
报纸出版印数	万印张					73
卫生机构数	个	64	67	40	55	59
# 医院	个	33	41	26	21	26
门诊部(所)	个	25	22	8	26	27
卫生机构床位数	张	1 477	1 415	889	1 082	1 463
# 医院床位数	张	1 345	1 415	870	1 070	1 417
卫生技术人员数	人	2 784	2 412	2 044	1 546	2 159
# 医生	人	1 020	906	897	727	939
社会福利院数	个	1				1
社会福利院床位数	张	120				45
十一、社会治安						
火灾起数	起	23	68	25	15	23
火灾死伤人数	人	19				
火灾损失折款数	万元	13	43	12	23	32
交通事故件数	件	51	53	98	13	18
交通事故死伤人数	人	50	86	200	17	23
刑事案件发案数	件	451	420	406	1 000	827
犯罪人数	人	216	489	204	449	638

10—25 舒兰、磐石、公主岭、梅河口、集安市基本情况

(1995 年)

项　　目	单 位	舒 兰 市	磐 石 市	公主岭市	梅河口市	集 安 市
一、综　　合						
年末总人口	万人	66.43	53.50	100.53	62.27	23.04
# 非农业人口	万人	20.50	16.71	26.33	26.95	7.58
年平均人口	万人	66.07	53.41	100.15	61.41	22.87
年末劳动力资源总数	万人	44.58	32.40	74.16	37.77	13.51
# 乡村劳动力	万人	18.75	14.71	28.46	14.32	6.71
年末全部从业人员数	万人	30.72	22.84	41.70	26.54	10.81
# 城镇个体劳动者	万人	1	0.81	1.60	4.47	0.23
城镇失业人员年末数	人	1 964	530	2 677	5 024	578
土地面积	平方公里	4 558	3 960	4 058	2 174	3 217
# 建成区土地面积	平方公里	26	8	27	34	13
国内生产总值(当年价)	万元	186 851	183 017	273 140	266 105	79 812
第一产业	万元	77 171	48 881	172 429	84 563	24 365
第二产业	万元	46 851	77 045	49 926	77 635	31 244
# 工业	万元	38 015	69 441	44 141	60 865	28 065
第三产业	万元	62 829	57 091	50 785	103 907	24 203
二、农　　业						
农林牧渔业总产值(当年价)	万元	111 792	79 614	297 857	136 592	41 431
农林牧渔业商品产值(当年价)	万元	70 312	59 379	212 883	92 989	26 260
年末实有耕地面积	千公顷	83	65	219	64	2
蔬菜产量	万吨	12.63	4.78	20.49	22.81	3.77
水果产量	吨	3 934	4 587	3 716	3 662	3 567
猪肉产量	吨	18 860	13 661	62 101	23 918	5 885
牛羊肉产量	吨	4 303	6 510	13 806	3 807	314
牛羊奶产量	吨	240	358	5 297	472	
禽蛋产量	吨	9 860	6 410	41 459	10 065	1 192
禽肉产量	吨	5 055	1 973	20 776	31 570	452
水产品产量	吨	4 120	3 000	1 825	4 665	745
三、工　　业						
企业单位数(乡及乡以上)	个	234	259	329	324	161
# 国有经济	个	64	51	66	43	55
私营经济	个					1
股份制经济	个		1	1		
乡及乡以上工业销售总产值(当年价)	万元	83 994	168 523	159 138	169 110	44 577
全部工业总产值(当年价)	万元	128 283	173 677	278 136	259 750	58 446
乡及乡以上工业总产值(当年价)	万元	91 377	148 741	169 996	151 350	43 508
# 国有经济	万元	76 651	120 242	72 769	55 547	36 081
私营经济	万元					750
股份制经济	万元		8	3 876		
全部独立核算工业企业经济指标						
企业单位数	个	205	242	326	319	159
工业总产值(当年价)	万元	78 309	146 412	169 865	145 819	43 305

10—25 续表 1 (1995年)

项　目	单　位	舒兰市	磐石市	公主岭市	梅河口市	集安市
工业销售产值(当年价)	万元	4422	10 394	7 044	5 601	1 774
工业增加值(生产法)	万元	25 712	46 985	44 126	40 174	20 892
全部职工年平均人数	万人	4.80	4.12		3.37	1.61
流动资产年末合计	万元	67 018	107 077	150 494	102 033	67 272
流动资产年平均余额	万元	64 805	105 281	139 083	82 173	66 999
固定资产原值合计	万元	162 349	158 319	121 255	86 603	101 495
固定资产净值合计	万元	120 704	118 408	89 395	65 524	61 089
固定资产净值年平均余额	万元	105 042	87 744	77 188	58 093	55 709
产品销售收入	万元	82 029	142 680	153 397	129 187	37 426
# 产品销售税金及附加	万元	1 461	1 656	1 749	1 654	357
利润总额	万元	-4 139	5 021	-4 295	5 327	-920
本年应交增值税	万元					
四、交通、邮电、电力						
铁路客运量	万人	209.15	88.60	259.68	320.59	20.73
铁路货运量	万吨	363	323	121	279	25
公路客运量	万人	144.80	318	563	375	119.70
公路货运量	万吨	127	108	662	641	153
年末邮电局(所)数	处	24	26	43	32	20
邮电业务总量(1990年不变价)	万元	1080	1 417	2 874	3 197	1 417
电话交换机装机总容量	门	24 354	26 320	35 324	44 522	31 045
# 程控	门	20 328	21 928	31 923	32 528	27 587
年末电话机数	部	20 089	18 114	28 182	29 215	15 265
全年用电量	万千瓦时	26 600	78 000	36 649	51 476	8 028
# 工业用电	万千瓦时	18 800	63 000	14 852	39 762	4 682
城乡居民生活用电	万千瓦时	5 755	2 000	12 429	8 711	2 523
五、固定资产投资						
国有经济全部固定资产投资	万元	3 491	8 141	7 577	19 055	7 468
# 住宅建设	万元	1 516	2 115	10	1 976	378
城镇集体固定资产投资	万元		460	1 361	1 445	847
# 住宅建设	万元		460	150	845	132
其它类型经济固定资产投资	万元			3 957	900	
# 住宅建设	万元			175		
房地产开发投资额	万元	430	450			150
# 商品住宅	万元	430	450			150
商品房销售额	万元	780		249	398	260
商品房销售建筑面积	万平方米			0.32	0.50	0.20
新增固定资产						
(1) 国有经济全部新增固定资产	万元	1434	4 886	4 283	14 423	1 930
(2) 城镇集体新增固定资产	万元		460	1 126	945	847
施工住宅建筑面积(包括商品房)	万平方米	0.45	5.23	0.60	5.05	1.43
竣工住宅建筑面积(包括商品房)	万平方米	0.45	4.71	0.33	4.60	0.74
六、市政公用事业						

10—25 续表 2　　(1995 年)

项　　目	单 位	舒兰市	磐石市	公主岭市	梅河口市	集安市
年末实有住宅使用面积	万平方米	66	91.10	190.95	162.98	72
年末实有住宅居住面积	万平方米	46	60.70	136.05	130.38	42.66
城市居住人口(与居住面积同口径)	万人	10	9.20	22.96	20	6.80
年末供水管道总长度	公里	67	41	94	62	75
全年供水总量	万吨	273	463	1 428	1 845	428
生活用水量	万吨	120	155	277	240	71
生活用水人口	万人	5	7.30	18.60	27.10	4.30
# 非农业用水人口	万人	5	6.60	17	26.40	3.80
年末实有公共汽(电) 车营运车辆数	辆			71	14	7
全年公共汽(电) 车客运总数	万人次			307	20.18	1.80
年末实有出租汽车数	辆	70		1 371	390	12
煤气(人工、天然气) 供气总量	万立方米			224		
# 家庭用量	万立方米			20		
家庭用煤气人口	人			6 000		
液化石油气供气总量	吨	700	1 600	1 574	800	1 000
# 家庭用量	吨	700	1 200	1 514	800	900
家庭用液化气人口	人	90 000	17 000	79 000	540 000	50 000
年末实有铺装道路总长度	公里	32	26	125	48	34
年末实有铺装道路面积	万平方米	31	28	173	66	33
城市下水道总长度	公里	16	17	53	50	10
园林绿地面积	公顷	171	24	343	139	64
建成区绿化覆盖面积	公顷	179	49	330	168	64
工业废水排放量	万吨	174	500	268	831	112
工业废水处理量	万吨	182	300	424	734	79
生活污水排放量	万吨	380	30	680	190	400
废气排放量	万标立米	1 191 000	3 800 000	390 269	453 735	149 526
二氧化硫排放量	吨	2 600	2 000	7 026	6 418	1 500
工业废气处理量	万标立米		31 000		276 357	15 234
工业粉尘排放量	吨		70 050	1 437	1 976	2 904
工业粉尘回收量	吨	400	52 000	1 004	1 892	1 684
工业固体废物产生量	万吨	56	7	28	4 067	8
工业固体废物处理量	万吨	52	1			7
工业固体废物综合利用量	万吨	15	5	27	24	1
生活垃圾清运量	万吨	6	9	20	20	4
生活垃圾无害处理量	万吨				5	4
七、商业、外贸与外经、旅游						
批发零售贸易业商品销售总额	万元	70 720	44 541	138 268	107 771	21 704
# 对居民和社会集团商品零售额	万元	30 434	15 839	17 433	32 035	6 87
社会消费品零售总额	万元	64 680	52 713	71 614	100 096	30 60
批发零售贸易业、餐饮业网点数	个	6 355	9 632	10 693	12 171	5 52
# 个体	个	5 910	8 896	10 135	11 668	5 04
批发零售贸易业、餐饮业人员数	人	18 951	21 204	31 926	40 705	14 18

10—25 续表 3 (1995年)

项目	单位	舒兰市	磐石市	公主岭市	梅河口市	集安市
# 个体	人	8 401	12 119	14 447	27 057	9 101
实际利用外资金额	万美元	39	14		35	26
境外旅游者人数	人					
旅游外汇收入	万美元					
八、财政、金融、保险						
中央财政预算内收入	万元	4 462	5 467	5 010	5 517	1 681
地方财政预算内收入	万元	5 616	5 691	7 254	7 716	3 333
# 工商税收	万元	2 203	3 901	2 629	1 973	953
地方财政预算内支出	万元	11 195	11 411	14 903	13 765	6 112
# 科学事业费支出	万元	26	24	37	19	50
# 教育事业费支出	万元	3 785	3 377	5 745	4 052	2 110
城乡居民储蓄年末余额	万元	98 270	91 667	156 477	136 563	86 849
年末银行各项贷款余额	万元	162 039	146 147	304 371	175 419	121 626
银行现金收入	万元	261 415	250 958	501 340	139 638	143 912
银行现金支出	万元	314 909	278 962	543 631	137 544	153 405
承保额	万元	228 360	377 912	372 730	159 735	197 521
保　费	万元	1 769	1 529	1 265	1 416	826
已决赔款	万元	774	806	849	1 168	331
九、劳动工资、人民生活						
全部职工：年末人数	万人	10.43	6.79	11.64	7.32	3.61
年平均人数	万人	9.18	6.67	10.15	6.23	3.45
工资总额	万元	32 720	27 024	37 778	22 446	12 059
其他从业人员：年末人数	万人	0.16	0.22	0.29	0.12	
年平均人数	万人	0.17	0.22	0.30	0.12	
劳动报酬	万元	295	486	415	88	5
城市居民人均消费收入	元					
城市居民人均消费支出	元					
每百户拥有黑白电视机	台					
每百户拥有彩色电视机	台					
每百户拥有电冰箱	台					
每百户拥有录像机	台					
职工生活费用价格指数(上年=100)	%					
消费品零售物价指数(上年=100)	%					
# 食品价格指数(上年=100)	%					
十、教育、科技、卫生、文化						
学校数：高等学校	个					
中等专业学校	个			3	1	
普通中学	个	43	43	50	47	21
农、职业中学	个	5	5	4	6	3
技工学校	个	2	2	2	1	1
小　学	个	322	291	428	279	140
教师数：高等学校	人					

10—25 续表 4 (1995年)

项目	单位	舒兰市	磐石市	公主岭市	梅河口市	集安市
中等专业学校	人			235	77	
普通中学	人	1 980	1 931	4 037	2 488	891
农、职业中学	人	192	121	334	239	130
技工学校	人	76	50	93	16	24
小　学	人	4 219	4 045	7 762	3 522	1 456
在校学生数：高等学校	人					
中等专业学校	人			2 650	1 360	
普通中学	万人	3.06	3.03	4.94	4.15	1.20
农、职业中学	人	3 657	1 356	2 568	4 724	2 069
技工学校	人	702	757	888	490	350
小　学	万人	6.21	5.84	13.39	7.15	1.92
成人高等教育学校在校学生数	人	1 136	214	250	310	150
成人中等教育学校在校学生数	人	380	707		240	154
科技活动机构数	个	5	5	11	13	4
从事科技活动人员数	人	98	90	280	89	42
专业技术人员数	人	20 900	13 606	11 655	13 174	5 833
# 中级技术职称以上人员	人	5 641	3 678	2 533	2 558	1 165
电影放映单位数	个	25	40	81	15	70
文化事业机构数	个	37	25	12	28	30
公共图书馆	个	1	1	1	1	1
公共图书馆总藏量	千册、件	20	111	80	67	60
图书出版印数	万册					
杂志出版印数	万册					
报纸出版印数	万印张			124	178	
卫生机构数	个	45	51	77	64	39
# 医院	个	31	33	39	35	22
门诊部(所)	个	8	13	29	23	10
卫生机构床位数	张	1 677	1 119	2 444	1 665	786
# 医院床位数	张	1 619	1 099	1 837	1 665	554
卫生技术人员数	人	2 044	1 923	3 307	3 028	879
# 医生	人	785	687	1 324	1 247	422
社会福利院数	个				1	
社会福利院床位数	张				250	
十一、社会治安						
火灾起数	起	58	22	3	150	7
火灾死伤人数	人				14	
火灾损失折款数	万元	12	9	20	59	42
交通事故件数	件	67	29	106	42	34
交通事故死伤人数	人	75	37	152	55	18
刑事案件发案数	件	972	1 111	915	285	533
犯罪人数	人	320	305	432	348	393

10—26 临江、洮南、大安、延吉、图们市基本情况

(1995年)

项　　目	单　位	临江市	洮南市	大安市	延吉市	图们市
一、综　　合						
年末总人口	万人	18.46	42.79	41.76	35.62	14
# 非农业人口	万人	10.94	15.37	15.13	30.35	10.21
年平均人口	万人	18.37	42.66	41.55	34.99	13.97
年末劳动力资源总数	万人	13.02	29.85	29.71	23.43	9.27
# 乡村劳动力	万人	3.44	11.69	10.12	2.54	1.80
年末全部从业人员数	万人	8.12	18.71	17.19	19.67	6.43
# 城镇个体劳动者	万人	0.46	1.32	1.31	4	0.69
城镇失业人员年末数	人	594	476	269	1 595	1 185
土地面积	平方公里	3 009	5 103	4 915	1 350	1 142
# 建成区土地面积	平方公里	6	16	12	24	10
国内生产总值(当年价)	万元	95 285	107 068	86 613	263 700	76 652
第一产业	万元	22 758	61 906	33 191	7 926	5 540
第二产业	万元	42 352	18 514	28 045	127 988	33 117
# 工业	万元	35 256	14 594	24 276	97 842	28 691
第三产业	万元	30 175	26 648	25 377	127 786	37 995
二、农　　业						
农林牧渔业总产值(当年价)	万元	33 646	100 909	74 027	12 928	8 648
农林牧渔业商品产值(当年价)	万元	22 281	60 622	47 119	10 267	5 854
年末实有耕地面积	千公顷	9	115	91	8	9
蔬菜产量	万吨	6.13	3.39	6.31	3.74	2.18
水果产量	吨	1 253	130	35	7 037	3 666
猪肉产量	吨	5 381	12 834	10 550	1 876	1 167
牛羊肉产量	吨	426	2 374	3 657	580	379
牛羊奶产量	吨	123	850	792	300	257
禽蛋产量	吨	4 130	4 485	7 082	1 792	1 169
禽肉产量	吨	787	3 364	4 782	623	217
水产品产量	吨	683	4 130	12 500	85	40
三、工　　业						
企业单位数(乡及乡以上)	个	94	159	184	471	156
# 国有经济	个	13	52	56	87	12
私营经济	个	1			6	1
股份制经济	个	3	1		8	3
乡及乡以上工业销售总产值(当年价)	万元	51 266	49 256	57 267	230 316	94 508
全部工业总产值(当年价)	万元	67 777	60 329	56 375	239 568	109 481
乡及乡以上工业总产值(当年价)	万元	52 695	47 611	41 825	209 389	89 160
# 国有经济	万元	33 232	36 716	25 572	137 245	76 782
私营经济	万元	140			1 064	51
股份制经济	万元	1 959	558		9 460	133
全部独立核算工业企业经济指标						
企业单位数	个	91	155	179	456	144
工业总产值(当年价)	万元	48 972	47 336	41 709	207 290	88 267

10—26 续表 1　　　　　　　　　　(1995年)

项　　目	单位	临江市	洮南市	大安市	延吉市	图们市
工业销售产值(当年价)	万元	2345	2 241	1 635	15 972	5 335
工业增加值(生产法)	万元	24 124	7 276	7 761	82 222	31 124
全部职工年平均人数	万人	3.05	2.39	2.14	4.25	2.35
流动资产年末合计	万元	33 177	86 196	44 657	210 406	82 416
流动资产年平均余额	万元	24 193	78 384	43 297	200 916	83 270
固定资产原值合计	万元	80 672	62 109	32 943	250 710	149 504
固定资产净值合计	万元	57 852	47 749	25 035	196 525	103 339
固定资产净值年平均余额	万元	43 646	56 031	22 618	146 737	76 060
产品销售收入	万元	44 414	40 974	35 372	215 308	94 243
# 产品销售税金及附加	万元	841	421	405	25 632	741
利润总额	万元	1 258	-7 717	-1 964	-5 391	-2 851
本年应交增值税	万元					
四、交通、邮电、电力						
铁路客运量	万人	55.33	47.11	173.77	236.41	249.53
铁路货运量	万吨	104	49	122	122	337
公路客运量	万人	104	57.40	106.30	361.50	152.50
公路货运量	万吨	178	84	130	448	200
年末邮电局(所)数	处	14	23	25	25	10
邮电业务总量(1990年不变价)	万元	770	1 110	1 501	17 532	2 243
电话交换机装机总容量	门	13 142	18 998	21 598	114 355	30 106
# 程控	门	9 950	15 448	20 758	110 105	28 294
年末电话机数	部	9 681	12 216	14 403	73 050	13 624
全年用电量	万千瓦时	13 148	14 894	14 813	75 918	25 624
# 工业用电	万千瓦时	9 050	7 941	8 065	60 132	20 627
城乡居民生活用电	万千瓦时	2 138	2 206	1 091	7 138	1 853
五、固定资产投资						
国有经济全部固定资产投资	万元	10 604	8 456	5 480	62 662	16 553
# 住宅建设	万元	665	3 086	2 199	19 653	6 452
城镇集体固定资产投资	万元	250			1 985	1 740
# 住宅建设	万元				1 875	130
其它类型经济固定资产投资	万元	4 768			39 112	787
# 住宅建设	万元				372	151
房地产开发投资额	万元		521	350	21 248	2 882
# 商品住宅	万元		430	150	17 526	1 968
商品房销售额	万元		621	120	14 079	1 155
商品房销售建筑面积	万平方米			0.48	13.53	0.84
新增固定资产						
(1) 国有经济全部新增固定资产	万元	3804	2 940	3 979	50 843	18 505
(2) 城镇集体新增固定资产	万元	250			2 087	1 610
施工住宅建筑面积(包括商品房)	万平方米	1.27	7.28	4.13	65.41	18.14
竣工住宅建筑面积(包括商品房)	万平方米	1.27	4.73	2.06	40.23	8.55
六、市政公用事业						

10—26 续表 2 (1995年)

项目	单位	临江市	洮南市	大安市	延吉市	图们市
年末实有住宅使用面积	万平方米	64.45	146.82	104.70	381	93
年末实有住宅居住面积	万平方米	48.81	110.12	69.30	232.90	61
城市居住人口(与居住面积同口径)	万人	8.90	13.20	10.10	31.20	10
年末供水管道总长度	公里	29	35	164	151	44
全年供水总量	万吨	488	818	438	3 100	370
生活用水量	万吨	134	154	290	1 564	121
生活用水人口	万人	7	4.40	9.10	27	8.50
# 非农业用水人口	万人	6.20	4.20	8.90	26.50	8.40
年末实有公共汽(电)车营运车辆数	辆	20			392	20
全年公共汽(电)车客运总数	万人次	289			5 895	14
年末实有出租汽车数	辆	92	16		2 138	104
煤气(人工、天然气)供气总量	万立方米				42	
# 家庭用量	万立方米				42	
家庭用煤气人口	人				20 000	
液化石油气供气总量	吨	290	300	900	2 426	
# 家庭用量	吨	290	300	900	2 426	
家庭用液化气人口	人	17 000	12 000	25 000	148 000	
年末实有铺装道路总长度	公里	43	30	46	108	72
年末实有铺装道路面积	万平方米	35	31	50	104	52
城市下水道总长度	公里	22	15	30	113	56
园林绿地面积	公顷	76	130	150	466	486
建成区绿化覆盖面积	公顷	80	114	156	455	490
工业废水排放量	万吨	538	800	130	212	3 132
工业废水处理量	万吨	161	725	47	94	2 451
生活污水排放量	万吨	90	151		1 251	195
废气排放量	万标立米	236 706	175 000	18	818 973	472 098
二氧化硫排放量	吨	3 732	2 000	160	1 410	3 570
工业废气处理量	万标立米	4 064	46 820	324	117 782	
工业粉尘排放量	吨	444	300	3 000	1 089	596
工业粉尘回收量	吨	278	158		10 824	350
工业固体废物产生量	万吨	18	6	1	5	16
工业固体废物处理量	万吨	6				45
工业固体废物综合利用量	万吨	10	5	1	5	4
生活垃圾清运量	万吨	4	8	9	34	13
生活垃圾无害处理量	万吨					9
七、商业、外贸与外经、旅游						
批发零售贸易业商品销售总额	万元	22 404	54 496	43 025	230 899	41 468
# 对居民和社会集团商品零售额	万元	15 436	18 918	24 507	93 115	8 072
社会消费品零售总额	万元	45 886	63 067	42 284	257 768	42 354
批发零售贸易业、餐饮业网点数	个	3 131	8 051	5 315	13 672	4 179
# 个体	个	2 913	7 604	4 852	12 856	3 750
批发零售贸易业、餐饮业人员数	人	7 236	19 722	17 637	42 129	9 501

10—26 续表 3 (1995 年)

项目	单位	临江市	洮南市	大安市	延吉市	图们市
# 个体	人	3 919	11 571	7 359	25 349	5 215
实际利用外资金额	万美元	1 308	188	324	4 405	238
境外旅游者人数	人					
旅游外汇收入	万美元					
八、财政、金融、保险						
中央财政预算内收入	万元	1 730	2 686	3 777	9 168	3 126
地方财政预算内收入	万元	2 357	2 264	3 395	16 682	4 884
# 工商税收	万元	1 063	1 996	2 618	7 908	1 892
地方财政预算内支出	万元	5 362	8 242	8 606	23 555	6 959
# 科学事业费支出	万元	4	22	15	89	39
# 教育事业费支出	万元	1 256	2 412	2 908	5 343	1 531
城乡居民储蓄年末余额	万元	48 620	47 172	56 903	269 263	61 534
年末银行各项贷款余额	万元	51 960	166 143	111 510	365 927	116 651
银行现金收入	万元	85 782	207 983	374 188	1 227 922	220 841
银行现金支出	万元	102 224	241 136	524 702	1 201 932	243 350
承保额	万元	87 854	66 969	104 854	859 977	172 109
保　费	万元	641	917	1 110	3 204	1 213
已决赔款	万元	519	770	822	1 674	539
九、劳动工资、人民生活						
全部职工：年末人数	万人	4.11	5.64	5.57	12.38	3.82
年平均人数	万人	4.09	5.24	5.43	11.95	3.68
工资总额	万元	14 433	16 045	14 469	60 118	16 117
其他从业人员：年末人数	万人	0.09	0.06	0.19	0.03	0.01
年平均人数	万人	0.08	0.05	0.18	0.03	0.01
劳动报酬	万元	309	40	254	757	57
城市居民人均消费收入	元				3 398	
城市居民人均消费支出	元				2 898	
每百户拥有黑白电视机	台				20	
每百户拥有彩色电视机	台				85	
每百户拥有电冰箱	台				61	
每百户拥有录像机	台				27	
职工生活费用价格指数(上年=100)	%				113.60	
消费品零售物价指数(上年=100)	%				113.10	
# 食品价格指数(上年=100)	%				127.60	
十、教育、科技、卫生、文化						
学校数：高等学校	个				3	
中等专业学校	个			1	8	
普通中学	个	12	30	32	18	17
农、职业中学	个	3	7	8	3	1
技工学校	个		1	1	4	1
小　学	个	106	248	232	45	37
教师数：高等学校	人				1 114	

10－26 续表 4　　　　　　　　　　（1995 年）

项　　目	单　位	临江市	洮南市	大安市	延吉市	图们市
中等专业学校	人			82	522	
普通中学	人	567	1 178	1 577	1 671	738
农、职业中学	人	99	271	313	235	82
技工学校	人		33	45	84	18
小　学	人	1 086	2 132	3 551	2 114	823
在校学生数：高等学校	人				5 637	
中等专业学校	人			1 170	5 962	
普通中学	万人	0.71	1.97	2.05	2.04	0.82
农、职业中学	人	1 465	3 248	5 858	2 313	970
技工学校	人		950	334	1 163	126
小　学	万人	1.65	4.68	4.90	3.60	1.51
成人高等教育学校在校学生数	人		786	350	4 514	365
成人中等教育学校在校学生数	人		157	880	4 065	190
科技活动机构数	个	12	9	1	100	18
从事科技活动人员数	人	114	148	19	1 116	348
专业技术人员数	人	3 547	8 087	8 657	31 651	7 741
# 中级技术职称以上人员	人	714	2 052	2 405	15 361	3 071
电影放映单位数	个	2	56	77	7	4
文化事业机构数	个	12	11	10	34	12
公共图书馆	个		1	1	2	1
公共图书馆总藏量	千册、件		28	27	327	137
图书出版印数	万册				1 751	
杂志出版印数	万册				155	
报纸出版印数	万印张		70	2	2 928	
卫生机构数	个	56	71	41	113	28
# 医院	个	18	28	31	24	11
门诊部(所)	个	33	36	5	72	8
卫生机构床位数	张	801	1 540	1 431	2 857	689
# 医院床位数	张	785	1 088	1 431	2 289	672
卫生技术人员数	人	1 013	1 703	1 708	4 314	1 204
# 医生	人	392	802	779	2 031	524
社会福利院数	个		2		1	
社会福利院床位数	张		750		300	
十一、社会治安						
火灾起数	起	4	20	15	18	13
火灾死伤人数	人	2		7	6	1
火灾损失折款数	万元	2	18	120	87	23
交通事故件数	件	33	22	46	175	27
交通事故死伤人数	人	28	41	64	190	36
刑事案件发案数	件	221	516	407	4 918	787
犯罪人数	人	142	151	184	477	127

10—27 敦化、珲春、龙井、和龙市和农安县基本情况

(1995年)

项目	单位	敦化市	珲春市	龙井市	和龙市	农安县
一、综合						
年末总人口	万人	47.43	20.84	27.30	23.58	108.49
# 非农业人口	万人	24.76	12.88	14.46	13.72	17.01
年平均人口	万人	47.30	20.57	27.30	23.60	107.96
年末劳动力资源总数	万人	29.88	14.33	18.98	14.83	80.43
# 乡村劳动力	万人	11.09	4.20	6.11	6.09	36.41
年末全部从业人员数	万人	24.29	11.06	13.26	11.55	46.58
# 城镇个体劳动者	万人	1.05	0.78	1	0.64	3.24
城镇失业人员年末数	人	1 453	1 044	912	1 221	80
土地面积	平方公里	11 545	5 142	2 591	5 069	5 268
# 建成区土地面积	平方公里	30	48	17	11	17
国内生产总值(当年价)	万元	191 665	79 007	105 372	70 772	441 967
第一产业	万元	41 063	16 238	24 393	18 609	254 930
第二产业	万元	86 164	31 453	45 748	27 005	87 365
# 工业	万元	77 411	24 859	39 538	24 024	73 169
第三产业	万元	64 438	31 316	35 231	25 158	99 672
二、农业						
农林牧渔业总产值(当年价)	万元	73 376	24 737	39 293	28 328	397 238
农林牧渔业商品产值(当年价)	万元	54 399	14 705	27 054	16 140	290 934
年末实有耕地面积	千公顷	63	22	33	25	291
蔬菜产量	万吨	5.48	2.66	4.87	1.93	38.08
水果产量	吨	2 519	3 501	34 763	9 500	2 455
猪肉产量	吨	7 900	3 313	5 502	4 466	74 521
牛羊肉产量	吨	6 766	1 154	2 096	1 719	9 531
牛羊奶产量	吨	350	269	131	28	3 422
禽蛋产量	吨	6 575	1 561	2 889	992	26 379
禽肉产量	吨	1 704	230	398	300	67 721
水产品产量	吨	1 830	510	333	125	4 609
三、工业						
企业单位数(乡及乡以上)	个	207	121	253	186	254
# 国有经济	个	54	38	77	62	28
私营经济	个					
股份制经济	个	14	3		4	
乡及乡以上工业销售总产值(当年价)	万元	167 741	66 061	126 868	52 004	81 432
全部工业总产值(当年价)	万元	220 726	69 088	137 265	64 813	216 891
乡及乡以上工业总产值(当年价)	万元	170 794	61 371	113 885	52 853	84 220
# 国有经济	万元	87 891	50 601	96 167	40 458	59 510
私营经济	万元					
股份制经济	万元	26 564	151		1 219	
全部独立核算工业企业经济指标。						
企业单位数	个	196	104	233	140	254
工业总产值(当年价)	万元	165 423	60 304	112 023	51 770	84 220

10—27 续表 1 (1995年)

项目	单位	敦化市	珲春市	龙井市	和龙市	农安县
工业销售产值(当年价)	万元	8445	3 458	6 119	2 089	2 258
工业增加值(生产法)	万元	51 058	21 049	21 381	23 315	20 912
全部职工年平均人数	万人	8.02	3.22	3.12	4.16	1.17
流动资产年末合计	万元	140 168	70 855	96 196	57 765	40 498
流动资产年平均余额	万元	145 505	73 756	93 245	57 355	40 498
固定资产原值合计	万元	138 424	147 649	153 593	84 580	38 834
固定资产净值合计	万元	99 312	110 362	109 586	64 512	30 815
固定资产净值年平均余额	万元	91 329	94 399	88 352	59 463	31 834
产品销售收入	万元	153 099	56 970	105 217	40 643	81 513
# 产品销售税金及附加	万元	2 338	660	1 164	1 361	4 943
利润总额	万元	3 647	-10 206	-3 740	-2 467	2 343
本年应交增值税	万元					
四、交通、邮电、电力						
铁路客运量	万人	116.82		123.34	85.40	
铁路货运量	万吨	155		160	104	
公路客运量	万人	405	208	394.60	224	550
公路货运量	万吨	495	185	164	102	455
年末邮电局(所)数	处	28	16	19	20	33
邮电业务总量(1990年不变价)	万元	3193	3 308	2 754	1 823	2 363
电话交换机装机总容量	门	50 152	51 358	37 458	26 616	26 964
# 程控	门	48 390	50 808	33 348	21 096	25 824
年末电话机数	部	28 278	19 333	27 374	17 896	18 737
全年用电量	万千瓦时	31 765	20 985	35 001	14 623	20 368
# 工业用电	万千瓦时	22 943	15 942	29 869	11 652	6 657
城乡居民生活用电	万千瓦时	5 125	4 048	4 104	2 155	11 394
五、固定资产投资						
国有经济全部固定资产投资	万元	19 483	18 134	18 889	8 432	19 629
# 住宅建设	万元	8 270	4 529	7 372	1 763	7 961
城镇集体固定资产投资	万元	631	473	490		2 315
# 住宅建设	万元	270	408	200		1 325
其它类型经济固定资产投资	万元	4 358	5 134	235	1 694	54
# 住宅建设	万元		155		115	
房地产开发投资额	万元	120	2 622	821		
# 商品住宅	万元	100	150	591		
商品房销售额	万元			643		
商品房销售建筑面积	万平方米			0.31		1.93
新增固定资产						
(1) 国有经济全部新增固定资产	万元	13 047	20 980	13 168	7 585	19 502
(2) 城镇集体新增固定资产	万元	622	519	570		2 217
施工住宅建筑面积(包括商品房)	万平方米	16.29	11.94	14.45	4.76	17.02
竣工住宅建筑面积(包括商品房)	万平方米	10.76	8.52	8.13	3.04	16.98
六、市政公用事业						

10—27 续表 2　　　　(1995 年)

项　　目	单　位	敦化市	珲春市	龙井市	和龙市	农安县
年末实有住宅使用面积	万平方米	233	122	114.41	84.80	128.09
年末实有住宅居住面积	万平方米	149.50	87	82.38	60.50	91.49
城市居住人口(与居住面积同口径)	万人	20.90	13	18.30	9.80	13.22
年末供水管道总长度	公里	57	170	52	57	90
全年供水总量	万吨	1 122	2 338	581	602	156
生活用水量	万吨	294	370	398	92	51
生活用水人口	万人	19.60	10.40	15	6.60	4.30
# 非农业用水人口	万人	17.60	9.20	11.50	5.80	4.30
年末实有公共汽(电) 车营运车辆数	辆		39		3	
全年公共汽(电) 车客运总数	万人次		1		1	
年末实有出租汽车数	辆	202	357	120	52	
煤气(人工、天然气) 供气总量	万立方米					
# 家庭用量	万立方米					
家庭用煤气人口	人					
液化石油气供气总量	吨	1635	621	327	1 200	
# 家庭用量	吨	1 559	507	327	1 200	
家庭用液化气人口	人	82 000	53 000	40 000	64 000	
年末实有铺装道路总长度	公里	175	198	119	107	
年末实有铺装道路面积	万平方米	137	169	83	66	46
城市下水道总长度	公里	57	83	56	20	23
园林绿地面积	公顷	418	154	119	33	409
建成区绿化覆盖面积	公顷	431	73	123	46	753
工业废水排放量	万吨	108	632	3 347	232	120
工业废水处理量	万吨	312	318	2 330	58	85
生活污水排放量	万吨	300	340	193	74	60
废气排放量	万标立米	178 398	993 097	608 408	233 000	110
二氧化硫排放量	吨	2 047	5 136	5 200	1 205	
工业废气处理量	万标立米		784 412	390 223		44
工业粉尘排放量	吨		56	1 836	1 522	17
工业粉尘回收量	吨		419	1 895	1 828	14
工业固体废物产生量	万吨	8	97	58	10	80
工业固体废物处理量	万吨			17		80
工业固体废物综合利用量	万吨	8	14	11	8	80
生活垃圾清运量	万吨	13	20	16	7	24
生活垃圾无害处理量	万吨		20	2		
七、商业、外贸与外经、旅游						
批发零售贸易业商品销售总额	万元	67 875	72 805	59 826	27 760	102 082
# 对居民和社会集团商品零售额	万元	26 480	13 812	13 833	12 135	12 967
社会消费品零售总额	万元	80 229	55 472	42 508	32 432	62 136
批发零售贸易业、餐饮业网点数	个	6 956	4 451	4 876	4 836	9 934
# 个体	个	6 530	4 129	4 355	4 386	8 687
批发零售贸易业、餐饮业人员数	人	17 193	10 349	12 468	11 514	27 382

10—27 续表 3 (1995年)

项　目	单　位	敦化市	珲春市	龙井市	和龙市	农安县
# 个体	人	10 968	5 611	5 730	5 181	15 099
实际利用外资金额	万美元	1 078	1 299	481		
境外旅游者人数	人					
旅游外汇收入	万美元					
八、财政、金融、保险						
中央财政预算内收入	万元	6 101	2 449	4 218	2 075	
地方财政预算内收入	万元	8 738	4 912	5 613	4 337	5 327
# 工商税收	万元	3 039	1 774	3 415	1 276	3 122
地方财政预算内支出	万元	11 549	8 192	8 769	7 108	14 837
# 科学事业费支出	万元	30	22	19	14	18
# 教育事业费支出	万元	3 157	2 419	3 119	2 313	6 226
城乡居民储蓄年末余额	万元	161 936	69 706	75 269	70 087	143 658
年末银行各项贷款余额	万元	147 500	134 358	150 081	86 816	280 766
银行现金收入	万元	481 563	199 887	264 030	184 010	510 994
银行现金支出	万元	528 328	234 926	281 261	204 543	575 320
承保额	万元	324 988	315 746	336 627	156 814	165 189
保　费	万元	2 216	1 293	1 400	1 252	1 458
已决赔款	万元	1 378	1 191	958	699	970
九、劳动工资、人民生活						
全部职工：年末人数	万人	12.17	5.95	6.07	6.12	5.72
年平均人数	万人	10.96	5.63	5.86	5.96	5.66
工资总额	万元	37 016	24 219	23 796	19 780	22 421
其他从业人员：年末人数	万人	0.18		0.04	0.02	0.44
年平均人数	万人	0.16		0.04	0.02	0.44
劳动报酬	万元	482	36	141	45	813
城市居民人均消费收入	元					
城市居民人均消费支出	元					
每百户拥有黑白电视机	台					
每百户拥有彩色电视机	台					
每百户拥有电冰箱	台					
每百户拥有录像机	台					
职工生活费用价格指数(上年=100)	%					
消费品零售物价指数(上年=100)	%					
# 食品价格指数(上年=100)	%					
十、教育、科技、卫生、文化						
学校数：高等学校	个			1		
中等专业学校	个	1				2
普通中学	个	39	19	26	23	80
农、职业中学	个	14	2	3	1	19
技工学校	个	3	1	1	1	1
小　学	个	288	64	69	61	390
教师数：高等学校	人			301		

10—27 续表 4 (1995年)

项 目	单 位	敦化市	珲春市	龙井市	和龙市	农安县
中等专业学校	人	68				134
普通中学	人	1 710	962	1 104	1 130	3 421
农、职业中学	人	145	92	70	81	493
技工学校	人	115	21	20	47	44
小 学	人	3 395	1 437	1 297	1 675	5 064
在校学生数：高等学校	人			1 196		
中等专业学校	人	1 330				2 211
普通中学	万人	2.50	1.16	1.47	1.20	5.32
农、职业中学	人	4 456	828	572	741	10 191
技工学校	人	668	109	108	203	624
小 学	万人	4.88	2.46	2.68	2.54	14.06
成人高等教育学校在校学生数	人	1 901	649	1 806	1 171	
成人中等教育学校在校学生数	人	728	934	1 199	366	184
科技活动机构数	个	2	9	12	1	9
从事科技活动人员数	人	615	133	279	10	140
专业技术人员数	人	20 762	9 593	11 335	13 188	18 081
# 中级技术职称以上人员	人	5 298	3 437	4 276	3 280	1 975
电影放映单位数	个	8	3	5	6	252
文化事业机构数	个	26	17	27	36	33
公共图书馆	个	1	1	1	1	1
公共图书馆总藏量	千册、件	77	106	85	106	70
图书出版印数	万册					
杂志出版印数	万册					
报纸出版印数	万印张		26			
卫生机构数	个	173	23	62	43	47
# 医院	个	29	15	21	23	34
门诊部(所)	个	130	3	33	13	8
卫生机构床位数	张	1 616	782	950	1 332	1 642
# 医院床位数	张	1 495	760	824	1 232	1 602
卫生技术人员数	人	2 634	1 094	1 375	1 534	2 754
# 医生	人	1 168	456	553	581	956
社会福利院数	个					
社会福利院床位数	张					
十一、社会治安						
火灾起数	起	12	3	10	14	55
火灾死伤人数	人	3				4
火灾损失折款数	万元	74	5	74	35	43
交通事故件数	件	74	41	45	36	29
交通事故死伤人数	人	46	64	59	34	41
刑事案件发案数	件	2 005	1 904	1 133	1 556	359
犯罪人数	人	705	284	98	254	247

10—28 永吉、梨树、伊通、双辽、东丰县基本情况

(1995年)

项目	单位	永吉县	梨树县	伊通满族自治县	双辽县	东丰县
一、综合						
年末总人口	万人	76.04	82.52	44.85	37.66	39.05
# 非农业人口	万人	13.44	20.05	8.53	13.28	10.33
年平均人口	万人	75.60	82.08	44.30	37.46	38.91
年末劳动力资源总数	万人	39.75	60.48	27.20	27.78	28.52
# 乡村劳动力	万人	27.16	28.06	16.20	11.53	12.82
年末全部从业人员数	万人	34.15	39.10	21.10	18.71	17.91
# 城镇个体劳动者	万人	1.23	1.46	1.10	1.35	
城镇失业人员年末数	人	167	2 985	1 088	1 373	855
土地面积	平方公里	4 614	4 209	2 941	3 121	2 487
# 建成区土地面积	平方公里	6	20	44	12	6
国内生产总值(当年价)	万元	200 884	322 350	130 350	135 205	113 003
第一产业	万元	69 282	209 985	75 243	77 105	58 273
第二产业	万元	70 128	51 185	27 365	27 669	26 524
# 工业	万元	46 049	40 346	25 620	15 938	
第三产业	万元	61 474	61 180	27 742	30 431	28 206
二、农业						
农林牧渔业总产值(当年价)	万元	132 423	322 572	127 880	117 647	92 369
农林牧渔业商品产值(当年价)	万元	89 001	206 021	96 934	81 235	77 170
年末实有耕地面积	千公顷	116	186	88	98	75
蔬菜产量	万吨	27.12	28.72	2.30	4.08	4.72
水果产量	吨	31 452	6 973	35 000	684	8 081
猪肉产量	吨	19 844	83 885	17 592	17 513	14 820
牛羊肉产量	吨	4 449	11 949	8 622	7 577	8 544
牛羊奶产量	吨	1 261	13 577	880	1 610	294
禽蛋产量	吨	12 132	25 676	14 647	7 740	7 188
禽肉产量	吨	8 643	8 979	6 842	5 233	6 616
水产品产量	吨	3 173	1 293	1 110	950	900
三、工业						
企业单位数(乡及乡以上)	个	317	278	178	198	200
# 国有经济	个	70	72	45	53	39
私营经济	个					
股份制经济	个				1	
乡及乡以上工业销售总产值(当年价)	万元	44 259	107 560	35 089	71 399	63 252
全部工业总产值(当年价)	万元	118 245	174 769	86 525	89 864	103 850
乡及乡以上工业总产值(当年价)	万元	49 150	102 324	41 196	68 057	67 184
# 国有经济	万元	27 972	60 457	13 251	51 642	32 824
私营经济	万元					
股份制经济	万元				333	
全部独立核算工业企业经济指标						
企业单位数	个	281	271	168	169	192
工业总产值(当年价)	万元	45 620	101 791	40 579	66 156	66 259

10—28 续表 1 (1995 年)

项 目	单 位	永吉县	梨树县	伊通满族自治县	双辽县	东丰县
工业销售产值(当年价)	万元	2893				
工业增加值(生产法)	万元	14 029	24 316	12 419	11 194	11 686
全部职工年平均人数	万人	2.21	3.02	1.20	2.13	2.30
流动资产年末合计	万元	3 488	86 570	31 899	52 734	75 592
流动资产年平均余额	万元	32 739	80 820	32 887	47 739	75 064
固定资产原值合计	万元	49 218	80 545	30 633	243 369	72 976
固定资产净值合计	万元	37 876	58 241	24 188	228 489	56 170
固定资产净值年平均余额	万元	24 579	53 398	24 037	186 868	42 050
产品销售收入	万元	44 259	98 905	35 098	77 544	62 185
# 产品销售税金及附加	万元	811	2 229	585	1 124	2 183
利润总额	万元	-1 946	868	-1 668	-14 779	-1 207
本年应交增值税	万元					
四、交通、邮电、电力						
铁路客运量	万人	179.40	72.72		146.17	44.58
铁路货运量	万吨	227	87		8 757	21
公路客运量	万人	210	352.10	114	121	186
公路货运量	万吨	56	334	122	91	341
年末邮电局(所) 数	处	25	35	24	27	31
邮电业务总量(1990 年不变价)	万元	1340	1 509	858	929	1 290
电话交换机装机总容量	门	23 860	23 908	14 604	16 000	17 602
# 程控	门	20 438	15 824	13 888	13 710	16 612
年末电话机数	部	13 278	15 674	6 469	10 300	12 015
全年用电量	万千瓦时	17 114	36 475	19 720	13 585	18 853
# 工业用电	万千瓦时	4 550	14 889	7 230	5 625	12 705
城乡居民生活用电	万千瓦时	6 400	9 370	5 020	6 454	3 546
五、固定资产投资						
国有经济全部固定资产投资	万元	3 681	4 695	1 825	54 316	3 890
# 住宅建设	万元	2 067			1 161	
城镇集体固定资产投资	万元			267	300	
# 住宅建设	万元			267		
其它类型经济固定资产投资	万元					
# 住宅建设	万元					
房地产开发投资额	万元		1 000	450	242	
# 商品住宅	万元		550	450	242	
商品房销售额	万元		320	500	3	
商品房销售建筑面积	万平方米		0.43	1.20	0.01	
新增固定资产						
(1) 国有经济全部新增固定资产	万元	3809	1 303	80	84 676	1 620
(2) 城镇集体新增固定资产	万元			267		
施工住宅建筑面积(包括商品房)	万平方米	3.74	0.77	2	7.60	0.78
竣工住宅建筑面积(包括商品房)	万平方米	3.37	0.77	2	5.29	0.78
六、市政公用事业						

10—28 续表 2 (1995年)

项　目	单　位	永吉县	梨树县	伊通满族自治县	双辽县	东丰县
年末实有住宅使用面积	万平方米	2.40	125.41	121.30	69.60	64.82
年末实有住宅居住面积	万平方米	1.92	89.58	187	49.30	49.17
城市居住人口(与居住面积同口径)	万人	6.20	14.50	6.60	9.70	6.95
年末供水管道总长度	公里	42	46	105	29	20
全年供水总量	万吨	230	318	2 920	135	252
生活用水量	万吨	90	193	1 324	87	95
生活用水人口	万人	3.10	9	2.90	5	4.30
# 非农业用水人口	万人	2.74	9	0.80	5	3.93
年末实有公共汽(电)车营运车辆数	辆			47		
全年公共汽(电)车客运总数	万人次			90		
年末实有出租汽车数	辆		800	207	56	
煤气(人工、天然气)供气总量	万立方米	220				
# 家庭用量	万立方米	220				
家庭用煤气人口	人	17 390				
液化石油气供气总量	吨	220	50	15 000	1 040	
# 家庭用量	吨	220	50	12 000	700	
家庭用液化气人口	人	17 390	200 000	42 726	53 500	
年末实有铺装道路总长度	公里	187	22	2	369	
年末实有铺装道路面积	万平方米	18	56	16	21	19
城市下水道总长度	公里	6	31	5	31	30
园林绿地面积	公顷	26	349	12	62	256
建成区绿化覆盖面积	公顷	40	414	68	62	256
工业废水排放量	万吨	350	368	81	119	175
工业废水处理量	万吨	235	111	58	369	10
生活污水排放量	万吨	20	278	540	214	100
废气排放量	万标立米	802 180	355 182	71 246	1 270 864	189 379
二氧化硫排放量	吨	6 240	2 612	866	8 170	1 984
工业废气处理量	万标立米	10 701	182 512	17 532	1 192 948	107 781
工业粉尘排放量	吨	1 987	13 663	1 389	12	12 052
工业粉尘回收量	吨	3 534	29 254	1 181	576	28 260
工业固体废物产生量	万吨	49	22	12 733	36	6
工业固体废物处理量	万吨	1		12 733		1
工业固体废物综合利用量	万吨	4	22	12 000		5
生活垃圾清运量	万吨	3	8	122	15	10
生活垃圾无害处理量	万吨	1				
七、商业、外贸与外经、旅游						
批发零售贸易业商品销售总额	万元	55 920	123 303	34 928	82 704	47 218
# 对居民和社会集团商品零售额	万元	13 682	39 628	9 016	22 064	12 499
社会消费品零售总额	万元	76 168	80 057	43 512	60 964	34 360
批发零售贸易业、餐饮业网点数	个	12 344	13 052	3 179	6 776	6 695
# 个体	个	12 200	10 220	3 006	6 193	6 367
批发零售贸易业、餐饮业人员数	人	24 224	58 029	11 545	20 231	14 288

10—28 续表 3　　　　　　(1995 年)

项　　目	单位	永吉县	梨树县	伊通满族自治县	双辽县	东丰县
# 个体	人	15 855	15 642	3 536	8 927	7 866
实际利用外资金额	万美元	83	13			6
境外旅游者人数	人					
旅游外汇收入	万美元					
八、财政、金融、保险						
中央财政预算内收入	万元	3 024	3 162	1 360	2 181	2 569
地方财政预算内收入	万元	9 035	5 038	5 693	3 681	
# 工商税收	万元	6 940	2 269	3 138	2 580	836
地方财政预算内支出	万元	10 389	12 560	8 855	9 074	8 670
# 科学事业费支出	万元	9	22	12	41	
# 教育事业费支出	万元	3 599	4 737	3 632	2 367	
城乡居民储蓄年末余额	万元	98 361	100 847	50 672	45 809	65 027
年末银行各项贷款余额	万元	138 648	301 370	110 298	252 327	145 673
银行现金收入	万元	275 528	461 687	42 767	198 169	253 039
银行现金支出	万元	309 501	484 989	58 694	233 149	273 669
承保额	万元	112 352	207 437	139 660	255 626	107 042
保　费	万元	1 000	1 049	780	799	729
已决赔款	万元	713	809	450	726	900
九、劳动工资、人民生活						
全部职工：年末人数	万人	6.94	9.27	3.80	5.67	4.15
年平均人数	万人	6.87	8.09	3.90	5.39	4.09
工资总额	万元	25 321	25 326	14 443	15 913	13 391
其他从业人员：年末人数	万人	1 700	0.31	0.10	0.16	0.11
年平均人数	万人	1 687	0.27	0.10	0.16	0.11
劳动报酬	万元	230	455	250	284	329
城市居民人均消费收入	元				2 041	
城市居民人均消费支出	元				1 912	
每百户拥有黑白电视机	台				48	
每百户拥有彩色电视机	台				62	
每百户拥有电冰箱	台				18	
每百户拥有录像机	台					
职工生活费用价格指数(上年=100)	%				14.20	
消费品零售物价指数(上年=100)	%				14.90	
# 食品价格指数(上年=100)	%				22.20	
十、教育、科技、卫生、文化						
学校数：高等学校	个					
中等专业学校	个		1	1		
普通中学	个	52	54	29	32	45
农、职业中学	个	15	4	1	3	2
技工学校	个	2				
小　学	个	415	366	233	194	234
教师数：高等学校	人					

10—28 续表 4 (1995年)

项目	单位	永吉县	梨树县	伊通满族自治县	双辽县	东丰县
中等专业学校	人		92	33		
普通中学	人	2 291	2 529	1 855	1 260	1 599
农、职业中学	人	219	134	57	146	97
技工学校	人	64				
小学	人	3 447	5 410	3 260	2 298	2 467
在校学生数：高等学校	人					
中等专业学校	人		1 650	60		
普通中学	万人	3.99	3.61	1.90	1.90	2.18
农、职业中学	人	3 976	1 506	172	3 426	2 495
技工学校	人	1 079				
小学	万人	7.10	9.72	3.80	3.50	3.81
成人高等教育学校在校学生数	人		769			
成人中等教育学校在校学生数	人		3 168			
科技活动机构数	个	4	7	3	3	1
从事科技活动人员数	人	36	2 105	31	42	48
专业技术人员数	人	13 908	12 523	8 933	7 681	3 696
# 中级技术职称以上人员	人	3 759	3 359	1 717	1 777	504
电影放映单位数	个	28	150	106	5	46
文化事业机构数	个	15	42	9	11	30
公共图书馆	个	1	1	1	1	1
公共图书馆总藏量	千册、件	48	72	5	21	55
图书出版印数	万册					
杂志出版印数	万册					
报纸出版印数	万印张			1		
卫生机构数	个	63	80	43	37	51
# 医院	个	32	33	23	20	28
门诊部(所)	个	23	45	20	17	17
卫生机构床位数	张	1 609	1 721	899	2 028	1 242
# 医院床位数	张	1 288	1 481	887	1 947	1 242
卫生技术人员数	人	1 505	2 801	1 344	1 622	1 255
# 医生	人	757	1 140	321	635	568
社会福利院数	个					
社会福利院床位数	张					
十一、社会治安						
火灾起数	起	47	9	33	15	176
火灾死伤人数	人	2	5	3	2	1
火灾损失折款数	万元	32	13	37	26	49
交通事故件数	件	76	107	79	31	30
交通事故死伤人数	人	83	95	69	44	17
刑事案件发案数	件	774	787	273	404	401
犯罪人数	人	244	245	296	283	271

10—29 东辽、通化、辉南、柳河、抚松县基本情况

(1995 年)

项　　目	单　位	东辽县	通化县	辉南县	柳河县	抚松县
一、综　　合						
年末总人口	万人		25.51	35.70	37	30
# 非农业人口	万人		7.53	13.63	9.52	18.35
年平均人口	万人	38.86	25.32	35.36	36.77	29.89
年末劳动力资源总数	万人	27.60	18.64	23.69	16.14	21.32
# 乡村劳动力	万人		8.20	10.60	13.62	4.11
年末全部从业人员数	万人	17.98	17.27	6.51	15.58	12.43
# 城镇个体劳动者	万人		0.33	1.01	0.84	0.34
城镇失业人员年末数	人	493	721	2 600		2 823
土地面积	平方公里	2 430	3 495	2 247	3 350	6 530
# 建成区土地面积	平方公里	4	134		14	4
国内生产总值(当年价)	万元	102 305	84 253	82 644	85 087	109 231
第一产业	万元	60 752	17 720	15 055	27 938	32 793
第二产业	万元	17 818	49 558	36 409	25 786	51 424
# 工业	万元	15 301	45 940	33 281	22 294	47 762
第三产业	万元	23 735	16 975	31 180	31 363	25 014
二、农　　业						
农林牧渔业总产值(当年价)	万元	95 001	35 439	37 123	63 448	51 019
农林牧渔业商品产值(当年价)	万元	72 987	21 278	21 852	45 290	38 446
年末实有耕地面积	千公顷	69	27	40	45	15
蔬菜产量	万吨	3.69	3.47	5.60	6.84	4.63
水果产量	吨	2 421	1 894	2 981	3 130	643
猪肉产量	吨	14 710	8 884	11 077	11 496	4 064
牛羊肉产量	吨	7 699	3 097	2 135	3 661	801
牛羊奶产量	吨	692	17	2	2 771	83
禽蛋产量	吨	6 282	4 300	3 665	3 196	2 141
禽肉产量	吨	3 542	652	1 730	16 340	514
水产品产量	吨	855	400	603	1 000	838
三、工　　业						
企业单位数(乡及乡以上)	个	184	172	190	168	143
# 国有经济	个	20	39	61	45	38
私营经济	个		1			
股份制经济	个		2			
乡及乡以上工业销售总产值(当年价)	万元	30 162	85 546	132 901	41 132	79 938
全部工业总产值(当年价)	万元	103 730	121 397	178 427	66 305	94 392
乡及乡以上工业总产值(当年价)	万元	32 578	87 434	152 299	45 865	93 225
# 国有经济	万元	7 805	37 339	136 581	35 978	70 435
私营经济	万元		342			
股份制经济	万元		34 172			
全部独立核算工业企业经济指标						
企业单位数	个	165	165	178	164	127
工业总产值(当年价)	万元	32 012	86 931	128 197	39 646	85 539

10—29 续表 1 （1995 年）

项目	单位	东辽县	通化县	辉南县	柳河县	抚松县
工业销售产值(当年价)	万元		6085	13 545	1 182	2 854
工业增加值(生产法)	万元	5830	37 699	22 652	7 378	43 541
全部职工年平均人数	万人	1.41	1.95	3.57	1.70	5.25
流动资产年末合计	万元		88 232	109 881	51 881	68 943
流动资产年平均余额	万元	33 582	81 718	87 544	53 399	66 177
固定资产原值合计	万元	23 607	65 442	71 220	46 223	105 972
固定资产净值合计	万元	22 415	50 602	48 877	34 831	71 461
固定资产净值年平均余额	万元	16 275	47 230	43 985	29 220	72 393
产品销售收入	万元	26 195	78 781	133 169	36 194	84 305
# 产品销售税金及附加	万元	510	738	1 667	249	2 442
利润总额	万元	-1 143	14 348	-5 245	-1 750	1 129
本年应交增值税	万元					
四、交通、邮电、电力						
铁路客运量	万人	48.99	32.71	80	66.72	56.09
铁路货运量	万吨	48	28	126	803 967	93
公路客运量	万人	313	209	185	295	702
公路货运量	万吨	211	197	395	198	156
年末邮电局(所)数	处		27	21	28	24
邮电业务总量(1990 年不变价)	万元		1109	1 316	1 236	1 701
电话交换机装机总容量	门		20 967	22 054	17 621	31 428
# 程控	门		19 240	19 308	15 408	30 928
年末电话机数	部		9 674	14 664	11 605	16 572
全年用电量	万千瓦时	4 885	10 184	27 113	14 000	17 898
# 工业用电	万千瓦时	1 319	6 837	18 268	6 200	13 906
城乡居民生活用电	万千瓦时	1 532	1 816	8 845	2 200	2 504
五、固定资产投资						
国有经济全部固定资产投资	万元	877	5 630	2 431	1 883	20 492
# 住宅建设	万元	8	577	412	26	1 218
城镇集体固定资产投资	万元	320	1 090	95	100	50
# 住宅建设	万元		600			
其它类型经济固定资产投资	万元					
# 住宅建设	万元					
房地产开发投资额	万元		40	3 525		280
# 商品住宅	万元		40	480		280
商品房销售额	万元		479	502	55	250
商品房销售建筑面积	万平方米		0.58	0.80	0.06	0.30
新增固定资产						
(1) 国有经济全部新增固定资产	万元	874	6 852	1 933	1 049	5 451
(2) 城镇集体新增固定资产	万元	262	3 000		260	50
施工住宅建筑面积(包括商品房)	万平方米		2.49	0.80	2.20	2.41
竣工住宅建筑面积(包括商品房)	万平方米		2.33	0.80		2.04
六、市政公用事业						

10—29 续表 2　　　　　　　　(1995 年)

项　　目	单　位	东辽县	通化县	辉南县	柳河县	抚松县
年末实有住宅使用面积	万平方米	16.80	42.70	94.69	123.53	39.48
年末实有住宅居住面积	万平方米	14.70	34.40	67.67	42.59	28.95
城市居住人口(与居住面积同口径)	万人	2	5.28	8.80	5.43	3.70
年末供水管道总长度	公里	9	72	76	29	29
全年供水总量	万吨	98	255	430	254	180
生活用水量	万吨	18	135	221	152	120
生活用水人口	万人	0.80	3.71	5.01	9.46	3.60
# 非农业用水人口	万人	0.80	3.02	4.06	6.48	3.30
年末实有公共汽(电)车营运车辆数	辆				114	
全年公共汽(电)车客运总数	万人次				189.35	
年末实有出租汽车数	辆	60	55		35	
煤气(人工、天然气)供气总量	万立方米				25	
# 家庭用量	万立方米				24	
家庭用煤气人口	人				28 620	
液化石油气供气总量	吨		410		880	570
# 家庭用量	吨		380		500	570
家庭用液化气人口	人		32 500		26 900	33 000
年末实有铺装道路总长度	公里		664	20	1 076	
年末实有铺装道路面积	万平方米	17	25	21	1	28
城市下水道总长度	公里	8	7	26	117	26
园林绿地面积	公顷	52	29	20	29	28
建成区绿化覆盖面积	公顷	47	42	23	2	42
工业废水排放量	万吨	55	176	89	84	167
工业废水处理量	万吨	2	770	44	1 150	67
生活污水排放量	万吨	10	78	106		118
废气排放量	万标立米	103 359	229 960	105 000	88 962	172 134
二氧化硫排放量	吨	577	1 569	2 400	54 462	2 788
工业废气处理量	万标立米		15 027	9 136	3 000	84 305
工业粉尘排放量	吨	2 082	702	480	1 000	2 200
工业粉尘回收量	吨	4 581	4	1 275	6	
工业固体废物产生量	万吨	2	21	4	6	5
工业固体废物处理量	万吨		1		6	
工业固体废物综合利用量	万吨	2	11	3	2	5
生活垃圾清运量	万吨	1	2	14		2
生活垃圾无害处理量	万吨					
七、商业、外贸与外经、旅游						
批发零售贸易业商品销售总额	万元	23 960	27 469	38 327	30 055	23 354
# 对居民和社会集团商品零售额	万元	6 645	8 392	11 830	13 815	7 930
社会消费品零售总额	万元	19 830	29 233	39 420	47 599	46 327
批发零售贸易业、餐饮业网点数	个	4 541	2 705	6 275	6 397	3 248
# 个体	个	4 355	2 369	6 034	6 121	2 989
批发零售贸易业、餐饮业人员数	人	11 526	6 768	13 452	13 853	15 648

10—29 续表 3 (1995年)

项目	单位	东辽县	通化县	辉南县	柳河县	抚松县
# 个体	人	5 149	3 473	10 091	8 439	11 245
实际利用外资金额	万美元		132	41	6	
境外旅游者人数	人					
旅游外汇收入	万美元					
八、财政、金融、保险						
中央财政预算内收入	万元	2 047	4 265	9 594		2 142
地方财政预算内收入	万元		7 018	4 159	5 863	4 365
# 工商税收	万元	565	1 107	4 066	572	1 335
地方财政预算内支出	万元	6 925	11 763	9 881	6 511	7 533
# 科学事业费支出	万元		40	19	12	19
# 教育事业费支出	万元		2 271	3 269	2 810	2 377
城乡居民储蓄年末余额	万元	40 825	58 995	88 067	63 704	95 495
年末银行各项贷款余额	万元	109 981	98 059	112 180	102 107	76 703
银行现金收入	万元	116 459	235 506	226 049	162 368	277 228
银行现金支出	万元	127 864	243 586	246 437	163 529	312 070
承保额	万元	134 777	6 630 000	159 672	91 983	123 283
保　费	万元	889	765	681	677	1 267
已决赔款	万元	645	880	1 400	498	567
九、劳动工资、人民生活						
全部职工：年末人数	万人	2.78	3.66	5.34	3.98	7.71
年平均人数	万人	2.72	3.49	5.25	3.69	7.46
工资总额	万元	8 817	12 258	17 148	11 730	24 527
其他从业人员：年末人数	万人	0.10	0.01	0.01	0.05	0.15
年平均人数	万人	0.10	0.01	0.02	0.05	0.26
劳动报酬	万元	178	19	51	108	694
城市居民人均消费收入	元					2 857
城市居民人均消费支出	元					2 627
每百户拥有黑白电视机	台					26
每百户拥有彩色电视机	台					96
每百户拥有电冰箱	台					40
每百户拥有录像机	台					6
职工生活费用价格指数(上年＝100)	%					109.40
消费品零售物价指数(上年＝100)	%					117.70
# 食品价格指数(上年＝100)	%					125.10
十、教育、科技、卫生、文化						
学校数：高等学校	个					
中等专业学校	个					
普通中学	个	21	24	32	38	25
农、职业中学	个	1	2	4	3	5
技工学校	个			2		
小　学	个	279	168	156	260	154
教师数：高等学校	人					

10—29 续表 4 (1995年)

项目	单位	东辽县	通化县	辉南县	柳河县	抚松县
中等专业学校	人					
普通中学	人	1 067	846	1 458	1 495	1 254
农、职业中学	人	44	56	144	203	228
技工学校	人			20		
小学	人	2 600	1 645	2 152	2 638	1 775
在校学生数：高等学校	人					
中等专业学校	人					
普通中学	万人	1.67	1.23	2.10	2.30	1.72
农、职业中学	人	584	617	911	2 503	3 682
技工学校	人			300		
小学	万人	3.51	2.58	3.50	4.68	3.14
成人高等教育学校在校学生数	人		766	55	298	353
成人中等教育学校在校学生数	人		647	210	282	202
科技活动机构数	个	1	3	7	2	12
从事科技活动人员数	人	172	49	29	114	129
专业技术人员数	人	3 379	7 469	8 261	8 678	4 994
# 中级技术职称以上人员	人	270	862	1 773	1 486	662
电影放映单位数	个	53	73	13	5	4
文化事业机构数	个	23	29	215	28	6
公共图书馆	个	1	1	191	2	1
公共图书馆总藏量	千册、件	25	53	225	72	50
图书出版印数	万册					
杂志出版印数	万册					
报纸出版印数	万印张					
卫生机构数	个	27	39	68	65	128
# 医院	个	21	24	27	24	23
门诊部(所)	个		10	35	36	88
卫生机构床位数	张	1 099	556	1 240	769	2 408
# 医院床位数	张	1 099	521	1 240	710	1 043
卫生技术人员数	人	1 008	944	1 409	1 115	2 140
# 医生	人	302	352	651	522	899
社会福利院数	个					
社会福利院床位数	张					
十一、社会治安						
火灾起数	起	103	55	106	45	15
火灾死伤人数	人	1	6	2	3	
火灾损失折款数	万元	6	143	20	29	24
交通事故件数	件	21	56	39	39	22
交通事故死伤人数	人	14	28	38	55	18
刑事案件发案数	件	46	428	513	523	332
犯罪人数	人	305	172	327	312	331

10—30 靖宇、长白、前郭、长岭、乾安县基本情况

（1995年）

项目	单位	靖宇县	长白朝鲜族自治县	前郭尔罗斯蒙古族自治县	长岭县	乾安县
一、综合						
年末总人口	万人	14.16	8.64	51.59	60.12	27.63
# 非农业人口	万人	6.07	3.81	9.62	9.97	7.66
年平均人口	万人	14.11	8.61	53.50	59.66	27.49
年末劳动力资源总数	万人	8.52	5.75	36.11	22.51	17.61
# 乡村劳动力	万人	2.79	1.71	15.03	17.74	12.10
年末全部从业人员数	万人	5.26	3.74	8.07	7.66	11.80
# 城镇个体劳动者	万人	0.36	0.24	0.88	0.42	1.48
城镇失业人员年末数	人	1 510	2 001	396		3 100
土地面积	平方公里	3 094	2 498	7 129	5 728	3 617
# 建成区土地面积	平方公里	7	3	65	103	4
国内生产总值(当年价)	万元	24 559	43 994	211 896	156 721	110 980
第一产业	万元	7 995	11 491	114 876	123 864	54 530
第二产业	万元	6 223	14 807	55 510	15 419	38 178
# 工业	万元	5 257	13 417	51 022	13 725	36 715
第三产业	万元	10 341	17 696	41 510	17 438	18 272
二、农业						
农林牧渔业总产值(当年价)	万元	13 017	24 417	173 623	189 726	87 007
农林牧渔业商品产值(当年价)	万元	8976	16 960	126 851	113 595	55 289
年末实有耕地面积	千公顷	10	7	182	180	73
蔬菜产量	万吨	1.16	0.53	5.90	5.05	4.40
水果产量	吨	1 019	1 205	18 713	12 334	90
猪肉产量	吨	2 403	2 167	18 605	11 976	11 280
牛羊肉产量	吨	1 330	1 025	3 726	3 374	2 125
牛羊奶产量	吨			1 260	1 759	
禽蛋产量	吨	1 026	1 216	9 120	17 626	5 000
禽肉产量	吨	293	61	4 168	2 638	2 475
水产品产量	吨	320	98	12 500	400	474
三、工业						
企业单位数(乡及乡以上)	个	129	82	161	121	81
# 国有经济	个	36	31	44	28	28
私营经济	个					
股份制经济	个			3		
乡及乡以上工业销售总产值(当年价)	万元	11 607	23 688	119 317	19 186	23 750
全部工业总产值(当年价)	万元	18 175	25 370	122 778	56 377	36 635
乡及乡以上工业总产值(当年价)	万元	13 048	19 142	111 286	34 543	27 492
# 国有经济	万元	7 343	13 679	91 826	20 661	19 122
私营经济	万元					
股份制经济	万元			419		
全部独立核算工业企业经济指标						
企业单位数	个	113	51	155	116	76
工业总产值(当年价)	万元	10 932	14 445	110 969	34 357	26 696

10—30 续表 1 (1995 年)

项 目	单 位	靖宇县	长白朝鲜族自治县	前郭尔罗斯蒙古族自治县	长岭县	乾安县
工业销售产值(当年价)	万元	754	773	1 354	349	943
工业增加值(生产法)	万元	4 001	8 500	21 507	7 023	4 309
全部职工年平均人数	万人	0.64	0.74	12.19	0.95	1.35
流动资产年末合计	万元	11 928	20 656	50 636	39 889	34 144
流动资产年平均余额	万元	11 065	20 421	51 800	35 291	17 454
固定资产原值合计	万元	22 722	23 142	237 522	29 265	28 474
固定资产净值合计	万元	19 395	19 623	163 847	23 382	23 352
固定资产净值年平均余额	万元	18 973	17 115	150 501	22 034	21 941
产品销售收入	万元	10 755	14 014	110 878	22 632	21 697
# 产品销售税金及附加	万元	231	599	757	79	182
利润总额	万元	80	452	-4 681	-289	60
本年应交增值税	万元					
四、交通、邮电、电力						
铁路客运量	万人			107		
铁路货运量	万吨			147		
公路客运量	万人	138	97	232.50	94	124
公路货运量	万吨	23	29	335	56	63
年末邮电局(所)数	处	16	13	29	32	17
邮电业务总量(1990 年不变价)	万元	837	684	330	924	745
电话交换机装机总容量	门	12 998	15 662	30 390	21 542	11 590
# 程控	门	12 758	14 042	24 000	19 842	10 210
年末电话机数	部	8 498	8 786	18 332	11 512	6 634
全年用电量	万千瓦时	5 812	5 109		10 024	6 983
# 工业用电	万千瓦时	3 856	2 999		4 499	2 489
城乡居民生活用电	万千瓦时	1 256	865		4 811	3 989
五、固定资产投资						
国有经济全部固定资产投资	万元	4 855	3 079	1 632	2 594	
# 住宅建设	万元	1 339	767		500	
城镇集体固定资产投资	万元	228	207		20	
# 住宅建设	万元	58				
其它类型经济固定资产投资	万元	506		1 049		1 026
# 住宅建设	万元					
房地产开发投资额	万元	154	570	380		
# 商品住宅	万元	154	570	11		
商品房销售额	万元	211	585	560		
商品房销售建筑面积	万平方米	0.22	0.65	4 500		
新增固定资产						
(1) 国有经济全部新增固定资产	万元	2 521	3 146	13	1 040	
(2) 城镇集体新增固定资产	万元	228	387		20	
施工住宅建筑面积(包括商品房)	万平方米	2.17	2.31	4 500	0.43	4.65
竣工住宅建筑面积(包括商品房)	万平方米	2.17	1.55	4 500	0.43	4.06
六、市政公用事业						

10—30 续表 2 (1995 年)

项 目	单位	靖宇县	长白朝鲜族自治县	前郭尔罗斯蒙古族自治县	长岭县	乾安县
年末实有住宅使用面积	万平方米	58.67	35.30	32	58	75.06
年末实有住宅居住面积	万平方米	42.09	22.90	26.50	37	48.16
城市居住人口(与居住面积同口径)	万人	4.93	2.90	6	6.45	7.12
年末供水管道总长度	公里	32	26	28	73	204
全年供水总量	万吨	137	145	132	37	255
生活用水量	万吨	82	90	4	37	181
生活用水人口	万人	3.10	2.75	4	1.50	7.12
# 非农业用水人口	万人	2.41	2.50	2.90		5.60
年末实有公共汽(电)车营运车辆数	辆			357		
全年公共汽(电)车客运总数	万人次			771		
年末实有出租汽车数	辆		89	263	53	
煤气(人工、天然气)供气总量	万立方米					
# 家庭用量	万立方米					
家庭用煤气人口	人					
液化石油气供气总量	吨	300	398	1 271 095		260
# 家庭用量	吨	300	390	1 271 095		260
家庭用液化气人口	人	37 000	26 000	45 000		24 100
年末实有铺装道路总长度	公里		1			
年末实有铺装道路面积	万平方米	68	16	210		39
城市下水道总长度	公里	7	15	12	12	26
园林绿地面积	公顷	277	73	1	102	757
建成区绿化覆盖面积	公顷	113	73	1	103	130
工业废水排放量	万吨	1	56	35	2	65
工业废水处理量	万吨		10			
生活污水排放量	万吨	41	80	148	1	30
废气排放量	万标立米	41 200	37 050	71 000		
二氧化硫排放量	吨	667	444			
工业废气处理量	万标立米	2 697	7 410			
工业粉尘排放量	吨		909			
工业粉尘回收量	吨					
工业固体废物产生量	万吨	3	3			
工业固体废物处理量	万吨	2	3			
工业固体废物综合利用量	万吨	1	2			
生活垃圾清运量	万吨	3	2	2		3
生活垃圾无害处理量	万吨					
七、商业、外贸与外经、旅游						
批发零售贸易业商品销售总额	万元	9 463	10 996	72 298	83 747	58 510
# 对居民和社会集团商品零售额	万元	6 281	3 494	30 247	41 867	11 395
社会消费品零售总额	万元	15 938	13 469	90 004	70 000	29 860
批发零售贸易业、餐饮业网点数	个	2 654	1 960	11 321	8 309	5 001
# 个体	个	2 531	1 876	10 836	8 060	4 584
批发零售贸易业、餐饮业人员数	人	4 400	4 055	23 269	28 334	15 210

10—30 续表 3 (1995年)

项目	单位	靖宇县	长白朝鲜族自治县	前郭尔罗斯蒙古族自治县	长岭县	乾安县
# 个体	人	2 966	2 547	13 142	18 860	7 982
实际利用外资金额	万美元	116	818			
境外旅游者人数	人					
旅游外汇收入	万美元					
八、财政、金融、保险						
中央财政预算内收入	万元	611	976	11 246		3 584
地方财政预算内收入	万元	1 000	1 657	8 137	1 748	1 586
# 工商税收	万元	359	390	6 064	655	992
地方财政预算内支出	万元	5 496	5 040	15 839	7 430	6 243
# 科学事业费支出	万元	18	18	47	28	64
# 教育事业费支出	万元	1 223	1 153	3 859	2 819	1 581
城乡居民储蓄年末余额	万元	32 886	35 747	138 675	47 765	37 851
年末银行各项贷款余额	万元	41 811	30 673	321 214	220 167	146 077
银行现金收入	万元	147 067	89 889	443 011	253 201	159 855
银行现金支出	万元	158 620	99 608	502 911	292 720	204 063
承保额	万元	32 067	65 643	281 209	144 964	50 688
保费	万元	271	460	1 583	442	332
已决赔款	万元	142	245	2 022	368	312
九、劳动工资、人民生活						
全部职工：年末人数	万人	2.02	1.95	6.03	4.33	3.20
年平均人数	万人	2	1.91	5 079	4.29	3.08
工资总额	万元	6 569	7 193	22 900	12 783	10 255
其他从业人员：年末人数	万人		0.02	0.25	0.27	0.17
年平均人数	万人		0.02	0.25	0.27	0.17
劳动报酬	万元	5	34	402	267	242
城市居民人均消费收入	元			3 455		
城市居民人均消费支出	元			3 290		
每百户拥有黑白电视机	台			88		
每百户拥有彩色电视机	台			45		
每百户拥有电冰箱	台			22		
每百户拥有录像机	台			88		
职工生活费用价格指数(上年=100)	%					
消费品零售物价指数(上年=100)	%			114		
# 食品价格指数(上年=100)	%			122		
十、教育、科技、卫生、文化						
学校数：高等学校	个					
中等专业学校	个					3
普通中学	个	13	13	59	40	27
农、职业中学	个	2	1	25		2
技工学校	个			9		1
小学	个	123	61	283	270	190
教师数：高等学校	人					

10－30 续表 4 （1995 年）

项目	单位	靖宇县	长白朝鲜族自治县	前郭尔罗斯蒙古族自治县	长岭县	乾安县
中等专业学校	人					50
普通中学	人	442	419	2 759	2 271	900
农、职业中学	人	30	56	995	78	96
技工学校	人			413		26
小　学	人	893	633	5 220		2 160
在校学生数：高等学校	人					
中等专业学校	人					405
普通中学	万人	0.67	0.49	4	2.73	1.27
农、职业中学	人	172	941	12 500	2 887	1 067
技工学校	人			7 941		300
小　学	万人	1.84	0.80	8.47	8.66	3.64
成人高等教育学校在校学生数	人	60				300
成人中等教育学校在校学生数	人	196				405
科技活动机构数	个	1	3	1	1	15
从事科技活动人员数	人	36	20	16	36	
专业技术人员数	人	5 336	3 555	10 443	7 176	6 818
# 中级技术职称以上人员	人	1 085	802	1 598	1 598	1 266
电影放映单位数	个	22		25	3	16
文化事业机构数	个	15	18	9	5	16
公共图书馆	个	1	1	1	1	1
公共图书馆总藏量	千册、件	36	53	110	54	260
图书出版印数	万册					
杂志出版印数	万册					
报纸出版印数	万印张					
卫生机构数	个	33	35	60	42	34
# 医院	个	14	12	39	34	17
门诊部(所)	个	14	18	11	1	11
卫生机构床位数	张	290	387	1 988	1 245	780
# 医院床位数	张	285	354	1 923	1 125	610
卫生技术人员数	人	624	498	3 455	1 913	1 373
# 医生	人	246	250	953	600	458
社会福利院数	个				31	15
社会福利院床位数	张				500	300
十一、社会治安						
火灾起数	起	21	8	26	123	7
火灾死伤人数	人				3	2
火灾损失折款数	万元	8	18	38	18	31
交通事故件数	件	9	31	91	85	15
交通事故死伤人数	人	8	25	93	85	30
刑事案件发案数	件	215	166	419	393	298
犯罪人数	人	114	76	366	251	151

10—31 扶余、镇赉、通榆、汪清、安图县基本情况

(1995 年)

项　　目	单　位	扶余县	镇赉县	通榆县	汪清县	安图县
一、综　　合						
年末总人口	万人	69.79	31.67	33.44	26.93	21.89
# 非农业人口	万人	6.61	10.60	9.84	13.48	10.67
年平均人口	万人	69	31.47	33.26	26.96	21.83
年末劳动力资源总数	万人	35.69	19.79	20.08	16.70	12.30
# 乡村劳动力	万人	29.84	6.86	9.44	6.80	5.49
年末全部从业人员数	万人	30.97	12.45	15.35	14.02	10.66
# 城镇个体劳动者	万人	3.67	0.94	1.05	0.59	0.62
城镇失业人员年末数	人		495	621	342	105
土地面积	平方公里	4 673	5 389	8 496	8 994	7 348
# 建成区土地面积	平方公里		13	13	7	6
国内生产总值(当年价)	万元	192 336	77 332	57 515	75 130	92 950
第一产业	万元	133 145	48 268	40 564	19 368	20 826
第二产业	万元	22 531	14 866	6 145	29 350	39 382
# 工业	万元	17 516	11 718	2 960	25 417	34 720
第三产业	万元	36 660	14 198	10 806	26 412	32 742
二、农　　业						
农林牧渔业总产值(当年价)	万元	199 989	89 015	75 291	29 684	31 819
农林牧渔业商品产值(当年价)	万元	141 183	36 376	46 212	19 737	19 607
年末实有耕地面积	千公顷	226	102	147	36	28
蔬菜产量	万吨	8.40	4.23	2.21	2.86	2.32
水果产量	吨	3 449	39	284	3 510	475
猪肉产量	吨	22 274	10 042	9 038	3 869	3 464
牛羊肉产量	吨	2 766	2 268	3 262	1 626	1 531
牛羊奶产量	吨	4 176	3 193	4 200	56	887
禽蛋产量	吨	12 907	5 065	4 306	1 563	2 193
禽肉产量	吨	1 367	1 424	1 529	273	199
水产品产量	吨	5 850	12 550	4 000	96	381
三、工　　业						
企业单位数(乡及乡以上)	个	161	165	151	216	170
# 国有经济	个	13	54	49	61	52
私营经济	个				1	23
股份制经济	个			1	1	1
乡及乡以上工业销售总产值(当年价)	万元		42 778	17 229	66 383	82 106
全部工业总产值(当年价)	万元	60 821	54 464	25 703	77 814	91 865
乡及乡以上工业总产值(当年价)	万元	26 031	40 898	23 291	63 241	76 965
# 国有经济	万元	7 807	32 729	16 919	51 493	62 723
私营经济	万元				39	568
股份制经济	万元			3 226	11	
全部独立核算工业企业经济指标						
企业单位数	个	161	156	107	191	149
工业总产值(当年价)	万元	26 031	39 695	21 784	62 647	76 586

10—31 续表 1　　　　(1995年)

项　　目	单　位	扶余县	镇赉县	通榆县	汪清县	安图县
工业销售产值(当年价)	万元	214	1 858	316	2 766	3 002
工业增加值(生产法)	万元	8282	8 519	2 960	21 135	24 461
全部职工年平均人数	万人		1.53	0.94	4.25	3.17
流动资产年末合计	万元	20 284	60 983	38 519	62 715	65 935
流动资产年平均余额	万元	20 286	54 891	30 996	61 690	65 765
固定资产原值合计	万元	15 999	33 536	20 737	93 560	127 360
固定资产净值合计	万元	13 147	25 529	15 695	73 758	95 628
固定资产净值年平均余额	万元	11 695	21 423	13 714	66 240	87 570
产品销售收入	万元	24 920	34 040	20 938	68 561	75 657
# 产品销售税金及附加	万元	571	489	183	2 167	1 977
利润总额	万元	82	-2 513	-2 511	-835	-1 190
本年应交增值税	万元					
四、交通、邮电、电力						
铁路客运量	万人		81.20	51.53	133.78	91.72
铁路货运量	万吨		34	22	250	69
公路客运量	万人		60	60.40	524	365
公路货运量	万吨		95	75	172	138
年末邮电局(所)数	处	27	22	21	20	19
邮电业务总量(1990年不变价)	万元		701	663	1 821	1 653
电话交换机装机总容量	门	6 000	15 772	14 830	25 276	28 461
# 程控	门	6 000	14 522	13 174	21 663	25 548
年末电话机数	部	5 328	9 484	8 332	17 093	17 394
全年用电量	万千瓦时		15 375	7 438	16 485	25 383
# 工业用电	万千瓦时		6 151	2 010	14 002	17 678
城乡居民生活用电	万千瓦时		2 137	1 363	1 346	3 114
五、固定资产投资						
国有经济全部固定资产投资	万元		8 945	4 009	8 134	11 699
# 住宅建设	万元		4 036	2 889	1 635	1 627
城镇集体固定资产投资	万元				195	108
# 住宅建设	万元					100
其它类型经济固定资产投资	万元				1 385	489
# 住宅建设	万元					
房地产开发投资额	万元			110	1 895	740
# 商品住宅	万元			110	1 895	740
商品房销售额	万元			85		
商品房销售建筑面积	万平方米					
新增固定资产						
(1) 国有经济全部新增固定资产	万元		9538	2 629	4 819	4 553
(2) 城镇集体新增固定资产	万元				190	100
施工住宅建筑面积(包括商品房)	万平方米		10.78	7.76	6.04	3.33
竣工住宅建筑面积(包括商品房)	万平方米		7.65	4.27	4.71	2.43
六、市政公用事业						

10—31 续表 2 (1995 年)

项　　目	单　位	扶余县	镇赉县	通榆县	汪清县	安图县
年末实有住宅使用面积	万平方米	58.44	89.50	76.10	62	105.42
年末实有住宅居住面积	万平方米	43.83	58.10	47.30	44	75.40
城市居住人口(与居住面积同口径)	万人	4.35	7.50	7.10	8	12.20
年末供水管道总长度	公里	12	64	42	47	48
全年供水总量	万吨	66	154	70	401	876
生活用水量	万吨	50	98	55	214	242
生活用水人口	万人	1.30	4.30	5.20	7.30	10.30
# 非农业用水人口	万人	1.20		4.70	6.60	9
年末实有公共汽(电) 车营运车辆数	辆	85				8
全年公共汽(电) 车客运总数	万人次	93				302
年末实有出租汽车数	辆	110			105	218
煤气(人工、天然气) 供气总量	万立方米					
# 家庭用量	万立方米					
家庭用煤气人口	人					
液化石油气供气总量	吨	300			570	830
# 家庭用量	吨	5 100			480	705
家庭用液化气人口	人	19 000			45 000	74 000
年末实有铺装道路总长度	公里		150			
年末实有铺装道路面积	万平方米	26	46	35	40	31
城市下水道总长度	公里	14	19	11	29	40
园林绿地面积	公顷	4	473	300	104	206
建成区绿化覆盖面积	公顷	5	121	169	65	145
工业废水排放量	万吨		482	230	360	362
工业废水处理量	万吨		150	68	220	
生活污水排放量	万吨		100	110	175	26
废气排放量	万标立米		143 257	90 000	230 030	439 172
二氧化硫排放量	吨		1 872	120	284	2 768
工业废气处理量	万标立米		79 538	89 000	166 662	
工业粉尘排放量	吨				5 320	1
工业粉尘回收量	吨				47 880	8
工业固体废物产生量	万吨		4	9	5	43
工业固体废物处理量	万吨					
工业固体废物综合利用量	万吨		3	9	2	10
生活垃圾清运量	万吨		2	2	7	44
生活垃圾无害处理量	万吨				5	
七、商业、外贸与外经、旅游						
批发零售贸易业商品销售总额	万元	60 900	38 188	51 883	43 885	25 650
# 对居民和社会集团商品零售额	万元	13 316	22 150	21 482	14 508	8 958
社会消费品零售总额	万元	41 785	33 166	55 840	39 357	35 443
批发零售贸易业、餐饮业网点数	个	9 020	5 483	6 261	4 675	3 929
# 个体	个	8 730	5 033	5 747	4 168	3 539
批发零售贸易业、餐饮业人员数	人	27 821	21 005	21 021	10 688	8 332

10—31 续表 3 (1995年)

项目	单位	扶余县	镇赉县	通榆县	汪清县	安图县
# 个体	人	14 885	13 058	10 760	5 336	4 246
实际利用外资金额	万美元		257	138		331
境外旅游者人数	人					
旅游外汇收入	万美元					
八、财政、金融、保险						
中央财政预算内收入	万元		3 156	1 002	1 785	2 320
地方财政预算内收入	万元		2 572	1 897	4 532	4 254
# 工商税收	万元		1 973	998	1 119	3 868
地方财政预算内支出	万元		7 702	7 298	7 841	6 237
# 科学事业费支出	万元		11	4	11	25
# 教育事业费支出	万元		2 236	2 346	2 316	2 039
城乡居民储蓄年末余额	万元		33 085	35 509	77 515	75 245
年末银行各项贷款余额	万元		111 329	121 619	96 612	93 432
银行现金收入	万元		152 413	239 070	236 974	227 064
银行现金支出	万元		164 842	265 906	261 299	252 558
承保额	万元		50 368	48 600	143 867	109 011
保 费	万元		398	425	1 555	964
已决赔款	万元		336	265	1 280	968
九、劳动工资、人民生活						
全部职工：年末人数	万人	3.41	4.54	4.84	6.78	5.41
年平均人数	万人	3.26	4.48	4.63	6.35	5.22
工资总额	万元	114 994	15 833	13 467	21 060	20 690
其他从业人员：年末人数	万人	0.26	0.12	0.02	0.06	0.01
年平均人数	万人	0.26	0.12	0.02	0.06	0.01
劳动报酬	万元	7 584	25	48	235	13
城市居民人均消费收入	元					
城市居民人均消费支出	元					
每百户拥有黑白电视机	台					
每百户拥有彩色电视机	台					
每百户拥有电冰箱	台					
每百户拥有录像机	台					
职工生活费用价格指数(上年=100)	%				104.70	
消费品零售物价指数(上年=100)	%				114.60	
# 食品价格指数(上年=100)	%				116.50	
十、教育、科技、卫生、文化						
学校数：高等学校	个					
中等专业学校	个			1		
普通中学	个		27	28	28	25
农、职业中学	个		1	9	2	3
技工学校	个		1	1	2	1
小 学	个		176	191	132	100
教师数：高等学校	人					

10—31 续表 4 (1995年)

项目	单位	扶余县	镇赉县	通榆县	汪清县	安图县
中等专业学校	人			78		
普通中学	人		1 389	895	1 202	935
农、职业中学	人		29	376	104	63
技工学校	人		29	36	88	43
小学	人		2 547	2 623	1 799	1 215
在校学生数：高等学校	人					
中等专业学校	人			1 398		
普通中学	万人		21.52	1.31	1.51	1.24
农、职业中学	人		653	6 174	553	671
技工学校	人		264	531	507	163
小学	万人		3.04	4.18	2.77	2.71
成人高等教育学校在校学生数	人		231	525	320	1 552
成人中等教育学校在校学生数	人		214	143	230	308
科技活动机构数	个	60	2	2	3	6
从事科技活动人员数	人	9 600	42	31	216	70
专业技术人员数	人	7 714	5 090	7 404	14 473	11 780
# 中级技术职称以上人员	人	1 280	1 493	1 716	3 300	2 576
电影放映单位数	个		49	40	9	7
文化事业机构数	个		12	22	22	20
公共图书馆	个		1	1	1	1
公共图书馆总藏量	千册、件		26	22	83	83
图书出版印数	万册					
杂志出版印数	万册					
报纸出版印数	万印张					
卫生机构数	个	35	36	36	139	55
# 医院	个	30	20	23	24	18
门诊部(所)	个	5	9	7	103	25
卫生机构床位数	张	925	953	948	870	584
# 医院床位数	张	925	903	894	850	584
卫生技术人员数	人	895	1 187	1 370	1 740	1 143
# 医生	人	535	463	505	651	497
社会福利院数	个	26				
社会福利院床位数	张	530				
十一、社会治安						
火灾起数	起		15	27	11	1
火灾死伤人数	人					
火灾损失折款数	万元		38	6	27	12
交通事故件数	件		13	246	50	28
交通事故死伤人数	人		12	80	66	37
刑事案件发案数	件		94	275	1 064	1 362
犯罪人数	人		139	201	125	644

农业 11

11 农 业

1995 年乡村劳动力	631.11 万人
#农、林、牧、渔业	537.44 万人
1995 年农、林、牧、渔业总产值(当年价)	490.28 亿元
1995 年农村非农行业总产值(当年价)	545.70 亿元
1995 年农、林、牧、渔业增加值	303.99 亿元
1995 年农、林、牧、渔业商品产值	343.34 亿元
1995 年粮食总产量	1 992.40 万吨
#玉米	1 639.40 万吨
水稻	288.54 万吨

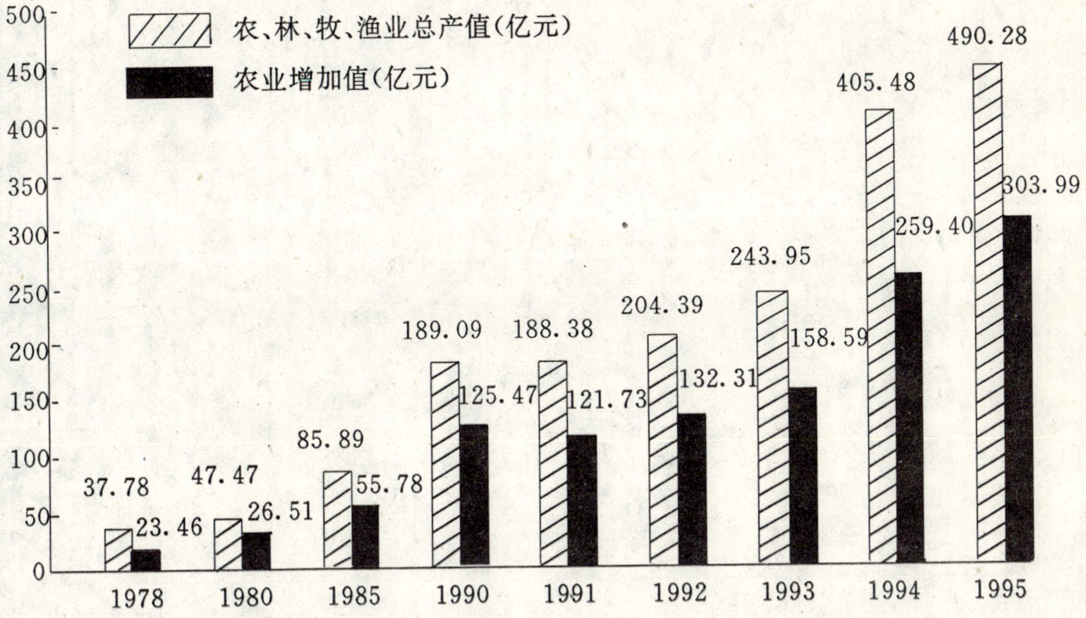

11—1 农村基层组织情况

项　　目	单位	1978年	1980年	1985年	1990年	1994年	1995年
一、农村基层组织							
乡政府	个			656	641	482	475
镇政府	个			263	288	438	443
村民委员会	个	9 733	10 104	10 144	10 300	10 299	10 234
二、乡村户数、人口、劳动力							
乡村户数	万户	295.21	303.95	317.84	340.93	348.40	348.82
乡村人口数	万人	1 481.49	1 477.66	1 464.15	1 465.79	1 445.04	1 434.54
乡村劳动力	万人	321.10	338.10	450.01	614.43	643.56	631.11
按性别分							
男劳动力	万人			299.09	357.75	371.78	369.81
女劳动力	万人			150.92	256.68	271.78	261.30
按行业分							
农、林、牧、渔业	万人	294.60	307.50	399.67	541.24	553.73	537.44
工业	万人	16.00	15.50	18.17	22.53	24.29	23.70
建筑业	万人		1.00	7.23	9.58	14.57	15.45
交通运输和邮电业	万人		0.50	5.25	7.06	10.14	10.70
批发零售贸易、餐饮及仓储业	万人		0.60	4.45	7.09	12.13	12.69
金融保险业	万人			0.16	0.31		
其他非农行业	万人	10.50	13.00	15.08	26.62	28.70	31.13
#外出合同临时工	万人				8.75	14.92	16.09

11—2 各市县乡村劳动力

（1995年末）

单位：人

市、县	合计	农、林、牧、渔业	工业	建筑业
长春市	**1 796 109**	**1 509 712**	**78 616**	**55 866**
市区	349 783	252 230	37 912	13 484
九台市	275 957	245 869	3 264	8 903
榆树市	496 469	416 289	20 457	14 298
德惠市	309 797	274 843	8 219	9 447
农安县	364 103	320 482	8 764	9 734
吉林市	**930 867**	**795 381**	**28 753**	**20 987**
市区	94 588	64 426	7 182	3 106
桦甸市	102 835	88 655	4 639	2 754
蛟河市	127 239	110 777	3 005	2 704
舒兰市	187 506	167 434	4 615	3 419
磐石市	147 074	126 921	3 878	2 983
永吉县	271 625	237 168	5 434	6 021
四平市	**884 541**	**767 443**	**22 816**	**20 171**
市区	42 421	26 295	4 914	2 848
公主岭市	284 656	234 928	8 344	6 400
梨树县	280 600	259 337	4 051	5 104
伊通县	161 612	143 622	1 892	4 145
双辽县	115 252	103 261	3 615	1 674
辽源市	**301 996**	**242 437**	**13 569**	**11 554**
市区	28 629	14 500	4 042	1 843
东丰县	128 216	107 126	4 103	4 862
东辽县	145 151	120 811	5 424	4 849
通化市	**567 514**	**451 454**	**33 474**	**18 092**
市区	33 804	17 014	7 045	2 692
梅河口市	143 242	108 182	11 022	5 491
集安市	67 107	54 765	2 172	3 239
通化县	82 002	64 715	4 521	2 660
辉南县	106 776	90 806	4 005	2 568

11－2 续表 1 （1995 年末） 单位：人

市、县	合计	农、林、牧、渔业	工业	建筑业
柳河县	134 583	115 972	4 709	1 442
白山市	**168 477**	**129 736**	**13 799**	**5 118**
市区	25 626	15 932	4 010	1 694
临江市	34 357	25 964	2 326	1 276
抚松县	41 055	35 201	1 539	628
靖宇县	27 974	23 791	1 393	322
长白县	17 127	14 052	525	242
江源县	22 338	14 796	4 006	956
松原市	**792 192**	**713 980**	**21 023**	**12 703**
市区	78 344	70 136	1 926	2 001
长岭县	177 420	154 196	10 237	3 467
前郭县	150 338	139 009	2 872	1 800
乾安县	87 660	82 485	2 250	660
扶余县	298 430	268 154	3 738	4 775
白城市	**457 893**	**419 529**	**8 794**	**5 458**
市区	76 825	66 425	3 501	1 593
洮南市	116 890	107 566	2 026	1 416
大安市	101 240	93 623	1 582	1 239
镇赉县	68 558	62 911	1 195	828
通榆县	94 380	89 004	490	382
延边朝鲜族自治州	**411 520**	**344 758**	**16 132**	**4 572**
延吉市	25 949	20 114	756	353
图们市	18 013	15 424	921	142
敦化市	107 690	91 702	4 472	1 189
龙井市	60 900	53 146	1 923	462
珲春市	41 673	34 602	2 006	865
和龙市	45 769	36 181	1 717	285
汪清县	65 670	56 377	1 816	686
安图县	45 856	37 212	2 521	590

11－2 续表 2　　　　　　　　(1995年末)　　　　　　　　单位：人

市　、县	运输邮电业	批发零售贸易餐饮及仓储业	其他非农行业	#外出合同临时工
长　春　市	**32 709**	**31 944**	**87 261**	**50 198**
市　区	10 682	7 368	28 107	16 622
九台市	2 917	3 250	11 754	7 345
榆树市	10 674	12 478	22 273	12 588
德惠市	4 462	4 230	8 596	5 934
农安县	3 974	4 618	16 531	7 709
吉　林　市	**16 221**	**19 314**	**50 211**	**33 769**
市　区	3 239	3 870	12 765	7 802
桦甸市	1 904	2 217	2 666	1 689
蛟河市	1 653	2 788	6 312	4 452
舒兰市	2 857	2 380	6 801	4 528
磐石市	2 341	2 960	7 991	5 471
永吉县	4 227	5 099	13 676	9 827
四　平　市	**11 933**	**13 369**	**48 809**	**20 294**
市　区	1 950	1 866	4 548	2 986
公主岭市	3 679	4 392	26 913	8 135
梨树县	3 121	2 331	6 656	4 237
伊通县	2 366	2 744	6 843	3 832
双辽县	817	2 036	3 849	1 104
辽　源　市	**8 834**	**6 491**	**19 111**	**8 939**
市　区	2 115	1 376	4 753	2 191
东丰县	3 597	2 394	6 134	2 542
东辽县	3 122	2 721	8 224	4 206
通　化　市	**11 791**	**18 418**	**34 285**	**17 201**
市　区	2 177	2 871	2 005	1 049
梅河口市	4 071	5 328	9 148	4 095
集安市	1 058	1 545	4 328	2 685
通化县	1 125	2 279	6 702	3 972
辉南县	1 828	2 750	4 819	2 052

市　、县	运输邮电业	批发零售贸易餐饮及仓储业	其他非农行业	#外出合同临时工
柳河县	1 532	3 645	7 283	3 348
白山市	**5 411**	**6 727**	**7 686**	**5 185**
市区	1 508	1 302	1 180	850
临江市	1 095	1 643	2 053	1 321
抚松县	763	1 163	1 761	1 761
靖宇县	726	1 079	663	265
长白县	497	712	1 099	375
江源县	822	828	930	613
松原市	**7 824**	**12 822**	**23 840**	**7 029**
市区	1 479	986	1 816	610
长岭县	1 016	4 536	3 968	2 710
前郭县	1 339	2 091	3 227	873
乾安县	180	785	1 300	200
扶余县	3 810	4 424	13 529	2 636
白城市	**3 910**	**6 496**	**13 706**	**4 633**
市区	1 062	1 217	3 027	646
洮南市	1 059	1 677	3 146	1 130
大安市	848	1 501	2 447	1 120
镇赉县	457	716	2 451	1 081
通榆县	484	1 385	2 635	656
延边朝鲜族自治州	**8 390**	**11 281**	**26 387**	**13 633**
延吉市	458	853	3 415	1 326
图们市	264	402	860	569
敦化市	2 620	3 199	4 508	2 085
龙井市	826	1 106	3 437	2 199
珲春市	1 236	1 217	1 747	1 039
和龙市	587	941	6 058	3 489
汪清县	1 083	1 799	3 909	2 295
安图县	1 316	1 764	2 453	631

11—3 历 年 农 业 总 产 值

单位:万元

年份	农业总产值	农业	林业	牧业	副业	渔业
1949	81 203	59 197	244	9 501	12 018	243
1950	96 496	70 153	193	11 290	14 474	386
1951	95 241	63 907	476	12 762	17 715	381
1952	124 202	85 575	2 608	13 538	22 232	249
1953	125 439	86 302	753	13 673	24 084	627
1954	123 985	83 566	620	14 630	24 549	620
1955	133 422	88 325	801	13 075	30 554	667
1956	134 270	82 979	1 477	11 413	37 730	671
1957	128 403	93 092	3 852	16 949	13 611	899
1958	123 768	90 227	8 293	13 614	10 520	1 114
1959	139 241	101 089	5 430	11 279	20 190	1 253
1960	128 944	84 716	3 740	11 863	26 820	1 805
1961	148 886	105 113	2 680	10 124	29 182	1 787
1962	142 398	96 688	2 563	14 525	27 340	1 282
1963	160 708	113 621	2 893	18 481	24 749	964
1964	169 272	115 782	3 555	22 513	26 406	1 016
1965	177 503	120 170	5 503	22 365	28 223	1 242
1966	226 710	161 644	8 842	24 485	30 606	1 133
1967	241 436	173 834	8 209	28 248	30 179	966
1968	232 271	166 074	8 826	26 247	30 195	929
1969	198 232	133 608	9 713	24 581	29 537	793
1970	268 630	192 339	11 282	23 371	40 563	1 075
1971	274 763	200 302	9 617	39 841	24 454	549
1972	260 582	186 316	10 424	32 312	31 009	521
1973	315 462	236 597	8 202	38 802	30 915	946
1974	374 421	279 318	9 361	43 807	40 812	1 123
1975	352 655	275 071	10 932	44 787	20 807	1 058
1976	311 673	239 053	10 285	43 011	18 389	935
1977	312 484	237 175	11 249	43 748	19 374	938
1978	377 802	301 486	8 689	44 958	21 913	756
1979	420 165	324 788	11 345	56 722	26 470	840
1980	474 714	329 926	24 685	92 569	27 059	475
1981	568 851	418 106	19 613	96 328	33 314	1 490
1982	605 821	449 918	25 438	96 136	31 688	2 641
1983	781 074	622 879	20 991	99 547	34 605	3 052
1984	889 892	690 328	35 481	119 372	40 762	3 949
1985	858 946	590 287	33 162	181 194	48 845	5 458
1986	984 291	707 007	29 426	185 461	54 037	8 360
1987	1 208 072	861 185	29 281	233 981	70 785	12 840
1988	1 409 127	1 000 294	28 374	294 736	64 033	21 690
1989	1 337 893	866 068	34 563	362 343	49 283	25 636
1990	1 890 862	1 352 809	41 878	414 028	54 075	28 072
1991	1 883 833	1 293 835	44 185	451 476	63 705	30 632
1992	2 043 897	1 389 534	51 028	499 849	70 802	32 684
1993	2 439 490	1 746 325	51 014	603 514		38 637
1994	4 054 784	2 708 102	85 391	1 201 396		59 895
1995	4 902 775	3 014 416	82 828	1 733 154		72 377

11—3 续表

单位:万元

年份	农业总产值	农业	林业	牧业	副业	渔业
按1952年不变价格计算						
1949	93 337	68 068	260	10 876	13 873	260
1950	110 915	80 635	222	12 977	16 637	444
1951	109 472	73 456	547	14 669	20 362	438
1952	142 761	98 367	3 000	15 650	25 548	196
1953	133 162	91 534	820	14 531	25 659	618
1954	129 827	87 516	654	15 286	25 725	646
1955	136 843	90 577	874	13 365	31 370	657
1956	127 030	78 494	1 356	10 795	35 734	651
1957	120 646	66 076	4 904	9 286	39 622	758
按1957年不变价格计算						
1957	106 101	76 869	3 203	13 939	11 332	758
1958	125 550	91 517	8 590	13 790	10 541	1 112
1959	138 799	100 741	5 497	11 178	20 085	12 298
1960	115 248	75 676	3 291	10 657	24 000	1 624
1961	122 419	86 479	2 170	8 378	24 000	1 392
1962	117 176	79 449	2 206	11 990	22 434	1 097
1963	129 831	91 774	2 376	14 952	19 964	765
1964	135 211	92 410	2 898	18 024	21 097	782
1965	142 421	96 380	4 450	18 004	22 607	980
1966	156 135	111 384	6 167	16 791	21 118	675
1967	166 277	119 672	5 744	19 382	20 842	637
1968	159 965	114 451	6 083	18 017	20 825	589
1969	136 523	91 973	6 711	17 020	20 294	525
1970	185 007	132 351	7 793	16 148	27 924	791
1971	186 940	126 340	8 505	23 605	27 812	678
按1970年不变价格计算						
1971	271 505	198 016	9 527	39 331	24 104	527
1972	248 411	177 580	10 043	30 798	29 518	472
1973	299 300	224 598	7 779	36 673	29 325	925
1974	323 638	241 399	8 044	37 759	35 292	1 144
1975	332 694	259 619	10 375	42 175	19 482	1 043
1976	290 740	222 876	9 580	40 280	17 101	903
1977	289 069	219 420	10 517	40 354	18 012	766
1978	344 719	274 961	8 034	41 142	19 999	583
1979	333 228	257 581	8 942	45 119	21 112	474
1980	346 632	258 793	14 927	51 118	21 296	498
1981	371 044	279 927	16 135	51 938	22 269	775
按1980年不变价格计算						
1981	531 500	390 149	29 194	77 249	33 302	1 606
1982	562 169	413 038	31 037	85 189	31 022	1 883
1983	726 192	577 369	31 204	82 254	33 182	2 183
1984	802 132	631 309	36 412	92 815	38 979	2 617
1985	738 071	524 252	37 015	126 412	46 780	3 612
1986	770 190	556 613	32 199	125 342	51 410	4 626
1987	881 313	667 754	30 588	122 649	54 740	5 582
1988	928 648	704 342	30 715	141 061	45 331	7 199
1989	820 386	589 251	30 667	154 086	38 342	8 040
1990	1 039 045	809 826	26 428	163 192	30 771	8 828
按1990年不变价格计算						
1990	2 069 034	1 504 920	61 307	414 816	61 991	26 000
1991	2 057 663	1 451 219	62 094	451 300	64 236	28 814
1992	2 117 863	1 466 844	62 106	488 866	69 697	30 310
1993	2 330 128	1 673 993	60 232	560 651		35 252
1994	2 568 513	1 735 378	63 796	731 593		37 746
1995	2 721 266	1 690 012	59 221	932 215		39 818

11—4 历年农业总产值指数

（以1949年为100）

年份	农业总产值	农业	林业	牧业	副业	渔业
1949	100.0	100.0	100.0	100.0	100.0	100.0
1950	118.8	118.5	85.4	119.3	119.9	170.8
1951	117.3	107.9	210.4	134.9	146.8	168.5
1952	153.0	144.5	1 153.8	143.9	184.2	75.4
1953	142.7	134.5	315.4	133.6	185.0	237.7
1954	139.1	128.6	251.5	140.5	185.4	248.5
1955	146.6	133.1	336.2	122.9	226.1	252.7
1956	136.1	115.3	521.5	99.3	257.6	250.4
1957	129.3	97.1	1 886.2	85.4	285.6	291.5
1958	153.0	115.6	5 058.4	84.5	265.7	427.7
1959	169.1	127.2	3 237.0	68.5	506.2	499.2
1960	140.4	95.6	1 938.0	65.3	604.9	624.6
1961	149.1	109.2	1 277.9	51.3	604.9	535.4
1962	142.8	100.3	1 299.0	73.4	565.4	421.9
1963	158.2	115.9	1 399.2	91.6	503.2	294.2
1964	164.7	116.7	1 706.5	110.4	531.7	300.8
1965	173.5	121.7	2 620.5	110.3	569.8	376.9
1966	190.2	140.7	3 631.6	102.9	532.2	259.6
1967	202.6	151.1	3 382.5	118.7	525.3	245.0
1968	194.9	144.5	3 582.1	110.4	524.9	226.5
1969	166.3	116.1	3 951.9	104.3	511.5	201.9
1970	225.4	167.1	4 589.1	98.9	703.8	304.2
1971	227.7	159.9	5 008.3	144.6	701.0	260.8
1972	208.4	143.1	5 279.6	113.2	858.4	233.6
1973	251.1	181.0	4 089.4	134.8	852.8	457.8
1974	271.5	194.5	4 228.7	138.8	1 026.3	566.1
1975	279.1	209.2	5 454.1	155.0	566.6	516.1
1976	243.9	179.6	5 036.2	148.1	497.3	466.8
1977	242.5	176.8	5 528.8	148.3	523.8	379.0
1978	289.2	221.5	4 223.5	151.2	539.6	288.5
1979	279.5	207.5	4 700.8	165.9	613.9	234.5
1980	290.8	208.5	7 847.1	187.9	619.3	246.4
1981	311.2	225.5	8 482.2	190.9	647.6	383.5
1982	329.2	238.8	9 017.7	210.6	603.3	449.6
1983	425.2	333.8	9 066.2	203.3	645.3	521.3
1984	469.7	365.0	10 579.3	229.4	758.0	624.9
1985	432.2	303.1	10 754.5	312.4	909.7	862.5
1986	451.0	321.8	9 355.2	309.8	999.8	1 104.6
1987	516.1	386.0	8 891.9	303.1	1 064.5	1 332.2
1988	543.8	407.2	8 928.8	348.7	881.5	1 719.0
1989	480.4	340.6	8 910.1	380.8	745.6	1 919.8
1990	608.4	468.2	7 678.5	403.4	598.4	2 108.0
1991	605.1	451.5	7 777.1	438.8	620.0	2 336.1
1992	622.8	456.3	7 782.7	475.4	672.8	2 458.2
1993	685.3	520.8	7 547.9	545.2		2 859.0
1994	755.4	539.9	7 994.5	711.4		3 061.3
1995	800.3	525.8	7 421.2	906.5		3 229.3

11－4 续表 （以上年为100）

年份	农业总产值	农业	林业	牧业	副业	渔业
1949	100.0	100.0	100.0	100.0	100.0	100.0
1950	118.8	118.5	85.4	119.3	119.9	178.8
1951	98.7	91.1	246.4	113.0	122.4	98.6
1952	130.4	133.9	548.4	106.7	125.5	44.7
1953	93.3	93.1	27.3	92.8	100.4	315.3
1954	97.5	95.6	79.8	105.2	100.3	104.5
1955	105.4	103.5	133.6	87.4	121.9	101.7
1956	92.8	86.7	155.1	80.8	113.9	99.1
1957	95.0	84.2	361.7	86.0	110.9	116.4
1958	118.3	119.1	268.2	98.9	93.0	146.7
1959	110.6	110.1	64.0	81.1	190.5	116.7
1960	83.0	75.1	59.9	95.3	119.5	125.1
1961	106.2	114.3	65.9	78.6	100.0	85.7
1962	95.7	91.9	101.7	143.1	93.5	78.8
1963	110.8	115.5	107.7	124.7	89.0	69.7
1964	104.1	100.7	122.0	120.5	105.7	102.2
1965	105.3	104.3	153.6	99.9	107.2	125.3
1966	109.6	115.5	138.6	93.3	93.4	68.9
1967	106.5	107.4	93.1	115.4	98.7	94.4
1968	96.2	95.6	105.9	93.0	99.9	92.5
1969	85.3	80.4	110.3	94.5	97.5	89.1
1970	135.5	143.9	116.1	94.9	137.6	150.7
1971	101.0	95.5	109.1	146.2	99.6	85.7
1972	91.5	89.7	105.4	78.3	122.5	89.6
1973	120.5	126.5	77.5	119.1	99.3	196.0
1974	108.1	107.5	103.4	103.0	120.3	123.7
1975	102.8	107.5	129.0	111.7	55.2	91.2
1976	87.4	85.8	92.3	95.5	87.8	86.6
1977	99.4	98.4	109.8	100.2	105.3	84.8
1978	119.3	125.3	76.4	102.0	111.0	76.1
1979	96.7	93.7	111.3	109.7	105.6	81.3
1980	104.0	100.5	166.9	113.3	100.9	105.1
1981	107.0	108.2	108.1	101.6	104.6	155.6
1982	105.8	105.9	106.3	110.3	93.2	117.2
1983	129.2	139.8	100.5	96.6	107.0	115.9
1984	110.5	109.3	116.7	112.8	117.5	119.9
1985	92.0	83.0	101.7	136.2	120.0	138.0
1986	104.4	106.2	87.0	99.2	109.9	128.1
1987	114.4	120.0	95.0	97.9	106.5	120.7
1988	105.4	105.5	100.4	115.0	82.8	129.0
1989	88.3	83.7	99.8	109.2	84.6	111.7
1990	126.7	137.4	86.2	105.9	80.3	109.8
1991	99.5	96.4	101.3	108.8	103.6	110.8
1992	102.9	101.1	100.0	108.3	108.5	105.2
1993	110.0	114.1	97.0	114.7		116.3
1994	110.2	103.7	105.9	130.5		107.1
1995	105.9	97.4	92.8	127.4		105.5

11—5 农业总产值构成

（以农业总产值为100）　　单位：%

年　份	农业总产值	农　业	林　业	牧　业	副　业	渔　业
1949	100	72.9	0.3	11.7	14.8	0.3
1950	100	72.7	0.2	11.7	15.0	0.4
1951	100	67.1	0.5	13.4	18.6	0.4
1952	100	68.9	2.1	10.9	17.9	0.2
1953	100	68.8	0.6	10.9	19.2	0.5
1954	100	67.4	0.5	11.8	19.8	0.5
1955	100	66.2	0.6	9.8	22.9	0.5
1956	100	61.8	1.1	8.5	28.1	0.5
1957	100	72.5	3.0	13.2	10.6	0.7
1958	100	72.9	6.7	11.0	8.5	0.9
1959	100	72.6	3.9	8.1	14.5	0.9
1960	100	65.7	2.9	9.2	20.8	1.4
1961	100	70.6	1.8	6.8	19.6	1.2
1962	100	67.9	1.8	10.2	19.2	0.9
1963	100	70.7	1.8	11.5	15.4	0.6
1964	100	68.4	2.1	13.3	15.6	0.6
1965	100	67.7	3.1	12.6	15.9	0.7
1966	100	71.3	3.9	10.8	13.5	0.5
1967	100	72.0	3.4	11.7	12.5	0.4
1968	100	71.5	3.8	11.3	13.0	0.4
1969	100	67.4	4.9	12.4	14.9	0.4
1970	100	71.6	4.2	8.7	15.1	0.4
1971	100	72.9	3.5	14.5	8.9	0.2
1972	100	71.5	4.0	12.4	11.9	0.2
1973	100	75.0	2.6	12.3	9.8	0.3
1974	100	74.6	2.5	11.7	10.9	0.3
1975	100	78.0	3.1	12.7	5.9	0.3
1976	100	76.7	3.3	13.8	5.9	0.3
1977	100	75.9	3.6	14.0	6.2	0.3
1978	100	79.8	2.3	11.9	5.8	0.2
1979	100	77.3	2.7	13.5	6.3	0.2
1980	100	69.5	5.2	19.5	5.7	0.1
1981	100	73.5	3.4	16.9	5.9	0.3
1982	100	74.3	4.2	15.9	5.2	0.4
1983	100	79.8	2.7	12.7	4.4	0.4
1984	100	77.6	4.0	13.4	4.6	0.4
1985	100	68.7	3.9	21.1	5.7	0.6
1986	100	71.8	3.0	18.8	5.5	0.9
1987	100	71.3	2.4	19.4	5.9	1.0
1988	100	71.0	2.0	20.9	4.6	1.5
1989	100	64.7	2.6	27.1	3.7	1.9
1990	100	71.5	2.2	21.9	2.9	1.5
1991	100	68.7	2.3	24.0	3.4	1.6
1992	100	67.9	2.5	24.5	3.5	1.6
1993	100	71.9	2.6	24.0		1.5
1994	100	67.6	2.5	28.5		1.4
1995	100	61.4	1.7	35.4		1.5

11—6 各市县农村非农行业总产值

（1995 年） 单位：万元

市、县	合计	农村工业总产值	农村建筑业总产值	农村运输业总产值	农村批发零售贸易餐饮业产值
长春市	**1 747 553**	**1 154 150**	**167 541**	**154 129**	**271 733**
市区	1 021 792	680 685	79 178	97 692	164 237
九台市	157 905	98 039	17 807	16 370	25 689
榆树市	187 186	108 650	19 080	17 607	41 849
德惠市	134 665	99 226	15 269	11 509	8 661
农安县	246 005	167 550	36 207	10 951	31 297
吉林市	**912 808**	**462 685**	**119 564**	**167 549**	**163 010**
市区	197 245	112 317	19 737	31 606	33 585
桦甸市	86 872	40 629	13 230	16 969	16 044
蛟河市	154 688	72 557	23 247	25 525	33 359
舒兰市	140 602	59 292	19 876	28 872	32 562
磐石市	166 464	77 861	28 480	26 848	33 275
永吉县	166 937	100 029	14 994	37 729	14 185
四平市	**844 729**	**488 343**	**101 211**	**131 644**	**123 531**
市区	183 591	142 337	16 665	15 621	8 968
公主岭市	298 998	135 418	43 158	61 429	58 993
梨树县	200 488	117 794	24 329	35 295	23 070
伊通县	102 773	63 690	11 784	9 480	17 819
双辽县	58 879	29 104	5 275	9 819	14 681
辽源市	**331 676**	**202 784**	**29 035**	**53 400**	**46 457**
市区	54 303	32 947	2 935	10 025	8 396
东丰县	142 738	76 407	14 399	26 531	25 401
东辽县	134 635	93 430	11 701	16 844	12 660
通化市	**470 761**	**298 051**	**45 288**	**57 184**	**70 238**
市区	69 907	33 515	7 813	11 176	17 403
梅河口市	167 952	142 437	10 028	10 052	5 435
集安市	60 259	28 225	6 251	8 904	16 879
通化县	89 092	48 841	12 702	13 795	13 754
辉南县	27 896	20 131	3 980	2 266	1 519

11－6 续表　　　　　　　　　　　　　　（1995年）　　　　　　　　　　　　　　单位：万元

市、县	合计	农村工业总产值	农村建筑业总产值	农村运输业总产值	农村批发零售贸易餐饮业产值
柳河县	55 655	24 902	4 514	10 991	15 248
白山市	**345 601**	**176 594**	**23 644**	**52 850**	**92 513**
市区	98 440	49 085	7 009	16 341	26 005
临江市	50 374	27 058	3 712	6 486	13 118
抚松县	53 415	22 322	5 536	13 588	11 969
靖宇县	20 281	8 705	695	3 106	7 775
长白县	32 450	15 755	2 370	4 339	9 986
江源县	90 641	53 669	4 322	8 990	23 660
松原市	**272 138**	**137 095**	**34 841**	**39 128**	**61 124**
市区	18 939	9 802	3 660	2 571	2 906
长岭县	68 250	38 000	7 200	6 800	16 250
前郭县	59 974	26 604	9 363	10 986	13 021
乾安县	27 635	11 325	3 123	4 098	9 089
扶余县	97 390	51 364	11 495	14 673	19 858
白城市	**205 872**	**136 881**	**28 775**	**16 900**	**23 316**
市区	70 149	46 565	8 152	6 379	9 053
洮南市	52 562	27 052	8 288	8 701	8 521
大安市	41 018	32 121	6 396	375	2 126
镇赉县	27 541	24 207	1 030	664	1 640
通榆县	14 602	6 936	4 909	781	1 976
延边朝鲜族自治州	**325 830**	**187 259**	**30 010**	**40 733**	**67 828**
延吉市	27 549	17 251	3 082	848	6 368
图们市	13 472	9 586	1 031	546	2 309
敦化市	112 572	73 333	10 255	18 494	10 490
龙井市	43 367	30 383	4 224	2 496	6 264
珲春市	22 218	6 179	2 028	2 986	11 025
和龙市	30 353	13 811	3 230	4 435	8 877
汪清县	46 758	20 221	4 458	6 565	15 514
安图县	29 541	16 495	1 702	4 363	6 981

11－7 各市县农林牧渔业总产值

（1995年）　　　　单位：万元

市、县	合计	农业产值	林业产值	牧业产值	渔业产值
长春市	**1 445 072**	**889 842**	**6 732**	**537 336**	**11 162**
市区	253 025	132 809	1 597	116 674	1 945
九台市	165 802	113 784	1 351	48 318	2 349
榆树市	361 484	249 139	1 476	110 135	734
德惠市	267 523	154 377	1 084	109 062	3 000
农安县	397 238	239 733	1 224	153 147	3 134
吉林市	**525 316**	**300 742**	**8 371**	**204 058**	**12 145**
市区	70 182	29 381	752	37 552	2 497
桦甸市	58 287	31 924	1 353	24 602	408
蛟河市	73 018	38 490	2 686	30 961	881
舒兰市	111 792	69 835	1 045	38 110	2 802
磐石市	79 614	45 081	1 444	31 049	2 040
永吉县	132 423	86 031	1 091	41 784	3 517
四平市	**885 929**	**553 297**	**3 137**	**326 300**	**3 195**
市区	19 973	13 904	48	5 978	43
公主岭市	297 857	191 414	771	129 611	776
梨树县	322 572	182 682	814	113 120	1 241
伊通县	127 880	82 600	880	43 645	755
双辽县	117 647	82 697	624	33 946	380
辽源市	**199 982**	**122 644**	**1 624**	**74 487**	**1 227**
市区	12 612	5 854	27	6 697	34
东丰县	92 369	56 685	934	34 138	612
东辽县	95 001	60 105	663	33 652	581
通化市	**336 210**	**162 723**	**14 776**	**153 632**	**5 079**
市区	22 177	5 648	677	15 818	34
梅河口市	136 592	63 069	2 992	67 358	3 173
集安市	41 431	30 816	1 876	8 217	522
通化县	35 439	16 463	5 055	13 661	260
辉南县	37 123	17 093	2 313	17 307	410

11－7 续表　　(1995年)　　单位:万元

市、县	合计	农业产值	林业产值	牧业产值	渔业产值
柳河县	63 448	29 634	1 863	31 271	680
白山市	**174 459**	**109 429**	**12 053**	**51 282**	**1 695**
市区	27 266	13 362	1 727	11 777	400
临江市	33 646	19 725	2 871	10 585	465
抚松县	51 019	40 487	3 422	6 559	551
靖宇县	13 107	7 889	269	4 731	218
长白县	24 417	17 779	1 962	4 641	35
江源县	25 004	10 187	1 802	12 989	26
松原市	**700 184**	**500 468**	**8 895**	**178 656**	**12 165**
市区	49 839	35 062	423	13 198	1 156
长岭县	189 726	136 654	3 609	49 159	304
前郭县	173 623	123 260	2 402	41 711	6 250
乾安县	87 007	64 444	1 199	21 193	171
扶余县	199 989	141 048	1 262	53 395	4 284
白城市	**386 810**	**225 832**	**11 785**	**125 823**	**23 370**
市区	47 568	30 935	785	15 799	49
洮南市	100 909	66 812	2 799	28 490	2 808
大安市	74 027	31 757	1 524	31 487	9 259
镇赉县	89 015	49 997	4 419	26 065	8 534
通榆县	75 291	46 331	2 258	23 982	2 720
延边朝鲜族自治州	**248 813**	**149 439**	**15 455**	**81 580**	**2 339**
延吉市	12 928	6 365	347	6 158	58
图们市	8 648	5 082	258	3 276	32
敦化市	73 376	42 459	4 167	25 505	1 245
龙井市	39 293	26 424	578	12 058	233
珲春市	24 737	15 643	1 028	7 740	326
和龙市	28 328	16 259	3 036	8 948	85
汪清县	29 684	17 371	3 716	8 496	101
安图县	31 819	19 836	2 325	9 399	259

11－8 农业总产值、物质消耗、农业增加值和比重

项目	1978年	1980年	1985年	1990年	1994年	1995年
农业总产值(万元)	**377 802**	**474 714**	**858 946**	**1 890 862**	**4 054 784**	**4 902 775**
农业	301 486	329 926	590 287	1 352 809	2 708 102	3 014 416
林业	8 689	24 685	33 162	41 878	85 391	82 828
牧业	44 958	92 569	181 194	414 028	1 201 396	1 733 154
副业	21 913	27 059	48 845	54 075		
渔业	756	475	5 458	28 072	59 895	72 377
农业中间消耗(万元)	**143 234**	**209 655**	**301 192**	**636 173**	**1 460 776**	**1 862 872**
农业	112 142	144 077	192 866	435 143	828 554	968 210
林业	3 344	9 605	11 161	14 644	28 764	26 956
牧业	21 485	47 990	83 396	166 384	580 275	840 593
副业	5 960	7 766	11 258	10 608		
渔业	303	217	2 511	9 394	23 183	27 113
农业增加值(万元)	**234 568**	**265 059**	**557 754**	**1 254 689**	**2 594 008**	**3 039 903**
农业	189 344	185 849	397 421	917 666	1 879 548	2 046 206
林业	5 345	15 080	22 001	27 234	56 627	55 872
牧业	23 473	44 579	97 798	247 644	621 121	892 561
副业	15 953	19 293	37 587	43 467		
渔业	453	258	2 947	18 678	36 712	45 264
占农业总产值比重%						
农业中间消耗	**37.9**	**44.2**	**35.1**	**33.6**	**36.0**	**38.0**
农业	37.2	43.7	32.7	32.2	30.6	32.1
林业	38.5	38.9	33.7	35.0	33.7	32.5
牧业	47.8	51.8	46.0	40.2	48.3	48.5
副业	27.2	28.7	23.0	19.6		
渔业	40.1	45.7	46.0	33.5	38.7	37.5
农业增加值	**62.1**	**55.8**	**64.9**	**66.4**	**64.0**	**62.0**
农业	62.8	56.3	67.3	67.8	69.4	67.9
林业	61.5	61.1	66.3	65.0	66.3	67.5
牧业	52.2	48.2	54.0	59.8	51.7	51.5
副业	72.8	71.3	77.0	80.4		
渔业	59.9	54.3	54.0	66.5	61.3	62.5

11—9 农业商品产值和商品率

项　　目	1991年	1992年	1993年	1994年	1995年
农业商品产值(万元)	**1 205 881**	**1 310 595**	**1 608 680**	**2 744 079**	**3 433 447**
一、农业(含其他农业)	809 713	854 469	1 038 794	1 698 940	1 901 802
二、林　　业	11 858	13 784	14 683	25 721	26 726
三、牧　　业	318 089	369 024	473 584	964 725	1 439 993
四、副　　业	37 894	43 434	45 801		
五、渔　　业	28 327	29 884	35 818	54 693	64 926
农业商品率(%)	**64.0**	**64.1**	**65.9**	**67.7**	**70.0**
一、农业(含其他农业)	62.4	61.5	62.3	66.2	63.1
二、林　　业	26.8	27.0	28.8	30.1	32.3
三、牧　　业	70.5	73.8	78.5	80.3	83.1
四、副　　业	59.5	61.3	57.1		
五、渔　　业	92.5	91.4	92.7	91.3	89.7

11—10 各市县农、林、牧、渔业商品产值

（1995年） 单位：万元

市、县	农、林、牧、渔业商品产值	农业商品产值	林业商品产值	牧业商品产值	渔业商品产值
长春市	**1 083 627**	**598 433**	**1 821**	**473 279**	**10 094**
市区	208 587	100 387	270	106 135	1 795
九台市	115 773	73 781	4	40 038	1 950
榆树市	278 180	171 522	505	105 552	601
德惠市	190 153	95 603	290	91 511	2 749
农安县	290 934	157 140	752	130 043	2 999
吉林市	**365 197**	**181 511**	**3 357**	**169 405**	**10 924**
市区	58 365	22 112	347	33 579	2 327
桦甸市	39 606	19 376	515	19 423	292
蛟河市	48 534	22 248	815	24 678	793
舒兰市	70 312	40 260	264	27 297	2 491
磐石市	59 379	26 746	830	29 947	1 856
永吉县	89 001	50 769	586	34 481	3 165
四平市	**613 578**	**328 664**	**1 190**	**280 733**	**2 991**
市区	16 505	11 176	9	5 285	35
公主岭市	212 883	116 327	441	94 891	1 224
梨树县	206 021	95 063	294	109 966	698
伊通县	96 934	56 327	274	39 619	714
双辽县	81 235	49 771	172	30 972	320
辽源市	**161 059**	**80 154**	**596**	**79 144**	**1 165**
市区	10 902	5 229		5 641	32
东丰县	77 170	36 758	441	39 390	581
东辽县	72 987	38 167	155	34 113	552
通化市	**225 657**	**83 475**	**7 897**	**129 405**	**4 880**
市区	17 988	4 387	344	13 226	31
梅河口市	92 989	32 995	1 965	54 891	3 138
集安市	26 260	19 746	703	5 315	496
通化县	21 278	7 729	2 770	10 545	234
辉南县	21 852	5 821	1 202	14 460	369

11—10 续表　　　　(1995年)　　　　单位:万元

市　、县	农、林、牧、渔业商品产值	农业商品产　值	林业商品产　值	牧业商品产　值	渔业商品产　值
柳河县	45 290	12 797	913	30 968	612
白山市	**123 711**	**75 999**	**5 129**	**41 186**	**1 397**
市区	18 299	7 218	1 043	9 693	345
临江市	22 281	13 681	861	7 283	456
抚松县	38 446	31 283	1 345	5 460	358
靖宇县	8 976	5 184	152	3 456	184
长白县	16 960	11 526	1 453	3 953	28
江源县	18 749	7 107	275	11 341	26
松原市	**473 958**	**352 316**	**1 529**	**108 992**	**11 121**
市区	37 040	24 171	319	11 734	816
长岭县	113 595	89 933	350	22 955	357
前郭县	126 851	92 860	288	27 453	6 250
乾安县	55 289	44 574	180	10 373	162
扶余县	141 183	100 778	392	36 477	3 536
白城市	**219 297**	**115 072**	**374**	**83 649**	**20 202**
市区	28 968	18 518	102	10 299	49
洮南市	60 622	41 253	120	16 515	2 734
大安市	47 119	16 822	22	22 784	7 491
镇赉县	36 376	13 677	100	15 119	7 480
通榆县	46 212	24 802	30	18 932	2 448
延边朝鲜族自治州	**167 363**	**86 178**	**4 833**	**74 200**	**2 152**
延吉市	10 267	3 796	193	6 224	54
图们市	5 854	2 883	82	2 865	24
敦化市	54 399	28 740	749	23 768	1 142
龙井市	27 054	15 022	224	11 584	224
珲春市	14 705	6 985	531	6 881	308
和龙市	16 140	6 125	1 219	8 718	78
汪清县	19 737	11 212	1 346	7 102	77
安图县	19 207	11 415	489	7 058	245

11—11 商品粮基地基本情况

项目	单位	1991年	1992年	1993年	1994年	1995年
商品粮基地县数	个	28	28	28	28	27
农业人口	万人	1 229.7	1 224.0	1 206.7	1 201.81	1 108.71
耕地面积	万公顷	334.7	331.8	330.6	332.3	303.3
农业总产值(现价)	亿元	153.1	165.2	199.9	337.1	380.3
粮食播种面积	万公顷	308.3	306.6	245.9	304.6	277.1
粮食总产量	万吨	1 849.4	1 819.9	1 831.3	1 974.9	1 814.4
粮食每亩产量	公斤	400	396	496	432	437
每一农业人口生产粮食	公斤	1 504.0	1 486.0	1 517.7	1 643.3	1 636.5
向国家交售商品粮	万吨	1 189.5	766.3	727.1	791.0	722.3
每一农业人口交售商品粮	公斤	967.3	626.1	602.6	658.2	651.5

11—12 按农业人口平均的农业生产主要指标

项目	单位	1978年	1980年	1985年	1990年	1994年	1995年
农业总产值(现价)	元	254.3	319.6	583.7	1 280.7	2 767.5	3 328.3
农业增加值(现价)	元	167.9	194.7	379.1	849.8	1 770.5	2 063.7
粮食产量	公斤	614.0	577.9	838.6	1 386.1	1 375.8	1 352.6
油料产量	公斤	8.2	17.9	33.1	31.7	19.6	17.3
猪牛羊肉产量	公斤	10.5	16.5	20.5	29.4	51.0	65.2
鲜蛋产量	公斤	2.6	3.0	12.0	16.9	27.6	33.2
水产品产量	公斤	0.7	0.6	2.0	4.8	7.2	7.5
水果产量	公斤	3.8	3.0	4.5	9.0	12.7	19.0
蔬菜产量	公斤	235.6	203.7	225.4	304.9	349.8	360.2

11—13 商品粮基地县基本情况

（1995年）

市、县	农业人口（万人）	耕地面积（万公顷）	农业总产值（现价）（万元）	粮食播种面积（公顷）	粮食总产量（万吨）	每公顷粮食产量（公斤）	向国家交售商品粮（万吨）
总计	**1 108.71**	**303.28**	**3 802 990**	**2 770 726**	**1 814.37**	**155 391**	**722.34**
长春市郊区	9.79	1.23	30 697	6 451	3.12	4 841	
九台市	62.64	15.97	165 802	142 116	90.53	6 370	53.59
榆树市	103.16	29.07	361 484	255 236	201.01	7 876	69.13
农安县	91.48	29.10	397 238	266 528	202.41	7 594	49.19
德惠市	72.86	21.24	267 523	193 803	118.19	6 098	46.13
双阳区	27.94	7.02	112 117	62 605	52.53	8 390	25.43
桦甸市	24.96	4.57	58 287	42 199	16.22	3 845	8.62
蛟河市	29.57	4.92	73 018	42 143	17.01	4 036	9.18
永吉县	62.60	11.59	132 423	107 499	51.19	4 762	34.79
舒兰市	45.93	8.27	111 792	77 533	46.57	6 007	40.58
磐石市	36.79	6.46	79 614	60 137	31.06	5 165	13.35
公主岭市	74.20	21.91	297 857	206 147	183.01	8 878	85.52
梨树县	62.47	18.59	322 572	180 085	167.55	9 304	76.09
伊通县	36.31	8.78	127 880	85 772	70.55	8 226	29.61
双辽县	24.38	9.80	117 647	94 656	73.56	7 771	29.30
东丰县	28.72	7.45	92 369	72 419	46.15	6 373	19.06
东辽县	31.48	6.85	95 001	65 064	50.01	7 687	21.11
梅河口市	35.32	6.37	136 592	58 321	32.51	5 574	14.74
辉南县	22.08	3.95	37 123	37 126	10.29	2 772	8.00
通化县	17.98	2.70	35 439	26 214	5.25	2 003	1.45
宁江区	18.15	4.19	49 839	39 221	21.41	5 459	4.67
洮南市	27.42	11.48	100 909	105 788	50.80	4 802	11.70
大安市	26.63	9.06	74 027	78 506	17.38	2 214	6.44
镇赉县	21.07	10.22	89 015	98 400	38.73	3 936	9.82
长岭县	50.15	18.02	189 726	145 358	112.56	7 743	23.48
前郭县	41.97	18.15	173 623	167 699	93.50	5 575	22.41
敦化市	22.66	6.32	73 376	53 692	11.22	2 090	8.95

11—14 耕地面积

项目	1978年	1980年	1985年	1990年	1994年	1995年
年末实有耕地面积(千公顷)	4050.8	4 044.0	3 999.1	3 939.3	3 955.4	3 953.2
水田	298.9	255.5	319.8	418.5	416.8	425.2
旱地	3 751.9	3 788.5	3 679.3	3 520.7	3 538.6	3 528.0
当年增加的耕地面积(千公顷)	30.9	15.6	20.7	20.3	30.5	17.3
# 新开荒地面积	13.3	5.9	4.0	6.1	3.6	4.6
当年减少的耕地面积(千公顷)	26.8	23.5	60.7	16.5	12.9	19.5
# 国家基建占地	2.6	2.5	1.9	1.5	2.9	2.9
集体基建占地	1.7	3.1	0.6	0.3	2.7	1.8
农民个人建房面积			1.7	0.3	0.6	0.7
平均每一农业人口占有(公顷)						
耕地面积	0.27	0.27	0.27	0.26	0.27	0.27
有效灌溉面积	0.04	0.05	0.05	0.06	0.06	0.06
# 水浇地	0.02	0.03	0.03	0.03	0.03	0.03

11—15 各市县耕地面积

（1995年）

市、县	耕地面积（公顷）	水田	旱地	#水浇地	平均每一农业人口占有（公顷）耕地面积	有效灌溉面积	#水浇地
长春市	**1 101 828**	**94 243**	**1 007 585**	**92 232**	**0.27**	**0.05**	**0.02**
市区	147 963	14 786	133 177	16 229	0.20	0.04	0.02
九台市	159 698	16 846	142 852	11 154	0.25	0.04	0.02
榆树市	290 748	26 088	264 660	28 512	0.28	0.05	0.03
德惠市	212 399	33 061	179 338	18 459	0.29	0.07	0.03
农安县	291 020	3 462	287 558	17 878	0.32	0.02	0.02
吉林市	**387 589**	**110 807**	**276 782**	**50 231**	**0.17**	**0.07**	**0.02**
市区	29 483	10 424	19 059	8 224	0.12	0.07	0.03
桦甸市	45 674	6 435	39 239	3 075	0.18	0.04	0.01
蛟河市	49 166	9 882	39 284	6 148	0.17	0.05	0.02
舒兰市	82 741	28 512	54 229	7 158	0.18	0.08	0.02
磐石市	64 608	15 910	48 698	9 980	0.18	0.07	0.03
永吉县	115 917	39 644	76 273	15 646	0.19	0.09	0.02
四平市	**603 683**	**46 273**	**557 410**	**58 897**	**0.29**	**0.05**	**0.03**
市区	12 768	46	12 722	1 044	0.16	0.01	0.01
公主岭市	219 140	9 997	209 143	18 013	0.30	0.04	0.02
梨树县	185 912	18 125	167 787	19 405	0.30	0.06	0.03
伊通县	87 844	9 812	78 032	6 238	0.24	0.04	0.02
双辽县	98 019	8 293	89 726	14 197	0.40	0.09	0.06
辽源市	**148 456**	**15 847**	**132 609**	**8 233**	**0.22**	**0.04**	**0.01**
市区	5 416	407	5 009	1 833	0.09	0.04	0.03
东丰县	74 515	10 871	63 644	1 279	0.26	0.04	
东辽县	68 525	4 569	63 956	5 121	0.22	0.03	0.02
通化市	**195 102**	**53 942**	**141 160**	**33 458**	**0.16**	**0.07**	**0.03**
市区	4 869	296	4 573	1 314	0.07	0.02	0.02
梅河口市	63 679	23 314	40 365	12 846	0.18	0.10	0.04
集安市	14 961	2 478	12 483	612	0.10	0.02	
通化县	27 042	5 090	21 952	2 980	0.15	0.04	0.02
辉南县	39 511	13 664	25 847	7 876	0.18	0.10	0.04

(1995年)

市、县	耕地面积(公顷)	水田	旱地	#水浇地	平均每一农业人口占有(公顷) 耕地面积	有效灌溉面积	#水浇地
柳河县	45 040	9 100	35 940	7 830	0.17	0.06	0.03
白山市	**55 859**	**2 064**	**53 795**	**3 426**	**0.12**	**0.01**	**0.01**
市区	7 682	650	7 032	460	0.10	0.02	0.01
临江市	9 023	245	8 778	295	0.12	0.01	
抚松县	14 866	42	14 824	408	0.13		
靖宇县	10 150	471	9 679	439	0.13	0.01	0.01
长白县	7 137	524	6 613	1 076	0.15	0.03	0.02
江源县	7 001	132	6 869	748	0.10	0.01	0.01
松原市	**703 026**	**28 319**	**674 707**	**82 081**	**0.36**	**0.06**	**0.04**
市区	41 906	2 004	39 902	4 996	0.22	0.04	0.03
长岭县	180 235	408	179 827	16 142	0.36	0.03	0.03
前郭县	181 503	19 825	161 678	24 545	0.43	0.11	0.06
乾安县	72 975	806	72 169	8 094	0.37	0.04	0.04
扶余县	226 407	5 276	221 131	28 304	0.36	0.05	0.04
白城市	**533 897**	**27 303**	**506 594**	**124 047**	**0.45**	**0.13**	**0.10**
市区	78 922	4 908	74 014	38 762	0.40	0.22	0.20
洮南市	114 804	5 014	109 790	35 506	0.42	0.15	0.13
大安市	90 557	4 945	85 612	28 105	0.34	0.12	0.11
镇赉县	102 284	11 522	90 762	14 208	0.49	0.12	0.07
通榆县	147 330	914	146 416	7 466	0.62	0.04	0.03
延边朝鲜族自治州	**223 745**	**46 391**	**177 354**	**27 429**	**0.26**	**0.08**	**0.03**
延吉市	8 071	1 541	6 530	919	0.15	0.05	0.02
图们市	8 589	1 603	6 986	1 987	0.23	0.06	0.05
敦化市	63 211	7 888	55 323	7 562	0.28	0.07	0.03
龙井市	33 438	9 306	24 132	3 344	0.26	0.10	0.03
珲春市	21 818	7 996	13 822	2 924	0.27	0.14	0.04
和龙市	25 163	7 872	17 291	3 168	0.26	0.11	0.03
汪清县	35 767	5 568	30 199	4 502	0.27	0.07	0.03
安图县	27 688	4 617	23 071	3 023	0.25	0.07	0.03

11—16 农业生产条件

项目	单位	1978年	1980年	1985年	1990年	1994年	1995年
一、户数、人口、劳动力							
乡村总户数	万户	295.21	303.95	317.84	340.93	348.40	348.82
乡村总人口	万人	1 481.49	1 477.66	1 464.15	1 465.79	1 445.04	1 434.54
乡村劳动力	万人	321.10	338.10	450.01	614.43	643.56	631.11
# 农林牧渔业	万人	294.60	307.49	399.67	541.24	553.73	537.44
工　　业	万人	16.02	15.54	18.17	22.53	24.29	23.70
建　筑　业	万人		1.01	7.23	9.58	14.57	15.45
运　输　业	万人		0.51	5.25	7.06	10.14	10.70
商业、饮食业	万人		0.61	4.45	7.09	12.13	12.69
二、农业机械化情况							
1. 农业机械总动力	万千瓦	284.11	367.54	476.34	629.00	598.83	661.43
2. 大中型农用拖拉机	万台	1.86	2.60	3.69	4.09	3.10	2.91
3. 小型拖拉机	万台	2.49	2.59	8.76	18.60	20.87	23.78
4. 大中型机引农具	万部	4.75	5.92	3.85	3.80	3.43	3.93
5. 联合收割机	台	161	145	227	173	104	103
6. 农用排灌机械	万台	4.74	6.55	5.66	22.18	21.71	23.15
7. 农用载重汽车	辆	2172	2 766	8 399	8 754	7 032	7 621
三、耕地面积	千公顷	4 050.8	4 044.0	3 999.1	3 939.3	3 955.4	3 953.2
水　田	千公顷	298.9	255.5	319.8	418.5	416.8	425.2
旱　地	千公顷	3 751.9	3 788.5	3 679.3	3 520.7	3 538.6	3 528.0
# 水浇地	千公顷	299.7	475.2	376.5	463.3	493.4	479.2
四、农业现代化水平							
1. 机耕面积占耕地面积比重	%	32.8	35.0	34.7	45.8	42.3	48.4
2. 有效灌溉面积占耕地面积比重	%	14.8	18.1	17.4	22.4	23.0	22.9
3. 化肥施用量(实物量)	万吨	66.69	120.20	159.23	233.06	245.11	266.57
4. 每亩耕地施用化肥	公斤	10.98	19.82	26.54	39.44	41.31	45.00
5. 农村用电量	亿千瓦小时	8.10	9.71	11.91	16.80	21.53	21.52
6. 每公顷耕地用电量	千瓦小时	199.96	240.11	297.82	426.47	544.32	544.37
五、农作物播种面积							
总播种面积	千公顷	4 053.1	4 057.0	4 063.9	4 039.8	4 059.6	4 059.8

11—17 主要农业机械拥有量

项目	单位	1978年	1980年	1985年	1990年	1994年	1995年
农业机械总动力	万千瓦	**284.11**	**367.54**	**476.34**	**629.00**	**598.83**	**661.43**
一、耕作机械							
大中型农用拖拉机	混合台	18 646	25 961	36 858	40 853	30 950	29 128
小型拖拉机	台	24 933	25 873	87 596	186 004	208 667	237 823
大中型机引农具	部	47 515	59 199	38 543	37 967	34 279	39 327
小型拖拉机机引农具	部	23 065	27 458	55 505	240 976	316 603	385 869
机动水稻插秧机	部	9 244	9 096	6 088	6 198	4 668	4 417
二、排灌机械							
农用排灌机械	台	47 430	65 470	56 589	221 822	217 087	231 455
农用水泵	台	43 461	53 387	50 580	198 822	203 540	217 804
喷灌机械	套	1 779	3 978	2 576	12 770	10 378	7 961
三、收获机械							
联合收割机	台	161	145	227	173	104	103
机动收割机	台	157	116	129	144	63	19
机动脱粒机	台	43 099	61 357	32 610	102 587	110 249	115 684
四、农产品加工机械							
碾米机、磨面机	台	81 832	91 593	107 863	102 587	96 195	94 814
榨油机	台	3 452	2 843	3 779	3 535	2 885	3 113
五、运输机械							
农用载重汽车	辆	2 172	2 766	8 399	8 754	7 032	7 621
大中型拖车	辆	9 626	15 524	104 823	31 400	22 946	21 574

11—18 各市县主要农业机械拥有量

(1995 年)

市、县	农业机械总动力(千瓦特)	大中型农用拖拉机(混合台)	农用小型及手扶拖拉机(台)	大中型机引农具(部)	农用排灌动力机械(台)	磨面机碾米机(台)
长春市	**1 648 030**	**5 336**	**49 672**	**14 402**	**81 557**	**25 166**
市区	310 721	958	9 304	1 578	9 855	4 189
九台市	201 381	699	6 948	1 307	9 946	3 348
榆树市	441 269	1 344	11 511	5 921	29 618	4 503
德惠市	313 374	995	8 717	1 746	26 020	5 780
农安县	381 285	1 340	13 192	3 850	6 118	7 346
吉林市	**984 794**	**1 782**	**31 973**	**839**	**38 243**	**14 443**
市区	181 121	278	4 368	147	4 937	531
桦甸市	96 082	138	3 199	68	1 389	2 243
蛟河市	105 608	256	4 210	62	4 850	2 208
舒兰市	261 534	601	7 917	446	9 654	2 360
磐石市	133 841	227	4 421	68	2 875	3 436
永吉县	206 608	282	7 858	48	14 538	3 665
四平市	**802 856**	**3 207**	**27 087**	**6 358**	**42 583**	**14 003**
市区	35 156	250	1 320	140	2 198	258
公主岭市	230 419	760	10 961	1 694	7 768	4 141
梨树县	294 960	1 127	6 509	3 835	22 534	5 067
伊通县	126 076	508	3 563	246	5 197	2 185
双辽县	116 245	562	4 734	443	4 886	2 352
辽源市	**229 210**	**616**	**7 022**	**1 277**	**9 474**	**5 384**
市区	13 970	40	384	12	751	535
东丰县	106 744	395	3 449	1 188	4 436	2 583
东辽县	108 496	181	3 189	77	4 287	2 266
通化市	**480 228**	**1 260**	**14 085**	**835**	**11 800**	**7 468**
市区	29 628	58	400	8	845	503
梅河口市	98 518	306	4 471	334	3 657	1 617
集安市	72 827	103	1 145	36	2 939	1 251
通化县	80 586	224	1 341	95	899	1 723
辉南县	115 877	384	3 548	316	1 623	1 368

(1995年)

市、县	农业机械总动力（千瓦特）	大中型农用拖拉机（混合台）	农用小型及手扶拖拉机（台）	大中型机引农具（部）	农用排灌动力机械（台）	磨面机碾米机（台）
柳河县	82 792	185	3 180	46	1 837	1 006
白山市	**163 290**	**484**	**3 241**	**102**	**992**	**3 506**
市区	35 330	119	325	1	316	515
临江市	26 365	83	438	2	158	1 620
抚松县	27 319	91	905	66	195	527
靖宇县	20 025	80	887	14	46	280
长白县	38 447	53	399	17	240	331
江源县	15 804	58	287	2	37	233
松原市	**995 482**	**8 408**	**44 415**	**9 881**	**22 791**	**11 249**
市区						
长岭县	165 063	478	11 772	163	790	1 040
前郭县	279 726	2 709	9 840	4 390	6 785	3 773
乾安县	157 054	1 705	8 643	1 354	1 099	2 047
扶余县	393 639	3 471	14 160	3 974	14 117	4 389
白城市	**811 395**	**3 979**	**40 770**	**4 187**	**21 242**	**8 692**
市区	196 474	594	7 147	961	8 951	1 223
洮南市	198 337	790	12 533	650	3 755	2 182
大安市	136 996	236	8 495	151	4 087	2 088
镇赉县	125 946	689	6 234	1 447	1 665	1 612
通榆县	153 642	1 670	6 361	978	2 784	1 587
延边朝鲜族自治州	**499 052**	**4 056**	**19 558**	**1 446**	**2 773**	**4 903**
延吉市	33 106	225	734	112	509	192
图们市	21 488	97	816	44	201	157
敦化市	150 418	1 250	5 096	354	349	1 564
龙井市	82 191	332	4 059	279	378	840
珲春市	54 738	906	2 463	93	401	418
和龙市	44 449	308	2 816	116	154	498
汪清县	66 981	391	2 102	238	631	620
安图县	45 681	547	1 472	210	150	614

11—19 农业现代化水平

项目	单位	1978年	1980年	1985年	1990年	1994年	1995年
一、农业机械化							
机耕面积	千公顷	1 327.4	1 413.9	1 386.3	1 802.5	1 673.3	1 913.0
占耕地面积比重	%	32.8	35.0	34.7	45.8	42.3	48.4
机播面积	千公顷	717.7	1 211.3	795.1	1 443.9	1 827.5	2 004.3
占耕地面积比重	%	17.7	30.0	19.9	36.7	46.2	50.7
机收面积	千公顷	16.4	12.0	5.2	12.5	9.9	10.0
二、农业电气化							
农村用电量	万千瓦小时	81 030	97 100	119 054	167 992	215 279	215 178
每公顷用电量	千瓦小时	199.5	238.5	297.0	426.0	544.3	544.4
三、农业水利化							
有效灌溉面积	千公顷	598.6	730.7	696.3	881.9	910.1	904.4
占耕地面积比重	%	14.8	18.1	17.4	22.4	23.0	22.9
机电灌溉面积	千公顷	363.5	441.3	407.7	584.1	767.5	586.2
占有效灌溉面积比重	%	60.7	60.4	58.6	66.2	84.3	64.8
四、农业化学化							
化肥施用量(实物量)	万吨	66.69	120.20	159.23	233.06	245.11	266.57
氮　肥	万吨	51.83	90.19	109.73	170.93	170.51	183.28
磷　肥	万吨	13.10	26.62	27.06	22.71	27.42	31.18
钾　肥	万吨	1.76		1.89	4.83	7.97	9.29
复合肥	万吨		2.79	20.55	34.59	39.21	42.82
每公顷化肥施用量	公斤	165	297	398	591	620	675

11—20 各市县农业现代化水平

（1995年）

市、县	机耕面积（千公顷）	机耕面积占耕地面积比重（%）	机播面积（千公顷）	机播面积占耕地面积比重（%）	机械脱粒粮食产量（万吨）	农村用电量（千千瓦小时）
长春市	**557.5**	**50.6**	**650.8**	**59.0**	**565.7**	**562 201**
市区	49.6	33.5	67.7	45.4	74.5	215 395
九台市	84.8	53.1	90.1	56.3	68.0	87 309
榆树市	176.7	60.8	218.7	75.2	189.2	85 098
德惠市	94.0	44.3	109.2	51.4	100.0	116 303
农安县	152.4	52.4	165.1	56.7	134.0	58 096
吉林市	**265.2**	**68.4**	**170.9**	**44.1**	**203.3**	**311 116**
市区	20.1	68.2	4.9	16.7	6.5	33 258
桦甸市	31.0	67.9	18.0	39.1	19.9	25 864
蛟河市	25.3	51.5	14.0	29.0	23.2	34 671
舒兰市	71.6	86.5	59.3	71.6	49.8	42 902
磐石市	48.2	74.6	24.7	38.0	20.3	58 546
永吉县	69.0	59.5	50.0	43.0	83.6	115 875
四平市	**208.7**	**34.6**	**477.0**	**79.0**	**431.5**	**342 093**
市区	3.8	29.2	6.0	47.2	5.8	72 897
公主岭市	80.1	36.6	193.0	88.1	158.2	83 245
梨树县	8.7	46.1	158.0	85.0	149.0	69 710
伊通县	11.3	12.9	57.0	64.7	62.8	52 772
双辽县	27.8	28.4	63.0	64.4	55.7	63 469
辽源市	**39.0**	**26.3**	**53.0**	**35.3**	**77.0**	**81 122**
市区	3.0	55.4	1.0	18.5	7.0	87 630
东丰县	25.0	33.6	25.0	32.9	23.0	43 957
东辽县	11.0	16.1	27.0	39.4	47.0	29 535
通化市	**86.4**	**44.3**	**20.7**	**10.3**	**122.0**	**220 431**
市区	0.4	6.9			5.0	20 796
梅河口市	38.7	60.7	7.6	11.7	67.4	69 950
集安市	5.8	38.8	1.5	10.0	4.0	21 189
通化县	8.1	30.1	0.5	1.7	8.0	19 557
辉南县	21.1	53.5	10.4	26.3	17.8	26 569

11—20 续表 1　　　　　　　　　　(1995 年)

市、县	机耕面积（千公顷）	机耕面积占耕地面积比重（%）	机播面积（千公顷）	机播面积占耕地面积比重（%）	机械脱粒粮食产量（万吨）	农村用电量（千千瓦小时）
柳河县	12.3	27.3	0.7	1.5	19.8	62 370
白山市	**14.1**	**25.3**	**1.3**	**2.2**	**3.7**	**49 132**
市区	2.3	30.6	0.3	3.7	0.4	13 158
临江市	1.8	19.4			0.3	9 152
抚松县	1.8	12.3	0.4	2.6	1.6	5 344
靖宇县	4.7	46.1	0.1	0.9	0.8	3 646
长白县	2.0	27.6	0.4	5.5	0.4	8 832
江源县	1.5	22.0	0.1	1.1	0.2	9 000
松原市	**412.0**	**58.6**	**399.7**	**57.6**	**396.0**	**195 475**
市区	9.1	21.7				26 159
长岭县	83.0	46.1	92.6	51.4	111.0	64 125
前郭县	136.0	74.9	117.3	68.3	100.0	23 909
乾安县	33.0	45.2	45.0	61.6	45.0	23 800
扶余县	150.9	66.6	144.8	63.9	140.0	57 482
白城市	**212.7**	**39.8**	**171.5**	**32.2**	**138.0**	**155 750**
市区	26.7	33.8	32.0	40.8	30.0	47 342
洮南市	49.3	42.9	34.5	30.5	37.0	23 000
大安市	38.0	42.0	22.0	24.4	30.0	30 630
镇赉县	50.7	49.6	59.7	57.8	32.0	27 800
通榆县	48.0	32.6	23.3	15.8	9.0	26 978
延边朝鲜族自治州	**119.3**	**53.3**	**59.4**	**26.4**	**40.7**	**234 459**
延吉市	4.5	55.8	0.2	2.5	1.6	26 770
图们市	3.0	34.9	0.5	5.8	1.8	8 470
敦化市	43.8	69.3	34.6	54.5	10.2	51 870
龙井市	17.6	52.6	7.1	21.1	8.0	31 650
珲春市	12.3	56.4	2.7	12.2	7.4	40 940
和龙市	16.5	65.6	4.3	16.8	3.5	18 490
汪清县	14.4	40.2	6.5	18.1	5.0	22 060
安图县	7.2	26.0	3.5	12.5	3.2	34 209

11—20 续表 2 (1995年)

市、县	有效灌溉面积（千公顷）	有效灌溉面积占耕地面积比重（%）	配套机电井（眼）	化肥施用量（实物量）（吨）	#氮肥	#磷肥
长春市	**186.50**	**16.9**	**7 345**	**811 000**	**622 504**	**73 717**
市区	31.10	21.0	1 590	115 424	90 609	3 978
九台市	28.00	17.5	1 648	122 779	96 979	11 921
榆树市	54.60	18.8	1 737	196 100	160 124	5 785
德惠市	51.50	24.3	930	168 488	128 855	17 128
农安县	21.30	7.3	1 440	208 209	145 937	34 905
吉林市	**161.00**	**41.5**	**4 815**	**320 466**	**248 520**	**10 261**
市区	18.60	63.3	801	22 344	18 458	849
桦甸市	9.50	20.8	117	30 269	19 031	1 027
蛟河市	16.00	32.6	174	30 709	21 366	1 601
舒兰市	35.70	43.1	691	69 629	56 054	2 089
磐石市	25.90	40.1	513	62 670	49 084	797
永吉县	55.30	47.7	2 519	104 845	84 527	3 898
四平市	**105.20**	**17.4**	**6 456**	**480 963**	**323 127**	**39 991**
市区	1.10	8.5	184	12 470	8 174	1 093
公主岭市	28.00	12.8	1 489	170 758	116 003	7 132
梨树县	37.50	20.2	1 366	157 096	102 193	16 912
伊通县	16.10	18.3	1 439	61 334	43 462	2 282
双辽县	22.50	22.9	1 978	79 305	53 295	12 572
辽源市	**24.10**	**16.2**	**1 451**	**93 965**	**66 215**	**7 237**
市区	2.20	41.4	331	3 839	2 919	489
东丰县	12.20	16.3	493	48 423	34 260	600
东辽县	9.70	14.1	627	41 703	29 036	6 148
通化市	**87.40**	**44.8**	**1 309**	**176 376**	**138 395**	**7 811**
市区	1.60	33.1	287	3 785	3 183	96
梅河口市	36.20	56.8	221	72 910	60 088	3 831
集安市	3.10	20.7	50	9 552	6 799	536
通化县	8.10	29.8	100	15 592	12 224	238
辉南县	21.50	54.5	225	35 977	30 462	1 054

11—20 续表 3 (1995年)

市、县	有效灌溉面积(千公顷)	有效灌溉面积占耕地面积比重(%)	配套机电井(眼)	化肥施用量(实物量)(吨)	#氮肥	#磷肥
柳河县	16.90	37.6	426	38 560	25 639	2 056
白山市	**5.50**	**9.8**	**453**	**20 968**	**12 178**	**462**
市区	1.10	14.4	28	4 374	3 122	74
临江市	0.50	6.0	38	3 730	2 539	40
抚松县	0.50	3.0	144	3 736	1 197	238
靖宇县	0.90	9.0	132	4 032	1 853	77
长白县	1.60	22.4	48	1 465	857	
江源县	0.90	12.6	63	3 631	2 610	33
松原市	**110.40**	**15.7**	**8 637**	**418 572**	**242 020**	**111 493**
市区	7.00	16.7		24 220	14 272	6 524
长岭县	16.60	9.2	2 756	161 940	90 595	46 474
前郭县	44.40	24.4	1 994	55 713	34 773	10 728
乾安县	8.90	12.2	1 984	55 830	29 558	12 022
扶余县	33.60	14.8	1 903	120 869	72 822	35 745
白城市	**151.30**	**28.3**	**19 732**	**262 123**	**124 387**	**55 566**
市区	43.70	55.3	6 433	33 267	23 042	4 967
洮南市	40.50	35.3	7 095	57 532	27 469	13 822
大安市	33.00	36.5	2 767	47 012	27 712	10 733
镇赉县	25.70	25.2	1 751	46 985	15 983	8 026
通榆县	8.40	5.7	1 686	77 327	30 181	18 018
延边朝鲜族自治州	**73.80**	**33.0**	**3 183**	**81 316**	**55 432**	**5 297**
延吉市	2.50	30.5	310	4 255	3 545	320
图们市	3.60	41.8	164	3 548	2 665	365
敦化市	15.40	24.4	531	18 101	7 683	1 983
龙井市	12.70	37.8	1 031	19 133	15 287	1 201
珲春市	10.90	50.1	160	8 907	5 904	21
和龙市	11.00	43.9	453	11 735	10 179	677
汪清县	10.10	28.2	305	8 568	5 874	507
安图县	7.60	27.6	229	7 069	4 295	223

11—21 农业事业机构和气象台站

单位:个

项　　目	1978年	1980年	1985年	1990年	1994年	1995年
农业技术推广站	873	990	956	986	843	1 087
畜牧兽医站		992	1 000	1 000	1 066	1 106
种子站、种子公司	54	58	52	64	56	
国营良种(原种)场	28	48	49	50	46	46
气象台、站	61	61	62	61	61	62
气象台	7	7	7	8	8	9
气象站	54	54	55	53	53	53

11—22 自然灾害受灾和成灾面积

单位:万公顷

项　　目	1978年	1980年	1985年	1990年	1994年	1995年
受灾面积	195.3	213.1	261.7	93.4	241	233
#旱　　灾	67.4	109.7	28.9	2.7	96.7	89
水　　灾	3	16.5	170	38.1	123.7	57
风雹灾	32	86.9	40.9	29.3	15	11
霜冻灾	25.7		2.4	4	4.6	74
病虫灾	13.9		5.7	13.9	0.8	1
成灾面积	70.5	112	185.9	60	177.5	180
#旱　　灾	27.1	52.9	14.5	2.5	67.3	70
水　　灾	1.7	9.2	133.5	29.2	95.1	48
风雹灾	14.4	49	28.4	19	12.3	7
霜冻灾	9.9		1.5	2.3	2.4	53
病虫灾	5.2		3.6	7.1		

11—23 历年畜牧饲养、畜禽和水产品产量

年份	年底大牲畜头数（万头）	年底猪头数（万头）	年底羊只数（万只）	猪牛羊肉（万吨）	禽蛋（万吨）	绵羊毛（吨）	水产品（万吨）
1949	164.77	198.79	8.37				1.24
1950	183.29	214.80	10.11				1.01
1951	199.16	228.32	13.60				0.80
1952	219.64	239.69	18.30				0.95
1953	221.46	212.26	23.65				1.33
1954	231.82	226.33	33.78				1.39
1955	219.54	193.68	34.03				1.42
1956	188.08	174.16	35.10				1.41
1957	170.91	206.75	38.30				1.63
1958	172.82	189.43	37.63				2.39
1959	184.15	201.45	54.59				2.80
1960	182.30	188.24	62.50				3.16
1961	175.25	130.44	61.05				3.00
1962	183.42	142.54	65.71				2.36
1963	201.86	186.25	83.84				1.64
1964	211.38	252.26	91.40				1.39
1965	214.20	240.84	89.05				1.67
1966	221.07	257.20	96.12				1.14
1967	229.89	300.78	93.15				0.91
1968	245.81	284.41	103.16				0.77
1969	246.66	237.99	108.54				0.57
1970	245.28	301.71	110.72				0.54
1971	245.03	381.18	111.21				0.98
1972	247.17	488.21	119.87				0.86
1973	249.90	485.59	131.51				1.60
1974	245.21	489.59	129.52				1.69
1975	246.36	560.92	140.73				1.70
1976	245.14	566.47	128.62				1.47
1977	237.71	593.77	130.14				1.29
1978	231.62	581.64	123.77	15.64	3.94	3 470	1.03
1979	234.27	585.73	149.28	20.47	3.61	3 951	0.81
1980	236.76	592.89	170.90	24.57	4.41	4 812	0.84
1981	231.83	547.95	167.94	25.11	5.12	5 209	1.30
1982	234.44	518.94	161.11	28.29	7.36	4 916	1.54
1983	245.71	413.54	152.48	26.33	7.38	5 109	1.79
1984	279.59	411.99	152.61	26.22	15.70	5 215	2.14
1985	294.59	496.98	151.17	29.93	17.55	5 137	2.96
1986	284.89	481.17	142.90	34.46	18.12	4 975	3.83
1987	274.52	416.08	151.88	34.31	17.42	5 323	4.51
1988	281.90	446.30	193.09	34.96	20.50	6 557	5.81
1989	292.17	494.13	223.01	38.39	22.92	7 956	6.61
1990	309.07	507.50	233.64	43.38	25.00	8 487	7.09
1991	318.55	522.61	228.69	46.78	27.44	9 124	7.86
1992	341.12	544.76	227.56	50.12	30.49	9 042	8.49
1993	359.26	567.85	241.89	57.94	32.73	9 869	9.79
1994	424.03	666.03	271.47	74.77	40.41	10 972	10.50
1995	498.66	764.36	336.95	96.66	48.89	12 178	11.06

11—24 畜牧业生产情况

项目	单位	1978年	1980年	1985年	1990年	1994年	1995年
大牲畜年末头数	万头	231.62	236.76	294.59	309.07	424.03	498.66
牛	万头	108.80	112.39	166.72	188.30	310.24	384.33
# 奶牛	万头	1.80	2.29	3.44	5.02	5.20	5.11
马	万头	87.57	85.01	89.24	81.09	75.63	77.12
驴	万头	13.11	15.40	15.03	14.70	14.84	15.52
骡	万头	22.14	23.96	23.60	24.98	23.32	21.68
肉类总产量	吨	156 364	245 654	320 230	517 945	1 009 837	1 345 361
# 猪肉	吨	151 327	236 344	285 345	389 375	617 527	772 962
牛肉	吨	3 365	7 556	10 784	36 306	116 156	174 877
羊肉	吨	1 672	1 754	3 148	8 131	14 037	18 729
肉猪出栏头数	万头	257.17	317.63	322.60	419.59	649.92	837.83
猪年末头数	万头	581.64	317.67	496.93	507.50	666.03	764.36
# 能繁殖母猪	万头	79.47	65.82	22.60	43.36	59.64	74.12
羊年末只数	万只	123.77	170.90	151.17	233.64	271.47	336.95
山羊	万只	6.64	13.55	8.73	15.00	23.57	39.13
绵羊	万只	117.13	157.35	142.44	218.64	247.89	297.82
鹿年末只数	只	94 168	107 127	85 034	93 438	128 260	137 950
养蜂	箱	75 563	125 172	80 945	85 580	78 921	70 668
牛奶	吨	19 935	24 978	61 200	117 203	104 052	102 475
羊奶	吨	4 080	5 739	3 063	3 851	4 821	10 676
绵羊毛	吨	3 470	4 812	5 137	8 487	10 972	12 178
# 细羊毛	吨	1 278	1 772	2 421	6 948	9 500	10 292
蜂蜜	吨	6 964	2 115	2 074	2 638	2 297	2 369
禽蛋	吨	39 445	44 052	175 459	249 977	404 107	488 920
鹿茸	公斤	14 199	27 716	33 275	42 241	58 758	59 914

11—25 各市县畜牧业生产情况

(1995年)

市、县	大牲畜年末存栏(头)	#牛	羊年末存栏(只)	生猪年末存栏(头)	肉猪出栏(头)	鹿年末存栏(只)
长春市	**1 087 394**	**804 658**	**279 277**	**2 067 257**	**2 389 990**	**53 039**
市区	159 280	124 641	4 228	268 312	335 750	51 355
九台市	145 561	119 141	15 530	243 311	283 576	255
榆树市	269 642	206 681	47 693	637 039	698 012	114
德惠市	207 521	156 205	41 352	301 278	300 049	335
农安县	305 390	197 990	170 474	617 317	772 603	980
吉林市	**785 002**	**720 680**	**93 641**	**901 262**	**964 134**	**17 876**
市区	36 030	29 627	8 024	83 722	109 196	4 700
桦甸市	136 501	130 337	12 192	105 135	100 019	80
蛟河市	158 529	147 038	17 307	114 666	115 874	5 340
舒兰市	148 629	130 393	19 942	234 420	225 986	366
磐石市	174 137	165 625	19 545	127 458	148 468	6 920
永吉县	131 176	117 660	16 631	235 861	264 591	470
四平市	**810 896**	**617 281**	**410 270**	**1 566 075**	**2 066 896**	**22 994**
市区	13 807	8 496	11 003	25 305	30 741	
公主岭市	289 978	232 251	86 946	531 696	730 603	937
梨树县	213 115	153 461	80 255	656 967	932 052	3 600
伊通县	174 104	156 944	34 234	160 073	187 149	16 500
双辽县	119 892	66 129	197 832	192 034	186 351	1 957
辽源市	**297 771**	**275 352**	**48 029**	**307 935**	**337 035**	**16 970**
市区	7 074	5 153	6 299	29 607	23 900	
东丰县	140 702	132 461	24 241	132 200	164 665	12 120
东辽县	149 995	137 738	17 489	146 128	148 470	4 850
通化市	**444 125**	**413 059**	**94 336**	**567 794**	**722 917**	**7 417**
市区	12 041	10 371	6 031	31 575	60 497	57
梅河口市	145 165	137 325	6 387	220 656	265 761	906
集安市	24 266	21 580	12 728	64 123	58 954	903
通化县	87 573	79 477	30 284	95 556	88 845	2 024
辉南县	74 416	69 606	10 821	85 122	133 896	2 727

11—25 续表 1

(1995年)

市、县	大牲畜年末存栏(头)	#牛	羊年末存栏(只)	生猪年末存栏(头)	肉猪出栏(头)	鹿年末存栏(只)
柳河县	100 664	94 700	28 085	70 762	114 964	800
白山市	**169 864**	**159 139**	**76 729**	**210 976**	**266 870**	**3 509**
市区	24 117	22 538	18 252	33 288	60 962	
临江市	27 596	27 010	11 503	36 100	54 102	
抚松县	39 374	35 821	11 368	46 510	40 594	794
靖宇县	39 543	35 661	8 904	31 150	28 379	1 494
长白县	15 759	15 701	7 613	18 143	27 088	723
江源县	23 475	22 408	19 089	45 785	55 745	498
松原市	**498 199**	**253 358**	**1 098 621**	**919 753**	**696 635**	**1 193**
市区	32 112	13 223	26 892	56 738	52 165	53
长岭县	164 309	81 355	471 482	350 004	171 087	
前郭县	119 654	62 007	300 121	214 836	190 736	400
乾安县	54 000	21 000	185 000	86 000	94 000	150
扶余县	128 124	75 773	115 126	212 175	188 647	590
白城市	**481 939**	**213 430**	**1 151 179**	**768 994**	**577 297**	**2 725**
市区	33 700	6 097	69 309	115 007	90 787	58
洮南市	92 075	35 421	322 255	200 607	135 095	2 045
大安市	121 540	50 863	255 210	131 640	131 874	69
镇赉县	80 916	33 643	220 890	200 374	100 421	474
通榆县	153 708	87 406	283 515	121 366	119 120	79
延边朝鲜族自治州	**411 363**	**386 307**	**117 407**	**333 572**	**356 528**	**12 227**
延吉市	12 875	12 485	3 502	21 197	19 770	822
图们市	12 565	12 454	7 251	14 503	13 722	
敦化市	167 258	151 368	58 600	91 379	90 595	5 400
龙井市	39 978	39 814	16 078	47 725	67 411	814
珲春市	41 893	40 049	3 274	35 725	38 977	1 680
和龙市	36 811	36 597	12 442	37 199	45 397	1 456
汪清县	51 366	46 948	9 212	44 139	39 914	810
安图县	48 617	46 592	7 048	41 705	40 742	1 245

11—25 续表 2 (1995年) 单位:吨

市、县	肉类总产量	#猪牛羊肉	绵羊毛产量	牛奶产量	禽蛋产量
长春市	**465 591**	**270 593**	**1 046**	**38 259**	**172 047**
市区	63 871	37 934	8	28 379	74 663
九台市	41 681	30 424	61	2 171	16 476
榆树市	100 933	82 846	80	1 470	36 000
德惠市	104 937	35 337	159	2 843	18 529
农安县	154 169	84 052	738	3 396	26 379
吉林市	**144 595**	**113 654**	**56**	**17 390**	**67 754**
市区	22 384	11 899	17	15 206	20 268
桦甸市	17 287	15 699	2	206	9 151
蛟河市	20 959	18 429	1.	170	9 933
舒兰市	28 455	23 163	22	240	9 860
磐石市	22 314	20 171	10	353	6 410
永吉县	33 196	24 293	4	1 215	12 132
四平市	**273 430**	**227 123**	**1 093**	**23 957**	**92 156**
市区	4 844	4 078	35	3 638	2 634
公主岭市	98 745	75 907	240	5 037	41 459
梨树县	105 235	95 834	262	13 322	25 676
伊通县	33 327	26 214	116	460	14 647
双辽县	31 279	25 090	440	1 500	7 740
辽源市	**60 273**	**48 233**	**108**	**2 611**	**17 098**
市区	4 073	2 460	11	1 780	3 628
东丰县	30 086	23 364	74	294	7 188
东辽县	26 114	22 409	23	537	6 282
通化市	**137 328**	**81 044**	**99**	**582**	**31 347**
市区	11 661	6 770	8	420	8 929
梅河口市	59 525	27 725	2	135	10 065
集安市	6 673	6 199	1		1 192
通化县	12 770	11 981	26	15	4 300
辉南县	15 019	13 212	10	2	3 665

11—25 续表 3 (1995年) 单位:吨

市、县	肉类总产量	#猪牛羊肉	绵羊毛产量	牛奶产量	禽蛋产量
柳河县	31 680	15 157	52	10	3 196
白山市	**36 686**	**32 844**	**40**	**59**	**19 317**
市区	9 559	8 199	6		3 603
临江市	6 597	5 807	4	8	4 130
抚松县	5 406	4 865	2	51	2 141
靖宇县	4 081	3 733			1 026
长白县	3 256	3 192	24		1 216
江源县	7 787	7 048	4		7 201
松原市	**95 499**	**82 018**	**5 192**	**8 344**	**46 173**
市区	6 297	5 892	96	1 295	1 520
长岭县	18 712	15 350	2 017	1 759	17 626
前郭县	27 623	22 331	1 800	1 260	9 120
乾安县	16 098	13 405	894		5 000
扶余县	26 769	25 040	385	4 030	12 907
白城市	**80 085**	**63 651**	**4 194**	**10 509**	**24 294**
市区	11 045	9 626	210	1 554	3 356
洮南市	14 279	12 310	1 150	850	4 485
大安市	15 274	12 300	976	712	7 082
镇赉县	19 599	15 208	758	3 193	5 065
通榆县	19 888	14 207	1 100	4 200	4 306
延边朝鲜族自治州	**51 874**	**47 408**	**349**	**764**	**18 734**
延吉市	3 086	2 456	15	289	1 792
图们市	1 767	1 546	27	190	1 169
敦化市	16 735	14 666	169	150	6 575
龙井市	7 998	7 598	50	12	2 889
珲春市	4 710	4 467	7	54	1 561
和龙市	6 493	6 185	46		992
汪清县	5 872	5 495	34	24	1 563
安图县	5 213	4 995	1	45	2 193

11—26 林业、渔业和其他生产情况

项目	单位	1978年	1980年	1985年	1990年	1994年	1995年
造林面积	千公顷	147.6	170.9	291.7	120.1	134.7	66.2
# 用材林	千公顷	105.6	105.5	197.8	63.7	44.3	34.2
经济林	千公顷	3.9	3.9	3.1	8.9	42.6	16.1
防护林	千公顷	38.0	46.1	81.4	45.5	46.4	15.3
零星植树	万株	11 954	13 770	7 084	4 346	3 314	3 213
年末实有育苗面积	千公顷	15.3	19.9	14.6	5.2	3.6	11.5
水产品产量	吨	10 285	8 435	29 588	70 885	104 970	110 550
# 养殖产量	吨	6 694	5 818	20 220	45 368	72 999	78 418
养殖面积	千公顷	133.5	149.1	164.9	186.6	202.3	318.6
水果总产量	吨	56 540	44 546	65 870	133 338	186 715	279 717
年末实有水果面积	千公顷	23.2	21.9	21.5	55.3	80.2	93.7
蚕茧产量	吨	614	861	571	1 707	1 238	1 031

11—27 主要农作物播种面积

单位:万公顷

项目	1978年	1980年	1985年	1990年	1994年	1995年
农作物总播种面积	405.3	405.7	406.4	404.0	406.0	406.0
谷物作物	292.0	288.3	270.2	298.7	287.0	305.1
# 水稻	27.8	25.3	32.2	41.8	41.6	42.4
小麦	17.6	13.8	7.1	6.0	10.1	8.0
玉米	152.0	168.2	168.0	221.9	210.0	234.4
高粱	28.2	23.4	20.0	12.4	16.0	12.8
谷子	48.5	41.6	27.6	8.9	4.8	3.4
豆类	58.4	55.6	47.8	46.4	60.4	43.6
油料	10.6	18.6	43.7	20.1	15.4	15.1
# 葵花籽	9.1	14.8	29.6	11.9	8.7	9.1
甜菜	5.2	6.1	6.9	5.9	4.3	4.3
麻类	3.4	3.2	1.1	0.2	0.3	0.2
烤烟	0.7	0.6	0.8	1.8	1.4	1.2
园参	0.2	0.3	0.8	1.0	0.3	0.2
蔬菜	17.2	16.4	16.2	16.4	21.5	22.7

11—28 各市县水产、特产生产情况

（1995 年）

市 、县	水产品产量（吨）	水果产量（吨）	鹿茸产量（公斤）	蜂蜜产量（吨）	木耳产量（公斤）	蚕茧产量（公斤）
长　春　市	**15 985**	**23 136**	**25 219**	**165**	**4 200**	
市　区	2 479	10 299	24 786	29		
九台市	3 406	2 912	175	21		
榆树市	1 080	4 612	36	24	4 200	
德惠市	4 411	2 858	54	17		
农安县	4 609	2 455	168	74		
吉　林　市	**17 921**	**61 925**	**10 211**	**730**	**58 265**	**268 600**
市　区	3 672	6 476	2 224	55	11 000	
桦甸市	600	12 615	1 280	41	38 900	6 600
蛟河市	1 356	2 861	2 462	210	2 830	240 000
舒兰市	4 120	3 934	95	146		
磐石市	3 000	4 587	4 020	93	3 200	2 000
永吉县	5 173	31 452	130	185	2 335	20 000
四　平　市	**5 239**	**52 480**	**7 009**	**71**		**5 500**
市　区	411	6 107				
公主岭市	1 825	3 716	326	11		
梨树县	943	6 973	1 400	23		1 500
伊通县	1 110	35 000	4 500	17		4 000
双辽县	950	684	783	20		
辽　源　市	**1 806**	**10 751**	**5 305**	**96**	**1 200**	**82 000**
市　区	51	249		1		4 000
东丰县	900	8 081	3 850	60	1 200	
东辽县	855	2 421	1 455	35		78 000
通　化　市	**7 463**	**16 823**	**3 069**	**124**	**125 281**	**123 641**
市　区	50	1 589	25	19		
梅河口市	4 665	3 662	151			
集安市	745	3 567	319	19	7 681	117 141
通化县	400	1 894	1 300	60	109 000	
辉南县	603	2 981	1 124	1	7 000	

11—28 续表 (1995年)

市　、县	水产品产量(吨)	水果产量(吨)	鹿茸产量(公斤)	蜂蜜产量(吨)	木耳产量(公斤)	蚕茧产量(公斤)
柳河县	1 000	3 130	150	25	1 600	6 500
白山市	**2 565**	**7 860**	**1 928**	**301**	**111 121**	
市区	588	2 714		71	12 667	
临江市	683	1 253		14	18 630	
抚松县	838	643	436	34	34 700	
靖宇县	320	1 019	746	16	17 346	
长白县	98	1 205	578	122	18 533	
江源县	38	1 026	168	44	9 245	
松原市	**21 374**	**39 728**	**510**	**122**		
市区		5 142		2		
长岭县	400	12 334		91		
前郭县	12 500	18 713	200	18		
乾安县	474	90	60	5		
扶余县	8 000	3 449	250	6		
白城市	**34 367**	**2 043**	**983**	**69**		
市区	1 187	1 555		6		
洮南市	4 130	130	780	15		
大安市	12 500	35	48	15		
镇赉县	12 550	39	135	33		
通榆县	4 000	284	20			
延边朝鲜族自治州	**3 400**	**64 971**	**5 680**	**691**	**422 028**	**551 750**
延吉市	85	7 037	491	33	3 950	
图们市	40	3 666		6	10 900	
敦化市	1 830	2 519	2 600	163	76 987	550 000
龙井市	333	34 763	320	75	12 813	1 750
珲春市	510	3 501	550	72	44 320	
和龙市	125	9 500	600	58	34 700	
汪清县	96	3 510	600	59	215 018	
安图县	381	475	519	225	23 340	

11—29 各市县农作物播种面积

(1995年)　　单位:公顷

市、县	农作物播种面积	谷物播种面积	豆类播种面积	油料播种面积	麻类播种面积	甜菜播种面积	烟叶播种面积
长春市	**1 120 203**	**842 827**	**102 986**	**22 836**	**1 106**	**3 894**	**3 245**
市区	158 553	98 628	19 005	2 315	85	101	7
九台市	160 702	112 671	25 836	1 502	112	379	1 421
榆树市	291 139	222 170	25 092	5 888	869	2 276	1 170
德惠市	214 364	167 262	21 182	2 561	40	270	409
农安县	295 445	242 096	11 871	10 570		958	238
吉林市	**393 310**	**276 405**	**67 988**	**3 270**	**115**	**3 409**	**2 216**
市区	31 377	18 638	2 434	20	7	116	7
桦甸市	46 774	26 869	14 680	150		677	160
蛟河市	49 686	26 600	14 826	732		673	1 392
舒兰市	82 733	62 683	13 746	244	33	427	431
磐石市	67 207	48 251	10 126	853	64	1 509	221
永吉县	115 533	93 364	12 176	1 271	11	7	5
四平市	**610 151**	**541 062**	**27 750**	**3 298**	**33**	**3 731**	**392**
市区	13 251	10 348	1 027				
公主岭市	220 387	191 900	8 976	160		807	51
梨树县	18 829	171 065	6 351	59	20	703	230
伊通县	88 294	77 704	7 253	145	13	604	106
双辽县	100 190	90 045	4 143	934		1 617	5
辽源市	**152 403**	**117 246**	**18 262**	**185**	**27**	**1 128**	**599**
市区	6 016	2 206	326	38	18		4
东丰县	77 264	60 348	9 678	107	6	632	62
东辽县	69 123	54 692	8 258	40	3	496	533
通化市	**209 450**	**143 716**	**30 006**	**1 708**	**70**	**804**	**836**
市区	6 147	1 895	892	92			10
梅河口市	67 648	49 097	5 444	243	15	27	306
集安市	18 042	11 118	2 868	317	29		37
通化县	31 155	17 568	7 338	756	16	334	104
辉南县	40 577	30 833	4 916	99	3	143	125

11—29 续表　　(1995 年)　　单位:公顷

市、县	农作物播种面积	谷物播种面积	豆类播种面积	油料播种面积	麻类播种面积	甜菜播种面积	烟叶播种面积
柳河县	45 881	33 205	8 548	201	7	300	254
白山市	**63 806**	**30 405**	**17 134**	**1 089**	**23**	**249**	**206**
市区	8 826	4 185	2 092	181	3		18
临江市	10 874	5 088	3 153	327	9		95
抚松县	15 939	7 407	4 733	337	7	166	49
靖宇县	11 021	5 913	2 989	105	1	83	14
长白县	8 229	3 817	2 175	61			17
江源县	8 917	3 995	1 992	78	3		13
松原市	**735 700**	**607 084**	**29 809**	**55 564**	**28**	**11 340**	**64**
市区	41 804	37 479	994	59			
长岭县	186 382	129 898	8 041	30 569		6 399	
前郭县	184 712	156 634	9 146	6 630		3 392	
乾安县	98 955	89 301	2 660	2 883		1 509	
扶余县	223 847	193 772	8 968	15 423	28	40	64
白城市	**551 489**	**392 007**	**62 440**	**59 029**	**20**	**10 669**	**3 889**
市区	77 111	55 595	8 393	7 129		298	80
洮南市	125 377	85 734	15 976	11 639	10	5 229	28
大安市	93 164	71 474	4 962	8 224		904	2 841
镇赉县	106 477	89 490	7 743	4 359		1 045	940
通榆县	149 360	89 714	25 366	27 678	10	3 193	
延边朝鲜族自治州	**223 309**	**100 537**	**79 493**	**4 099**	**493**	**7 855**	**7 786**
延吉市	7 558	2 931	2 079	615		27	241
图们市	8 570	3 607	2 964	78	261	273	329
敦化市	64 936	24 363	27 992	962		3 609	2 483
龙井市	34 976	17 343	9 325	576	18	1 484	1 474
珲春市	20 937	13 531	5 205			118	201
和龙市	24 616	12 342	7 685	204	58	446	1 187
汪清县	35 176	14 970	13 825	1 020	83	1 191	1 542
安图县	26 540	11 450	10 418	644	73	707	329

11—30 历年主要农产品产量

单位:万吨

年份	粮食	#小麦	高粱	玉米	水稻	油料	甜菜	烤烟
1949	458.95	1.72	115.22	119.59	19.60	1.13	0.15	0.32
1950	553.90	4.40	155.51	129.01	26.55	2.17	6.73	0.34
1951	468.30	4.83	116.81	102.62	24.25	4.18	12.76	0.81
1952	613.20	9.01	139.10	144.17	35.30	3.89	17.61	1.35
1953	561.45	3.90	138.21	132.14	29.50	2.18	13.08	0.50
1954	530.95	8.53	114.85	127.71	26.70	3.53	18.38	0.52
1955	556.53	4.68	116.42	147.08	48.78	2.58	29.39	0.79
1956	493.64	1.35	82.82	121.00	81.13	2.78	29.76	0.78
1957	429.35	3.43	74.56	107.15	51.03	2.42	21.71	0.87
1958	528.84	5.23	73.60	137.61	84.74	6.91	65.72	1.10
1959	526.60	15.36	76.28	131.84	57.10	5.76	47.60	0.94
1960	394.70	15.13	67.78	106.45	47.24	2.19	15.38	0.73
1961	398.55	10.57	79.37	122.89	38.60	1.04	8.96	0.46
1962	437.10	4.70	89.43	153.15	34.05	1.05	7.39	0.55
1963	501.60	4.62	107.19	155.48	43.40	1.59	6.51	0.93
1964	491.80	7.41	93.99	151.61	49.39	1.95	22.92	1.27
1965	525.10	7.21	96.21	162.93	63.25	1.76	35.71	1.55
1966	597.60	8.78	104.45	182.31	67.25	1.68	55.67	1.49
1967	647.74	11.52	119.99	189.88	93.10	1.77	50.77	1.32
1968	622.15	13.57	125.51	174.51	92.80	1.72	34.22	1.58
1969	498.70	15.83	82.28	143.17	58.03	1.50	40.28	1.33
1970	738.80	18.96	121.63	250.45	93.10	1.30	34.58	1.65
1971	713.05	14.98	114.03	286.11	96.65	2.27	32.18	1.15
1972	556.90	15.90	70.33	262.12	44.10	3.46	32.46	1.70
1973	783.00	16.83	83.39	354.71	92.25	6.18	39.11	1.95
1974	858.15	16.85	86.07	458.97	104.20	7.78	40.01	1.39
1975	906.50	16.46	76.55	496.82	128.04	8.69	42.55	1.98
1976	755.50	18.36	58.38	440.57	90.14	9.77	57.55	1.59
1977	728.35	16.67	56.90	380.20	113.20	10.87	38.32	1.48
1978	914.70	19.89	81.53	489.49	121.15	12.29	45.13	1.97
1979	903.34	17.82	71.79	533.77	101.77	14.22	56.94	1.39
1980	859.60	16.80	67.59	506.90	107.40	26.60	117.66	1.28
1981	921.91	15.64	69.93	527.32	112.58	34.52	90.28	1.30
1982	1 000.04	15.65	62.23	589.23	144.62	29.27	67.89	2.10
1983	1 477.98	14.63	105.67	941.02	151.27	39.23	95.07	1.10
1984	1 634.46	15.38	99.05	1 103.75	190.84	59.78	68.00	1.70
1985	1 225.26	10.33	56.84	793.13	183.66	48.36	87.69	1.54
1986	1 397.71	6.70	43.74	1 016.42	174.29	38.85	59.76	1.07
1987	1 675.81	6.30	45.83	1 231.58	222.75	35.26	69.00	1.52
1988	1 693.25	5.15	61.09	1 220.97	224.38	35.43	129.60	2.61
1989	1 351.29	8.58	45.65	983.90	185.58	34.80	66.00	3.82
1990	2 046.52	12.75	55.72	1 529.55	289.42	46.74	116.40	3.36
1991	1 898.87	14.52	46.01	1 400.13	306.30	43.54	109.56	4.38
1992	1 840.30	22.12	50.70	1 326.20	302.96	35.82	91.81	5.54
1993	1 900.90	26.59	76.60	1 290.56	315.15	28.62	97.19	3.99
1994	2 015.70	18.75	96.24	1 439.40	328.71	28.68	97.56	2.15
1995	1 992.40	20.67	66.37	1 639.40	288.54	25.55	83.64	1.72

11—31 主要农产品产量

单位:万吨

项目	1978年	1980年	1985年	1990年	1994年	1995年
一、粮食大豆	914.70	859.60	1 225.26	2 046.52	2 015.70	1 992.40
# 水稻	121.15	107.40	183.66	289.42	328.71	288.54
玉米	489.49	506.90	793.13	1 529.55	1 439.40	1 639.40
高粱	81.53	67.59	56.84	55.72	96.24	66.37
谷子	82.90	55.86	43.51	20.81	11.65	7.99
大豆	66.63	60.69	90.45	93.33	111.43	66.08
二、油料	12.29	26.60	48.36	46.74	28.68	25.55
# 葵花籽	10.42	21.03	35.01	32.15	16.39	16.83
三、麻类	1.26	1.56	1.27	0.38	0.40	0.25
四、甜菜	45.13	117.66	87.69	116.40	97.56	83.64
五、烤烟	1.97	1.28	1.54	3.36	2.15	1.72
六、园参(吨)	1571	2 220	5 167	19 185	17 195	13 521
七、蔬菜	351.04	302.94	329.29	405.16	572.34	530.55
八、水果	5.65	4.45	6.59	13.33	18.67	27.97

11—32 各市县主要农产品产量

(1995年)　　单位:吨

市、县	谷物	#水稻	玉米	高粱	谷子	大豆
长春市	**6 912 177**	**6 504 663**	**754 676**	**5 427 934**	**238 882**	**223 918**
市区	790 848	737 229	122 818	600 551	45 948	45 371
九台市	905 279	834 561	125 712	683 679	52 713	49 055
榆树市	2 010 117	1 911 100	216 771	1 561 136	54 797	50 416
德惠市	1 181 872	1 106 516	266 503	780 188	48 309	43 435
农安县	2 024 061	1 915 257	22 872	1 802 380	37 115	35 641
吉林市	**1 736 711**	**1 600 381**	**753 710**	**834 477**	**111 814**	**108 715**
市区	116 112	113 188	64 701	47 707	2 924	2 774
桦甸市	162 242	130 822	42 428	87 255	28 619	28 083
蛟河市	170 097	139 867	60 135	79 351	28 744	27 290
舒兰市	465 717	434 427	227 674	201 245	21 553	21 190
磐石市	310 606	290 452	127 668	161 048	14 341	13 966
永吉县	511 937	491 625	231 104	257 871	15 633	15 412
四平市	**5 034 554**	**4 918 126**	**436 419**	**4 292 602**	**65 043**	**62 964**
市区	87 807	85 795	311	80 181	2 012	2 012
公主岭市	1 830 140	1 780 204	105 251	1 644 095	21 389	21 104
梨树县	1 675 500	1 642 116	183 560	1 359 439	16 877	16 677
伊通县	705 543	683 864	82 345	593 805	17 000	16 915
双辽县	735 564	726 147	64 952	615 082	7 765	6 256
辽源市	**975 852**	**917 749**	**113 992**	**789 583**	**36 358**	**35 761**
市区	14 218	13 591	2 475	10 036	627	609
东丰县	461 500	434 196	74 251	357 579	15 899	15 471
东辽县	500 134	469 962	37 266	421 968	19 832	19 681
通化市	**684 233**	**611 046**	**257 302**	**346 689**	**36 239**	**34 689**
市区	5 399	4 304	919	3 170	1 095	1 066
梅河口市	325 082	293 653	137 985	153 976	7 751	7 651
集安市	54 980	49 119	12 709	35 483	3 718	3 539
通化县	52 511	41 742	15 092	26 073	7 364	6 799
辉南县	102 900	94 695	48 585	45 222	5 097	5 049

11—32 续表 1 (1995年) 单位:吨

市、县	谷物	#水稻	玉米	高粱	谷子	大豆
柳河县	143 361	127 533	42 012	82 765	11 214	10 585
白山市	**109 716**	**87 700**	**7 135**	**77 450**	**19 279**	**18 544**
市区	10 150	8 231	1 372	6 501	1 531	1 470
临江市	19 888	16 144	1 531	14 190	3 271	3 066
抚松县	32 432	25 227	227	24 506	6 344	6 184
靖宇县	23 842	19 193	1 501	16 676	4 063	3 883
长白县	13 126	10 298	2 151	7 847	2 438	2 404
江源县	10 278	8 607	353	7 730	1 632	1 537
松原市	**4 001 821**	**3 908 136**	**242 323**	**3 340 827**	**43 951**	**35 627**
市区	214 109	209 103	14 238	169 681	1 528	1 111
长岭县	1 125 561	1 083 409	6 337	1 020 131	13 978	11 276
前郭县	935 000	919 723	183 682	647 635	11 267	9 606
乾安县	610 925	605 459	1 134	532 784	3 466	2 775
扶余县	1 116 226	1 090 442	36 932	970 596	13 712	10 859
白城市	**1 506 830**	**1 431 899**	**152 610**	**1 130 841**	**53 257**	**20 650**
市区	216 707	206 996	43 894	141 217	9 711	1 889
洮南市	508 000	480 114	24 156	406 776	17 676	4 052
大安市	173 800	164 354	7 498	125 624	4 452	1 997
镇赉县	387 323	376 691	73 003	278 143	7 388	5 651
通榆县	221 000	203 744	4 059	179 081	14 030	7 061
延边朝鲜族自治州	**448 809**	**345 105**	**167 218**	**153 574**	**93 220**	**89 934**
延吉市	16 190	13 365	6 541	6 629	2 406	2 378
图们市	17 003	12 983	7 139	5 603	3 712	3 650
敦化市	112 210	67 650	5 197	46 756	41 024	39 749
龙井市	87 085	75 900	45 234	29 420	10 140	9 857
珲春市	73 500	65 677	40 663	24 889	6 405	6 288
和龙市	52 243	44 411	30 102	13 947	7 092	6 889
汪清县	50 662	36 263	19 913	11 579	12 723	12 502
安图县	39 916	28 856	12 429	14 751	9 718	8 621

11—32 续表 2　　　　(1995 年)　　　　单位:吨

市、县	油料	#葵花籽	甜菜	麻类	烤烟	园参
长春市	**44 100**	**27 727**	**1 289**	**72 319**	**1 960**	
市区	3 200	588	57	2 310		
九台市	2 149	267	138	4 649		
榆树市	9 654	1 347	1 064	42 423	1 293	
德惠市	4 045	2 358	30	6 222	667	
农安县	25 052	23 167		16 715		
吉林市	**3 412**	**1 689**	**102**	**44 917**	**1 289**	**248**
市区	20	15	7	1 038	4	
桦甸市	250	205		12 116		186
蛟河市	911	901		11 684	78	30
舒兰市	296	125	62	4 224	1 207	
磐石市	765	354	29	15 811		32
永吉县	1 170	89	4	44		
四平市	**6 930**	**6 276**	**25**	**59 508**	**133**	
市区						
公主岭市	186	160		8 086		
梨树县	146	17	20	19 926	11	
伊通县	329	9	5	14 080	122	
双辽县	6 269	6 090		17 416		
辽源市	**301**	**277**	**39**	**13 142**	**2 301**	**8**
市区	85	84	30			
东丰县	89	70	7	4 666	46	8
东辽县	127	123	2	8 476	2 255	
通化市	**2 842**	**1 697**	**65**	**11 456**	**227**	**4 518**
市区	243	57				100
梅河口市	685	501	10	720		138
集安市	511	80	11			2 780
通化县	905	654	30	5 803		1 024
辉南县	171	155	4	1 890		202

11—32 续表 3 (1995 年) 单位:吨

市、县	油料	#葵花籽	甜菜	麻类	烤烟	园参
柳河县	327	250	10	3 043	227	274
白山市	**1 506**	**1 025**	**33**	**2 925**		**7 059**
市区	180	173	3			171
临江市	600	360	21			446
抚松县	412	263	6	2 497		3 295
靖宇县	159	112	1	428		645
长白县	69	31				2 205
江源县	86	86	2			297
松原市	**108 825**	**68 057**	**16**	**319 726**	**72**	
市区	58	32				
长岭县	57 442	56 511		194 904		
前郭县	13 169	8 761		92 140		
乾安县	2 440	2 150		31 886		
扶余县	35 716	603	16	796	72	
白城市	**83 824**	**59 416**	**9**	**178 214**	**3 742**	
市区	7 819	1 147		5 224	80	
洮南市	12 549	8 963	7	81 369		
大安市	7 284	6 461		11 099	2 916	
镇赉县	5 172	3 845		9 852	746	
通榆县	51 000	39 000	2	70 670		
延边朝鲜族自治州	**3 786**	**2 139**	**881**	**134 218**	**7 509**	**1 688**
延吉市	334	30		91		3
图们市	79	30		3 681	73	2
敦化市	1 476	1 017	512	61 993	3 237	529
龙井市	415	135	16	31 166	687	12
珲春市	335			2 033	101	38
和龙市	335	165	84	6 762	1 406	58
汪清县	244	36	194	19 575	1 664	317
安图县	903	726	75	8 917	341	729

11—33 主要农产品单位面积产量

单位:公斤/公顷

项　　目	1978年	1980年	1985年	1990年	1994年	1995年
一、谷　　物	2 825	2 702	4 100	6 440	6 471	6 661
#水　　稻	4 350	4 260	5 700	6 915	7 892	6 804
玉　　米	3 225	3 015	4 725	6 900	6 854	6 994
高　　粱	2 895	2 895	2 850	4 485	6 019	5 170
谷　　子	1 110	1 350	1 575	2 340	2 436	2 319
二、大　　豆	1 140	1 095	1 890	2 010	2 207	1 666
三、油　　料	1 155	1 425	1 110	2 325	1 861	1 691
#葵花籽	1 155	1 425	1 185	2 700	1 892	1 847
四、甜　　菜	8 640	19 275	12 660	19 860	22 797	17 089
五、麻　　类	375	480	1 170	1 605	1 431	1 962
六、烤　　烟	2 640	2 145	3 075	1 875	1 524	1 284
七、园　　参		3 705	4 080	5 880	6 269	5 152
八、蔬　　菜	20 445	18 450	20 295	27 390	27 490	29 184
九、水　　果	2 430	2 040	3 060	2 415	2 327	2 987
十、薯　　类	2 355	2 336	2 361	3 945	4 033	4 323

11—34 农垦生产建设基本情况

项目	单位	1985年	1986年	1989年	1990年	1994年	1995年
企业、事业单位个数	个	153	162	167	166	164	201
职工人数	人	75 101	78 643	85 305	87 061	90 178	94 131
耕地面积	公顷	63 460	62 154	62 174	62 549	65 078	64 670
农作物播种面积	公顷	60 150	59 104	59 569	60 302	63 540	63 761
粮食作物播种面积	公顷	46 857	48 690	51 660	52 846	56 669	57 909
粮食总产量	吨	147 710	164 830	194 013	244 882	322 289	358 908
油料作物面积	公顷	6 607	3 984	3 073	3 407	2 889	2 157
油料总产量	吨	4 559	3 731	4 119	4 328	2 714	2 563
甜菜作物面积	公顷	1 884	1 622	469	503	132	410
甜菜总产量	吨	17 452	14 593	5 508	9 329	2 082	8 858
园参面积	公顷	465	485	539	558	418	394
人参总产量	吨	963	1 214	1 628	2 259	2 009	1 912
大牲畜年末存栏	头	50 355	50 775	42 067	43 899	40 361	43 144
#牛	头	30 218	30 684	23 390	24 865	20 415	24 899
猪年末存栏	头	55 614	53 815	66 213	61 408	71 762	80 460
羊年末存栏	只	43 843	42 877	62 119	64 112	54 881	58 048
鹿年末存栏	只	63 543	60 021	60 311	59 754	59 821	60 785
家禽	万只	118.3	81.7	160.0	160.5	204.3	189.4
肉类总产量	吨	4 491	5 248	6 690	5 443	9 100	110 563
#猪肉	吨	2 745	3 047	3 472	2 887	3 880	52 815
牛奶总产量	吨	3 266	3 258	2 403	2 172	3 408	3 214
羊毛总产量	吨	165	162	223	253	218	200
禽蛋总产量	吨	5 029	4 297	7 215	10 224	17 261	14 565
鹿茸	公斤	24 622	25 364	30 825	29 819	24 328	24 474
农业机械总动力	千瓦	118 763	144 685	170 364	174 612	201 634	222 951
大中型拖拉机	混合台	1 240	1 225	1 621	1 434	1 184	1 149
农用载重汽车	辆	223	354	308	328	315	271

注：园参面积是指绿色面积。

11—35 乡镇企业基本情况

年份	合计	农业	工业	建筑业	交通运输业	商业饮食业	其他
一、企业单位数(个)							
1985	252 464	4 188	112 607	10 845	47 121	70 426	7 277
1986	315 894	4 759	127 234	13 072	69 216	81 865	19 748
1987	411 189	5 313	150 583	26 101	97 002	107 452	24 738
1988	471 198	6 041	168 611	30 943	116 715	127 423	21 465
1989	477 588	6 456	163 827	33 997	121 378	133 226	18 704
1990	464 568	6 186	153 828	32 241	120 792	133 272	18 249
1991	467 477	6 088	154 581	30 393	124 589	134 266	17 560
1992	496 552	7 471	154 686	36 096	133 810	143 193	21 296
1993	557 991	8 395	168 839	40 125	148 553	168 313	23 766
1994	632 562	8 722	186 261	45 241	167 931	197 972	26 435
1995	657 813	8 364	164 854	46 192	178 711	229 498	30 194
二、职工人数(万人)							
1985	97.40	5.19	54.13	14.52	9.21	10.44	3.91
1986	113.37	5.68	60.62	17.02	12.56	13.87	3.62
1987	140.57	6.32	71.03	22.72	17.34	18.92	4.24
1988	162.49	7.49	80.58	26.59	20.82	23.64	3.37
1989	162.11	7.49	78.61	26.86	21.55	24.64	2.96
1990	155.26	7.37	73.14	25.22	21.28	25.57	2.68
1991	159.04	7.60	75.55	25.43	21.67	26.05	2.74
1992	168.34	8.14	78.26	26.73	23.32	28.54	3.35
1993	191.66	8.14	86.11	30.46	26.97	35.70	4.28
1994	206.09	8.73	92.93	32.78	28.28	39.43	3.94
1995	213.87	8.41	89.63	32.28	30.67	47.53	5.25
三、总产值(万元)							
按当年价格计算							
1985	242 146	22 478	156 848	42 778	5 391	9 504	5 147
1986	548 898	31 181	299 572	88 812	71 421	57 912	
1987	858 338	46 686	466 284	131 513	118 602	95 253	
1988	1 220 013	63 178	648 603	186 751	173 410	148 071	
1989	1 441 527	62 795	779 689	210 043	210 336	178 664	
1990	1 525 378	64 851	837 215	207 815	230 880	184 581	
1991	1 612 569	73 444	852 233	233 315	245 322	208 355	
1992	2 110 733	93 387	1 115 801	306 202	313 493	281 850	
1993	3 312 959	131 928	1 782 929	478 196	453 620	466 286	
1994	4 977 166	201 452	2 709 892	635 728	662 331	767 763	
1995	6 418 765	255 541	3 423 962	702 990	913 408	1 122 864	
按1980年不变价格计算							
1985	391 958	21 972	224 141	64 116	42 006	39 723	
1986	530 942	29 128	283 669	88 812	71 421	57 912	
1987	776 616	44 359	386 889	131 513	118 602	95 253	
1988	1 097 608	59 057	530 319	186 751	173 410	148 071	
1989	1 265 696	66 854	615 416	210 043	210 336	163 047	
1990	1 356 063	75 109	670 323	207 863	218 187	184 581	
按1990年不变价格计算							
1990	1 460 000	75 482	771 510	209 589	218 838	184 581	
1991	1 622 215	83 868	857 229	232 876	244 572	203 670	
1992	2 128 860	100 528	1 126 787	306 202	313 493	281 850	
1993	3 254 019	137 848	1 718 069	478 196	453 620	466 286	
1994	4 838 207	206 280	2 566 105	635 728	662 331	767 763	
1995	6 222 752	250 305	3 179 514	794 475	900 346	1 098 112	

11—36 乡镇企业主要产品产量

项　　目	单　位	1991年	1992年	1993年	1994年	1995年
发电量	万千瓦小时	9 069	8 959	9 608	11 530	9 893
原　　煤	万吨	522	451	653	829	980
磷　　肥	吨	1 280	1 881	584	1 733	805
铁制农具	万件	1 503	1 215	1 046	814	
水　　泥	万吨	39	39	61	56	659 206
石　　灰	万吨	102	100	80	73	
砖	万块	885 793	938 526	1 111 001	1 275 636	1 067 837
水泥制件	立方米	109 649	138 767	290 000	200 000	270 000
机制纸及纸板	吨	58 266	54 506	63 377	74 983	62 845
皮革制品	万件	61	72	143	66	
服　　装	万件	839	479	869	2 572	885
水果罐头	吨	1 636	776	1 049	901	729
蔬菜罐头	吨	512	9	1 286	1 116	1 200
白　　酒	吨	30 926	37 856	52 968	64 485	86 139
啤　　酒	吨	139 650	177 510	252 128	282 296	305 824
汽　　水	吨	44 872	53 536	58 425	84 005	
食用植物油	吨	56 706	46 326	71 662	69 764	68 826
配合饲料	万吨	16	13	22	19	22

11—37 各市县乡镇企业总产值

（1995年）　　单位:万元

市、县	合　计	农　业	工　业	建筑业	交通运输业	商业饮食业
长　春　市	**2 206 792**	**60 121**	**1 246 122**	**323 546**	**259 025**	**317 978**
市　区	1 289 248	18 311	719 725	204 334	156 927	189 951
九台市	217 500	5 141	109 506	42 414	27 761	32 678
榆树市	246 471	17 705	128 184	23 085	25 244	52 253
德惠市	171 985	10 969	109 045	24 806	17 121	10 044
农安县	281 588	7 995	179 662	28 907	31 972	33 052
吉　林　市	**965 561**	**26 419**	**485 025**	**117 951**	**168 199**	**167 967**
市　区	199 311	352	128 915	10 498	31 385	28 161
桦甸市	94 073	2 241	40 899	17 524	17 080	16 329
蛟河市	159 366	4 042	73 831	23 129	25 525	32 839
舒兰市	147 930	5 341	61 279	19 876	28 872	32 562
磐石市	157 583	3 219	77 861	19 013	27 108	30 382
永吉县	207 298	11 224	102 240	27 911	38 229	27 694
四　平　市	**883 019**	**36 504**	**489 053**	**101 312**	**133 224**	**122 926**
市　区	183 689	1 493	142 337	16 268	15 621	7 970
公主岭市	303 928	4 710	135 418	43 158	61 649	58 993
梨树县	216 527	13 573	118 504	24 909	35 835	23 706
伊通县	111 845	8 815	63 690	11 784	9 980	17 576
双辽县	67 030	7 913	29 104	5 193	10 139	14 681
辽　源　市	**351 852**	**8 703**	**202 979**	**41 840**	**53 735**	**44 595**
市　区	60 636	258	32 947	9 010	10 025	8 396
东丰县	151 661	6 798	76 557	17 084	26 806	24 416
东辽县	139 555	1 647	93 475	15 746	16 904	11 783
通　化　市	**651 576**	**29 545**	**316 115**	**72 847**	**101 265**	**131 804**
市　区	71 584	412	33 289	7 639	12 275	17 969
梅河口市	288 758	10 213	143 437	37 672	48 903	48 533
集安市	68 248	3 408	28 225	6 251	8 904	21 460
通化县	93 007	2 754	50 002	12 702	13 795	13 754
辉南县	63 151	1 935	35 910	4 069	6 397	14 840

11－37 续表　　(1995年)　　单位:万元

市、县	合计	农业	工业	建筑业	交通运输业	商业饮食业
柳河县	66 828	10 823	25 252	4 514	10 991	15 248
白山市	**390 583**	**31 823**	**182 996**	**22 863**	**55 289**	**97 612**
市区	116 720	1 565	54 940	7 112	19 071	34 032
临江市	52 500	2 052	27 058	3 363	6 204	13 823
抚松县	69 941	18 660	22 322	5 536	13 588	9 835
靖宇县	20 402	1 577	8 705	655	3 106	6 359
长白县	39 466	6 399	16 302	2 370	4 339	10 056
江源县	91 554	1 570	53 669	3 827	8 981	23 507
松原市	**345 977**	**26 632**	**149 890**	**39 791**	**45 302**	**84 362**
市区	44 490	1 478	18 911	7 290	7 352	9 459
长岭县	69 950	1 700	38 000	7 200	6 800	16 250
前郭县	80 875	8 463	26 604	9 363	10 986	25 459
乾安县	42 329	4 048	15 011	4 443	5 491	13 336
扶余县	108 333	10 943	51 364	11 495	14 673	19 858
白城市	**321 919**	**24 686**	**137 410**	**46 731**	**44 227**	**68 865**
市区	76 440	5 891	46 965	8 152	6 379	9 053
洮南市	67 258	4 621	27 087	11 288	9 701	14 561
大安市	87 837	4 168	32 177	12 968	9 966	28 558
镇赉县	58 068	7 366	24 229	7 467	10 441	8 565
通榆县	32 316	2 640	6 952	6 856	7 740	8 128
延边朝鲜族自治州	**401 486**	**11 108**	**214 372**	**36 109**	**53 142**	**86 755**
延吉市	44 074	118	24 012	5 372	3 628	10 944
图们市	22 193	349	9 586	3 020	2 730	6 508
敦化市	135 818	677	86 359	12 923	22 153	13 706
龙井市	54 045	1 380	33 866	4 125	4 800	9 874
珲春市	27 232	914	8 519	1 874	3 621	12 304
和龙市	34 358	1 500	15 006	2 839	4 680	10 333
汪清县	52 477	5 381	20 316	4 018	6 675	16 087
安图县	31 289	789	16 708	1 938	4 855	6 999

工 业 12

12 工　业

1995 年年末工业企业单位数(乡及乡以上)	13 974 个
1995 年全部工业总产值	1 434.16 亿元
轻工业产值	472.08 亿元
重工业产值	962.08 亿元
1995 年乡及以乡上工业总产值	1 233.54 亿元
轻工业产值	359.63 亿元
重工业产值	873.91 亿元
1995 年独立核算工业企业增加值	318.64 亿元
1995 年独立核算工业企业资本金合计	516.41 亿元
1995 年独立核算工业企业流动资产合计	930.91 亿元
1995 年独立核算工业企业固定资产原价	1 242.75 亿元
1995 年独立核算工业企业利税总额	79.50 亿元

工业总产值构成(%)

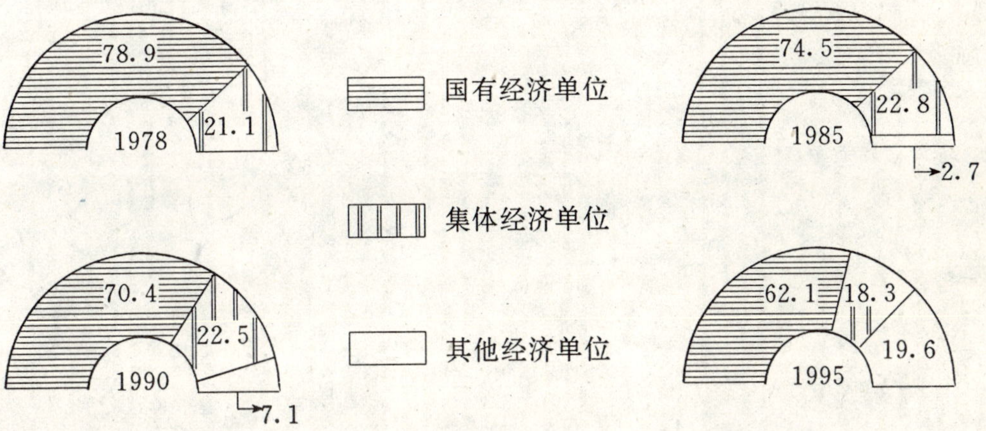

12—1 各种经济类型工业企业单位数和总产值

项　　目	1991 年	1992 年	1993 年	1994 年	1995 年
一、企业单位数(个)	**173 994**	**173 637**	**194 197**	**215 116**	**162 226**
国　有　工　业	2 893	2 838	2 837	2 813	3 136
集体所有制工业	18 355	21 157	22 818	18 814	17 711
# 村办工业	6 151	6 518	7 580	7 899	7 604
城乡合作经营工业	1 347	3 995	4 649	533	536
城镇合作经营工业	575	594	547	533	534
农村合作经营工业	732	3 401	4 102		2
城乡个体工业	152 719	149 561	168 270	193 042	140 946
城镇个体工业	520 484	20 590	21 392	36 326	21 714
农村个体工业	132 235	128 971	146 878	156 716	119 232
其他经济类型工业	27	81	272	447	433
二、工业总产值(万元)	**6 143 789**	**7 678 118**	**10 332 517**	**12 108 787**	**14 341 587**
国　有　工　业	4 394 739	5 357 029	6 758 356	7 586 463	8 905 322
集体所有制工业	1 335 634	1 576 103	2 073 396	2 361 120	2 632 355
# 村办工业	207 809	284 654	454 907	512 356	734 783
城乡合作经营工业	18 932	24 447	60 829	21 201	30 045
城镇合作经营工业	14 204	14 661	19 234	21 201	29 955
农村合作经营工业	4 728	9 786	41 595		90
城乡个体工业	387 196	504 964	769 780	1 127 299	1 237 434
城镇个体工业	54 342	73 114	118 726	262 530	300 635
农村个体工业	332 854	431 850	651 054	864 769	936 799
其他经济类型工业	26 220	240 022	730 985	1 033 905	1 566 476

12—2 乡及乡以上工业企业单位数和总产值

单位:万元

项目	1994年		1995年	
	企业单位数(个)	工业总产值	企业单位数(个)	工业总产值
总计	**13 642**	**10 447 931**	**13 974**	**12 335 438**
一、按经济类型分				
国有经济	2 813	7 586 463	3 136	8 905 322
集体经济	10 382	1 827 563	9 993	1 867 528
其他经济	447	1 033 905	845	1 562 588
二、按轻重工业分				
轻工业	6 623	2 994 613	6 589	3 596 333
以农产品为原料	4 754	2 311 490	4 858	2 909 069
以非农产品为原料	1 869	683 123	1 731	687 264
重工业	7 019	7 453 318	7 385	8 739 106
采掘工业	833	935 482	858	1 019 662
原料工业	1 507	2 949 594	1 672	3 569 974
制造工业	4 679	3 568 242	4 855	4 149 470
三、按企业规模分				
大型企业	136	5 637 493	155	7 053 835
中型企业	446	1 815 716	488	2 042 634
小型企业	13 060	2 994 722	13 331	3 238 969
四、按工业行业分				
煤炭采选业	263	209 581	254	203 001
石油和天然气开采业	3	330 642	6	359 230
黑色金属矿采选业	14	8 308	21	7 664
有色金属矿采选业	76	51 689	85	64 662
非金属矿采选业	431	53 266	429	53 391
其他矿采选业	6	1 851	5	1 016
木材及竹材采运业	30	280 143	58	330 698
食品加工业	722	707 288	731	930 334
食品制造业	552	170 074	540	217 020
饮料制造业	574	236 337	577	282 288
烟草加工业	9	129 825	10	132 125

注：1995年企业单位数包括筹建企业。

12—2 续表

单位:万元

项　　目	1994年		1995年	
	企业单位数(个)	工业总产值	企业单位数(个)	工业总产值
纺织业	342	272 203	339	297 677
服装及其他纤维制品制造业	439	119 574	400	109 104
皮革、毛皮、羽绒及其制品业	173	40 603	181	36 030
木材加工及竹、藤、棕、草制品业	750	139 204	880	174 203
家具制造业	232	24 524	221	30 730
造纸及纸制品业	377	193 029	395	268 802
印刷业、记录媒介的复制	727	72 536	761	80 615
文教体育用品制造业	140	12 637	112	9 573
石油加工及炼焦业	80	201 249	84	256 116
化学原料及化学制品制造业	765	1 344 843	812	1 664 010
医药制造业	356	292 881	388	392 913
化学纤维制造业	21	139 859	20	207 352
橡胶制品业	162	67 456	156	55 006
塑料制品业	485	122 448	522	179 114
非金属矿物制品业	1 663	526 060	1 676	591 842
黑色金属冶炼及压延加工业	169	534 007	176	579 897
有色金属冶炼及压延加工业	80	140 039	82	205 546
金属制品业	892	201 736	855	163 568
普通机械制造业	727	245 747	761	234 554
专用设备制造业	556	240 082	522	248 894
交通运输设备制造业	701	2 303 453	775	2 834 150
武器弹药制造业	4	58 530	4	40 835
电气机械及器材制造业	387	196 989	445	184 108
电子及通信设备制造业	72	72 577	84	80 681
仪器仪表及文化、办公用机械制造业	109	36 470	109	34 649
其他制造业	264	42 109	212	31 528
电力、蒸汽、热水的生产和供应业	191	568 258	195	688 773
煤气生产和供应业	19	27 628	16	35 795
自来水的生产和供应业	69	32 197	75	37 944

12—3 工 业 总 产 值

单位:万元

年 份	总 计	国有经济	集体经济	城乡个体	其他经济	在总计中:大中型企业	在总计中:轻工业企业
1949	35 436	29 254	6 182				16 849
1950	58 677	49 821	8 856				29 327
1951	71 770	60 055	11 715				40 881
1952	104 803	90 659	14 144				58 860
1953	132 818	110 146	22 672				74 232
1954	151 136	128 805	22 331				80 846
1955	138 868	122 496	16 372				74 842
1956	169 251	148 272	20 979				87 806
1957	207 990	186 109	21 881				95 294
1958	308 841	291 656	17 185				114 432
1959	418 386	394 747	23 639				150 757
1960	573 287	511 354	61 933				189 595
1961	327 111	290 048	37 063				134 820
1962	300 549	272 151	28 398				124 375
1963	354 722	327 000	27 722				136 611
1964	403 091	370 939	32 152				150 518
1965	474 888	438 040	36 848				194 021
1966	539 509	500 105	39 404				218 335
1967	400 099	360 125	39 974				166 602
1968	317 609	278 782	38 827				142 476
1969	524 248	473 658	50 590				214 281
1970	634 654	569 664	64 990				243 451
1971	742 515	664 277	78 238				271 897
1972	789 552	700 635	88 917				285 466
1973	849 135	740 784	108 351				314 172
1974	849 031	726 046	122 985				335 876
1975	993 058	819 108	173 950				393 233
1976	1 033 912	837 646	196 266				418 072
1977	1 043 413	841 890	201 523				430 349
1978	1 128 650	890 656	237 994				447 540
1979	1 257 448	992 089	265 359				464 557
1980	1 346 714	1 059 418	286 470		826	607 745	539 697
1981	1 366 359	1 070 304	294 530		1 525	613 518	587 105
1982	1 487 482	1 153 829	331 247		2 406	665 278	633 416
1983	1 720 398	1 332 461	383 942		3 995	750 688	700 147
1984	2 088 429	1 584 651	497 343		6 435	899 770	818 150
1985	2 567 505	1 913 800	585 423	66 133	2 149	1 216 726	974 824
1986	2 824 802	2 062 506	666 207	95 073	1 016	1 363 565	1 142 555
1987	3 594 639	2 580 523	849 206	160 040	4 870	1 774 866	1 448 991
1988	4 542 440	3 209 410	1 080 306	243 801	8 923	2 230 157	1 894 571
1989	5 303 646	3 700 465	1 265 127	324 627	13 427	2 587 046	2 235 122
1990	5 523 601	3 886 736	1 244 443	375 167	17 255	2 741 322	2 313 296
1991	6 143 789	4 394 739	1 335 634	387 196	26 220	3 122 083	2 448 399
1992	7 678 118	5 357 029	1 576 103	504 964	240 022	4 760 270	2 726 616
1993	10 332 517	6 758 356	2 073 396	769 780	730 985	6 354 912	3 176 379
1994	12 108 787	7 586 463	2 361 120	1 127 299	1 033 905	7 453 209	3 675 953
1995	14 341 587	8 905 322	2 632 355	1 237 434	1 566 476	7 053 835	4 720 829

12—3 续表 1

单位:万元

年份	工业总产值	#大中型企业	按经济类型分 国有经济	集体经济	城乡个体	其他经济
按1952年不变价格计算						
1949	37 654		31 085	6 569		
1950	62 349		52 939	9 410		
1951	76 260		63 813	12 447		
1952	111 359		96 330	15 029		
1953	140 363		119 410	20 953		
1954	157 398		138 090	19 308		
1955	154 779		138 748	16 031		
1956	196 108		174 152	21 956		
1957	236 882		214 469	22 413		
按1957年不变价格计算						
1957	215 700		192 277	23 423		
1958	315 112		298 591	16 521		
1959	427 000		404 255	22 745		
1960	580 000		520 292	59 708		
1961	315 012		280 662	34 350		
1962	284 142		258 511	25 631		
1963	336 863		311 995	24 868		
1964	380 871		352 092	28 779		
1965	465 367		430 821	34 546		
1966	579 541		539 439	40 102		
1967	429 812		389 059	40 753		
1968	355 725		314 480	41 245		
1969	563 148		511 604	51 544		
1970	681 764		615 509	66 255		
1971	802 489		723 240	79 249		
按1970年不变价格计算						
1971	746 997		669 265	77 732		
1972	798 237		707 912	90 325		
1973	862 720		751 993	110 727		
1974	866 859		740 490	126 369		
1975	1 021 874		841 780	180 094		
1976	1 070 016		865 893	204 123		
1977	1 076 224		846 755	229 469		
1978	1 176 078	501 946	924 782	251 296		
1979	1 274 054	550 343	1 005 191	268 863		
1980	1 348 179	589 045	1 062 061	285 271		847
1981	1 363 982	565 728	1 065 306	297 060		1 616
按1980年不变价格计算						
1981	1 382 255	586 828	1 081 078	299 665		1 512
1982	1 483 908	669 920	1 149 442	332 172		2 294
1983	1 695 504	758 006	1 315 445	376 228		3 831
1984	1 966 991	838 634	1 474 195	486 408		6 388
1985	2 281 448	1 022 503	1 646 487	566 615	66 133	2 213
1986	2 449 157	1 111 583	1 717 810	635 408	95 073	866
1987	2 891 775	1 371 741	2 014 894	748 316	124 832	3 733
1988	3 416 872	1 602 849	2 320 391	901 326	190 562	4 593
1989	3 632 725	1 664 909	2 379 266	995 381	252 641	5 437
1990	3 701 444	1 654 644	2 392 590	1 000 623	299 113	9 118
按1990年不变价格计算						
1990	5 553 790	2 740 355	3 897 361	1 257 330	382 670	16 429
1991	5 853 625	2 899 416	4 128 365	1 320 027	380 598	24 635
1992	6 862 336	4 028 589	4 657 842	1 052 028	496 733	655 733
1993	7 993 202	4 648 303	5 048 399	1 812 075	595 500	537 228
1994	8 630 084	4 936 098	5 091 797	1 984 972	793 966	759 349
1995	9 665 352	5 710 611	5 632 260	2 050 796	875 720	1 106 576

12—3 续表 2

单位:万元

年份	按轻重工业分						
	轻工业	以农产品为原料	以非农产品为原料	重工业	采掘工业	原料工业	制造工业
按1952年不变价格计算							
1949	17 739	15 403	2 336	19 915	10 973	5 409	3 533
1950	30 897	26 320	4 577	31 452	14 783	7 978	8 691
1951	43 094	36 816	6 278	33 166	13 366	9 433	10 367
1952	62 081	53 946	8 135	49 278	20 572	12 908	15 798
1953	77 874	67 459	10 415	62 489	22 653	15 982	23 854
1954	83 520	72 024	11 496	73 878	27 657	20 504	25 717
1955	82 689	70 598	12 091	72 090	24 566	20 296	27 228
1956	100 749	85 344	15 405	95 359	22 803	21 777	50 779
1957	107 386	89 251	18 135	129 496	26 388	33 276	69 832
按1957年不变价格计算							
1957	98 763	82 101	16 662	116 937	25 241	27 931	63 765
1958	112 306	90 620	21 686	202 806	41 470	59 219	102 117
1959	147 910	121 464	26 446	279 090	63 912	70 889	144 289
1960	184 236	138 998	45 238	395 764	64 373	123 226	208 165
1961	125 277	98 026	27 251	189 735	41 482	66 562	81 691
1962	113 564	89 385	24 179	170 578	33 108	53 000	84 470
1963	125 187	91 880	33 307	211 676	35 047	70 593	106 036
1964	137 105	99 244	37 861	243 766	38 070	74 599	131 097
1965	183 589	116 347	67 242	281 778	38 089	87 278	156 411
1966	225 408	128 708	96 700	354 133	38 034	102 911	213 188
1967	172 143	95 471	76 672	257 669	34 167	95 080	128 422
1968	153 517	84 112	69 405	202 208	29 745	65 010	107 453
1969	221 273	119 266	102 007	341 875	47 521	121 707	172 647
1970	251 004	132 782	118 222	430 760	56 860	167 904	205 996
1971	281 701	152 981	128 720	520 788	57 132	217 753	245 903
按1970年不变价格计算							
1971	273 510	170 734	102 776	473 487	69 860	188 881	214 746
1972	290 543	185 731	104 812	507 694	79 228	107 363	321 103
1973	321 379	212 106	109 273	541 341	80 530	165 474	295 337
1974	344 976	223 380	121 596	521 883	77 153	161 805	282 925
1975	407 004	248 538	158 466	614 870	86 903	173 881	354 086
1976	435 554	279 566	155 988	634 462	90 787	174 345	369 330
1977	446 785	295 448	151 337	629 439	93 907	206 805	328 727
1978	468 003	297 821	170 182	708 075	98 437	198 742	410 896
1979	475 998	336 363	139 635	798 056	103 508	269 084	425 464
1980	537 460	374 601	162 859	810 719	102 543	281 997	426 179
1981	590 930	412 010	178 920	773 052	100 369	282 375	390 308
按1980年不变价格计算							
1981	595 242	430 921	164 321	787 013	127 904	293 467	365 642
1982	632 071	458 962	173 109	851 837	134 807	315 245	401 785
1983	679 361	489 221	190 140	1 016 143	139 933	395 541	480 669
1984	789 287	559 904	229 383	1 177 704	154 244	429 968	593 492
1985	929 849	675 192	254 657	1 351 599	164 533	471 780	715 286
1986	1 058 048	767 274	290 774	1 391 109	169 929	519 096	702 084
1987	1 224 122	870 273	353 849	1 667 653	185 787	583 838	898 028
1988	1 479 391	1 045 336	434 055	1 937 481	204 246	635 890	1 097 345
1989	1 599 853	1 068 915	530 938	2 032 872	216 465	668 147	1 148 260
1990	1 652 151	1 178 225	473 926	2 049 293	232 869	685 295	1 131 129
按1990年不变价格计算							
1990	2 390 935	1 801 827	589 108	3 162 855	487 196	1 206 037	1 469 622
1991	2 462 166	1 857 827	604 339	3 391 459	477 969	1 279 323	1 634 167
1992	2 692 986	2 013 024	679 962	4 169 350	518 556	1 428 036	2 222 764
1993	2 862 479	1 985 679	876 800	5 130 723	590 950	1 592 552	2 947 221
1994	2 945 032	2 188 818	756 214	5 685 052	686 264	1 790 619	3 208 170
1995	3 427 564	2 596 588	830 976	6 237 788	662 001	1 954 762	3 621 025

12—4 工业总产值构成

单位：%

年份	总计	国有经济	集体经济	其他经济	在总计中：大中型企业	在总计中：轻工业企业
1949	100	82.55	17.45			47.55
1950	100	84.91	15.09			49.98
1951	100	83.68	16.32			56.96
1952	100	86.50	13.50			56.16
1953	100	82.93	17.07			55.89
1954	100	85.22	14.78			53.49
1955	100	88.21	11.79			53.89
1956	100	87.60	12.40			51.88
1957	100	89.48	10.52			45.82
1958	100	94.44	5.56			37.05
1959	100	94.35	5.65			36.03
1960	100	89.20	10.80			33.07
1961	100	88.67	11.33			41.22
1962	100	90.55	9.45			41.38
1963	100	92.18	7.82			38.51
1964	100	92.02	7.98			37.34
1965	100	92.24	7.76			40.86
1966	100	92.70	7.30			40.47
1967	100	90.01	9.99			41.64
1968	100	87.78	12.22			44.86
1969	100	90.35	9.65			40.87
1970	100	89.76	10.24			38.36
1971	100	89.46	10.54			36.62
1972	100	88.74	11.26			36.16
1973	100	87.24	12.76			37.00
1974	100	85.51	14.49			39.56
1975	100	82.48	17.52			39.60
1976	100	81.02	18.98			40.44
1977	100	80.69	19.31			41.24
1978	100	78.91	21.09			39.65
1979	100	78.90	21.10			36.94
1980	100	78.67	21.27	0.06	45.13	40.08
1981	100	78.33	21.56	0.11	44.90	42.97
1982	100	77.57	22.27	0.16	44.73	42.58
1983	100	77.45	22.32	0.23	43.63	40.70
1984	100	75.88	23.81	0.31	43.08	39.18
1985	100	74.54	22.80	2.66	47.39	37.97
1986	100	73.01	23.58	3.41	48.27	40.45
1987	100	71.79	23.62	4.59	49.38	40.31
1988	100	70.65	23.78	5.57	49.10	41.71
1989	100	69.77	23.85	6.38	48.78	42.14
1990	100	70.37	22.53	7.10	49.63	41.88
1991	100	71.53	21.74	6.73	50.82	39.85
1992	100	69.77	20.53	9.70	62.00	35.51
1993	100	65.41	20.07	14.52	61.51	30.74
1994	100	62.35	20.00	17.65	61.31	31.04
1995	100	62.10	18.35	19.55	58.48	32.92

12—5 工业总产值指数

(以1949年为100)

年份	工业总产值	#大中型企业	按经济类型分			
			国有经济	集体经济	城乡个体	其他经济
1949	100.0		100.0	100.0		
1950	165.6		170.3	143.2		
1951	202.5		205.3	189.5		
1952	295.7		309.9	228.8		
1953	372.8		384.1	319.0		
1954	418.0		444.2	248.2		
1955	411.0		446.4	244.0		
1956	520.8		560.3	334.2		
1957	629.1		690.0	341.2		
1958	919.0		1 071.5	240.7		
1959	1 245.4		1 450.7	331.3		
1960	1 691.6		1 867.0	869.8		
1961	918.8		1 007.1	500.4		
1962	828.7		927.7	373.4		
1963	982.5		1 119.6	362.2		
1964	1 110.8		1 263.5	419.2		
1965	1 357.3		1 546.0	503.2		
1966	1 690.3		1 935.8	584.2		
1967	1 253.6		1 396.1	593.6		
1968	1 037.5		918.4	600.8		
1969	1 642.5		1 835.9	750.8		
1970	1 988.5		2 208.7	965.1		
1971	2 340.5		2 595.2	1 154.4		
1972	2 501.2		2 745.1	1 341.4		
1973	2 703.2		2 916.0	1 644.3		
1974	2 716.2		2 871.4	1 876.6		
1975	3 201.8		3 264.2	2 674.5		
1976	3 352.6		3 357.7	3 031.4		
1977	3 372.1		3 283.5	3 407.8		
1978	3 684.9	100.0	2 810.5	3 731.9		
1979	3 991.9	109.6	3 897.9	3 992.8		
1980	4 224.1	117.4	4 118.4	4 236.5		100.0
1981	4 273.7	112.7	4 132.0	4 548.0		190.8
1982	4 587.9	128.7	4 392.2	5 041.3		289.5
1983	5 242.1	145.6	5 026.5	5 709.9		483.4
1984	6 081.5	161.1	5 633.1	7 382.1		806.1
1985	7 053.7	196.4	6 291.5	8 599.4	100.0	279.2
1986	7 572.2	214.3	6 564.0	9 643.5	143.8	109.3
1987	8 940.7	263.5	7 699.3	11 357.0	188.8	471.0
1988	10 564.2	307.8	8 866.6	13 268.5	288.1	579.6
1989	11 231.7	319.8	9 091.4	14 653.8	382.0	686.1
1990	11 444.1	317.8	9 142.3	14 731.0	452.3	1 150.6
1991	12 062.0	336.2	9 684.2	15 465.5	449.8	1 725.2
1992	14 140.5	467.2	10 926.2	12 325.6	587.1	45 922.7
1993	16 470.8	539.1	11 842.4	21 230.4	703.8	37 623.0
1994	19 225.6	618.8	12 282.5	25 599.3	1 056.6	115 784.4
1995	19 916.4	662.2	13 212.0	24 027.2	1 035.0	77 495.4

12－5 续表 1

（以上年为100）

年份	工业总产值	#大中型企业	按经济类型分			
			国有经济	集体经济	城乡个体	其他经济
1949	100		100	100		
1950	165.58		170.30	143.25		
1951	122.31		120.54	132.27		
1952	146.03		150.96	120.74		
1953	126.05		128.96	139.42		
1954	112.14		115.64	92.15		
1955	98.34		100.48	83.03		
1956	126.70		125.52	136.96		
1957	120.79		123.15	102.03		
1958	146.09		155.29	70.53		
1959	135.51		135.39	137.67		
1960	135.83		128.70	262.51		
1961	54.31		53.94	57.53		
1962	90.20		92.11	74.62		
1963	118.55		120.69	97.02		
1964	113.06		112.85	115.73		
1965	122.18		122.36	120.04		
1966	124.53		125.21	116.08		
1967	74.16		72.12	101.62		
1968	82.76		80.83	101.21		
1969	158.31		162.68	124.97		
1970	121.06		120.31	128.54		
1971	117.71		117.50	119.61		
1972	106.86		105.77	116.20		
1973	108.08		106.23	122.59		
1974	100.48		98.47	114.13		
1975	117.88		118.68	142.13		
1976	104.71		102.86	113.34		
1977	100.58		97.79	112.42		
1978	109.28	100.00	109.21	109.51		
1979	108.33	109.64	108.69	106.99		
1980	105.82	107.03	105.66	106.10		100.00
1981	101.17	96.04	100.31	104.13		190.79
1982	107.35	114.16	106.32	110.85		151.72
1983	114.26	113.15	114.44	113.26		167.00
1984	116.01	110.64	112.07	129.29		166.74
1985	115.99	121.92	111.69	116.49	100.00	34.61
1986	107.35	109.10	104.33	112.14	143.76	39.13
1987	118.07	122.96	117.29	117.77	131.30	431.06
1988	118.16	116.85	115.16	120.45	152.65	123.04
1989	106.32	103.87	102.54	110.44	132.58	118.38
1990	101.89	99.38	100.56	100.53	118.39	167.70
1991	105.40	105.80	105.93	104.99	99.46	149.95
1992	117.23	138.94	112.83	79.70	130.51	2 661.80
1993	116.48	115.38	108.38	172.25	119.88	81.93
1994	116.73	114.80	108.78	120.58	150.12	307.75
1995	112.00	115.69	110.61	103.32	110.30	145.73

12—5 续表 2 (以上年为100)

年份	按轻重工业分						
	轻工业	以农产品为原料	以非农产品为原料	重工业	采掘工业	原料工业	制造工业
1949	100	100	100	100	100	100	100
1950	174.18	170.88	195.93	157.93	134.72	147.24	245.99
1951	139.48	139.88	137.16	105.45	90.41	118.24	119.28
1952	144.06	146.53	129.58	148.58	153.91	136.84	152.39
1953	125.44	125.05	128.03	126.81	110.12	123.81	150.99
1954	107.25	106.77	110.38	118.23	122.09	128.29	107.81
1955	99.01	98.02	105.18	97.58	88.82	98.99	105.88
1956	121.84	120.89	127.41	132.28	92.82	107.30	186.50
1957	106.59	104.58	117.72	135.80	115.72	152.80	137.52
1958	113.71	110.38	130.15	173.43	164.30	212.02	160.15
1959	131.70	134.04	121.95	137.61	154.12	119.71	141.30
1960	124.56	114.44	171.06	141.81	100.72	173.83	144.27
1961	68.00	70.52	60.24	47.94	64.44	54.02	39.24
1962	90.65	91.18	88.73	89.80	79.81	79.63	103.40
1963	110.23	102.79	137.75	124.09	105.86	133.19	125.53
1964	109.52	108.01	113.67	115.16	108.63	105.67	123.63
1965	133.90	117.23	177.60	115.59	100.05	117.00	119.31
1966	122.78	110.63	143.81	125.68	99.86	117.91	136.30
1967	76.37	74.18	79.29	72.76	89.83	92.39	60.24
1968	89.18	88.10	90.52	78.48	87.06	68.37	83.67
1969	144.14	141.79	146.97	169.07	159.76	187.21	160.67
1970	113.44	111.33	115.90	126.00	119.65	137.96	119.32
1971	112.23	115.21	108.88	120.90	100.48	129.69	119.37
1972	106.23	108.78	101.98	107.22	113.41	56.84	149.53
1973	110.61	114.20	104.26	106.63	101.64	154.13	91.98
1974	107.34	105.32	111.28	96.41	95.81	97.78	95.80
1975	117.98	111.26	130.32	117.82	112.64	107.46	125.15
1976	107.01	112.48	98.44	103.19	104.47	100.27	104.31
1977	102.58	105.68	97.02	99.21	103.44	118.62	89.01
1978	104.75	100.80	112.45	112.49	104.82	96.10	125.00
1979	101.71	112.94	82.05	112.71	105.15	135.39	103.55
1980	112.91	111.37	116.63	101.59	99.07	104.80	100.17
1981	109.95	109.99	109.86	95.35	97.88	100.13	91.58
1982	106.19	106.51	105.35	108.24	105.40	107.42	109.88
1983	107.48	106.59	109.84	119.29	103.80	125.47	119.63
1984	116.18	114.45	120.64	115.90	110.23	180.70	123.47
1985	117.81	120.59	111.02	114.77	106.67	109.72	120.52
1986	113.79	113.64	114.18	102.92	103.28	110.03	98.15
1987	115.70	113.42	121.69	119.88	109.33	112.47	127.91
1988	120.85	120.12	122.67	116.18	109.94	108.92	122.19
1989	108.14	102.26	122.32	104.92	105.98	105.07	104.64
1990	103.27	110.23	89.26	100.81	107.58	102.57	98.51
1991	102.98	103.11	102.59	107.23	98.11	106.08	111.20
1992	109.37	108.35	112.51	122.94	108.49	111.62	136.02
1993	106.29	98.64	128.95	123.06	113.96	111.52	132.59
1994	113.36	120.30	97.65	118.60	116.13	112.44	122.43
1995	116.38	118.63	109.89	109.72	96.46	109.17	112.87

12—6 各市县乡及乡以上工业企业单位数和总产值

（1995年）

市、县	总计		轻工业		重工业	
	企业单位数（个）	工业总产值（万元）	企业单位数（个）	工业总产值（万元）	企业单位数（个）	工业总产值（万元）
长春市	**3 115**	**3 741 985**	**1 384**	**892 127**	**1 731**	**2 849 858**
市区	2 084	3 330 807	903	615 223	1 181	2 715 585
九台市	287	56 925	86	22 270	201	34 654
榆树市	238	88 937	125	59 983	113	28 954
德惠市	252	177 153	136	149 031	116	28 122
农安县	254	88 164	134	45 621	120	42 543
吉林市	**2 878**	**2 872 387**	**1 165**	**633 205**	**1 713**	**2 239 183**
市区	1 543	2 409 704	642	513 087	901	1 896 617
桦甸市	288	128 117	103	12 798	185	115 319
蛟河市	237	45 299	90	12 855	147	32 444
舒兰市	234	91 377	90	46 110	144	45 267
磐石市	259	148 741	103	21 640	156	127 101
永吉县	317	49 150	137	26 714	180	22 436
四平市	**1 510**	**769 831**	**689**	**379 947**	**821**	**389 884**
市区	527	388 334	259	182 932	268	205 402
公主岭市	329	169 921	138	99 177	191	70 744
梨树县	278	102 324	133	56 508	145	45 816
伊通县	178	41 196	60	20 381	118	20 814
双辽县	198	68 057	99	20 948	99	47 108
辽源市	**865**	**313 367**	**413**	**118 273**	**452**	**195 094**
市区	444	208 587	219	75 308	225	133 279
东丰县	237	72 204	108	25 587	129	46 617
东辽县	184	32 576	86	17 378	98	15 198
通化市	**1 527**	**728 411**	**785**	**288 795**	**742**	**439 617**
市区	513	340 284	271	85 051	242	255 234
梅河口市	324	150 860	167	90 983	157	59 878
集安市	161	43 508	91	13 675	70	29 833
通化县	172	87 434	87	54 947	85	32 487
辉南县	189	60 459	75	19 657	114	40 803

12—6 续表1　　(1995年)

市、县	总计 企业单位数(个)	总计 工业总产值(万元)	轻工业 企业单位数(个)	轻工业 工业总产值(万元)	重工业 企业单位数(个)	重工业 工业总产值(万元)
柳河县	168	45 865	94	24 482	74	21 384
白山市	**709**	**452 806**	**296**	**90 602**	**413**	**362 204**
市区	186	256 385	71	46 174	115	210 211
临江市	94	52 695	34	7 215	60	45 480
抚松县	143	93 225	77	21 792	66	71 432
靖宇县	129	13 048	51	5 052	78	7 996
长白县	82	19 142	43	5 528	39	13 614
江源县	75	18 311	20	4 841	55	13 470
松原市	**661**	**693 655**	**352**	**104 550**	**309**	**589 105**
市区	137	494 302	67	19 697	70	474 605
长岭县	121	34 543	70	23 058	51	11 486
前郭县	161	111 286	82	25 534	79	85 752
乾安县	81	27 492	52	23 130	29	4 363
扶余县	161	26 031	81	13 132	80	12 900
白城市	**929**	**293 634**	**543**	**165 418**	**386**	**128 216**
市区	270	140 010	152	71 010	118	68 999
洮南市	159	47 611	94	33 008	65	14 602
大安市	184	41 826	100	20 589	84	21 236
镇赉县	165	40 898	99	20 355	66	20 543
通榆县	151	23 291	98	20 455	53	2 836
延边朝鲜族自治州	**1 780**	**837 658**	**962**	**401 367**	**818**	**436 291**
延吉市	471	209 389	281	144 241	190	65 148
图们市	156	89 160	94	54 487	62	34 673
敦化市	207	170 794	103	69 315	104	101 479
龙井市	253	113 885	151	82 197	102	31 687
珲春市	121	61 371	60	14 003	61	47 368
和龙市	186	52 853	90	6 918	96	45 935
汪清县	216	63 241	100	16 237	116	47 005
安图县	170	76 965	83	13 969	87	62 996

12－6 续表 2

(1995 年)

市、县	国有经济		集体经济		其他经济	
	企业单位数(个)	工业总产值(万元)	企业单位数(个)	工业总产值(万元)	企业单位数(个)	工业总产值(万元)
长春市	**565**	**2 613 399**	**2 345**	**480 172**	**205**	**648 414**
市区	417	2 468 499	1 475	343 021	192	519 288
九台市	45	22 078	241	30 811	1	4 036
榆树市	30	32 548	204	44 165	4	12 224
德惠市	44	37 265	201	27 507	7	112 381
农安县	29	53 010	224	34 668	1	486
吉林市	**538**	**2 214 541**	**2 218**	**344 739**	**122**	**313 107**
市区	232	1 846 946	1 217	255 730	94	307 028
桦甸市	65	105 627	217	22 123	6	367
蛟河市	56	37 104	172	7 355	9	839
舒兰市	64	76 651	169	13 926	1	800
磐石市	51	120 242	202	26 967	6	1 532
永吉县	70	27 972	241	18 638	6	2 540
四平市	**376**	**442 521**	**1 063**	**221 921**	**71**	**105 389**
市区	140	244 403	351	89 862	36	54 069
公主岭市	66	72 769	241	50 560	22	46 592
梨树县	72	60 457	203	39 956	3	1 911
伊通县	45	13 251	127	26 273	6	1 672
双辽县	53	51 642	141	15 269	4	1 146
辽源市	**189**	**197 659**	**643**	**101 671**	**33**	**14 037**
市区	125	156 352	301	39 945	18	12 290
东丰县	44	33 501	191	37 450	2	1 253
东辽县	20	7 806	151	24 276	13	495
通化市	**366**	**497 354**	**1 102**	**145 920**	**59**	**85 138**
市区	124	285 548	365	34 173	24	20 563
梅河口市	43	55 547	269	68 479	12	26 835
集安市	55	36 081	98	5 749	8	1 677
通化县	39	37 339	124	15 368	9	34 727
辉南县	60	46 859	128	13 361	1	239

12—6 续表 3　　(1995 年)

市、县	国有经济 企业单位数（个）	国有经济 工业总产值（万元）	集体经济 企业单位数（个）	集体经济 工业总产值（万元）	其他经济 企业单位数（个）	其他经济 工业总产值（万元）
柳河县	45	35 978	118	8 790	5	1 097
白山市	**189**	**308 874**	**492**	**97 253**	**28**	**46 679**
市区	66	183 275	109	33 849	11	39 261
临江市	13	33 232	72	15 734	9	3 730
抚松县	38	70 435	102	21 321	3	1 469
靖宇县	36	7 343	92	5 425	1	280
长白县	31	13 679	48	4 713	3	750
江源县	5	911	69	16 211	1	1 189
松原市	**146**	**612 917**	**500**	**68 427**	**15**	**12 311**
市区	33	473 501	100	16 602	4	4 199
长岭县	28	20 661	92	13 882	1	
前郭县	44	91 826	113	14 131	4	5 329
乾安县	28	19 122	47	5 588	6	2 783
扶余县	13	7 807	148	18 225		
白城市	**294**	**225 484**	**624**	**59 814**	**11**	**8 336**
市区	83	113 547	184	22 132	3	4 331
洮南市	52	36 716	105	10 336	2	558
大安市	56	25 572	126	16 254	2	
镇赉县	54	32 729	110	8 168	1	
通榆县	49	16 919	99	2 924	3	3 448
延边朝鲜族自治州	**473**	**603 360**	**1 006**	**117 542**	**301**	**116 756**
延吉市	87	137 245	251	18 192	133	53 952
图们市	42	76 782	90	8 573	24	3 805
敦化市	54	87 891	119	45 622	34	37 282
龙井市	77	96 167	152	13 168	24	4 549
珲春市	38	50 601	68	3 999	15	6 772
和龙市	62	40 458	107	8 261	17	4 134
汪清县	61	51 493	134	9 164	21	2 585
安图县	52	62 723	85	10 564	33	3 678

12—7 历年主要工业产品产量

年份	纱（万吨）	布（亿米）	机制纸及纸板（万吨）	自行车（万辆）	电视机（万台）	#彩电	家用电冰箱（万台）	糖（万吨）	合成洗涤剂（万吨）
1949		0.09	0.8					0.01	
1950		0.15	2.2					0.38	
1951		0.23	3.8					1.42	
1952		0.22	7.1					1.42	
1953		0.24	8.5					1.89	
1954		0.18	9.9					1.65	
1955		0.18	11.2					1.31	
1956		0.20	13.2					3.84	
1957		0.20	15.2	0.06				3.05	
1958		0.21	16.5	3.11				3.26	
1959		0.27	20.8	3.58				6.44	
1960		0.22	21.3	4.60				2.40	
1961		0.10	12.4	0.75				0.80	
1962		0.15	12.6	0.45				0.90	
1963		0.14	14.5	0.06				0.52	
1964		0.21	15.7	1.51				1.68	
1965	0.16	0.27	17.7	3.04				3.80	0.01
1966	0.19	0.33	20.6	5.00				6.28	0.11
1967	0.21	0.30	18.9	2.62				5.47	0.05
1968	0.37	0.24	15.8	2.01				6.19	0.01
1969	0.74	0.50	20.0	5.00				5.30	0.12
1970	1.25	0.69	19.8	6.65				5.98	0.12
1971	1.36	0.82	21.5	6.00	0.02			4.02	0.17
1972	1.51	0.89	23.9	6.04	0.03			4.82	0.28
1973	1.79	0.97	27.9	7.02	0.06			5.83	0.50
1974	2.14	1.08	28.9	6.86	0.02			5.04	0.75
1975	2.23	1.13	29.9	8.30	0.04			4.08	0.87
1976	2.39	1.17	32.5	8.01	0.05			5.09	0.96
1977	2.22	1.20	32.4	8.35	0.04			6.56	0.98
1978	2.38	1.23	34.0	8.41	0.21			4.88	1.28
1979	2.56	1.40	36.9	11.00	0.71			5.33	1.68
1980	3.10	1.66	36.5	17.00	2.52			7.09	1.48
1981	3.60	1.64	34.9	24.58	4.91			8.20	1.80
1982	4.34	1.92	36.96	32.40	4.95			7.91	1.80
1983	4.31	1.88	40.89	34.46	10.52			9.07	2.01
1984	4.37	1.72	43.85	29.63	14.14			8.30	2.40
1985	4.54	1.69	48.89	45.08	24.15	3.22		7.15	3.02
1986	5.39	1.99	50.73	54.63	10.49	4.72		7.59	3.06
1987	5.77	2.01	55.07	64.10	21.51	12.90	0.55	5.22	3.18
1988	5.65	2.07	58.32	45.84	30.05	15.22	5.00	7.21	3.70
1989	5.41	2.07	57.72	37.33	33.26	16.75	9.59	10.10	3.62
1990	4.97	1.97	57.02	28.68	28.71	11.90	10.72	5.84	3.53
1991	5.38	1.93	60.3	26.53	21.43	11.21	13.23	9.24	2.03
1992	5.58	1.88	61.21	20.49	18.88	13.09	14.01	10.49	1.69
1993	3.58	1.56	53.75	8.37	10.66	6.10	17.25	10.93	1.72
1994	4.69	1.44	55.63	5.00	10.28	8.86	17.16	2.98	2.13
1995	5.04	1.35	59.44	1.22	5.87	5.37	7.28	6.14	2.85

12—7 续表

年份	原煤（万吨）	原油（万吨）	发电量（亿千瓦小时）	钢（万吨）	成品钢材（万吨）	水泥（万吨）	平板玻璃（万重量箱）	农用化肥（折100%万吨）	小型拖拉机（万台）
1949	250.8	0.1	7.32						
1950	284.5	0.2	8.49						
1951	337.3	0.4	9.95						
1952	418.8	0.6	13.41						
1953	448.1	0.9	15.86						
1954	455.9	1.9	21.99						
1955	506.7	2.6	24.39						
1956	576.4	3.4	22.15						
1957	679.3	3.7	30.04	0.1	0.1			0.55	
1958	1 001.0	4.3	33.74	2.4	0.3	0.5		3.28	
1959	1 376.0	5.6	42.05	3.7	3.0	2.5		2.77	
1960	1 058.0	6.1	63.81	11.3	10.8	7.8		6.35	
1961	1 292.0	2.9	42.57	2.9	5.1	5.9		3.63	
1962	1 052.0	3.1	44.34	1.2	2.1	6.6		7.77	
1963	1 022.0	4.4	49.45	1.1	1.7	10.8		10.06	
1964	990.0	4.7	55.43	1.2	2.8	19.2		12.54	
1965	1 028.0	5.4	58.20	1.5	5.2	25.6		17.24	
1966	1 141.0	11.0	70.57	3.3	6.9	32.7		22.41	
1967	3 939.0	9.7	64.30	2.9	4.5	20.5	5.32	16.32	
1968	995.0	11.0	48.90	2.2	5.5	17.1	3.14	7.26	
1969	1 159.0	23.0	65.89	3.3	6.5	28.6	5.99	14.33	
1970	1 410.0	80.5	69.88	8.7	9.1	41.2	5.29	17.33	
1971	1 528.0	112.5	85.58	12.7	14.8	63.1	0.77	17.60	
1972	1 543.0	126.4	94.57	15.1	14.3	75.9	1.12	21.48	0.07
1973	1 564.0	132.6	96.17	16.1	15.6	84.3	13.66	24.40	0.10
1974	1 606.0	119.7	89.47	16.4	15.8	97.4	24.44	26.51	0.34
1975	1 716.0	135.5	91.66	17.2	15.5	119.6	24.49	26.48	0.56
1976	1 794.0	162.5	89.85	17.7	19.5	125.8	25.13	25.56	0.92
1977	1 916.0	177.9	89.16	16.7	17.7	130.6	36.59	22.78	0.97
1978	2 060.0	185.1	93.24	20.1	23.6	138.3	48.28	26.78	0.85
1979	2 080.0	186.2	101.62	24.0	30.3	157.7	49.79	26.80	0.30
1980	1 807.0	176.4	111.83	24.3	30.65	179.4	74.17	29.02	0.09
1981	1 807.1	163.2	126.35	21.0	29.16	171.5	96.17	28.90	0.25
1982	1 893.2	170.0	115.22	24.4	31.92	203.2	108.87	29.80	0.81
1983	1 981.8	178.56	122.28	29.14	36.38	227.57	125.75	30.70	2.89
1984	2 136.7	191.4	131.68	32.96	39.01	256.7	117.35	32.40	4.94
1985	2 311.8	213.02	133.76	37.86	43.34	295.57	132.28	25.50	5.49
1986	2 133.01	237.02	162.96	42.59	54.27	339.15	86.49	25.98	6.19
1987	2 108.72	286.48	165.34	39.56	53.75	378.46	124.80	29.25	7.85
1988	2 277.85	315.05	165.83	54.86	58.25	421.06	159.00	27.70	7.54
1989	2 438.49	342.24	157.51	65.22	59.44	413.4	228.60	29.69	6.71
1990	3 610.25	356.7	174.46	74.6	61.97	374.54	163.04	30.15	4.09
1991	2 558.75	342.3	199.80	83.64	67.45	473.16	192.75	29.05	6.35
1992	2 503.51	344.06	204.04	104.03	86.69	572.04	209.47	30.06	5.48
1993	2 423.93	338.43	244.93	117.5	93.48	639.57	223.28	27.93	2.45
1994	2 474.82	332.46	259.97	105.73	87.56	639.96	229.29	31.09	4.27
1995	2 644.31	342.73	284.60	115.93	88.21	678.46	251.87	31.38	6.83

12—8 主要工业产品产量

项　　目	单　位	1978年	1980年	1985年	1990年	1994年	1995年
化学纤维	吨	9 192	11 750	20 228	30 295	54 900	60 362
纱	吨	23 753	31 040	45 440	49 702	46 885	50 427
布	万米	12 337	16 551	16 915	19 705	14 383	13 502
# 纯棉布	万米	7 805	9 414	10 882	12 137	6 615	5 873
毛　线	吨	712	1 308	2 467	3 003	1 988	1 755
呢　绒	万米	164	201	488	669	449	384
麻　袋	万条	927	1 050	1 396	2 473	2 594	2 191
丝	吨	28	20	18	41	20	15
机制纸及纸板	万吨	34.00	36.50	48.89	57.02	55.63	59.44
自行车	万辆	8.41	17.00	45.08	28.68	5.00	1.22
表	万只	25.14	31.04	156.00	135.32	116.30	123.84
# 手　表	万只	25.10	31.00	156.00	135.32	116.30	123.16
钟	万只	40.40	71.60	46.00	37.63	17.55	11.88
日用搪瓷制品	吨	4 103	4 049	4 909	3 374	1 874	608
日用精铝制品	吨	1 655	1 553	1 447	1 634	586	519
灯　泡	万只	1 793	2 331	3 017	5 072	3 453	4 414
合成洗涤剂	吨	12 810	14 781	30 216	35 296	21 334	28 488
肥　皂	吨	13 548	18 256	19 833	28 948	8 017	5 007
糖	万吨	4.88	7.09	7.15	5.84	2.98	6.14
卷　烟	万箱	14.95	25.10	31.56	63.94	61.03	58.53
罐　头	万吨	0.64	0.49	1.02	1.87	0.97	1.05
饮料酒	万吨	8.34	12.59	33.52	54.45	82.93	86.06
# 啤　酒	万吨	3.35	5.02	18.76	34.65	68.27	69.90
乳制品	吨	1 345	1 235	3 491	8 168	6 749	3 749
味　精	吨	366	434	397	1 942	3 788	2 412
食用植物油	万吨	6.03	7.58	15.12	21.60	21.93	25.81
化学原料药(24大类药品)	吨	953	1 434	2 903	5 565	10 914	20 446
中成药	吨		3 130	8 623	17 667	13 773	12 895
塑料制品	吨	25 146	24 130	50 516	64 645	89 601	160 415
鞣制皮革(折牛皮)	万张	67.05	78.00	50.23	65.70	20.59	9.73
皮　鞋	万双		364.20	448.45	423.88	213.29	187.00
家用电冰箱	台		96	23	107 159	171 609	72 753
家用洗衣机	台		7 028	335 543	290 301	202 632	26 148
电视机	台	2 115	25 157	241 528	287 105	102 796	58 692
# 彩色电视机	台			32 239	119 021	88 580	53 720
录放音机	万台			11.70	3.39	4.75	
原　煤	万吨	2 060.00	1 807.00	2 311.80	2 610.25	2 474.82	2 644.31
原　油	万吨	185.10	176.40	213.02	356.70	332.46	342.73
发电量	亿千瓦小时	93.24	111.83	133.76	174.46	259.97	284.60
# 水　电	亿千瓦小时	11.59	21.41	36.58	45.82	61.44	83.16
铁矿石	万吨	95.00	96.50	170.19	201.04	284.84	340.41

12－8 续表

项　目	单　位	1978年	1980年	1985年	1990年	1994年	1995年
生　铁	万吨	28.90	29.30	40.31	71.21	93.81	103.52
钢	万吨	20.10	24.30	37.86	74.60	105.73	115.93
成品钢材	万吨	23.60	30.65	43.34	61.97	87.56	88.21
铁合金	万吨	14.60	13.60	20.00	27.46	29.28	37.30
炭素制品	万吨	11.10	10.60	11.00	11.50	10.91	14.43
焦　炭	万吨	99.50	89.60	102.39	119.88	114.81	135.79
# 机制焦炭	万吨	96.60	88.50	99.90	119.16	113.36	135.78
水　泥	万吨	138.30	179.40	295.57	374.54	639.96	678.46
平板玻璃	万重量箱	48.28	74.17	132.28	163.04	229.29	251.87
木　材	万立方米	581.60	642.50	635.04	598.04	564.44	543.29
# 原　木	万立方米	492.20	540.00	530.70	543.60	522.25	505.96
硫　酸	吨	87 860	86 094	84 151	111 449	122 801	125 628
浓硝酸	吨	61 464	56 935	60 063	56 937	71 040	70 380
纯　碱	吨	8 179	10 477	17 748	22 037	31 977	29 194
烧　碱	吨	47 030	49 312	62 105	87 642	89 302	100 460
合成氨	万吨	42.20	43.70	44.12	48.27	47.39	52.58
农用化肥	万吨	26.78	29.02	25.50	30.15	31.09	31.38
# 氮　肥	万吨	25.14	27.69	25.00	29.63	31.03	31.19
磷　肥	万吨	1.64	1.33	0.50	0.53	0.05	0.19
化学农药	吨	2 586	1 560	1 073	1 452	2 402	4 323
乙　稀	吨		1 036	88 855	112 745	26 312	128 618
电石(折合量)	吨	141 391	159 263	97 599	104 031	60 960	92 574
塑　料	吨	24 868	26 359	29 888	50 039	79 181	81 982
合成橡胶	吨		125	33 403	57 541	69 709	78 629
轮胎外胎	万条	28.70	39.10	59.58	89.70	93.53	100.73
矿山设备	吨	8 540	4 580	17 841	9 543	9 743	6 767
石油设备	吨	1 735	381	6 123	7 042	11 867	18 040
化工设备	吨	2 749	2 587	3 156	3 326	2 073	7 656
变压器	万千伏安	161.48	114.92	156.43	112.61	224.39	161.69
交流电动机	万千瓦	65.86	56.62	72.27	72.99	60.90	45.36
金属切削机床	台	2 045	1 920	2 069	1 012	1 611	1 146
汽　车	辆	59 045	67 221	97 674	73 326	188 993	189 177
# 载重汽车	辆	33 123	32 302	65 038	5 998	121 215	89 738
摩托车	辆	143	482	7 687	18 122	118 659	140 623
滚动轴承	万套	192.90	255.20	317.96	634.88	977.56	895.00
拖拉机(14.7千瓦及以上)	台	7610	10 500	2 329	2 943	895	305
小型拖拉机	台	8 478	915	54 872	40 896	42 658	68 320
联合收割机	台	850	1 300	325	1 160	346	978
机动脱粒机	台	7 477	2 671	5 634	10 085	2 602	5 000
铁路客车	辆	437	606	910	965	1 022	1 101

12—9 各市州主要工业产品产量

(1995年)

地　区	纱 (吨)	布 (万米)	机制纸 及纸板 (万吨)	合成 洗涤剂 (吨)	糖 (吨)	化学纤维 (吨)	电视机 (台)	饮料酒 (吨)
长春市	13 025	3 181	3.19	159			7 752	170 643
吉林市	9 248	248	19.72	447	25 960	44 250	240	160 764
四平市	4 126	923	2.27	27 388	17 977	10 670		221 070
辽源市	2 847	1 341	1.75	122		4 972		67 196
通化市	2 917	1 096	9.43	16		470	50 700	75 866
白山市	2 299	535	3.70					21 505
松原市		32	0.17					15 742
白城市	6 925	4 323	5.15	70	17 498			46 149
延边朝鲜族自治州	9 040	1 822	14.06	286				81 710

12—9 续表

(1995年)

地　区	原煤 (万吨)	钢 (吨)	钢材 (吨)	铁合金 (吨)	焦炭 (吨)	硫酸 (吨)	纯碱 (吨)	合成氨 (吨)
长春市	151.20	126 491	75 499	240	395 850	7 360		20 803
吉林市	736.67	74 413	56 640	333 571	226 986	91 492	27 794	304 151
四平市	36.89	72 681	91 520			16 346		
辽源市	482.18	4 412	583	13 497				
通化市	170.95	868 747	647 856	12 088	682 620			84 939
白山市	672.27			3 539	52 400			
松原市						10 430	1 400	102 482
白城市	31.66	24	261	2 269				
延边朝鲜族自治州	362.48	12 510	9 698	7 798				13 409

12—10 主要工业产品生产能力

项目	单位	1978年	1980年	1985年	1990年	1994年	1995年
化学纤维	万吨	0.97	1.19	1.95	3.63	6.58	7.08
粘胶纤维	万吨	0.80	1.00	1.00	1.60	3.66	4.34
合成纤维	万吨	0.17	0.19	0.95	2.03	2.92	2.74
机制纸及纸板	万吨	42.12	41.92	52.24	73.82	63.00	36.20
自行车	万辆	15	15	50	65	75	80
手表	万只		40	80	150	160	170
日用陶瓷制品	万件		5 577	4 434	5 134	3 650	2 476
灯泡	万只	2 882	3 154	3 687	5 196	3 605	3 040
合成洗涤剂	吨	19 500	19 500	35 000	40 500	65 000	88 219
糖	万吨	7.24	7.19	12.70	12.46		14.24
卷烟	万箱	39.10	37.30	40.00	63.94	87.32	101.31
啤酒	万吨			21.00	60.58		113.98
家用电冰箱	万台			0.01	30.00	30.00	20.00
家用洗衣机	万台		0.74	76.60	75.00	98.90	93.90
电视机	万台	0.80	6.00	70.00	104.00	109.00	89.00
# 彩色电视机	万台			45.0	77.0	82.0	77.0
原煤	万吨	1 562	1 505	1 527	1 568	1 432	2 027
原油	万吨	187.50	165.00	180.00	337.00	320.00	359.00
发电装机容量	万千瓦	214.83	229.18	331.40	497.91	666.50	969.42
水电装机容量	万千瓦	81.53	82.91	182.70	220.42	299.89	300.48
火电装机容量	万千瓦	133.30	146.27	148.70	277.49	366.61	400.01
生铁	万吨	45.90	53.10	45.60	72.90	108.31	130.16
钢	万吨	41.24	41.56	53.05	93.00	131.29	159.54
钢材	万吨	49.32	53.10	83.00	124.38	174.14	189.75
铁合金(电炉)	万吨	23.13	22.81	25.98	43.00	53.53	46.53
焦炭(机焦)	万吨	113.40	114.10	113.20	142.50	142.50	189.60
水泥	万吨	167.80	189.50	318.60	488.60	838.11	1 050.86
平板玻璃	万重量箱	56.20	75.03	168.80	215.00	241.90	233.05
木材	万立方米	325.60	339.90	371.90	406.00	411.00	459.19
锯材	万立方米	93.10	92.30	122.19	128.70	117.20	252.09
胶合板	万立方米	3.15	3.15	6.00	6.10	10.60	30.02
纤维板	万立方米	3.13	3.13	3.90	4.20	5.60	17.89
刨花板	万立方米	0.23	0.23	0.23	8.20	19.20	35.71
合成氨	万吨	45.71	49.26	51.20	51.90	56.00	59.00
农用化肥	万吨	35.43	36.04	36.60	37.69	42.73	41.66
化学农药	万吨	0.95	1.08	0.89	0.38	0.62	0.89
油漆	万吨		3.06	3.73	5.35	7.09	8.24
染料	吨	10 200	8 130	8 380	10 590	10 950	12 512
电石	万吨			19.20	18.11	16.94	16.76
合成橡胶	万吨			8.04	8.18	9.28	9.35
塑料制品	万吨	5.00	6.21	12.81	16.90	19.00	13.74
化学原料药	吨			5 713	16 754	16 586	45 017
中成药	万吨			1.30	3.41	4.41	8.65
轮胎外胎	万条	41.30	58.10	98.50	169.10	175.50	156.00
轮胎内胎	万条	42.50	58.10	105.50	152.50	159.50	155.00
汽车	万辆	6.08	6.19	10.70	12.70	24.10	33.01
大中型拖拉机	万台	0.80	1.00	0.45	0.50	0.54	0.55
小型拖拉机	万台	1.25	0.50	1.00	6.45	6.30	8.57
联合收割机	台			600	2 000	2 000	
铁路客车	辆	850	850	850	1 300	1 300	1 200

12—11 全部独立核算工业企业主要财务指标

单位:亿元

年份	年底固定资产		全部流动资金余额	产品销售收入	产品销售税金及附加	盈亏相抵后的利润总额	利税总额	工业总产值	
	原值	净值						不变价格	现价
1987	317.08	220.28	91.82	311.16	24.08	25.33	49.41	387.22	320.35
1988	358.93	249.78	182.71	380.08	29.84	33.81	63.64	447.41	398.43
1989	410.85	287.59	240.44	421.11	33.56	31.52	65.08	463.66	459.04
1990	469.04	330.44	326.74	424.13	33.96	13.38	47.33	479.94	478.24
1991	547.18	388.07	415.79	519.20	38.35	9.75	48.10	511.80	539.35
1992	624.55	393.69	510.01	638.17	40.56	17.74	58.31	583.67	662.93
1993	818.61	580.58	659.52	941.28	53.99	31.43	85.43	686.20	890.43
1994	996.17	623.15	778.83	895.38	26.91	20.69	98.79	770.65	1 061.58
1995	1 242.75	896.74	901.91	1 021.11	25.16	-1.94	79.50	795.38	1 207.17

12—12 全部独立核算工业企业主要经济效益指标

单位:元

年份	每百元固定资产原值实现产值		每百元固定资产原值实现的利税	每百元资金实现的利税	每百元工业总产值实现的利税		每百元销售收入实现的利税
	1990年不变价格	当年价格			1990年不变价格	当年价格	
1987	122.12	101.03	15.58	15.83	12.76	15.42	8.14
1988	124.65	111.01	17.73	14.72	14.22	15.97	8.89
1989	112.85	111.73	15.84	12.33	14.04	14.18	7.49
1990	102.32	101.96	10.09	7.20	9.86	9.90	3.15
1991	93.53	98.57	8.79	5.98	9.40	8.92	1.88
1992	93.45	106.15	9.34	6.45	9.99	8.80	2.78
1993	83.83	108.77	10.44	6.89	12.45	9.59	9.08
1994	77.36	106.57	9.92	7.05	12.82	9.31	11.03
1995	64.00	97.13	6.40	4.74	10.00	6.59	7.79

12—13 全部独立核算工业企业主要财务指标

（1995年）

单位：万元

项目	企业单位数（个）	#亏损企业	工业总产值（新规定）（当年价）	工业增加值（生产法）	资本金合计	年末资产总计
总计	**13 140**	**4 199**	**10 474 602**	**3 186 366**	**5 164 100**	**21 951 102**
按轻重工业分						
轻工业	6 173	2 236	2 893 824	678 072	1 335 408	5 798 177
重工业	6 967	1 963	7 580 778	2 508 294	3 828 692	16 152 924
按工业行业分						
煤炭采选业	236	73	178 584	52 047	165 151	641 241
石油和天然气开采业	5		307 586	238 990	314 280	915 936
有色金属矿采选业	80	18	59 279	21 374	39 474	120 709
非金属矿采选业	410	59	46 898	18 179	20 847	82 401
木材及竹材采运业	26	6	318 532	153 062	234 341	625 106
食品加工业	617	152	625 489	96 853	166 907	818 369
食品制造业	484	169	188 687	40 866	88 480	351 532
饮料制造业	538	183	244 969	66 407	167 555	618 753
烟草加工业	10	3	117 121	49 452	30 615	211 612
纺织业	328	157	258 563	36 755	125 056	621 143
服装及其他纤维制品制造业	379	138	80 377	18 814	31 012	135 647
皮革、毛皮、羽绒及其制品业	177	70	27 582	4 020	15 631	87 843
木材加工及竹、藤、棕、草制品业	757	209	141 129	37 208	84 172	291 240
家具制造业	211	79	26 303	6 534	16 968	68 925
造纸及纸制品业	387	165	234 759	62 436	115 731	504 361
印刷业、记录媒介的复制	727	249	62 661	19 286	39 143	124 857
文教体育用品制造业	105	37	5 903	853	5 714	19 236
石油加工及炼焦业	83	21	220 812	65 238	60 696	224 558
化学原料及化学制品制造业	776	255	1 424 860	395 932	769 363	3 394 393
医药制造业	345	137	327 009	116 629	136 793	713 482
化学纤维制造业	20	5	178 144	43 166	57 479	245 172
橡胶制品业	152	50	47 672	6 339	15 580	160 075
塑料制品业	513	194	156 550	31 481	59 661	237 568
非金属矿物制品业	1 609	402	521 042	156 918	293 650	1 284 569
黑色金属冶炼及压延加工业	171	47	511 692	124 628	201 631	1 111 031
有色金属冶炼及压延加工业	80	24	168 977	52 206	53 709	248 997
金属制品业	835	288	138 942	32 178	60 381	283 451
普通机械制造业	750	216	204 788	52 781	93 418	521 439
专用设备制造业	502	152	215 993	40 476	84 546	446 261
交通运输设备制造业	710	227	2 425 790	755 008	633 451	3 556 663
武器弹药制造业	4	1	34 482	2 522	29 575	127 541
电气机械及器材制造业	434	134	156 643	31 175	76 440	406 932
电子及通信设备制造业	83	37	69 899	9 412	39 134	276 259
仪器仪表及文化、办公用机械制造业	108	42	29 286	5 606	33 242	160 615
其他制造业	203	71	26 055	6 379	11 401	46 133
电力、蒸汽、热水的生产和供应业	173	68	617 527	321 530	695 764	1 952 118
煤气生产和供应业	15	7	30 233	-3 144	16 923	133 919
自来水的生产和供应业	73	47	35 842	13 759	71 062	157 779

12—13 续表 1　　(1995 年)　　单位:万元

项　　目	流动资产合计	流动资产年平均余额	固定资产合计	固定资产原价	固定资产净值年平均余额	流动负债合计
总　　计	**9 309 101**	**9 019 081**	**11 388 430**	**12 427 468**	**7 761 556**	**10 117 893**
按轻重工业分						
轻　工　业	2 931 707	2 756 038	2 486 273	2 741 933	1 864 113	3 452 193
重　工　业	6 377 394	6 263 044	8 902 156	9 685 535	5 897 442	6 665 701
按工业行业分						
煤炭采选业	228 202	225 798	395 085	513 448	293 402	265 752
石油和天然气开采业	343 441	245 209	555 174	877 456	462 908	306 687
有色金属矿采选业	31 505	29 130	84 644	102 950	57 093	35 124
非金属矿采选业	38 513	33 603	40 451	46 911	31 545	44 342
木材及竹材采运业	214 632	228 782	374 528	483 222	330 715	268 615
食品加工业	469 561	400 057	316 132	379 775	235 373	571 453
食品制造业	150 304	145 537	169 910	195 260	149 131	210 039
饮料制造业	234 747	225 614	348 381	353 477	262 927	335 206
烟草加工业	142 266	126 793	65 007	49 948	35 402	145 516
纺织业	292 593	280 046	276 707	313 229	214 704	437 483
服装及其他纤维制品制造业	84 704	80 104	43 591	51 694	30 164	85 574
皮革、毛皮、羽绒及其制品业	58 899	55 014	23 254	26 500	19 960	72 480
木材加工及竹、藤、棕、草制品业	150 699	145 399	119 229	143 077	98 002	165 795
家具制造业	36 467	38 683	27 912	30 593	23 188	46 975
造纸及纸制品业	218 978	206 781	259 696	280 827	172 324	238 510
印刷业、记录媒介的复制	69 116	72 792	48 057	61 894	38 886	73 981
文教体育用品制造业	10 869	11 010	6 402	8 555	5 486	12 042
石油加工及炼焦业	100 932	105 316	114 175	163 451	95 899	113 090
化学原料及化学制品制造业	1 087 351	1 077 427	2 050 650	1 641 291	1 095 429	1 148 268
医药制造业	452 754	424 669	216 620	211 530	145 526	413 153
化学纤维制造业	89 147	95 854	144 483	161 674	109 275	100 300
橡胶制品业	68 095	75 468	79 347	42 959	26 378	85 745
塑料制品业	130 784	120 389	90 306	107 147	74 304	139 508
非金属矿物制品业	578 540	541 604	626 037	677 494	408 026	629 722
黑色金属冶炼及压延加工业	542 292	548 065	545 135	579 051	413 193	671 215
有色金属冶炼及压延加工业	104 988	99 266	130 069	150 560	83 843	138 124
金属制品业	176 366	175 367	94 737	113 327	68 981	193 603
普通机械制造业	310 425	297 807	188 276	239 208	134 813	312 870
专用设备制造业	268 300	256 937	163 035	215 781	121 518	305 956
交通运输设备制造业	1 751 889	1 793 909	1 505 081	1 195 087	668 673	1 657 011
武器弹药制造业	64 175	65 731	54 675	78 333	28 330	76 089
电气机械及器材制造业	221 169	212 133	151 559	165 602	112 790	243 983
电子及通信设备制造业	135 024	128 577	101 304	113 673	65 853	155 989
仪器仪表及文化、办公用机械制造业	64 835	62 329	85 108	92 886	39 231	71 789
其他制造业	24 827	21 078	18 831	20 777	15 102	22 011
电力、蒸汽、热水的生产和供应业	296 146	307 363	1 632 444	2 263 223	1 401 788	236 486
煤气生产和供应业	32 012	28 247	97 365	103 862	83 295	51 314
自来水的生产和供应业	23 355	21 217	132 552	157 951	96 400	25 134

12—13 续表 2　　　　(1995年)　　　　单位:万元

项　目	流动负债年平均余额	长期负债合计	年末所有者权益	产品销售收入	产品销售成本	产品销售费用
总　计	**9 450 130**	**5 183 640**	**6 587 078**	**10 211 096**	**202 121**	**252 946**
按轻重工业分						
轻　工　业	3 130 025	1 064 872	1 253 890	2 699 957	114 066	108 515
重　工　业	6 320 105	4 118 768	5 333 189	7 511 139	088 056	144 432
按工业行业分						
煤炭采选业	255 344	174 146	199 707	174 977	154 276	7 078
石油和天然气开采业	268 922	234 532	374 716	281 990	231 913	22
有色金属矿采选业	31 510	24 357	61 223	58 682	43 260	1 484
非金属矿采选业	39 316	14 642	23 250	40 655	28 405	3 369
木材及竹材采运业	270 524	124 334	232 056	319 864	218 076	4 493
食品加工业	464 439	54 928	183 441	585 898	511 302	11 353
食品制造业	190 591	127 219	12 746	174 132	142 525	7 204
饮料制造业	308 871	136 501	144 695	242 926	173 247	14 135
烟草加工业	123 356	16 595	49 436	135 104	72 958	3 167
纺织业	409 357	148 264	34 110	236 899	207 303	4 582
服装及其他纤维制品制造业	86 546	23 430	25 935	73 781	64 093	1 766
皮革、毛皮、羽绒及其制品业	68 299	14 034	731	25 674	20 766	1 210
木材加工及竹、藤、棕、草制品业	146 812	41 216	83 198	132 331	108 176	5 498
家具制造业	48 080	11 166	10 446	24 957	23 072	819
造纸及纸制品业	221 305	124 844	140 313	234 756	188 260	3 292
印刷业、记录媒介的复制	68 708	19 854	29 539	59 955	47 239	1 745
文教体育用品制造业	12 421	3 912	3 274	6 169	5 295	236
石油加工及炼焦业	107 872	24 990	86 456	215 858	170 623	1 594
化学原料及化学制品制造业	1 098 345	1 058 359	1 184 789	1 298 727	970 138	15 620
医药制造业	377 759	96 477	198 194	254 109	140 805	38 249
化学纤维制造业	97 698	56 956	87 916	174 213	138 380	1 063
橡胶制品业	85 716	72 477	1 737	49 110	42 635	1 314
塑料制品业	128 484	49 033	47 129	143 438	117 775	3 621
非金属矿物制品业	555 118	262 522	388 697	492 531	384 445	21 143
黑色金属冶炼及压延加工业	642 468	143 570	293 215	597 088	536 461	6 119
有色金属冶炼及压延加工业	127 040	38 003	72 748	161 497	121 557	1 470
金属制品业	184 260	39 401	49 203	125 858	103 227	3 854
普通机械制造业	284 806	87 003	119 715	197 968	151 968	5 909
专用设备制造业	292 994	57 058	68 632	211 443	167 180	6 866
交通运输设备制造业	1 616 442	990 950	906 031	2 402 086	008 452	28 824
武器弹药制造业	75 406	14 254	37 198	36 186	29 215	1 175
电气机械及器材制造业	227 746	78 427	83 837	149 176	114 114	6 974
电子及通信设备制造业	143 549	95 218	25 044	62 117	46 581	1 725
仪器仪表及文化、办公用机械制造业	69 279	40 778	46 935	31 073	21 377	1 442
其他制造业	20 652	12 432	11 448	24 557	19 863	700
电力、蒸汽、热水的生产和供应业	222 249	651 417	1 062 556	708 096	616 934	28 976
煤气生产和供应业	44 820	4 868	77 736	29 432	27 434	2 898
自来水的生产和供应业	22 651	13 604	118 898	31 456	28 498	1 698

12—13 续表 3　　(1995年)　　单位:万元

项　目	产品销售税金及附加	产品销售利润	管理费用	财务费用	利润总额	利税总额
总　计	**251 559**	**1 490 390**	**1 073 889**	**611 182**	**-19 378**	**795 029**
按轻重工业分						
轻　工　业	89 830	384 656	302 740	209 059	-85 234	142 350
重　工　业	161 729	1 105 734	771 149	402 123	65 856	652 679
按工业行业分						
煤炭采选业	2 212	11 361	58 953	10 560	-42 560	-31 067
石油和天然气开采业	7 266	42 789	15 747	21 640	3 075	38 030
有色金属矿采选业	366	13 572	12 383	2 469	757	3 247
非金属矿采选业	1 213	7 638	5 790	2 317	40	3 448
木材及竹材采运业	11 503	75 920	66 054	9 632	6 879	26 971
食品加工业	1 966	60 822	34 215	39 571	-6 257	8 037
食品制造业	844	23 468	24 147	16 190	-15 297	-6 414
饮料制造业	25 503	30 018	25 790	20 879	-10 387	32 816
烟草加工业	41 302	16 408	14 090	8 512	568	54 301
纺织业	1 048	23 749	28 872	25 398	-28 867	-17 669
服装及其他纤维制品制造业	491	7 359	10 279	4 507	-5 516	-2 569
皮革、毛皮、羽绒及其制品业	193	3 483	5 767	3 578	-5 213	-4 010
木材加工及竹、藤、棕、草制品业	2 059	16 576	18 742	7 934	-8 927	454
家具制造业	282	760	3 649	1 745	-3 944	-2 642
造纸及纸制品业	1 846	41 330	28 199	17 828	-3 647	15 138
印刷业、记录媒介的复制	794	10 108	9 374	3 242	-1 979	2 281
文教体育用品制造业	76	559	1 273	649	-1 251	-695
石油加工及炼焦业	19 306	24 335	15 232	3 870	5 722	35 168
化学原料及化学制品制造业	43 065	269 694	164 764	63 340	78 034	190 416
医药制造业	2 422	72 325	37 359	22 482	18 713	41 392
化学纤维制造业	830	33 941	15 402	9 795	10 621	20 723
橡胶制品业	2 182	2 971	6 127	3 468	-6 161	-1 587
塑料制品业	837	21 100	13 914	8 090	1 052	6 081
非金属矿物制品业	7 178	79 315	61 302	32 703	-11 486	26 742
黑色金属冶炼及压延加工业	4 318	50 181	42 925	27 296	-3 812	33 388
有色金属冶炼及压延加工业	989	37 480	15 918	10 737	12 380	22 722
金属制品业	1 364	17 243	18 766	9 628	-9 149	-1 497
普通机械制造业	2 351	37 603	34 841	21 127	-14 130	39
专用设备制造业	1 257	35 934	28 853	20 271	-13 409	-4 608
交通运输设备制造业	59 244	305 424	178 473	90 741	72 542	244 584
武器弹药制造业	328	5 468	7 461	5 831	-7 001	-4 970
电气机械及器材制造业	1 355	26 680	23 100	14 255	-8 889	94
电子及通信设备制造业	459	13 352	12 063	11 210	-7 107	-3 823
仪器仪表及文化、办公用机械制造业	253	7 997	9 336	4 816	-3 593	-1 792
其他制造业	216	3 775	3 222	1 429	-558	803
电力、蒸汽、热水的生产和供应业	3 714	58 463	8 628	49 626	-291	76 690
煤气生产和供应业	220	-1 119	4 623	2 542	-4 202	-2 393
自来水的生产和供应业	517	740	7 515	635	-6 115	-3 567

12—14 各市县全部独立核算工业企业主要财务指标

(1995 年)　　　　单位:万元

市、县	企业单位数(个)	#亏损企业	工业总产值(新规定)(当年价)	工业增加值(生产法)	资本金合计	年末资产总计
长春市	**3 038**	**800**	**3 607 885**	**1 079 879**	**1 240 126**	**6 338 190**
市区	2 019	623	3 309 234	1 007 465	1 151 573	5 912 926
九台市	283	62	55 898	15 057	24 560	94 369
榆树市	238	36	88 937	18 768	21 834	113 456
德惠市	244	58	65 651	16 850	15 978	122 433
农安县	254	21	88 164	21 739	26 181	95 006
吉林市	**2 680**	**859**	**2 841 649**	**858 515**	**1 608 324**	**6 430 406**
市区	1 514	512	2 402 431	680 830	1 220 869	5 459 894
桦甸市	221	80	124 635	75 640	230 449	351 769
蛟河市	217	89	44 243	15 318	38 359	104 774
舒兰市	205	53	78 309	25 712	47 777	198 962
磐石市	242	44	146 412	46 985	48 730	236 457
永吉县	281	81	45 620	14 029	22 140	78 550
四平市	**1 450**	**478**	**766 231**	**172 542**	**372 349**	**1 615 954**
市区	516	199	387 914	80 506	236 796	834 733
公主岭市	326	115	169 790	44 107	73 913	270 767
梨树县	271	79	101 791	24 316	34 087	156 473
伊通县	168	45	40 580	12 419	11 009	60 111
双辽县	169	40	66 156	11 194	16 545	293 872
辽源市	**817**	**250**	**310 821**	**42 041**	**174 661**	**796 372**
市区	423	174	212 549	21 802	136 864	598 521
东丰县	229	30	66 259	14 410	27 619	139 290
东辽县	165	46	32 013	5 830	10 178	58 561
通化市	**1 465**	**480**	**713 715**	**214 620**	**339 111**	**1 605 537**
市区	481	197	338 631	94 837	190 874	889 613
梅河口市	319	84	145 329	39 863	34 143	195 074
集安市	159	57	43 305	20 892	36 666	139 989
通化县	165	48	86 931	37 699	30 543	151 318
辉南县	177	39	59 873	13 951	25 958	135 920

12—14 续表 1 (1995 年) 单位:万元

市、县	企业单位数(个)	#亏损企业	工业总产值(新规定)(当年价)	工业增加值(生产法)	资本金合计	年末资产总计
柳河县	164	55	39 646	7 378	20 928	93 624
白山市	**625**	**192**	**430 575**	**152 109**	**252 578**	**1 017 372**
市区	177	78	252 788	67 849	125 120	653 411
临江市	91	15	48 972	24 124	44 223	107 453
抚松县	127	35	85 539	43 541	53 568	160 834
靖宇县	113	31	10 932	4 001	7 185	33 679
长白县	51	16	14 445	8 500	17 514	42 543
江源县	66	17	17 899	4 095	4 969	19 452
松原市	**629**	**128**	**690 719**	**335 044**	**472 445**	**1 533 520**
市区	121	37	492 666	294 016	378 303	1 137 733
长岭县	115	15	34 357	7 023	12 129	70 785
前郭县	155	41	110 969	21 413	62 839	224 939
乾安县	76	16	26 696	4 309	9 982	63 336
扶余县	161	19	26 031	8 282	9 193	36 728
白城市	**823**	**354**	**288 697**	**63 272**	**149 286**	**749 012**
市区	226	110	138 174	36 755	90 846	375 027
洮南市	155	73	47 336	7 275	21 336	143 509
大安市	179	64	41 709	7 761	15 387	77 668
镇赉县	156	61	39 695	8 519	13 134	92 441
通榆县	107	46	21 784	2 960	8 584	60 367
延边朝鲜族自治州	**1 613**	**658**	**824 310**	**268 344**	**555 219**	**1 864 739**
延吉市	456	182	207 290	82 222	136 868	476 502
图们市	144	58	88 267	23 324	55 530	211 619
敦化市	196	62	165 423	51 059	81 850	259 759
龙井市	233	98	112 023	21 381	69 863	236 276
珲春市	104	62	60 304	17 549	61 627	219 641
和龙市	140	67	51 770	23 115	42 985	141 128
汪清县	191	70	62 647	19 935	56 449	143 852
安图县	149	59	76 586	29 758	50 048	175 963

12—14 续表 2 （1995年） 单位:万元

市、县	流动资产合计	流动资产年平均余额	固定资产合计	固定资产原价	固定资产净值年平均余额	流动负债合计
长春市	**3 024 020**	**2 974 906**	**2 893 035**	**2 731 979**	**1 678 081**	**3 006 765**
市区	2 803 594	2 763 097	2 704 294	2 525 920	1 532 347	2 754 170
九台市	53 262	50 236	37 305	43 402	30 677	54 907
榆树市	59 125	57 265	47 497	55 239	40 372	72 081
德惠市	58 986	57 455	60 397	58 813	42 253	70 042
农安县	49 053	46 854	43 541	48 606	32 432	55 566
吉林市	**2 322 886**	**2 290 967**	**3 690 138**	**3 767 682**	**2 343 898**	**2 479 173**
市区	2 019 321	1 987 564	3 048 896	2 928 200	1 802 569	2 125 511
桦甸市	50 123	56 072	297 699	405 630	282 616	59 715
蛟河市	44 215	44 507	53 619	63 966	41 349	52 578
舒兰市	67 018	64 805	123 374	162 349	105 042	74 742
磐石市	107 077	105 281	125 589	158 319	87 744	126 566
永吉县	35 133	32 739	40 962	49 218	24 580	40 061
四平市	**689 913**	**663 217**	**840 630**	**962 096**	**672 539**	**837 423**
市区	368 405	362 907	413 479	486 489	331 207	459 811
公主岭市	150 305	138 864	101 308	121 059	77 029	176 253
梨树县	86 570	80 820	63 803	80 545	53 398	99 164
伊通县	31 900	32 887	27 088	30 633	24 038	39 078
双辽县	52 734	47 739	234 952	243 370	186 868	63 117
辽源市	**390 962**	**384 782**	**360 565**	**460 799**	**283 793**	**487 141**
市区	285 047	276 137	277 422	364 216	225 468	365 544
东丰县	75 592	75 064	60 729	72 976	42 050	86 462
东辽县	30 323	33 582	22 415	23 607	16 275	35 136
通化市	**743 804**	**723 352**	**814 936**	**910 296**	**618 449**	**890 166**
市区	353 712	364 492	516 134	546 659	389 424	477 981
梅河口市	101 883	82 053	86 967	86 503	58 003	110 575
集安市	67 272	66 999	66 948	101 495	55 709	83 935
通化县	87 724	81 361	59 636	65 007	46 795	75 452
辉南县	81 732	75 438	47 655	64 682	39 570	82 145

市、县	流动资产合计	流动资产年平均余额	固定资产合计	固定资产原价	固定资产净值年平均余额	流动负债合计
柳河县	51 480	53 009	37 596	45 951	28 948	60 078
白山市	**390 986**	**388 412**	**559 881**	**694 730**	**432 558**	**476 507**
市区	247 406	257 763	371 240	451 548	272 996	311 548
临江市	33 177	24 193	61 855	80 672	43 646	42 723
抚松县	68 943	66 177	77 093	105 972	72 393	82 426
靖宇县	11 928	11 065	19 831	22 722	18 973	12 252
长白县	20 656	20 422	20 172	23 142	17 115	18 725
江源县	8 876	8 793	9 690	10 674	7 435	8 833
松原市	**592 995**	**469 040**	**898 487**	**1 340 758**	**758 224**	**583 733**
市区	448 042	344 209	665 744	1 029 498	552 053	422 592
长岭县	39 889	35 291	24 955	29 265	22 034	46 699
前郭县	50 636	51 800	167 292	237 522	150 501	47 516
乾安县	34 144	17 454	26 207	28 474	21 941	41 035
扶余县	20 284	20 286	14 289	15 999	11 695	25 891
白城市	**367 078**	**342 903**	**351 173**	**413 750**	**263 864**	**449 554**
市区	136 723	135 334	227 447	264 426	150 078	161 870
洮南市	86 196	78 384	49 141	62 109	56 031	111 202
大安市	44 657	43 297	28 625	32 943	22 618	56 303
镇赉县	60 983	54 891	27 528	33 536	21 423	71 779
通榆县	38 519	30 995	18 432	20 737	13 714	48 400
延边朝鲜族自治州	**786 457**	**781 502**	**979 586**	**1 145 379**	**710 149**	**907 431**
延吉市	210 406	200 916	242 172	250 710	146 737	212 969
图们市	82 416	83 270	118 928	149 504	76 060	100 917
敦化市	140 168	145 505	110 950	138 424	91 329	157 337
龙井市	96 196	93 245	124 256	153 593	88 352	124 844
珲春市	70 855	73 756	136 839	147 649	94 399	88 931
和龙市	57 765	57 355	70 472	84 580	59 463	70 124
汪清县	62 715	61 690	76 911	93 560	66 240	74 278
安图县	65 935	65 765	99 058	127 360	87 570	78 033

12—14 续表 4　　(1995年)　　单位:万元

市、县	流动负债年平均余额	长期负债合计	年末所有者权益	产品销售收入	产品销售成本	产品销售费用
长春市	**2 835 765**	**1 533 995**	**1 765 818**	**3 562 643**	**2 928 925**	**73 920**
市区	2 599 398	1 461 120	1 671 142	3 279 840	2 699 236	65 797
九台市	53 963	14 617	23 846	52 913	42 685	1 190
榆树市	68 336	20 509	20 405	87 258	73 023	2 535
德惠市	62 635	27 589	22 196	58 385	47 543	2 193
农安县	51 433	10 161	28 228	84 248	66 439	2 206
吉林市	**2 354 623**	**1 577 887**	**2 369 312**	**2 679 840**	**2 084 570**	**53 506**
市区	2 044 644	1 385 051	1 946 204	2 263 294	1 769 347	43 499
桦甸市	48 360	84 764	206 972	102 002	67 755	1 193
蛟河市	50 872	21 267	30 890	45 577	35 257	1 229
舒兰市	70 849	44 089	80 131	82 029	71 920	1 363
磐石市	102 402	32 701	76 679	142 680	105 773	4 803
永吉县	37 496	10 014	28 436	44 259	34 519	1 420
四平市	**783 169**	**474 720**	**298 404**	**756 005**	**619 312**	**27 366**
市区	438 413	166 191	206 234	388 104	315 697	17 388
公主岭市	162 964	56 210	36 352	153 331	125 854	3 986
梨树县	91 171	26 813	30 311	98 905	78 554	3 069
伊通县	36 848	9 790	11 237	35 098	29 029	1 282
双辽县	53 772	215 717	14 270	80 567	70 179	1 641
辽源市	**447 357**	**160 273**	**142 997**	**294 326**	**246 756**	**8 918**
市区	332 965	118 296	110 597	205 946	176 594	6 184
东丰县	82 453	23 272	29 330	62 185	49 727	2 014
东辽县	31 938	18 705	3 069	26 195	20 435	721
通化市	**842 134**	**271 996**	**440 617**	**771 912**	**633 790**	**22 147**
市区	458 926	154 176	257 017	430 502	381 673	5 964
梅河口市	102 765	44 950	39 492	128 778	108 565	2 855
集安市	77 910	15 257	40 797	37 426	27 742	1 672
通化县	70 560	16 651	57 462	78 781	44 370	6 420
辉南县	75 104	24 190	29 204	60 238	44 114	3 510

12—14 续表 5 (1995年) 单位:万元

市、县	流动负债年平均余额	长期负债合计	年末所有者权益	产品销售收入	产品销售成本	产品销售费用
柳河县	56 870	16 773	16 644	36 186	27 326	1 726
白山市	**453 920**	**216 657**	**321 048**	**414 442**	**314 788**	**12 327**
市区	301 251	148 404	190 640	245 886	192 026	7 690
临江市	39 213	23 438	41 278	44 414	32 939	990
抚松县	80 553	27 934	50 428	84 305	60 113	1 622
靖宇县	11 337	9 493	11 843	10 755	8 390	534
长白县	13 423	3 525	20 185	14 014	9 640	212
江源县	8 143	3 863	6 676	15 068	11 679	1 279
松原市	**494 197**	**381 288**	**565 184**	**646 219**	**530 363**	**6 614**
市区	369 602	250 733	463 315	466 093	375 129	2 667
长岭县	38 630	15 048	9 034	22 632	19 425	764
前郭县	38 564	98 041	77 449	110 878	100 799	922
乾安县	29 710	14 830	7 391	21 697	15 897	646
扶余县	17 692	2 636	7 996	24 920	19 114	1 615
白城市	**404 332**	**123 477**	**174 654**	**269 970**	**217 168**	**10 663**
市区	143 807	71 088	141 952	138 647	112 044	6 182
洮南市	105 334	22 897	9 261	40 974	32 434	1 905
大安市	51 468	11 004	9 726	35 372	27 642	1 000
镇赉县	65 527	11 277	9 079	34 040	28 132	650
通榆县	38 197	7 211	4 636	20 938	16 916	927
延边朝鲜族自治州	**834 634**	**443 348**	**509 045**	**815 739**	**626 450**	**37 486**
延吉市	189 629	102 579	157 586	215 308	155 918	10 227
图们市	95 070	53 025	57 019	94 243	79 194	1 588
敦化市	145 833	32 811	69 611	153 009	106 160	16 578
龙井市	120 241	67 482	43 661	105 949	83 853	2 438
珲春市	78 957	92 353	38 256	56 970	53 541	858
和龙市	65 832	22 166	48 778	46 043	36 211	597
汪清县	68 560	28 401	40 807	68 561	49 636	2 106
安图县	70 512	44 531	53 326	75 657	61 936	3 093

12—14 续表 6 (1995年) 单位:万元

市、县	产品销售税金及附加	产品销售利润	管理费用	财务费用	利润总额	利税总额
长春市	**86 068**	**473 271**	**322 663**	**174 637**	**35 710**	**309 006**
市区	77 223	437 220	301 564	157 923	34 785	287 650
九台市	882	8 072	4 699	3 439	58	3 377
榆树市	1 943	9 751	5 659	4 579	660	6 085
德惠市	1 671	6 979	5 972	5 630	-2 988	1 337
农安县	4 349	11 249	4 770	3 066	3 196	10 558
吉林市	**62 214**	**469 313**	**317 409**	**149 922**	**66 938**	**285 244**
市区	55 483	394 780	253 998	120 245	72 913	262 328
桦甸市	1 814	21 355	13 490	9 331	-2 927	1 815
蛟河市	989	8 067	7 800	3 386	-1 984	529
舒兰市	1 461	7 285	16 950	3 350	-4 139	1 744
磐石市	1 656	30 438	18 880	10 076	5 021	17 072
永吉县	811	7 389	6 291	3 535	-1 946	1 757
四平市	**18 576**	**90 194**	**75 445**	**71 673**	**-51 259**	**9 605**
市区	12 890	41 930	45 595	30 698	-31 418	7 456
公主岭市	1 749	21 732	14 970	12 567	-4 262	4 531
梨树县	2 229	15 007	8 941	5 838	868	6 711
伊通县	585	3 902	2 585	3 095	-1 668	596
双辽县	1 124	7 622	3 354	19 475	-14 779	-9 690
辽源市	**4 960**	**33 513**	**45 744**	**27 537**	**-27 123**	**-7 515**
市区	2 267	20 749	36 916	20 090	-24 772	-12 490
东丰县	2 183	8 262	6 240	4 503	-1 207	4 486
东辽县	510	4 502	2 588	2 944	-1 143	488
通化市	**7 965**	**107 960**	**67 600**	**44 311**	**10 683**	**60 595**
市区	4 169	38 685	32 197	21 967	-7 034	21 725
梅河口市	1 654	15 689	7 030	4 965	5 264	12 470
集安市	357	7 654	3 956	4 521	-920	1 273
通化县	738	27 253	10 912	3 963	14 348	21 182
辉南县	798	11 816	8 342	4 931	762	4 209

12—14 续表 7　　　　(1995 年)　　　　单位:万元

市、县	产品销售税金及附加	产品销售利润	管理费用	财务费用	利润总额	利税总额
柳河县	249	6 864	5 163	3 964	-1 736	-264
白山市	**7 486**	**79 822**	**64 000**	**22 775**	**-13 359**	**9 543**
市区	2 680	43 490	34 511	17 145	-16 134	-5 379
临江市	841	9 625	9 077	1 898	1 258	4 445
抚松县	2 442	20 128	15 862	1 983	1 129	6 424
靖宇县	231	1 600	1 234	454	80	1 064
长白县	599	3 563	2 451	419	452	1 824
江源县	693	1 417	865	875	-144	1 165
松原市	**25 398**	**83 026**	**39 928**	**40 733**	**1 451**	**66 237**
市区	23 809	64 328	29 471	25 878	6 448	66 659
长岭县	79	2 273	1 243	1 424	-289	289
前郭县	757	8 397	5 491	8 651	-4 850	-2 824
乾安县	182	4 634	2 096	2 606	60	1 186
扶余县	571	3 393	1 627	2 173	82	928
白城市	**2 852**	**37 771**	**29 878**	**29 613**	**-19 912**	**1 558**
市区	1 354	19 052	13 459	13 942	-5 207	8 666
洮南市	421	6 202	6 665	6 251	-7 716	-5 054
大安市	405	4 843	4 257	2 392	-1 964	76
镇赉县	489	4 768	3 845	3 617	-2 513	-135
通榆县	183	2 906	1 653	3 411	-2 511	-1 995
延边朝鲜族自治州	**36 041**	**115 519**	**111 221**	**49 982**	**-22 507**	**60 756**
延吉市	25 632	23 354	21 025	11 627	-5 391	36 214
图们市	741	12 720	10 209	6 473	-2 851	3 226
敦化市	2 338	27 933	20 882	8 507	3 467	14 249
龙井市	1 164	18 488	13 884	10 080	-3 005	4 284
珲春市	660	1 861	12 571	4 383	-10 206	-6 089
和龙市	1 361	7 872	8 810	2 075	-2 497	971
汪清县	2 167	14 640	11 748	3 114	-835	4 111
安图县	1 977	8 651	12 094	3 726	-1 190	3 789

12—15 全部独立核算工业企业主要经济效益指标

(1995年)

项　　目	总资产贡献率(%)	资本保值增值率(%)	资产负债率(%)	流动资产周转次数(次)	成本利润率(%)	全员劳动生产率(元/人)	产品销售率(%)
总　　计	**8.10**	**129.90**	**69.99**	**1.13**	**-0.19**	**12 674**	**97.48**
按轻重工业分							
轻　工　业	7.47	136.92	78.37	0.98	-3.12	8 676	93.30
重　工　业	8.34	128.35	66.98	1.20	0.89	14 477	99.08
按工业行业分							
煤炭采选业	-4.02	152.09	68.86	0.77	-18.43	2 798	97.98
石油和天然气开采业	8.74	108.26	59.09	1.15	1.14	36 428	91.68
有色金属矿采选业	5.58	386.28	51.24	0.74	-2.13	7 874	78.00
非金属矿采选业	6.38	161.51	49.28	2.01	1.27	7 600	98.99
木材及竹材采运业	8.26	119.37	71.78	1.21	0.10	7 224	86.69
食品加工业	7.58	140.28	86.82	0.33	11.39	7 170	92.35
食品制造业	6.49	102.49	62.88	1.40	2.31	7 413	100.42
饮料制造业	7.23	155.03	77.58	1.46	-1.05	13 350	93.67
烟草加工业	3.69	71.94	96.37	1.20	-8.05	9 357	92.29
纺织业	11.21	180.15	76.62	1.08	-4.44	10 995	99.17
服装及其他纤维制品制造业	38.42	113.85	76.64	1.07	0.58	63 925	115.35
皮革、毛皮、羽绒及其制品业	1.45	152.47	94.51	0.85	-10.85	3 062	91.62
木材加工及竹、藤、棕、草制品业	1.25	113.82	80.88	0.92	-6.84	4 399	91.79
家具制造业	-0.89	15.58	99.17	0.47	-16.64	2 169	93.08
造纸及纸制品业	3.18	121.96	71.43	0.91	-6.36	3 614	93.77
印刷业、记录媒介的复制	-1.44	109.55	84.84	0.65	-13.47	4 541	94.88
文教体育用品制造业	8.13	196.23	72.18	1.14	-1.54	8 338	100.00
石油加工及炼焦业	4.78	112.96	76.34	0.82	-3.21	4 338	95.68
化学原料及化学制品制造业	-0.79	344.39	82.98	0.56	-16.78	1 244	104.49
医药制造业	19.34	114.03	61.50	2.05	2.99	55 611	97.76
化学纤维制造业	11.25	145.49	65.10	1.21	6.43	22 267	91.15
橡胶制品业	11.20	119.34	72.22	0.60	7.83	17 359	77.71
塑料制品业	14.87	122.12	64.14	1.82	6.45	23 509	97.79
非金属矿物制品业	1.48	26.40	98.92	0.65	-11.51	3 465	103.02
黑色金属冶炼及压延加工业	7.07	123.59	80.16	1.19	0.73	7 541	91.62
有色金属冶炼及压延加工业	6.05	172.19	69.74	0.91	-2.30	7 111	94.53
金属制品业	6.58	104.30	73.61	1.09	-0.62	12 675	116.69
普通机械制造业	18.32	187.66	70.78	1.63	8.27	21 530	95.57
专用设备制造业	3.15	112.98	82.64	0.72	-6.75	4 809	90.58
交通运输设备制造业	4.65	111.75	77.04	0.66	-6.61	5 108	96.67
武器弹药制造业	3.75	136.78	84.62	0.82	-6.01	4 807	97.89
电气机械及器材制造业	13.16	122.04	74.53	1.34	3.15	31 971	99.02
电子及通信设备制造业	4.20	117.54	79.40	0.70	-5.61	5 484	95.23
仪器仪表及文化、办公用机械制造业	3.89	-695.66	90.93	0.48	-9.93	4 243	88.87
其他制造业	2.00	222.70	70.78	0.50	-9.72	2 331	106.10
电力、蒸汽、热水的生产和供应业	5.99	105.80	75.19	1.17	-2.21	5 079	94.25
煤气生产和供应业	6.38	121.24	45.57	2.30	-0.04	53 593	114.67
自来水的生产和供应业	0.12	101.58	41.95	1.04	-11.21	-3 763	97.35

12—16 各市县全部独立核算工业企业主要经济效益指标

（1995年）

市、县	总资产贡献率（%）	资本保值增值率（%）	资产负债率（%）	流动资产周转次数（次）	成本利润率（%）	全员劳动生产率（元/人）	产品销售率（%）
长春市	**10.02**	**125.65**	**72.14**	**1.20**	**1.02**	**18 639**	**98.75**
市区	10.02	125.18	71.74	1.19	1.08	20 725	99.11
九台市	7.96	115.91	74.73	1.05	0.11	7 313	94.66
榆树市	10.70	146.78	82.01	1.52	0.77	8 313	98.11
德惠市	5.90	157.30	81.87	1.02	-4.87	5 757	88.93
农安县	16.75	129.03	70.29	1.80	4.18	10 439	95.56
吉林市	**9.29**	**141.80**	**63.15**	**1.17**	**2.57**	**15 620**	**94.31**
市区	10.01	144.25	64.35	1.14	3.33	18 973	94.21
桦甸市	3.17	114.64	41.16	1.82	-3.19	20 563	81.84
蛟河市	4.12	118.50	70.52	1.02	-4.16	4 724	103.02
舒兰市	2.99	188.56	59.73	1.27	-4.42	4 518	104.75
磐石市	13.72	134.07	67.57	1.36	3.60	11 371	97.45
永吉县	9.21	184.97	63.80	1.35	-4.25	6 013	97.02
四平市	**4.75**	**129.44**	**81.53**	**1.14**	**-6.46**	**8 295**	**98.67**
市区	5.18	141.34	75.29	1.07	-7.67	8 246	100.05
公主岭市	8.24	97.41	86.57	1.10	-2.71	9 314	90.31
梨树县	9.20	116.51	80.63	1.22	0.90	8 053	97.16
伊通县	5.49	111.53	81.31	1.07	-4.64	10 806	86.49
双辽县	-2.45	127.43	95.14	1.69	-15.61	5 245	121.78
辽源市	**2.82**	**129.75**	**82.04**	**0.76**	**-8.25**	**2 697**	**94.69**
市区	1.34	124.91	81.52	0.75	-10.33	1 834	96.89
东丰县	7.53	150.21	78.94	0.83	-1.93	6 215	93.85
东辽县	6.73	143.11	94.76	0.78	-4.28	4 211	81.83
通化市	**7.79**	**114.70**	**72.56**	**1.07**	**1.39**	**9 690**	**108.15**
市区	5.80	110.12	71.11	1.18	-1.59	9 359	127.13
梅河口市	12.61	149.81	79.76	1.57	4.27	11 816	88.61
集安市	4.65	88.92	70.86	0.56	-2.43	12 926	86.42
通化县	19.49	141.53	62.03	0.97	21.85	19 482	90.63
辉南县	7.89	117.14	78.51	0.80	1.25	4 113	100.61

12—16 续表 (1995年)

市、县	总资产贡献率(%)	资本保值增值率(%)	资产负债率(%)	流动资产周转次数(次)	成本利润率(%)	全员劳动生产率(元/人)	产品销售率(%)
柳河县	4.25	128.34	82.22	0.68	-4.55	4 343	91.27
白山市	**3.94**	**133.87**	**68.44**	**1.07**	**-3.23**	**6 748**	**96.25**
市区	2.29	143.57	70.82	0.95	-6.42	5 662	97.27
临江市	9.23	161.09	61.59	1.84	2.80	7 900	90.69
抚松县	6.06	99.91	68.65	1.27	1.42	7 914	98.56
靖宇县	5.00	180.58	64.84	0.97	0.75	6 270	98.38
长白县	5.96	106.69	52.55	0.69	3.56	11 440	97.02
江源县	11.17	122.30	65.68	1.71	-0.98	6 597	84.18
松原市	**8.81**	**112.01**	**63.14**	**1.38**	**0.23**	**25 999**	**93.56**
市区	10.55	111.19	59.28	1.35	1.49	34 893	94.61
长岭县	2.81	122.08	87.24	0.64	-1.27	6 954	65.87
前郭县	2.71	115.61	65.57	2.14	-4.19	13 631	99.92
乾安县	9.31	174.01	88.33	1.24	0.28	5 159	81.27
扶余县	8.84	86.34	78.23	1.23	0.33	7 929	95.73
白城市	**5.00**	**177.25**	**76.68**	**0.79**	**-6.93**	**5 285**	**93.51**
市区	7.73	211.08	62.15	1.02	-3.58	7 401	100.34
洮南市	0.88	124.22	93.55	0.52	-16.33	3 040	86.56
大安市	3.48	92.72	87.48	0.82	-5.56	3 622	84.81
镇赉县	4.49	200.92	90.18	0.62	-6.93	5 569	85.75
通榆县	3.15	52.55	92.32	0.68	-10.96	3 148	96.11
延边朝鲜族自治州	**7.04**	**119.23**	**72.70**	**1.04**	**-2.73**	**8 238**	**98.96**
延吉市	13.61	132.59	66.93	1.07	-2.71	19 286	103.87
图们市	4.33	154.39	73.06	1.13	-2.92	9 911	106.77
敦化市	9.72	103.55	73.20	1.05	2.28	6 360	92.50
龙井市	7.64	152.98	81.52	1.14	-2.73	6 858	94.58
珲春市	-1.65	97.39	82.58	0.77	-14.30	5 443	94.47
和龙市	2.26	105.04	65.44	0.80	-5.23	5 549	88.94
汪清县	5.51	99.89	71.63	1.11	-1.25	4 686	109.44
安图县	4.59	109.23	69.69	1.15	-1.47	9 395	98.79

12—17 历年国有独立核算工业企业主要财务指标和经济效益指标

单位:亿元

年份	企业单位数(个)	年底固定资产 原值	年底固定资产 净值	利税总额	工业总产值(按当年价格计算)	资金利税率(%)	全员劳动生产率指数(以上年为100)
1952		9.21	6.87	1.07	8.61	13.4	
1953		10.51	7.79	1.74	10.46	18.1	102.9
1954		12.45	9.26	1.96	12.24	17.4	117.6
1955		14.42	10.86	1.92	11.64	14.9	111.0
1956		19.99	15.57	2.42	14.09	12.9	119.0
1957		24.26	19.12	3.71	17.68	16.3	100.8
1958		29.08	22.53	7.97	28.58	29.7	108.1
1959		33.43	25.91	10.02	37.50	30.1	83.2
1960		35.84	23.27	12.99	48.56	34.8	120.8
1961		39.64	30.70	3.66	27.55	8.6	54.0
1962		40.75	30.28	1.97	25.85	4.8	122.5
1963		42.22	34.17	6.80	31.07	17.9	133.6
1964		44.13	31.86	8.85	35.24	23.0	116.6
1965		40.93	29.75	8.02	41.61	22.6	124.0
1966		47.46	34.17	9.02	47.51	22.0	114.8
1967		49.74	36.11	8.20	34.21	18.4	65.5
1968		51.73	36.21	8.23	26.48	17.8	78.1
1969		55.12	38.03	9.37	44.99	18.1	155.1
1970		64.75	50.04	13.54	54.12	19.8	106.8
1971		67.86	46.78	14.21	63.11	21.5	97.2
1972		78.63	54.95	12.99	66.56	16.8	94.1
1973		86.11	59.51	15.77	70.37	19.0	104.9
1974		90.59	62.52	13.05	68.97	14.6	97.7
1975		96.54	65.45	16.43	77.82	17.7	109.1
1976		104.68	72.34	15.11	79.58	14.7	97.0
1977		112.57	75.16	13.99	78.25	13.1	85.0
1978		119.85	77.90	16.66	85.97	15.0	107.2
1979	1 890	128.40	84.57	18.28	96.33	15.3	107.7
1980	1 857	135.32	86.02	19.54	102.79	15.9	103.2
1981	1 839	146.46	92.57	17.14	103.20	13.1	97.0
1982	1 843	156.13	97.86	19.45	111.96	14.0	101.0
1983	1 858	167.73	105.98	24.25	126.04	16.6	114.2
1984	1 886	189.40	122.68	26.96	148.83	16.3	109.5
1985	2 172	220.14	148.22	33.81	184.10	17.0	104.9
1986	2 158	245.08	164.40	29.38	201.57	13.0	101.8
1987	2 196	285.02	196.61	40.38	252.65	15.2	115.1
1988	2 255	320.66	221.52	51.34	314.54	17.0	111.6
1989	2 332	365.06	253.30	51.91	361.34	14.5	99.1
1990	2 380	417.61	292.57	37.65	380.39	8.7	98.1
1991	2 412	489.48	346.27	36.05	431.13	7.1	102.9
1992	2 400	556.41	395.98	46.52	526.13	6.2	111.9
1993	2 583	716.45	501.26	66.59	671.13	10.6	108.3
1994	2 550	842.79	516.49	71.18	791.64	6.48	
1995	2 733	1 062.21	753.13	55.87	890.53	4.23	

注：1992 年以后的资金利税率是按全部流动资金计算的。

12—18 国有独立核算工业企业主要财务指标

(1995 年)　　　　单位:万元

项目	企业单位数(个)	#亏损企业	工业总产值(新规定)(当年价)	工业增加值(生产法)	资本金合计	年末资产总计
总计	**2 733**	**1 257**	**7 624 748**	**2 304 827**	**3 808 420**	**17 200 807**
按轻重工业分						
轻工业	1 369	696	1 617 265	307 886	748 160	3 739 147
重工业	1 364	561	6 007 483	1 996 941	3 060 260	13 461 660
按工业行业分						
煤炭采选业	51	26	137 072	35 612	154 883	598 874
石油和天然气开采业	3		307 216	238 806	314 185	914 402
有色金属矿采选业	27	7	43 706	16 104	32 848	105 759
非金属矿采选业	37	12	15 071	6 101	12 604	56 525
木材及竹材采运业	23	5	318 094	152 898	233 689	624 392
食品加工业	248	87	418 155	49 271	121 891	637 317
食品制造业	178	80	59 648	7 263	27 390	154 959
饮料制造业	149	92	111 275	24 500	53 343	325 237
烟草加工业	5	2	111 879	48 208	30 238	209 008
纺织业	102	64	193 245	24 443	86 610	509 540
服装及其他纤维制品制造业	31	16	23 715	3 010	8 543	43 108
皮革、毛皮、羽绒及其制品业	20	14	7 767	1 134	4 749	28 808
木材加工及竹、藤、棕、草制品业	73	41	24 016	3 236	20 311	105 561
家具制造业	16	11	6 898	2 040	2 624	13 433
造纸及纸制品业	72	32	175 132	44 617	92 418	404 367
印刷业、记录媒介的复制	129	66	28 052	7 304	17 652	67 249
文教体育用品制造业	8	7	1 305	-305	878	4 503
石油加工及炼焦业	17	3	203 008	59 506	54 788	203 294
化学原料及化学制品制造业	157	58	1 252 170	353 613	685 962	3 077 586
医药制造业	147	70	138 632	35 834	64 270	419 998
化学纤维制造业	9	3	75 339	8 653	32 489	128 699
橡胶制品业	19	11	32 165	1 770	7 994	129 595
塑料制品业	43	19	40 433	4 114	9 787	71 681
非金属矿物制品业	272	119	287 797	82 452	148 401	848 425
黑色金属冶炼及压延加工业	39	16	368 597	82 974	167 144	958 960
有色金属冶炼及压延加工业	19	7	145 721	45 707	49 754	226 635
金属制品业	70	37	31 934	4 484	20 502	109 845
普通机械制造业	114	47	110 120	21 934	58 690	368 042
专用设备制造业	117	55	149 841	18 780	61 766	333 070
交通运输设备制造业	160	58	2 026 082	622 406	337 696	2 542 945
武器弹药制造业	4	1	34 482	2 522	29 575	127 541
电气机械及器材制造业	82	39	87 396	13 483	51 650	280 229
电子及通信设备制造业	38	18	62 850	7 065	34 765	261 242
仪器仪表及文化、办公用机械制造业	37	22	22 333	2 967	29 350	142 061
其他制造业	13	6	11 005	2 150	2 028	18 366
电力、蒸汽、热水的生产和供应业	128	55	495 120	259 660	651 304	1 847 327
煤气生产和供应业	13	6	30 059	-3 157	16 815	133 569
自来水的生产和供应业	58	42	35 608	13 661	70 776	157 270

12—18 续表 1 (1995年) 单位:万元

项目	流动资产合计	流动资产年平均余额	固定资产合计	固定资产原价	固定资产净值年平均余额	流动负债合计
总计	**6 931 968**	**6 769 564**	**9 257 142**	**10 622 077**	**6 440 044**	**7 801 745**
按轻重工业分						
轻工业	1 830 176	1 718 750	1 657 191	1 851 232	1 171 533	2 325 310
重工业	5 101 792	5 050 814	7 599 951	8 770 845	5 268 511	5 476 435
按工业行业分						
煤炭采选业	200 933	200 182	380 995	494 703	281 193	239 079
石油和天然气开采业	343 218	245 029	553 864	876 127	462 230	305 350
有色金属矿采选业	25 928	23 492	75 873	93 026	49 266	30 079
非金属矿采选业	23 900	21 146	30 270	35 215	22 564	29 111
木材及竹材采运业	214 107	228 163	374 353	482 917	330 539	268 056
食品加工业	353 537	296 241	257 836	314 091	188 211	453 587
食品制造业	65 924	68 770	80 153	93 016	65 339	113 020
饮料制造业	133 859	129 782	172 308	171 794	107 193	198 718
烟草加工业	141 024	124 614	63 686	48 406	34 134	144 394
纺织业	233 538	226 443	228 678	262 686	173 998	375 090
服装及其他纤维制品制造业	26 120	26 711	14 227	18 125	8 922	28 485
皮革、毛皮、羽绒及其制品业	17 489	17 911	9 168	10 210	7 559	26 971
木材加工及竹、藤、棕、草制品业	44 947	43 039	46 352	56 491	35 905	56 122
家具制造业	7 309	6 066	5 588	6 549	3 814	9 899
造纸及纸制品业	165 027	155 613	217 282	233 195	136 748	174 280
印刷业、记录媒介的复制	34 336	33 660	28 847	38 008	21 908	43 601
文教体育用品制造业	2 096	2 375	2 164	3 055	1 825	4 697
石油加工及炼焦业	89 012	93 552	105 219	152 787	88 190	101 012
化学原料及化学制品制造业	928 656	919 402	1 920 630	1 501 496	984 370	975 308
医药制造业	260 192	251 622	131 440	133 167	87 478	269 247
化学纤维制造业	47 390	49 189	76 924	91 108	56 617	67 190
橡胶制品业	48 838	56 371	69 045	30 130	17 438	64 171
塑料制品业	36 467	28 628	30 017	36 545	23 463	47 748
非金属矿物制品业	374 255	341 100	428 063	464 138	275 632	422 985
黑色金属冶炼及压延加工业	442 431	451 319	496 300	519 947	368 055	576 951
有色金属冶炼及压延加工业	91 944	87 364	121 389	141 845	77 129	124 299
金属制品业	59 444	60 503	45 145	54 797	30 539	75 720
普通机械制造业	203 102	196 504	150 559	192 398	103 293	220 821
专用设备制造业	189 994	187 024	133 027	180 088	99 343	231 864
交通运输设备制造业	1 443 495	1 509 997	824 037	1 019 699	531 538	1 380 396
武器弹药制造业	64 175	65 731	54 675	78 333	28 330	76 089
电气机械及器材制造业	137 323	132 310	115 696	121 919	82 057	165 425
电子及通信设备制造业	126 333	119 993	95 869	108 872	61 742	146 993
仪器仪表及文化、办公用机械制造业	49 820	49 131	82 094	88 889	36 429	61 281
其他制造业	7 093	6 214	10 254	10 651	7 758	6 110
电力、蒸汽、热水的生产和供应业	241 113	262 382	1 587 322	2 187 924	1 362 049	208 479
煤气生产和供应业	31 797	27 985	97 246	103 670	83 185	51 065
自来水的生产和供应业	23 203	21 076	132 206	157 439	96 086	25 038

12—18 续表 2　　　　　　　　　(1995 年)　　　　　　　　　单位:万元

项　　　　目	流动负债年平均余额	长期负债合计	年末所有者权益	产品销售收入	产品销售成本	产品销售费用
总　　计	**7 356 074**	**4 086 628**	**5 280 271**	**7 548 275**	**037 882**	**150 247**
按轻重工业分						
轻　工　业	2 110 823	704 745	696 790	1 526 274	206 498	46 948
重　工　业	5 245 252	3 381 884	4 583 481	6 022 001	831 384	103 299
按工业行业分						
煤炭采选业	232 281	170 416	189 348	143 141	130 669	4 678
石油和天然气开采业	267 592	234 439	374 613	281 634	231 665	22
有色金属矿采选业	26 456	22 626	53 048	41 109	28 716	1 174
非金属矿采选业	25 042	10 949	16 447	15 210	10 475	762
木材及竹材采运业	270 026	124 315	231 921	319 578	217 834	4 481
食品加工业	361 928	33 690	145 302	380 813	334 280	7 317
食品制造业	105 346	48 389	−7 013	54 625	46 979	1 970
饮料制造业	185 390	76 048	50 023	110 083	77 780	5 625
烟草加工业	122 177	15 630	48 984	126 503	66 684	2 881
纺织业	356 637	123 228	10 843	177 084	154 278	2 932
服装及其他纤维制品制造业	28 623	6 669	7 951	20 298	18 309	539
皮革、毛皮、羽绒及其制品业	25 144	3 585	−1 749	7 920	6 608	193
木材加工及竹、藤、棕、草制品业	51 409	20 753	28 530	25 300	23 536	969
家具制造业	8 095	1 465	2 070	7 722	7 124	212
造纸及纸制品业	160 988	104 254	125 739	178 677	141 802	2 037
印刷业、记录媒介的复制	40 972	13 332	9 638	25 661	20 362	740
文教体育用品制造业	4 366	812	−1 008	1 557	1 406	61
石油加工及炼焦业	96 182	22 324	79 937	197 409	156 217	902
化学原料及化学制品制造业	950 515	1 023 103	1 078 693	1 133 050	838 446	11 898
医药制造业	250 022	67 555	78 491	111 744	70 831	11 336
化学纤维制造业	63 974	36 547	24 963	73 406	58 840	705
橡胶制品业	66 139	69 459	−4 035	34 218	31 034	889
塑料制品业	41 022	19 579	4 242	37 596	31 804	706
非金属矿物制品业	369 802	189 011	235 008	272 171	208 186	10 937
黑色金属冶炼及压延加工业	544 512	131 870	248 828	455 444	415 590	3 019
有色金属冶炼及压延加工业	114 250	35 905	66 397	139 251	102 296	1 142
金属制品业	73 906	17 268	16 618	32 566	27 262	1 091
普通机械制造业	203 849	66 320	80 876	112 490	87 481	2 863
专用设备制造业	225 312	45 143	42 648	150 882	121 107	4 318
交通运输设备制造业	1 380 880	464 105	698 237	2 007 327	624 856	22 639
武器弹药制造业	75 406	14 254	37 198	36 186	29 215	1 175
电气机械及器材制造业	155 767	68 459	46 178	86 346	67 576	3 363
电子及通信设备制造业	135 817	94 441	19 804	54 945	41 774	1 576
仪器仪表及文化、办公用机械制造业	59 017	37 379	42 352	23 497	16 420	1 236
其他制造业	4 952	7 916	4 340	10 638	8 771	247
电力、蒸汽、热水的生产和供应业	202 108	646 645	990 546	600 226	524 993	28 957
煤气生产和供应业	44 562	4 822	77 683	29 260	27 302	2 891
自来水的生产和供应业	22 596	13 554	118 576	31 223	28 284	1 694

12－18 续表 3　　(1995 年)　　单位:万元

项目	产品销售税金及附加	产品销售利润	管理费用	财务费用	利润总额	利税总额
总计	**212 703**	**1 136 824**	**824 619**	**500 165**	**-74 893**	**558 733**
按轻重工业分						
轻工业	69 144	202 984	191 458	145 608	-109 816	31 326
重工业	143 559	933 841	633 161	354 557	34 923	527 408
按工业行业分						
煤炭采选业	1 298	6 496	55 896	9 526	-42 603	-33 915
石油和天然气开采业	7 258	42 689	15 711	21 620	3 028	37 938
有色金属矿采选业	200	11 019	11 158	2 087	-597	1 227
非金属矿采选业	421	3 553	3 795	1 553	-1 450	-7
木材及竹材采运业	11 489	75 902	66 025	9 626	6 880	26 941
食品加工业	801	38 063	25 835	30 274	-13 430	-9 054
食品制造业	425	5 225	18 582	7 749	-20 391	-17 763
饮料制造业	13 459	13 219	16 398	12 938	-11 673	9 380
烟草加工业	41 276	15 662	13 769	8 389	258	53 476
纺织业	818	19 056	21 941	21 634	-23 964	-15 073
服装及其他纤维制品制造业	52	1 398	2 737	1 626	-1 904	-1 475
皮革、毛皮、羽绒及其制品业	36	1 077	1 974	1 214	-1 805	-1 611
木材加工及竹、藤、棕、草制品业	376	417	5 559	3 101	-8 316	-6 359
家具制造业	6	379	741	233	-457	-164
造纸及纸制品业	1 282	33 556	21 529	14 867	-2 551	12 088
印刷业、记录媒介的复制	293	4 265	4 938	2 262	-2 513	-810
文教体育用品制造业	13	77	546	321	-857	-689
石油加工及炼焦业	18 816	21 474	13 461	3 512	5 101	33 037
化学原料及化学制品制造业	41 343	241 307	144 152	54 718	78 271	180 821
医药制造业	924	28 398	19 222	15 555	-5 486	2 821
化学纤维制造业	362	13 499	6 767	7 458	-1 082	2 923
橡胶制品业	2 056	240	3 709	2 449	-5 659	-2 050
塑料制品业	113	4 973	3 855	2 506	-961	-21
非金属矿物制品业	2 442	50 591	40 825	22 379	-11 329	10 586
黑色金属冶炼及压延加工业	3 460	33 376	32 717	20 822	-5 595	22 058
有色金属冶炼及压延加工业	708	35 106	14 676	9 945	11 756	21 017
金属制品业	218	3 995	7 070	3 501	-5 976	-4 072
普通机械制造业	1 179	20 968	23 696	15 949	-15 594	-7 467
专用设备制造业	454	24 984	20 646	16 635	-13 344	-8 126
交通运输设备制造业	55 988	303 844	145 574	89 727	70 167	221 958
武器弹药制造业	328	5 468	7 461	5 831	-7 001	-4 970
电气机械及器材制造业	624	14 782	14 507	11 207	-9 486	-4 234
电子及通信设备制造业	257	11 338	10 838	10 962	-7 795	-5 110
仪器仪表及文化、办公用机械制造业	167	5 674	7 636	4 481	-3 929	-2 812
其他制造业	51	1 569	1 037	718	-79	356
电力、蒸汽、热水的生产和供应业	2 897	43 373	7 273	49 545	-13 809	54 144
煤气生产和供应业	219	-1 153	4 574	2 529	-4 171	-2 374
自来水的生产和供应业	511	731	7 500	632	-6 107	-3 578

12—19 国有独立核算工业企业主要经济效益指标

（1995 年）

项　　目	总资产贡献率（%）	资本保值增值率（%）	资产负债率（%）	流动资产周转次数（次）	成本利润率（%）	全员劳动生产率（元/人）	产品销售率（%）
总　　计	**7.68**	**131.57**	**69.30**	**1.12**	**-1.00**	**14 066**	**99.00**
按轻重工业分							
轻　工　业	5.71	145.90	81.37	0.89	-6.90	7 078	94.37
重　工　业	8.23	129.64	65.95	1.19	0.59	16 592	100.24
按工业行业分							
煤炭采选业	-5.11	156.49	68.38	0.72	-21.22	2 227	104.43
石油和天然气开采业	8.74	108.26	59.03	1.15	1.13	36 461	91.67
有色金属矿采选业	-3.30	5 876.26	15.04	0.86	-46.68	-1 932	77.17
非金属矿采选业	4.32	164.35	49.84	1.75	-1.38	7 365	94.06
木材及竹材采运业	2.92	118.70	70.90	0.72	-8.75	5 557	100.92
食品加工业	3.03	127.47	85.99	0.32		5 447	90.70
食品制造业	6.49	102.49	62.86	1.40	2.31	7 455	100.47
饮料制造业	3.92	168.66	77.20	1.29	-3.38	8 854	91.07
烟草加工业	-10.17	-184.26	104.53	0.79	-27.09	2 586	91.58
纺织业	9.15	192.41	84.62	0.85	-10.35	6 166	98.93
服装及其他纤维制品制造业	38.72	113.25	76.56	1.02	0.28	67 831	113.07
皮革、毛皮、羽绒及其制品业	1.29	-456.94	97.87	0.78	-11.94	2 667	91.64
木材加工及竹、藤、棕、草制品业	-0.07	130.91	81.56	0.76	-8.20	3 278	85.59
家具制造业	-1.54	90.65	106.07	0.44	-18.07	1 944	101.96
造纸及纸制品业	-4.62	138.76	72.97	0.59	-25.07	1 968	105.35
印刷业、记录媒介的复制	1.21	528.68	84.59	1.27	-5.50	8 175	111.94
文教体育用品制造业	8.53	208.55	68.90	1.15	-1.42	12 089	102.02
石油加工及炼焦业	2.49	99.47	85.67	0.76	-8.88	3 606	91.48
化学原料及化学制品制造业	-8.79	186.64	122.37	0.66	-36.73	-1 696	119.32
医药制造业	20.07	114.94	60.68	2.11	2.93	71 052	97.24
化学纤维制造业	11.90	147.65	64.95	1.23	7.46	27 810	90.49
橡胶制品业	5.37	99.44	81.31	0.44	-4.69	8 412	80.60
塑料制品业	9.81	116.65	80.60	1.49	-1.47	8 848	97.43
非金属矿物制品业	0.43	-447.77	103.11	0.61	-14.86	2 250	106.38
黑色金属冶炼及压延加工业	4.63	150.65	94.08	1.31	-2.47	4 677	92.98
有色金属冶炼及压延加工业	5.31	180.18	72.30	0.80	-4.01	8 225	94.57
金属制品业	5.22	103.13	74.05	1.01	-1.19	12 730	123.56
普通机械制造业	18.88	192.80	70.70	1.59	9.18	22 495	95.56
专用设备制造业	-0.67	138.98	84.87	0.54	-15.35	2 572	101.98
交通运输设备制造业	2.53	111.50	78.03	0.57	-12.00	3 788	102.15
武器弹药制造业	2.68	139.62	87.20	0.81	-8.20	3 460	100.69
电气机械及器材制造业	15.06	127.23	72.54	1.33	3.73	35 730	99.07
电子及通信设备制造业	2.92	120.78	83.52	0.65	-9.81	4 257	98.80
仪器仪表及文化、办公用机械制造业	3.31	-285.96	92.42	0.46	-11.96	3 548	87.42
其他制造业	0.83	250.85	70.19	0.48	-13.20	1 514	105.21
电力、蒸汽、热水的生产和供应业	7.69	112.71	76.37	1.71	-0.74	12 784	96.67
煤气生产和供应业	5.32	121.84	46.38	2.29	-2.26	50 571	121.23
自来水的生产和供应业	0.14	101.56	41.84	1.05	-11.18	-3 826	97.34

12—20 重点工业企业产品质量指标

项目	单位	1978年	1980年	1985年	1990年	1994年	1995年
一、石油工业							
油田外运原油含水率	%	1.28	0.79	0.41	0.47	0.34	0.49
二、冶金工业							
电炉钢锭合格率	%	95.50	99.40	98.69	97.99	98.74	98.79
转炉钢锭合格率	%	95.70	97.20	97.11	98.51	98.76	98.77
炼铁合格率	%	95.70	99.70	99.42	99.75	99.90	99.94
成品钢材合格率	%	91.20	92.80	96.81	97.07	97.23	97.10
铁合金合格率	%	99.50	99.70	99.96	99.96	99.89	99.88
三、化学工业							
硫酸合格率	%	100	100	100	100	100	100
烧碱合格率	%	100	100	100	100	100	100
纯碱合格率	%			100	100	100	100
硝酸铵合格率	%	100.00	100.00	100.00	99.97	100.00	100.00
尿素合格率	%	85.8	96.4	100.0	100.0	100.0	100.0
电石平均发气量	升公斤	271.00	282.00	268.00	277.95	275.59	275.43
聚氯乙烯合格率	%			99.15	99.45	99.83	99.85
轮胎外胎综合合格率(9.00-20-8n)	%			98.80	99.63	99.65	99.74
四、机械工业							
铸铁件废品率	%				12.78	8.55	7.23
机械加工件综合废品率	%				1.28	1.17	1.10
五、建筑材料工业							
水泥熟料平均标号	号	592	517	509	580	582	543
出厂水泥合格率	%	100.00	100.00	98.50	100.00	100.00	100.00
六、森林工业							
锯材一等品率	%	76.50	66.10	85.20	84.80	57.07	54.78
锯材出材率	%	69.80	72.70	75.80	71.70	60.26	56.68
胶合板一二等品率	%	84.40	99.30	87.20	94.20	56.13	35.85
纤维板一二等品率	%	89.00	89.40	93.20	34.90	88.64	63.43
七、纺织工业							
粘胶纤维正品率	%	87.30	99.60	100.00	99.49	99.68	99.68
合成纤维正品率	%			97.76	97.00	98.96	98.71
棉纱一等一级以上品率	%	85.20	95.60	99.04	99.00	98.10	96.11
棉布入库一等品率	%	65.00	87.10	90.54	95.70	93.89	94.55
印染布入库一等品率	%	73.00	81.20	76.67	86.20	93.71	95.21
精纺毛织品入库一等品率	%			96.71	93.90	98.08	98.74
毛线入库一等品率	%	79.10	90.40	93.76	94.60	96.12	96.16
毛毯入库一等品率	%	86.90	86.50	91.42	92.20	98.07	84.62
丝织品入库一等品率	%			68.51	69.80	91.69	92.09
八、轻工业							
机制纸及纸板成品率	%	96.20	98.80	92.77	91.80	91.49	90.87
新闻纸成品率	%			94.92	93.60	89.80	90.14
凸板纸成品率	%			91.17	91.70	91.10	90.91
普通灯泡综合合格率	%			87.88	88.40	88.63	87.78
卷烟合格率	%			94.60	98.90	90.80	
甜菜产糖率	%	13.10	11.90	10.44	9.90	9.29	12.99
每只一号手电池平均间歇放电(光)时间	分钟			1027	647	636	630
重革合格率	%			99.50	99.70	100.00	100.00
轻革合格率	%			99.30	97.60	99.50	100.00
精铝锅一级品率	%			78.00	80.20	73.20	

12—21 重点工业企业产品物耗指标

项　　目	单　位	1978年	1980年	1985年	1990年	1994年	1995年
一、石油工业							
油田企业原油自用率	%	6.88	7.96	7.63	6.38	8.69	8.70
油田原油耗率	%	2.00	2.00	2.36	4.57	2.60	2.53
原油(气) 生产耗电	千瓦小时/吨	71.70	82.20	79.23	80.15	133.12	140.39
原油加工耗电	千瓦小时/吨	31.30	28.70	19.85	43.14	65.58	66.14
原油加工耗燃料油	公斤/吨	67.70	42.40	11.64	14.29	16.52	22.45
原油加工损失率	%	0.67	0.67	1.00	2.23	2.55	3.45
二、电力工业							
发电耗标准煤(6000千瓦以上电厂)	克/千瓦小时	391	385	379	379	364	363
供电耗标准煤	克/千瓦小时			408	416	397	396
发电厂用电率(6000千瓦以上电厂)	%	6.54	6.05	5.70	6.95	6.66	8.28
水　电	%			0.34	0.53	0.60	
火　电	%			7.28	8.87	8.31	8.27
线路损失率(500千瓦以上电厂)	%	4.37	4.51	4.17	4.39	4.30	4.44
三、冶金工业							
生铁耗铁矿石	公斤/吨				1 779	1 797	1 789
生铁耗燃料(综合焦比)	公斤/吨				633.00	690.92	649.50
生铁耗焦炭(入炉焦比)	公斤/吨			660.00	633.00	690.92	679.28
电炉钢耗钢铁料	公斤/吨			1 160	1 062	1 072	1 052
侧吹转炉钢耗钢铁料	公斤/吨				1 145	1 491	1 151
顶吹转炉钢耗钢铁料	公斤/吨			1 500	1 137	1 158	1 482
电炉钢冶炼耗电	千瓦/小时/吨	797	784	729	742	654	668
75%硅铁耗电	千瓦/小时/吨	8 642	8 846	8 616	8 013	8 766	9 082
硅锰合金耗电	千瓦/小时/吨	4 866	4 991	4 189	4 154	4 097	4 305
铜选矿回收率	%				62.00	54.47	84.27
铅选矿回收率	%				82.20	80.08	82.82
锌选矿回收率	%				86.50	89.85	89.72
镍选矿回收率	%				85.80	81.21	80.46
四、化学工业							
合成氨耗焦白煤(入炉84%)	公斤/吨				1 161	1 175	1 119
合成氨耗电(中型)	千瓦小时/吨	1 668	1 580	1 399	1 386	1 414	1 331
合成氨耗重油(中型)	公斤/吨	800	866	843	839	841	838
硝酸铵耗氨	公斤/吨	210	215	219	226	212	212
硝酸铵耗硝酸	公斤/吨	780	780	785	787	788	896
尿素耗氨	公斤/吨			613	606	609	609
尿素耗电	千瓦小时/吨			132	133	148	145
电石耗焦炭	公斤/吨	558	553	559	550	553	583
电石耗电	千瓦小时/吨	3 709	3 658	3 658	560	3 665	
硫酸耗硫铁矿	公斤/吨	1 012	997	1 024	1 006	1 001	1 029
硫酸耗电	千瓦小时/吨	148	133	135	118	111	41
聚氯乙稀耗电石	公斤/吨	1 658	1 593	1 616	1 416	1 463	1 468

12－21 续表

项　　目	单　位	1978年	1980年	1985年	1990年	1994年	1995年
五、机械工业							
化铁炉金属炉料耗焦	公斤/吨				148.00	181.72	202.78
钢材利用率	%				65.68	79.04	72.48
六、建筑材料工业							
水泥熟料烧成耗标准煤	公斤/吨	178.60	182.70	201.00	180.50	171.00	161.32
水泥综合耗电	千瓦小时/吨	111.20	115.20	116.00	131.40	106.00	162.55
平板玻璃耗标准煤	公斤/重量箱	68.80	65.20	49.70	31.51	26.66	36.51
平板玻璃耗纯碱	公斤/重量箱	9.80	11.00	9.40	10.11	10.50	10.00
平板玻璃耗电	千瓦小时/重量箱	6.80	8.60	6.40	4.50	3.48	4.24
七、森林工业							
原条出材率	%			93.7	95.5	94.1	92.54
锯条出材率	%			75.8	71.7	56.2	100.0
八、纺织工业							
粘胶纤维耗浆粕	公斤/吨	1 120	1 176	1 072	1 056	1 203	1 099
粘胶纤维耗硫酸	公斤/吨	983	887	867	857	801	781
粘胶纤维耗二硫化碳	公斤/吨	206	176	177	183	1 721	177
粘胶纤维耗标准煤	公斤/吨	2 960	2 917	2 767	2 357	8 477	1 729
粘胶纤维耗电	千瓦小时/吨	2 534	2 380	2 382	2 220	9 513	1 843
粘胶纤维耗烧碱	公斤/吨	719	656	636	628	615	564
棉纱通扯净用棉	公斤/吨			1 070	1 072	1 065	1 059
棉纱耗电	千瓦小时/吨			1 896	2 189	2 205	2 186
棉布用纱	公斤/百米			16.20	14.60	16.90	17.88
棉布耗电	公斤/百米			25.38	25.10	31.35	32.05
印染布耗碱	公斤/百米	3.30	1.80	3.34	2.40	1.63	3.43
印染布耗标准煤	公斤/百米	47.90	51.70	75.15	49.70	75.04	171.75
毛线净用毛条量	公斤/百米	92.50	94.70	107.60	107.40	105.36	104.24
毛毯用洗净毛量	公斤/条	2.80	2.70	1.91	2.01	1.72	1.84
九、轻工业							
本色化学木浆耗木材	立方米/吨	5.50	5.30	4.89	4.77	4.73	4.69
本色化学木浆耗碱	公斤/吨	496	486	481	484	498	236
机械木浆耗木材	立方米/吨	2.80	2.80	2.84	2.86	2.95	2.57
机械木浆耗电	千瓦小时/吨	1 192	1 165	1 184	1 233	1 414	1 248
稻草浆耗碱	公斤/吨	348	342	321	389	350	340
新闻纸耗电	千瓦小时/吨			496	487	750	786
15-40瓦普通灯泡耗钨丝	米/万只			1.29	1.31	1.32	1.35
甜菜耗标准煤	吨/百吨	8.80	8.10	9.22	7.83		7.57
卷烟耗用烟叶	公斤/箱			56.60	52.80	41.90	
聚氯乙烯全塑鞋耗塑料	吨/吨	1.14	1.25	1.09	1.04		
重革耗牛皮	吨/吨	0.86	0.81	0.82	0.79	0.90	
重革耗猪皮	吨/吨			1.88	1.83	1.90	1.93
铝锅耗铝材	公斤/口	0.84	0.84	0.86	0.60	0.65	

12—22 重点工业企业设备利用和其他指标

项　　目	单　位	1978 年	1980 年	1985 年	1990 年	1994 年	1995 年
一、电力工业(500 千瓦以上电厂)							
发电设备平均利用小时	小时			4125	3 676	4 039	
水　电	小时			2 064	2 084	2 053	
火　电	小时			6 573	5 038	5 751	
二、冶金工业							
烧结机利用系数	吨/立方米·台时				1.29	1.19	1.01
烧结机日历作业率	%				85.13	71.32	71.18
高炉利用系数	吨/立方米·昼夜	1.11	1.38	1.73	1.85	1.79	1.85
电炉利用系数	吨/兆伏安·昼夜	9.15	19.52	16.65	14.52	14.92	15.76
电炉平均每炉冶炼时间	时:分	3:75	4:17	4:17	3:43	3:95	3:69
电炉日历作业率	%				74.06	80.95	78.87
侧吹转炉利用系数	吨/公称吨·昼夜	12.91	14.60	8.62	6.63	7.41	6.24
侧吹转炉炉衬寿命	炉			40.00	37.00	138.97	157.35
侧吹转炉日历作业率	%				18.10	44.75	45.87
顶吹转炉利用系数	吨/公称吨·昼夜				29.00	37.11	43.03
顶吹转炉炉衬寿命	炉				511	584	792
顶吹转炉平均每炉冶炼时间	分钟				39	33	31
顶吹转炉日历作业率	%				61.97	68.82	67.08
三、化学工业							
硫酸(100%)触媒容积利用系数	吨/立方米				3.09	3.37	2.92
合成氨触媒容积利用系数	吨/立方米				40.19	37.98	38.19
四、机械工业							
每吨锻锤能力产量	吨				128.37	130.60	82.76
金属切削机床利用率	%				46.08	51.08	49.55
五、建筑材料工业							
回转窑小时产量	吨	48.67	47.90	46.18	119.80	36.00	
水泥磨小时产量	吨	80.10	81.58	82.59	230.70		
回转窑运转率	%	77.52	81.45	76.17	60.60	77.70	70.37
平板玻璃熔窑熔化能力	公斤/平方米				1 016	1 242	1 129
六、森林工业							
平均每台拖拉机年集材量	立方米			4 607	3 476	2 945	3 057
平均每辆汽车年运材量	立方米			5 584	4 579	3 697	3 625
平均每台森林机车年运材量	立方米			30 572	22 545	28 577	29 097
七、纺织工业							
每千锭时平均产纱量(混合数)	公斤			21.24	18.30	18.65	19.52
棉纺锭设备利用率	%	91.50	99.60	98.25	95.90	95.22	94.06
棉布织机每台时产量(混合数)	米	3.30	3.61	3.33	3.20	3.00	3.10
棉布织机设备利用率	%	85.30	99.73	87.48	92.60	93.99	91.36
棉布织机设备运转率	%			87.97	87.60	85.76	85.00
毛线精纺锭千锭时产量	公斤			48.60	35.10	31.99	29.72
精梳毛织机每台时产量	米			2.12	2.02	1.96	1.93
粗梳毛织机每台时产量(不包括素毛毯)	米			2.18	2.44	2.14	2.04
提花毛毯织机每台时产量	米			1.05	0.96	1.26	1.21
麻袋织机每台时产量(混合数)	米			24.50	25.60	26.19	24.43
丝织机每台时产量	米			2.78	2.80	3.54	2.67

交通运输和邮电通讯业 13

13

交通运输和邮电通讯业

1995 年旅客运输量	2.14 亿人
1995 年旅客周转量	177.11 亿人公里
1995 年货物运输量	2.67 亿吨
1995 年货物周转量	497.31 亿吨公里
1995 年民用汽车拥有量	23.61 万辆
1995 年邮电业务总量	21.22 亿元

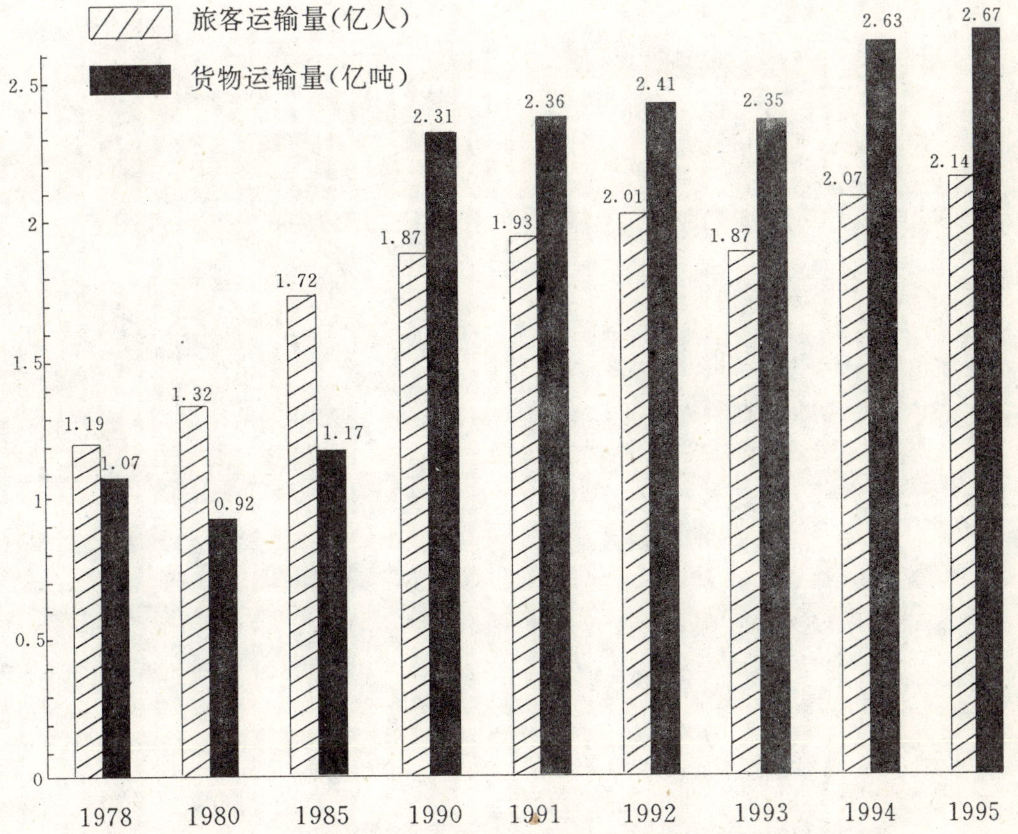

13－1 历年旅客、货物周转量和邮电业务总量

年　份	旅客周转量（亿人公里）	#铁路	公路	水运	货物周转量（亿吨公里）	#铁路	公路	水运	邮电业务总量（万元）
1949			0.18				0.02	0.10	475
1950			0.28				0.13	0.34	558
1951			0.42				0.33	0.21	712
1952	2.35	1.66	0.69		4.34	3.56	0.70	0.08	770
1953			0.94				1.17	0.06	913
1954			1.09				1.25	0.11	966
1955			1.13	0.01			0.99	0.10	1 034
1956			1.31	0.01			1.10	1.17	1 089
1957	5.33	3.90	1.41	0.02	7.71	6.42	1.12	0.17	1 090
1958			1.69	0.02			1.79	0.09	1 361
1959			2.04	0.02			3.44	0.18	1 817
1960			2.02	0.05			3.62	0.29	2 376
1961			1.76	0.04			1.94	0.19	2 251
1962	15.50	13.18	2.27	0.05	26.54	24.66	1.69	0.19	1 965
1963			2.45	0.03			1.31	0.13	1 892
1964			2.75	0.02			1.57	0.12	1 991
1965	26.12	22.87	3.24	0.01	34.28	32.41	1.76	0.11	2 016
1966			4.09	0.02			2.05	0.20	2 306
1967			4.25	0.02			1.96	0.15	2 017
1968			4.37	0.02			2.04	0.14	1 909
1969			5.52	0.03			2.74	0.16	2 130
1970	45.92	39.85	6.04	0.03	111.19	108.11	2.91	0.17	2 501
1971			6.95	0.03			3.35	0.24	2 098
1972			8.02	0.04			3.89	0.31	2 275
1973			8.68	0.04			4.44	0.31	2 465
1974			10.74	0.02			4.62	0.29	2 620
1975	63.45	52.65	10.78	0.02	171.08	165.31	5.41	0.36	3 466
1976			11.04	0.01			5.33	0.36	3 490
1977			11.98	0.02			6.45	0.50	3 685
1978	78.02	65.14	12.86	0.02	257.82	250.42	6.87	0.53	3 853
1979	81.81	68.12	13.66	0.03					5 690
1980	84.29	69.46	14.80	0.03	245.58	239.67	5.62	0.29	4 055
1981	91.69	75.55	16.11	0.03	246.63	240.09	6.13	0.41	6 057
1982	99.47	80.85	18.59	0.03	280.38	272.12	7.78	0.48	6 293
1983	109.31	88.57	20.71	0.03	315.76	307.47	7.90	0.39	6 779
1984	123.92	98.17	25.72	0.03	318.82	307.26	10.95	0.61	7 517
1985	134.64	106.71	27.91	0.02	343.16	330.77	11.60	0.79	8 886
1986	151.13	112.09	39.01	0.03	381.30	335.56	44.91	0.83	9 503
1987	167.53	122.59	44.91	0.03	422.57	359.92	61.62	1.03	10 540
1988	187.73	139.76	47.94	0.03	433.73	368.65	63.70	1.38	13 539
1989	176.49	129.68	46.75	0.06	466.23	398.38	66.58	1.27	17 046
1990	147.88	104.30	43.50	0.07	434.71	378.58	54.80	1.33	41 556
1991	155.11	106.25	48.78	0.08	450.28	387.60	61.48	1.20	51 394
1992	172.21	117.21	54.92	0.08	467.76	405.99	60.87	0.90	70 063
1993	171.71	128.12	43.52	0.07	479.80	411.46	67.31	1.03	106 797
1994	178.09	130.59	47.34	0.16	495.64	413.50	80.02	2.12	155 114
1995	177.11	125.52	51.48	0.11	497.31	420.23	76.00	1.07	212 153

注：1. 旅客周转量不包括市内交通。
　　2. 1990年后的邮电业务总量数字是按1990年不变价格计算的。

13—2 交通运输里程

单位:公里

项目	1991年	1992年	1993年	1994年	1995年
一、铁路					
正线延展里程	3 799	3 799	3 808	3 822	3 815
营业里程	3 473	3 473	3 473	3 487	3 480
二、公路通车里程	27 110	27 192	28 374	29 581	31 321
等级路	24 837	25 031	26 276	27 748	29 508
#汽车专用公路			106	113	118
一级			66	73	78
二级			40	40	40
#一般公路			26 170	27 635	29 390
二级			1 321	1 472	1 688
三级			7 175	7 681	7 973
四级			17 674	18 482	19 729
等外路	2 273	2 161	2 097	1 833	1 812
三、内河通航里程	1 114	1 114	1 114	1 114	1 296

13—3 客运量

单位:万人

项目	1978年	1980年	1985年	1990年	1994年	1995年
全社会总计	**11 875**	**13 205**	**17 181**	**18 731**	**20 716**	**21 367**
铁路	7 790	8 380	9 432	7 810	8 305	7 894
公路	4 080	4 819	7 744	10 889	12 310	13 371
水运	3	5	4	17	64	48
民航	2	1	1	15	37	54

13—4 旅客周转量

单位:万人公里

项目	1978年	1980年	1985年	1990年	1994年	1995年
全社会总计	**780 182**	**842 873**	**1 346 410**	**1 478 766**	**1 780 877**	**1 771 080**
铁路	651 400	694 600	1 067 100	1 042 978	1 305 900	1 255 200
公路	128 605	147 961	279 082	435 039	473 348	514 828
水运	177	312	228	749	1 629	1 052

13—5 货运量

单位:万吨

项目	1978年	1980年	1985年	1990年	1994年	1995年
全社会总计	**10 666**	**9 249**	**11 683**	**23 148**	**26 285**	**26 655**
铁路	5 048	5 169	5 762	6 122	6 531	6 123
公路	5 602	4 071	5 902	17 005	19 333	20 477
水运	16	9	19	21	421	55

13—6 货 物 周 转 量

单位:万吨公里

项 目	1978年	1980年	1985年	1990年	1994年	1995年
全社会总计	**2 578 229**	**2 455 814**	**3 431 618**	**4 347 083**	**4 956 435**	**4 973 051**
铁 路	2 504 200	2 396 700	3 307 700	3 785 819	4 135 000	4 202 300
公 路	68 693	56 216	116 029	547 990	800 255	760 025
水 运	5 336	2 898	7 889	13 274	21 180	10 726

13—7 铁路、公路和水运主要经济技术指标

项 目	单 位	1991年	1992年	1993年	1994年	1995年
铁 路						
货车周转时间	天	0.95	0.86	1.10	0.97	1.00
货车静载重	吨	54.3	54.6	55.4		55.9
货车旅行速度	公里/小时	27.3	28.2	29.1	29.5	29.5
货车机车平均日产量	万吨公里	59.4	61.2		64.2	65.3
公 路						
载货汽车完好率	%	87.4	87.6	87.6	89.6	89.8
载货汽车车吨年产量	吨公里	13 479	15 769	12 545	10 763	12 887
载货汽车单车年产量	吨公里	110 276	105 258	90 076	88 340	102 979
载货汽车每吨公里耗汽油	升	8.4	8.4	8.3	8.5	8.7
载货汽车每百吨公里耗柴油	升	5.6	6.0	5.3	6.5	5.6
水 运						
地方航运驳船营运率	%	100.0	100.0	100.0	100.0	100.0
地方航运驳船货运吨船年产量	吨公里	9 212	6 973	7 785	7 309	7 644

13—8 民用汽车拥有量

单位:辆

项目	1991年	1992年	1993年	1994年	1995年
民用汽车合计	**157 714**	**187 978**	**218 706**	**233 085**	**236 147**
1. 载客汽车	49 479	65 514	85 745	96 058	104 782
大　型	9 327	10 897	11 504	18 531	10 759
小　型	40 152	54 617	74 241	77 527	94 023
2. 普通载货汽车	99 435	111 687	121 835	127 977	106 834
大　型	71 138	75 018	78 472	77 002	59 501
小　型	28 297	36 669	43 363	50 975	47 333
3. 专用载货汽车	3141	4 171	5 611	4 942	4 404
4. 其他专用汽车	2236	3 824	2 770	1 612	9 220
5. 特种汽车	3423	2 782	2 745	2 496	10 907
在合计中:					
私人汽车	25 839	34 285	47 843	45 425	43 409
1. 载客汽车	13 938	19 631	26 454	24 856	29 811
大　型	663	787	1 198	2 133	1 081
小　型	13 275	18 844	25 256	22 723	28 730
2. 普通载货汽车	11 845	14 110	21 312	20 489	13 250
大　型	8 841	9 655	12 129	12 702	7 679
小　型	3 004	4 455	9 183	7 787	5 571
3. 专用载货汽车	6	491	21	74	10
4. 其他专用汽车	12	44	56	1	23
5. 特种汽车	38	9		5	315

13—9 民用其他车辆拥有量

单位:辆

项　　目	1991年	1992年	1993年	1994年	1995年
民用其他车辆					
轮胎式拖拉机	220 319	227 308	233 789	231 981	181 528
# 手扶拖拉机	61 244	61 843	62 948	59 000	119 196
摩　托　车	80 682	86 244	115 903	127 631	136 338
# 两轮摩托车	63 490	64 715	82 486	94 572	96 612
# 轻便摩托车	12 944	11 494	17 562	20 408	19 682
其他机动车	682	380	2 002	1 500	10 466
载货挂车	8 152	7 931	8 018	7 210	3 527
在民用其他车辆中私人其他车辆					
轮胎式拖拉机	204 660	219 805	224 061	226 828	73 106
# 手扶拖拉机	59 021	60 759	61 782	58 000	56 907
摩　托　车	42 611	61 553	98 928	100 104	56 889
# 两轮摩托车	40 077	58 381	77 433	76 734	41 414
#轻便摩托车	8 669	10 686	17 496	17 480	6 539
其他机动车	546	362	1 656	187	5 848
载货挂车	1 631	1 758	1 228	1 635	98

13－10 独立核算运输企业财务状况

（1995 年）　　　　单位：万元

	总　计	按经济类型分		按专业类型分		
		国有经济	集体经济	公路运输	水上运输	港　口
企业个数(个)	244	143	101	237	5	2
#亏损企业(个)	98	44	54	93	4	1
资本金合计	62 748	50 465	12 284	61 614	1 038	96
流动资产合计	48 847	36 506	12 340	47 021	1 797	29
#存货	5 063	3 922	1 141	4 927	130	7
固定资产合计	86 814	68 196	18 618	78 949	7 378	487
固定资产原价合计	117 915	91 084	26 831	107 929	9 422	563
#生产经营用	85 505	66 547	18 958	81 586	3 460	459
累计折旧	32 613	23 753	8 860	30 439	2 097	76
#本年折旧	5 973	4 776	1 197	5 848	116	10
资产合计	140 274	106 848	33 426	130 450	9 308	516
流动负债合计	63 702	46 133	17 570	58 472	5 190	41
长期负债合计	22 380	16 257	6 124	19 045	3 336	
所有者权益合计	54 191	44 459	9 733	52 934	783	475
#股本	823	823		823		
营运业务收入	59 679	44 435	15 245	55 409	4 183	87
营运业务成本	44 867	31 958	12 910	40 685	4 129	54
营运费用	594	370	224	594		
营运税金及附加	1 949	1 429	520	1 915	33	2
营运业务利润	12 268	10 678	1 591	12 216	22	31
管理费用	16 284	12 177	4 107	15 675	573	36
#税金	451	326	125	449	1	
劳动、待业保险金	1 552	1 046	507	1 546	7	
利润总额	-3 064	-1 135	-1 928	-2 408	-651	-5
应交所得税	270	241	29	270		
转作奖金的利润	42	41	1	42		
应付利润	152	132	20	152		
本年应付工资总额						
本年应付福利费总额	11 354	7 451	3 903	11 053	288	13

13—11 邮电通信网

项目	单位	1978年	1980年	1985年	1990年	1994年	1995年
邮电局、所	处	1 032	1 040	1 064	1 053	1 132	1 278
# 在农村的	处	714	914	905	871	884	928
邮路长度	公里	153 209	123 327	134 748	137 020	152 222	151 810
# 铁路邮路	公里	6 259	4 800	10 163	9 546	9 060	8 862
汽车邮路	公里	14 799	11 609	12 601	3 630	7 946	10 966
长话电路	路	651	767	1 549	4 259	20 071	21 657
电报电路	路	259	257	291	315	447	300

13—12 邮政主要设备和长途电信线路

项目	单位	1978年	1980年	1985年	1990年	1994年	1995年
邮政设备							
火车邮箱	辆	9	13	19	15	19	23
邮运汽车	辆	173	168	189	261	408	479
长途电信线路							
架空明线线条	对公里	18 946	16 071	17 642	17 871	17 101	14 600
电缆线路	公里	300	300	428	780	2 475	4 230
#光缆线路	公里				54	1 495	3 250

13—13 电　信　主　要　设　备

项　　目	单　位	1978年	1980年	1985年	1990年	1994年	1995年
微　波　站	个	8	10	10	37	80	81
载波电报机	部	80	87	118	148	167	170
交换机容量	门	110 065	127 786	185 556	391 408	1 791 260	2 501 105
# 程控交换机容量	门				142 812	1 508 182	2 275 323
市　　话	门	54 740	66 660	114 500	284 132	1 515 450	2 086 767
农　　话	门	55 325	61 126	71 056	107 276	275 810	414 338
电　话　机	部	130 195	149 505	216 794	421 494	1 146 885	1 584 077
市　　话	部	87 088	103 705	160 217	336 988	989 625	1 361 860
农　　话	部	43 107	45 800	56 577	84 506	157 260	222 217

13—14 邮　电　业　务　量

项　　目	单　位	1978年	1980年	1985年	1990年	1994年	1995年
邮电业务总量	万元	3 853	4 055	8 886	41 556	155 114	212 153
# 函件	万件	7 478	8 333	12 114	15 805	15 416	15 333
包件	万件	246	219	199	292	410	445
电报	万份	384	423	662	639	354	266
报纸期发数	万份	159	186	385	110	307	220
杂志期发数	万份	234	326	567	274	288	253
长途电话	万张	683	826	1 528	3 791	16 258	21 440
市内电话	户	49 488	50 458	81 087	203 172	759 064	1 078 226
# 住宅电话	户					563 056	857 636
农村电话	户	24 997	22 890	26 020	49 968	111 856	183 140
无线寻呼期末户数	户					280 043	507 472
移动电话期末户数	户					31 567	79 197

建筑业 14

14—1 建筑业企业生产情况

(1995 年)

指标名称	单位	总计	按经济类型分					
			国有经济	中央企业	地方企业	#大中型	城镇集体经济	其他经济
企业个数	个	880	411	41	370	41	454	15
建筑业产值	万元	1 279 957	1 004 177	303 248	700 930	743 767	263 883	11 896
1. 建筑工程	万元	1066 826	852 466	239 132	613 334	625 541	205 807	8 553
2. 安装工程	万元	188 238	139 301	62 293	77 008	108 208	45 800	3 137
3. 房屋构筑物修理	万元	15 209	3 751	715	3 036	1 634	11 458	
4. 非标准设备制造	万元	9684	8 660	1 108	7 552	8 384	818	206
竣工产值	万元	888 546	652 392	190 429	461 963	449 478	229 623	6 531
单位工程施工个数	个	9 756	6 174	1 889	4 285	3 214	3 494	88
# 本年新开工	个	6 915	4 096	945	3 151	1 595	2 755	64
投标承包个数	个	1 294	926	432	494	560	360	8
房屋建筑施工面积	万平方米	1 310	953	150	803	550	338	19
# 本年新开工	万平方米	809	552	74	478	255	246	11
投标承包	万平方米	315	228	40	188	102	85	2
房屋建筑竣工面积	万平方米	954	494	52	442	200	251	9
# 优良工程面积	万平方米	223	148	32	116	98	69	6
自有机械设备年末总台数	台	101 365	78 979	13 984	64 995	61 950	21 864	522
自有机械设备净值	万元	130 057	104 518	29 517	75 001	79 042	24 959	580
平均人数	万人	39.0	28.0	6.0	22.0	17.0	11.0	

14—1 续表　　　　(1995 年)

指标名称	单位	按行业类别分							
		土木工程建筑业	#房屋建筑业	铁路公路隧道桥梁建筑业	其它土木工程建筑业	线路管道设备安装业	#线路管道安装业	设备安装业	建筑物装修装饰业
企业个数	个	692	550	52	72	135	79	56	53
建筑业产值	万元	1 098 022	835 121	104 076	106 292	160 985	114 920	46 065	20 949
1. 建筑工程	万元	974 943	738 262	103 302	87 572	83 629	79 611	4 018	8 253
2. 安装工程	万元	102 559	79 086	774	16 090	73 447	32 143	41 304	12 231
3. 房屋构筑物修理	万元	14 470	13 237		1 117	274		274	465
4. 非标准设备制造	万元	6 050	4 537		1 513	3 635	3 166	469	
竣工产值	万元	713 138	601 972	28 685	71 879	157 003	103 050	53 953	18 405
单位工程施工个数	个	7 254	5 832	399	796	2 149	1 235	914	353
# 本年新开工	个	4 861	3 767	342	572	1 741	1 052	689	313
投标承包个数	个	1 242	1 029	23	153	30	22	8	22
房屋建筑施工面积	万平方米	1 272	1 099	3	147	28	25	3	11
# 本年新开工	万平方米	775	691	3	77	24	21	3	9
投标承包	万平方米	314	231		66				1
房屋建筑竣工面积	万平方米	722	637	3	81	22	18	4	11
# 优良工程面积	万平方米	213	198	1	14	8	6	2	2
自有机械设备年末总台数	台	93 957	77 814	4 034	6 304	6 022	3 055	2 967	1 386
自有机械设备净值	万元	117 994	86 051	18 909	9 992	9 759	7 234	2 525	2 304
平均人数	万人	35.5	28.8	2.3	3.9	3.0	1.7	1.3	0.6

14—2 建筑业企业财务状况

（1995年）　　单位：万元

指标名称	总计	按经济类型分				
		国有经济	中央企业	地方企业	城镇集体经济	其他经济类型
资本金合计	281 769	222 824	62 709	160 115	55 268	3 677
流动资金年末合计	1 015 463	820 162	216 622	603 540	177 119	18 182
固定资产原值年末合计	576 091	499 429	145 445	353 984	71 221	5 441
资产年末合计	1 505 909	1 246 250	344 287	901 963	236 420	23 239
流动负债年末合计	1 024 983	841 472	231 913	609 559	167 078	16 433
长期负债年末合计	60 833	54 043	18 376	35 667	5 881	909
所有者权益年末合计	411 524	342 675	93 696	248 979	62 951	5 898
工程结算收入	1 222 931	961 188	291 158	670 030	247 748	13 995
工程结算成本	1 062 611	834 546	245 673	588 873	217 133	10 932
工程结算税金及附加	37 203	28 717	9 206	19 511	7 972	514
工程结算利润	123 118	97 925	36 279	61 646	22 643	2 550
管理费用	96 524	77 207	24 720	52 487	17 385	1 932
利润总额	6 165	2 558	557	2 001	3 444	163
应交所得税	3 130	1 902	470	1 432	1 160	68
转作奖金利润	555	267	45	222	288	
应付利润	3 374	2 606	266	2 340	533	235
本年应付工资额	180 468	137 526	36 936	100 590	41 587	1 355
本年应付福利费总额	21 409	16 472	4 612	11 860	4 641	296
建筑业增加值	390 506	304 003	96 146	207 857	81 254	5 249
亏损企业个数	207	103	13	90	96	8

14－2 续表　　(1995年)　　单位:万元

指标名称	按行业类别分				
	土木工程建筑业	房屋建筑业	线路管道设备安装业	线路管道安装业	设备安装业
资本金合计	240 864	161 246	32 301	17 409	14 892
流动资金年末合计	901 127	673 077	91 267	49 316	41 951
固定资产原值年末合计	503 444	343 750	57 926	29 842	28 084
资产年末合计	1 332 114	980 248	138 107	70 348	67 759
流动负债年末合计	933 833	694 176	70 731	33 570	37 161
长期负债年末合计	47 693	32 578	13 042	9 694	3 348
所有者权益年末合计	342 325	252 331	54 035	27 085	26 950
工程结算收入	1 054 750	795 973	14 677	102 989	43 788
工程结算成本	916 123	687 699	127 791	91 941	35 850
工程结算税金及附加	33 080	26 682	3 494	1 781	1 713
工程结算利润	105 546	81 591	15 491	9 267	6 224
管理费用	83 546	61 034	11 170	6 184	4 986
利润总额	3 419	4 491	2 624	2 184	440
应交所得税	2 681	2 121	372	268	104
转作奖金利润	401	351	151	134	17
应付利润	3 222	3 043	143	40	103
本年应付工资额	159 329	122 609	17 949	10 258	7 691
本年应付福利费总额	18 764	14 496	2 248	1 286	962
建筑业增加值	343 324	263 913	40 105	21 840	18 265
亏损企业个数	164	122	26	11	15

14—3 附营建筑业施

(19

	单位	总计	按经济类型分				
			国有经济	中央企业	地方企业	城镇集体经济	股份制经济
企业个数	个	35	20	2	18	14	1
建筑业总产值	万元	10 005	6 763	818	5 945	2 994	248
1. 建　筑　工　程	万元	8285	5 526	816	4 710	2 511	248
2. 安　装　工　程	万元	1058	788	2	786	270	
3. 房屋构筑物修理	万元	662	449		449	213	
4. 非标准设备制造	万元						
竣工产值	万元	7649	5 315	818	4 497	2 334	
单位工程施工个数	个	285	186	65	121	97	2
#本年新开工个数	个	264	175	65	110	87	2
单位工程竣工个数	个	254	160	65	95	94	
竣工的优良单位工程个数	个	72	68	64	4	4	
房屋建筑施工面积	万平方米	12	7		7	4	1
#本年新开工	万平方米	10	5		5	4	1
房屋建筑竣工面积	万平方米	8	5	1	4	3	
#住宅	万平方米	4	2		2	2	
房屋建筑优良工程竣工面积	万平方米	4	2	1	1	2	
自有机械设备年末总台数	台	617	420	43	377	186	11
自有机械设备年末总功率	万千瓦	3	3		3		
#施工机械功率	万千瓦	3	3		3		
从业人员报酬	万元	1 524	948	190	758	564	12

工单位生产情况

95年）

按行业类别分						
土木工程建筑业	房屋	其他土木工程	线路管道设备安装业	线路管道安装业	设备安装业	装修装饰业
23	20	3	5	3	2	7
9 281	8 371	910	470	400	70	253
8 005	7 692	313	224	224		55
837	239	598	221	176	45	
439	439		25		25	198
6 946	6 035	911	450	380	70	253
215	212	3	52	37	15	18
204	201	3	42	34	8	18
184	181	3	52	37	15	18
71	71					1
11	11					
10	10					
7	7					
4	4					
4	4					
538	504	34	17	12	5	62
3	3					
3	3					
1 403	1 375	28	78	55	23	43

批发零售贸易和餐饮业 15

15 批发零售贸易和餐饮业

1995年社会消费品零售总额	481.54亿元
1995年批发零售贸易业商品购进总额	494.36亿元
1995年批发零售贸易业商品销售总额	544.49亿元
1995年批发零售贸易业商品库存总额	183.97亿元
1995年城乡集市贸易成交额	251.46亿元
城市	182.15亿元
乡村	69.32亿元

社会消费品零售总额(亿元)

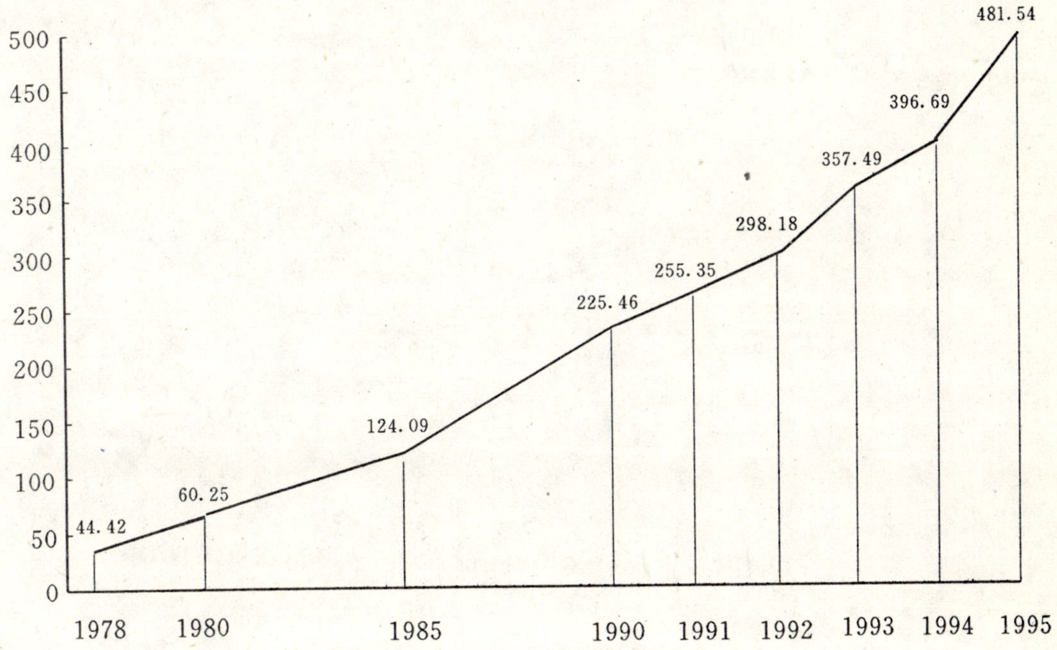

15—1 按市县分的零售商业、饮食业网点和人员

项　　目	1980年	1985年	1990年	1994年	1995年
一、网点(个)	**37 276**	**209 113**	**214 364**	**351 609**	**421 299**
1. 零售商业	28 356	176 944	186 264	306 317	368 284
市	9 386	65 460	94 747	158 335	208 212
县	9 064	42 697	32 223	54 661	61 373
县以下	9 906	68 787	59 294	93 321	98 699
2. 饮食业	8920	32 169	28 100	45 292	53 015
市	4 235	14 002	17 306	28 295	34 693
县	3 169	9 221	5 654	8 348	7 798
县以下	1 516	8 946	5 140	8 649	10 524
二、人员(人)	**286 702**	**694 632**	**752 833**	**803 674**	**931 109**
1. 零售商业	219 908	567 146	639 740	666 421	776 890
市	85 515	274 242	367 866	378 301	467 518
县	81 399	147 437	111 903	124 553	123 469
县以下	52 994	145 467	159 971	163 567	185 903
2. 饮食业	66 794	127 486	113 093	137 253	154 219
市	34 923	67 842	77 294	92 080	103 476
县	21 410	34 038	19 361	23 456	22 936
县以下	10 461	25 606	16 438	21 717	27 807

15—2 零售商业、饮食业的服务情况

项　　目	1978年	1980年	1985年	1990年	1994年	1995年
一、平均每一机构服务的人数(人)						
零　售　商　业	1381	780	131	131	82	69
饮　　食　　业	14 020	2 478	718	868	553	481
二、平均每一机构的零售额(万元)						
零　售　商　业	25.6	17.8	5.5	9.2	9.0	8.9
饮　　食　　业	10.3	2.7	2.0	3.9	6.7	7.2
三、平均每一人员服务的人数(人)						
零　售　商　业	135	101	41	38	38	33
饮　　食　　业	648	331	181	216	183	165
四、平均每一人员的零售额(万元)						
零　售　商　业	2.5	2.3	1.7	2.7	4.1	4.2
饮　　食　　业	0.5	0.4	0.5	1.0	2.2	2.4

15—3 零售贸易业网点、人员情况

(1995年末)

项　目	合　计	市	县	县以下
一、网　点(个)	**368 284**	**208 212**	**61 373**	**98 699**
按企业规模分组:				
大型国内零售企业	270	270		
中型国内零售企业	1 162	985	89	88
小型国内零售企业	366 153	206 421	61 185	98 547
# 个　体	351 238	200 677	58 710	91 851
附营单位	699	536	99	64
二、人　员(人)	**776 890**	**467 518**	**123 469**	**185 903**
按企业规模分组:				
大型国内零售企业	17 660	17 660		
中型国内零售企业	54 497	46 976	5 610	1 911
小型国内零售企业	699 279	399 102	117 072	183 105
# 个　体	51 884	302 993	84 097	131 760
附营单位	5 454	3 780	787	887

15—4 餐饮业网点、人员情况

(1995年末)

	合　计	市	县	县 以 下
一、网　点(个)	**53 015**	**34 693**	**7 798**	**10 524**
按企业规模分组:				
大型国内餐饮业	3	3		
中型国内餐饮业	33	31	2	
小型国内餐饮业	52 856	34 565	7 785	10 506
#个　体	51 784	33 833	7 536	10 415
附营单位	123	94	11	18
二、人　员(人)	**154 219**	**103 476**	**22 936**	**27 807**
按企业规模分组:				
大型国内餐饮业	603	603		
中型国内餐饮业	1 589	1 549	40	
小型国内餐饮业	148 630	98 400	22 710	27 520
#个　体	133 000	85 842	20 615	26 543
附营单位	3 397	2 924	186	287

15—5 历年社会消费品零售总额

单位：万元

年份	社会消费品零售总额	按城乡分		按行业分				
		城镇	乡村	批发零售贸易业	餐饮业	制造业	其他行业	农民对非农业居民零售
1949	20 092	12 457	7 635	14 715	400	977	4 000	4 000
1950	35 482	21 999	13 483	26 011	979	3 992	4 500	4 500
1951	51 770	33 133	18 637	39 358	1 639	6 773	4 000	4 000
1952	73 775	48 243	25 532	61 742	2 359	6 174	3 500	3 500
1953	97 564	63 342	34 222	83 556	3 549	7 857	2 602	2 602
1954	104 819	71 980	32 839	91 621	4 030	6 862	2 306	2 306
1955	98 602	65 301	33 301	84 872	3 493	6 546	3 691	3 070
1956	114 495	74 146	40 349	102 083	4 124	5 118	3 170	2 858
1957	119 450	79 584	39 866	105 891	4 666	5 220	3 673	3 298
1958	129 458	83 337	46 121	116 345	4 760	5 437	2 916	2 420
1959	171 987	113 074	58 913	156 787	6 102	5 553	3 545	3 025
1960	197 133	131 239	65 894	179 928	6 400	6 036	4 769	4 000
1961	188 480	135 656	52 824	153 638	7 536	11 618	15 688	12 000
1962	189 327	128 869	60 458	161 282	8 888	9 139	10 018	6 988
1963	183 655	126 986	56 669	159 935	9 283	7 617	6 820	6 024
1964	186 371	133 532	52 839	166 370	9 114	6 048	4 839	4 125
1965	186 846	134 155	52 691	168 837	8 048	5 468	4 493	3 469
1966	198 323	142 792	55 531	179 260	7 674	4 848	6 541	3 400
1967	207 020	151 124	55 896	188 199	8 021	4 365	6 435	3 600
1968	201 163	148 861	52 302	182 793	7 977	3 614	6 779	3 700
1969	223 045	167 284	55 761	202 881	7 693	4 786	7 685	4 000
1970	231 586	176 005	55 581	206 185	8 123	4 634	12 644	5 700
1971	246 238	189 603	56 635	219 730	8 310	5 920	12 278	5 100
1972	275 789	215 115	60 674	248 637	10 393	6 463	10 296	5 600
1973	288 869	228 206	60 663	259 332	11 697	9 407	8 433	5 900
1974	307 336	245 869	61 467	276 292	12 920	10 167	7 957	6 000
1975	338 102	277 124	60 978	303 817	15 274	9 145	9 866	6 200
1976	352 880	279 787	73 093	316 482	15 286	11 218	9 894	4 900
1977	371 183	290 708	80 475	334 097	15 165	12 618	9 303	5 100
1978	385 620	291 514	94 106	346 032	15 854	11 793	11 941	6 600
1979	453 079	316 707	136 372	388 943	18 937	19 068	26 131	14 990
1980	528 330	377 198	151 132	438 715	24 509	34 348	30 758	19 519
1981	592 590	430 405	162 185	481 611	29 934	42 249	38 796	25 787
1982	670 226	490 219	180 007	531 540	38 307	48 895	51 484	34 763
1983	755 406	555 884	199 522	589 343	46 380	55 575	64 108	46 086
1984	914 002	662 759	251 243	711 368	52 394	63 918	86 322	64 229
1985	1 119 958	843 468	276 490	862 671	65 462	74 616	117 209	89 726
1986	1 278 126	979 384	298 742	972 965	71 948	95 171	138 042	106 416
1987	1 454 974	1 131 042	323 932	1 086 680	81 881	116 283	170 130	131 456
1988	1 808 111	1 441 649	366 462	1 344 761	104 819	136 487	222 044	168 784
1989	1 982 953	1 592 980	389 973	1 479 969	112 779	135 131	255 074	194 313
1990	1 989 470	1 607 039	382 431	1 478 528	108 295	124 700	277 947	218 431
1991	2 236 919	1 840 771	396 148	1 666 612	117 840	132 724	319 743	260 283
1992	2 614 745	2 199 504	415 241	1 924 394	143 653	168 133	378 565	301 701
1993	3 254 677	2 787 690	466 987	2 359 630	200 252	199 894	494 901	383 039
1994	3 966 935	3 395 695	571 240	2 750 725	303 050	245 559	667 601	551 348
1995	4 815 374	4 176 082	639 292	3 262 315	382 543	256 673	913 843	822 335

15—6 社会消费品零售总额

单位:万元

项　　目	1991年	1992年	1993年	1994年	1995年
社会消费品零售总额	**2 236 919**	**2 614 745**	**3 254 677**	**3 966 935**	**4 815 374**
一、按销售地区分:					
1. 市的零售额	1478 101	1 783 138	2 281 429	2 828 691	3 583 513
2. 县的零售额	362 670	416 366	506 261	567 004	592 569
3. 县以下的零售额	396 148	415 241	466 987	571 240	639 292
二、按经济类型分:					
1. 国有经济	999 495	1 161 952	1 057 844	1 104 186	1 149 541
2. 集体经济	472 161	443 359	447 229	500 749	507 648
3. 股份制经济			134 195	191 377	248 488
4. 个体经济	504 457	679 471	1 086 866	1 507 764	1 899 555
5. 其他经济	260 806	329 963	528 543	662 859	1 010 142
三、按行业分:					
1. 批发零售贸易业	1666 612	1 924 395	2 359 630	2 750 725	3 262 315
2. 餐饮业	117 840	143 653	200 252	303 050	382 543
3. 制造业	132 724	168 132	199 894	245 559	256 673
4. 其　他	319 743	378 565	494 906	667 601	913 843
# 农民对非农业居民零售	260 283	301 710	374 554	551 348	822 335

15—7 各市县社会消费品零售总额

(1995 年)

单位:万元

市、县	社会消费品零售总额	按行业分：批发、零售贸易业	餐饮业	制造业	其他	农民对非农业居民
长春市	**1 317 980**	**853 458**	**52 816**	**47 331**	**364 375**	**339 388**
市区	1 075 239	700 757	39 698	31 182	303 602	301 095
九台市	72 604	55 846	3 761	3 174	9 823	5 540
榆树市	67 382	37 357	3 765	3 500	22 760	16 760
德惠市	40 619	25 284	2 437	1 620	11 278	4 450
农安县	62 136	34 214	3 155	7 855	16 912	11 543
吉林市	**1 024 929**	**694 700**	**121 619**	**83 517**	**125 093**	**113 071**
市区	738 524	517 922	90 972	58 413	71 217	63 119
桦甸市	43 165	34 069	2 315	1 128	5 653	5 527
蛟河市	49 679	32 022	8 400	2 278	6 979	6 197
舒兰市	64 680	35 585	6 492	11 130	11 473	10 291
磐石市	52 713	33 431	6 750	1 427	11 105	10 859
永吉县	76 168	41 671	6 690	9 141	18 666	17 078
四平市	**471 197**	**299 845**	**43 365**	**26 191**	**101 796**	**78 250**
市区	215 050	151 844	14 064	13 631	35 511	25 402
公主岭市	71 614	28 520	10 884	3 504	28 706	28 706
梨树县	80 057	73 605	2 519		3 933	3 933
伊通县	43 512	9 015	12 180		22 317	9 691
双辽县	60 964	36 861	3 718	9 056	11 329	10 518
辽源市	**173 551**	**119 371**	**15 128**	**6 951**	**32 101**	**27 808**
市区	119 361	80 639	9 703	4 696	24 323	21 881
东丰县	34 360	26 015	2 440	1 567	4 338	2 487
东辽县	19 830	12 717	2 985	688	3 440	3 440
通化市	**365 222**	**285 564**	**25 601**	**18 633**	**35 424**	**31 053**
市区	118 273	86 024	10 787	7 520	13 942	11 608
梅河口市	100 096	86 670	3 841	4 392	5 193	4 850
集安市	30 601	22 084	953	1 617	5 947	5 702
通化县	29 233	19 984	3 269	1 765	4 215	3 463
辉南县	39 420	32 278	3 895	877	2 370	2 300

市、县	社会消费品零售总额	按行业分 批发、零售贸易业	餐饮业	制造业	其他	农民对非农业居民
柳河县	47 599	38 524	2 856	2 462	3 757	3 130
白山市	**257 942**	**148 470**	**23 125**	**32 142**	**54 205**	**53 168**
市区	90 586	59 535	10 385	7 527	13 139	12 404
临江市	45 886	24 521	4 541	5 790	11 034	11 034
抚松县	46 327	25 294	2 280	284	18 469	18 469
靖宇县	15 938	12 205	2 032	193	1 508	1 206
长白县	13 469	9 799	1 116	2 074	480	480
江源县	45 736	17 116	2 771	16 274	9 575	9 575
松原市	**297 346**	**206 090**	**15 994**	**13 638**	**61 624**	**53 453**
市区	65 696	44 923	4 011	2 538	14 224	13 295
长岭县	70 000	54 705	3 157	2 155	9 983	7 000
前郭县	90 005	62 449	4 981	2 905	19 670	16 774
乾安县	29 860	23 617	1 836	672	3 735	2 800
扶余县	41 785	20 396	2 009	5 368	14 012	13 584
白城市	**321 645**	**231 747**	**23 714**	**13 951**	**52 233**	**52 233**
市区	127 288	87 066	11 833	6 217	22 172	22 172
洮南市	63 067	42 398	4 622	2 241	13 806	13 806
大安市	42 284	34 209	1 929	1 957	4 189	4 189
镇赉县	33 166	26 692	392	394	5 688	5 688
通榆县	55 840	41 382	4 938	3 142	6 378	6 378
延边朝鲜族自治州	**585 563**	**423 070**	**61 181**	**14 319**	**86 993**	**73 911**
延吉市	257 767	183 774	27 387	4 111	42 495	35 867
图们市	42 354	27 978	6 811	1 067	6 498	4 884
敦化市	80 230	64 433	5 223	843	9 731	8 497
龙井市	42 508	27 448	3 379	3 194	8 487	6 304
珲春市	55 472	44 000	6 868	441	4 163	4 158
和龙市	32 432	24 173	4 199	882	3 178	3 169
汪清县	39 357	26 986	2 740	2 032	7 599	7 275
安图县	35 443	24 278	4 574	1 749	4 842	3 757

15—7 续表 2　　(1995 年)　　单位:万元

市、县	按经济类型分				
	国有	集体	股份制	个体	其他
长春市	**272 252**	**78 721**	**179 345**	**372 761**	**414 901**
市区	187 033	52 778	179 345	279 530	376 553
九台市	21 389	4 616		41 059	5 540
榆树市	16 160	10 427		24 036	16 759
德惠市	24 687	7 748		3 734	4 450
农安县	22 983	3 152		24 402	11 599
吉林市	**259 572**	**121 308**	**18 101**	**452 952**	**172 996**
市区	174 862	80 732	14 873	354 674	113 383
桦甸市	10 749	4 624	1 871	19 281	6 640
蛟河市	19 021	7 328		15 392	7 938
舒兰市	31 921	10 106	860	11 086	10 707
磐石市	12 432	8 024	336	19 292	12 629
永吉县	10 587	10 494	161	33 227	21 699
四平市	**109 878**	**58 884**	**11 052**	**200 161**	**91 222**
市区	49 282	19 166	10 589	100 800	35 213
公主岭市	12 074	8 684	285	21 865	28 706
梨树县	23 333	16 690		36 101	3 933
伊通县	4 446	4 573		24 802	9 691
双辽县	20 743	9 771	178	16 593	13 679
辽源市	**48 275**	**17 124**	**2 013**	**77 046**	**29 093**
市区	35 407	6 736	2 013	52 039	23 166
东丰县	9 672	6 299		15 902	2 487
东辽县	3 196	4 089		9 105	3 440
通化市	**98 389**	**37 388**	**515**	**195 221**	**33 709**
市区	36 225	20 347	191	49 768	11 742
梅河口市	24 155	6 216	15	62 615	7 095
集安市	6 098	3 172		15 572	5 759
通化县	7 756	3 082		14 782	3 613
辉南县	10 885	1 822		24 343	2 370

15—7 续表 3　　(1995 年)　　单位:万元

市、县	按经济类型分				
	国有	集体	股份制	个体	其他
柳河县	13 270	2 749	309	28 141	3 130
白山市	**51 203**	**45 906**	**11 940**	**91 866**	**57 027**
市区	20 255	22 842	11 819	20 492	15 178
临江市	9 658	10 555		13 880	11 793
抚松县	6 004	2 058		19 710	18 555
靖宇县	4 358	1 682		8 451	1 447
长白县	3 774	1 309		7 907	479
江源县	7 154	7 460	121	21 426	9 575
松原市	**90 205**	**52 859**		**93 735**	**60 547**
市区	21 272	12 508		15 880	16 036
长岭县	26 016	18 163		15 838	9 983
前郭县	23 860	11 368		38 003	16 774
乾安县	8 544	3 542		14 039	3 735
扶余县	10 513	7 278		9 975	14 019
白城市	**101 892**	**31 019**	**823**	**131 145**	**56 766**
市区	33 304	9 298	32	58 068	26 586
洮南市	15 010	6 190		27 941	13 926
大安市	18 923	5 584		13 588	4 189
镇赉县	17 100	5 066		5 312	5 688
通榆县	17 555	4 881	791	26 236	6 377
延边朝鲜族自治州	**117 875**	**64 440**	**24 699**	**284 668**	**93 881**
延吉市	37 879	28 514	22 402	119 615	49 357
图们市	7 376	3 631	1 014	24 740	5 593
敦化市	23 259	12 044	327	35 529	9 071
龙井市	12 721	4 463		17 549	7 775
珲春市	9 979	1 988	956	36 653	5 896
和龙市	9 646	3 569		15 502	3 715
汪清县	10 613	6 606		14 589	7 549
安图县	6 402	3 625		20 491	4 925

15－8 各市县按城乡分的零售贸易业、餐饮业人员数

（1995 年末）

单位：人

市、县	城乡合计		城镇		乡村	
	零售贸易业	餐饮业	零售贸易业	餐饮业	零售贸易业	餐饮业
长春市	**177 865**	**34 722**	**150 959**	**31 975**	**26 906**	**2 747**
市区	112 206	26 186	112 206	26 186		
九台市	13 372	1 972	9 687	1 425	3 685	547
榆树市	19 393	1 003	12 651	670	6 742	333
德惠市	18 180	1 811	8 267	1 173	9 913	638
农安县	14 714	3 750	8 148	2 521	6 566	1 229
吉林市	**136 357**	**28 115**	**104 960**	**22 539**	**31 397**	**5 576**
市区	70 069	17 554	70 069	17 554		
桦甸市	12 211	1 006	8 705	605	3 506	401
蛟河市	13 230	2 868	9 411	1 820	3 819	1 048
舒兰市	10 024	1 466	4 224	818	5 800	648
磐石市	15 561	2 112	7 444	1 042	8 117	1 070
永吉县	15 262	3 109	5 107	700	10 155	2 409
四平市	**94 111**	**15 607**	**62 360**	**10 991**	**31 751**	**4 616**
市区	31 497	4 923	31 497	4 923		
公主岭市	16 603	3 608	9 720	2 256	6 883	1 352
梨树县	29 317	3 205	11 187	1 039	18 130	2 166
伊通县	6 462	1 294	3 725	985	2 737	309
双辽县	10 232	2 577	6 231	1 788	4 001	789
辽源市	**32 830**	**7 399**	**26 038**	**7 064**	**6 792**	**335**
市区	19 136	4 584	19 136	4 584		
东丰县	7 579	2 181	4 609	1 911	2 970	270
东辽县	6 115	634	2 293	569	3 822	65
通化市	**87 719**	**18 296**	**65 078**	**14 654**	**22 641**	**3 642**
市区	26 157	8 452	26 157	8 452		
梅河口市	27 278	4 846	21 211	3 550	6 067	1 296
集安市	10 501	901	2 622	286	7 879	615
通化县	3 920	1 133	2 258	909	1 662	224
辉南县	9 649	2 191	5 085	1 049	4 564	1 142

15－8 续表

(1995年末)

单位:人

市、县	城乡合计		城镇		乡村	
	零售贸易业	餐饮业	零售贸易业	餐饮业	零售贸易业	餐饮业
柳河县	10 214	773	7 745	408	2 469	365
白山市	**35 783**	**6 310**	**26 626**	**4 704**	**9 157**	**1 606**
市区	9 319	1 594	9 319	1 594		
临江市	4 203	1 456	3 468	1 054	735	402
抚松县	11 339	1 142	5 686	508	5 653	634
靖宇县	3 377	559	1 804	257	1 573	302
长白县	3 279	597	2 083	366	1 196	231
江源县	4 266	962	4 266	925		37
松原市	**72 112**	**11 082**	**47 452**	**8 832**	**24 660**	**2 250**
市区	15 001	5 607	13 592	5 016	1 409	591
长岭县	21 180	1 602	12 982	1 082	8 198	520
前郭县	16 096	1 372	9 524	1 032	6 572	340
乾安县	8 717	1 499	6 396	1 140	2 321	359
扶余县	11 118	1 002	4 958	562	6 160	440
白城市	**65 139**	**16 449**	**45 738**	**11 556**	**19 401**	**4 893**
市区	23 047	4 634	15 342	3 306	7 705	1 328
洮南市	10 397	4 033	7 495	3 201	2 902	832
大安市	9 082	1 638	6 426	1 172	2 656	466
镇赉县	12 611	3 918	8 318	2 527	4 293	1 391
通榆县	10 002	2 226	8 157	1 350	1 845	876
延边朝鲜族自治州	**74 974**	**16 239**	**61 776**	**14 097**	**13 198**	**2 142**
延吉市	24 576	4 523	24 576	4 523		
图们市	5 534	1 659	5 534	1 659		
敦化市	11 415	2 015	8 761	1 657	2 654	358
龙井市	8 318	2 071	5 557	1 744	2 761	327
珲春市	6 084	1 419	4 472	995	1 612	424
和龙市	7 664	1 558	5 311	1 286	2 353	272
汪清县	6 492	1 443	4 171	1 077	2 321	366
安图县	4 891	1 551	3 394	1 156	1 497	395

15—9 各市县按城乡分的零售贸易业、餐饮业网点数

(1995年末)

单位:个

市、县	城乡合计		城镇		乡村	
	零售贸易业	餐饮业	零售贸易业	餐饮业	零售贸易业	餐饮业
长春市	**71 297**	**8 789**	**55 674**	**7 862**	**15 623**	**927**
市区	39 072	6 070	39 072	6 070		
九台市	6 801	515	4 238	362	2 563	153
榆树市	10 315	752	6 257	465	4 058	287
德惠市	7 233	597	1 953	338	5 280	259
农安县	7 876	855	4 154	627	3 722	228
吉林市	**66 701**	**12 854**	**46 654**	**10 206**	**20 047**	**2 648**
市区	30 022	7 924	30 022	7 924		
桦甸市	5 524	407	3 736	275	1 788	132
蛟河市	6 454	1 322	3 845	798	2 609	524
舒兰市	5 496	504	1 962	294	3 534	210
磐石市	8 561	688	4 015	312	4 546	376
永吉县	10 644	2 009	3 074	603	7 570	1 406
四平市	**48 014**	**5 681**	**34 263**	**4 037**	**13 751**	**1 644**
市区	20 282	2 230	20 282	2 230		
公主岭市	9 554	894	5 863	545	3 691	349
梨树县	10 295	1 127	4 090	250	6 205	877
伊通县	2 400	469	1 277	351	1 123	118
双辽县	5 483	961	2 751	661	2 732	300
辽源市	**18 128**	**2 516**	**13 357**	**2 376**	**4 771**	**140**
市区	8 160	1 543	8 160	1 543		
东丰县	5 792	758	3 399	637	2 393	121
东辽县	4 176	215	1 798	196	2 378	19
通化市	**41 296**	**6 143**	**31 342**	**4 838**	**9 954**	**1 305**
市区	12 350	2 978	12 350	2 978		
梅河口市	10 650	1 284	9 021	962	1 629	322
集安市	4 818	432	1 102	231	3 716	201
通化县	2 287	295	1 249	198	1 038	97
辉南县	5 339	855	3 120	316	2 219	539

15—9 续表 (1995年末) 单位:个

市、县	城乡合计		城镇		乡村	
	零售贸易业	餐饮业	零售贸易业	餐饮业	零售贸易业	餐饮业
柳河县	5 852	299	4 500	153	1 352	146
白山市	**15 168**	**2 472**	**11 767**	**1 809**	**3 401**	**663**
市区	4 629	395	4 629	395		
临江市	2 287	675	1 740	521	547	154
抚松县	2 392	502	1 263	289	1 129	213
靖宇县	2 299	309	1 058	105	1 241	204
长白县	1 624	324	1 140	236	484	88
江源县	1 937	267	1 937	263		4
松原市	**37 295**	**3 441**	**24 304**	**2 531**	**12 991**	**910**
市区	8 377	1 365	7 718	1 142	659	223
长岭县	7 627	581	5 371	341	2 256	240
前郭县	10 254	476	5 356	357	4 898	119
乾安县	4 223	580	2 592	408	1 631	172
扶余县	6 814	439	3 267	283	3 547	156
白城市	**31 497**	**4 829**	**20 119**	**3 445**	**11 378**	**1 384**
市区	11 494	1 743	6 475	1 348	5 019	395
洮南市	5 744	991	3 768	783	1 976	208
大安市	4 628	510	3 082	381	1 546	129
镇赉县	4 572	738	2 105	408	2 467	330
通榆县	5 059	847	4 689	525	370	322
延边朝鲜族自治州	**38 888**	**6 290**	**32 105**	**5 387**	**6 783**	**903**
延吉市	10 807	1 755	10 807	1 755		
图们市	3 407	580	3 407	580		
敦化市	5 786	889	4 268	703	1 518	186
龙井市	4 115	633	3 128	563	987	70
珲春市	3 840	463	2 717	285	1 123	178
和龙市	3 881	809	2 633	647	1 248	162
汪清县	3 963	506	2 905	393	1 058	113
安图县	3 089	655	2 240	461	849	194

15—10 批发零售贸易业商品购进总额

（1995年）　　　　单位：万元

	商品购进总额	从生产者购进	农副产品购进	从批发、零售贸易业购进	进口	其他
总额	**4 943 617**	**3 060 730**	**884 665**	**1 724 138**	**125 839**	**32 910**
一、按经济类型分：						
国有经济	3 473 327	2 352 157	791 408	1 010 254	97 996	12 920
集体经济	1 112 767	438 642	83 204	647 668	9 018	17 439
其他	357 523	269 931	10 053	66 216	18 825	2 551
二、按企业规模分：						
大型企业	811 585	515 723	64 529	248 347	47 515	
中型企业	1 798 990	1 063 998	182 381	701 519	24 673	8 800
小型企业	2 333 042	1 481 009	637 755	774 272	53 651	24 110
三、按市、州分						
长春市	1 825 086	1 202 768	259 147	551 372	66 358	4 588
吉林市	869 485	548 327	93 179	300 899	10 506	9 753
四平市	529 932	357 736	174 336	168 728	1 053	2 415
辽源市	156 570	85 421	31 101	67 687	3 130	332
通化市	286 348	148 578	41 280	131 897	1 926	3 947
白山市	130 177	61 803	2 916	64 635	1 669	2 070
松原市	349 736	243 684	144 472	101 222	47	4 783
白城市	273 339	164 762	69 873	107 481		1 096
延边朝鲜族自治州	522 943	247 652	68 361	230 213	41 152	3 926

注：本表不包括个体批发零售贸易数。

15—11 各市县批发零售贸易业商品购进总额

（1995年）　　　　单位：万元

市、县	商品购进总额				
	合计	从生产者购进	从批发零售贸易业购进	进口	其他
长春市	**1 825 086**	**1 202 768**	**551 372**	**66 358**	**4 588**
市区	1 479 767	962 691	447 538	65 863	3 675
九台市	104 097	86 000	18 083		14
榆树市	99 968	67 032	32 439	495	2
德惠市	67 677	48 686	18 291		700
农安县	73 577	38 359	35 021		197
吉林市	**869 485**	**548 327**	**300 899**	**10 506**	**9 753**
市区	603 588	391 313	194 337	10 495	7 443
桦甸市	37 257	19 970	17 194		93
蛟河市	44 907	22 862	21 574		471
舒兰市	83 459	57 861	25 519		79
磐石市	48 532	25 546	22 323		663
永吉县	51 742	30 775	19 952	11	1 004
四平市	**529 932**	**357 736**	**168 728**	**1 053**	**2 415**
市区	133 379	68 711	63 841	46	781
公主岭市	134 590	103 853	30 513	4	220
梨树县	151 834	115 948	34 227	1 003	656
伊通县	30 028	15 184	14 148		696
双辽县	80 101	54 040	25 999		62
辽源市	**156 570**	**85 421**	**67 687**	**3 130**	**332**
市区	84 207	43 212	37 546	3 130	319
东丰县	47 275	25 165	22 107		3
东辽县	25 088	17 044	8 034		10
通化市	**286 348**	**148 578**	**131 897**	**1 926**	**3 947**
市区	88 048	41 032	45 007	1 451	558
梅河口市	88 839	52 146	33 910	250	2 533
集安市	19 468	5 881	13 011	225	351
通化县	23 264	14 520	8 723		21
辉南县	43 280	22 253	20 903		124

15－11 续表　　　　(1995年)　　　　单位:万元

市、县	商品购进总额				
	合计	从生产者购进	从批发零售贸易业购进	进口	其他
柳河县	23 449	12 746	10 343		360
白山市	**130 177**	**61 803**	**64 635**	**1 669**	**2 070**
市区	65 087	36 538	26 966	632	951
临江市	19 415	8 356	10 677		382
抚松县	24 980	13 223	11 672		85
靖宇县	8 547	1 320	6 906		321
长白县	9 021	1 711	5 981	1 037	292
江源县	3 127	655	2 433		39
松原市	**349 736**	**243 684**	**101 222**	**47**	**4 783**
市区	102 663	71 657	30 553		453
长岭县	68 286	40 496	23 575		4 215
前郭县	78 995	58 252	20 734		9
乾安县	47 313	37 501	9 783	29	
扶余县	52 479	35 778	16 577	18	106
白城市	**273 339**	**164 762**	**107 481**		**1 096**
市区	99 197	47 292	51 533		372
洮南市	50 346	36 100	14 028		218
大安市	32 261	21 185	10 862		214
镇赉县	35 119	20 183	14 646		290
通榆县	56 416	40 002	16 412		2
延边朝鲜族自治州	**522 943**	**247 652**	**230 213**	**41 152**	**3 926**
延吉市	209 975	116 350	85 834	7 583	208
图们市	37 006	11 475	20 370	3 964	1 197
敦化市	62 250	39 756	22 012	33	449
龙井市	57 006	23 761	24 454	8 590	201
珲春市	69 255	22 596	26 952	19 349	358
和龙市	23 302	7 050	13 574	1 556	1 122
汪清县	40 203	17 276	22 741	46	140
安图县	23 946	9 388	14 276	31	251

15—12 批发零售贸易业商品销售、库存总额

(1995 年)　　　　单位:万元

	商品销售总额	对生产经营者的批发	对批发零售贸易业批发	出口	对居民和社会集团商品零售额	年末库存
总　　额	**5 444 914**	**1 372 743**	**1 782 422**	**638 310**	**1 651 439**	**1 839 661**
一、按经济类型分:						
国有经济	3 781 064	873 406	1 365 377	589 394	952 887	1 414 359
集体经济	1 218 203	458 500	377 609	2 215	379 879	345 881
其他经济	445 647	40 837	39 436	46 701	318 673	79 421
二、按企业规模分:						
大型企业	1 053 629	134 467	270 832	322 528	325 802	144 679
中型企业	1 980 560	646 768	800 359	81 810	451 623	552 794
小型企业、附营单位	2 410 725	591 508	711 231	233 972	874 014	1 142 188
三、按市、州分:						
长　春　市	2 124 026	478 370	712 842	421 508	511 306	558 099
吉　林　市	924 184	229 193	237 751	144 608	312 632	325 834
四　平　市	538 940	204 039	185 313		149 588	179 155
辽　源　市	155 233	42 773	59 763	3 631	49 066	75 691
通　化　市	319 236	91 638	114 640	5 970	106 988	181 099
白　山　市	147 050	25 056	44 784	1 481	75 729	34 378
松　原　市	370 964	120 788	107 160	11 958	131 058	177 904
白　城　市	295 113	74 514	96 441		124 158	135 467
延边朝鲜族自治州	570 169	106 374	223 727	49 155	190 913	170 035

注：本表不包括个体批发零售贸易业数。

15—13 各市县批发零售贸易业商品销售、库存总额

(1995年)　　单位:万元

市、县	商品销售总额						年末库存额
	合计	批发				对居民和社会集团商品零售额	
		合计	对生产经营者的批发	对批发零售贸易业批发	出口		
长春市	**2 124 026**	**1 612 720**	**478 370**	**712 842**	**421 508**	**511 306**	**558 099**
市区	1 753 734	1 315 700	364 349	533 269	418 082	438 034	342 107
九台市	89 866	70 217	13 192	57 025		19 649	55 987
榆树市	102 160	85 179	39 817	45 362		16 981	59 787
德惠市	76 184	52 509	27 303	22 158	3 048	23 675	37 099
农安县	102 082	89 115	33 709	55 028	378	12 967	63 119
吉林市	**924 184**	**611 552**	**229 193**	**237 751**	**144 608**	**312 632**	**325 834**
市区	647 797	435 063	156 014	136 350	142 699	212 734	168 379
桦甸市	41 551	25 182	9 993	15 189		16 369	20 053
蛟河市	63 654	40 080	16 453	23 627		23 574	23 564
舒兰市	70 720	40 286	8 993	29 384	1 909	30 434	56 879
磐石市	44 541	28 702	12 515	16 187		15 839	29 196
永吉县	55 921	42 239	25 225	17 014		13 682	27 763
四平市	**538 940**	**389 352**	**204 039**	**185 313**		**149 588**	**179 155**
市区	159 737	98 289	41 577	56 712		61 448	31 487
公主岭市	138 268	120 835	89 754	31 081		17 433	37 844
梨树县	123 303	83 675	36 634	47 041		39 628	75 897
伊通县	34 928	25 912	11 367	14 545		9 016	5 605
双辽县	82 704	60 641	24 707	35 934		22 063	28 322
辽源市	**155 233**	**106 167**	**42 773**	**59 763**	**3 631**	**49 066**	**75 691**
市区	84 055	54 133	22 735	27 850	3 548	29 922	26 473
东丰县	47 218	34 719	14 394	20 242	83	12 499	26 666
东辽县	23 960	17 315	5 644	11 671		6 645	22 552
通化市	**319 236**	**212 248**	**91 638**	**114 640**	**5 970**	**106 988**	**181 099**
市区	93 910	59 865	28 899	29 206	1 760	34 045	45 500
梅河口市	107 771	75 735	28 562	43 665	3 508	32 036	69 872
集安市	21 704	14 834	4 699	9 863	272	6 870	17 907
通化县	27 469	19 076	7 888	10 758	430	8 393	6 584
辉南县	38 327	26 498	11 122	15 376		11 829	26 098

15－13 续表　　　　(1995年)　　　　单位：万元

市、县	商品销售总额						年末库存额
	合计	批发				对居民和社会集团商品零售额	
		合计	对生产经营者的批发	对批发零售贸易业批发	出口		
柳河县	30 055	16 240	10 468	5 772		13 815	15 138
白山市	**147 050**	**71 321**	**25 056**	**44 784**	**1 481**	**75 729**	**34 378**
市区	76 259	37 643	12 735	23 444	1 464	38 616	17 992
临江市	22 404	6 968	2 499	4 469		15 436	3 055
抚松县	23 354	15 424	6 667	8 740	17	7 930	5 536
靖宇县	9 463	3 183	1 174	2 009		6 280	2 485
长白县	10 996	7 502	1 418	6 084		3 494	2 774
江源县	4 574	601	563	38		3 973	2 536
松原市	**370 964**	**239 906**	**120 788**	**107 160**	**11 958**	**131 058**	**179 904**
市区	95 509	61 275	38 604	22 180	491	34 234	19 182
长岭县	83 747	41 880	28 349	13 531		41 867	37 798
前郭县	72 298	42 051	14 839	18 055	9 157	30 247	51 547
乾安县	58 510	47 114	24 199	22 915		11 396	26 884
扶余县	60 900	47 586	14 797	30 479	2 310	13 314	44 493
白城市	**295 113**	**170 955**	**74 514**	**96 441**		**124 158**	**135 467**
市区	107 521	70 420	34 328	36 092		37 101	44 109
洮南市	54 496	35 578	6 906	28 672		18 918	24 362
大安市	43 025	18 518	11 404	7 114		24 507	16 784
镇赉县	38 188	16 038	10 427	5 611		22 150	20 006
通榆县	51 883	30 401	11 449	18 952		21 482	30 206
延边朝鲜族自治州	**570 169**	**379 256**	**106 374**	**223 727**	**49 155**	**190 913**	**170 035**
延吉市	230 899	137 783	53 782	77 890	6 111	93 116	64 315
图们市	41 468	33 396	5 892	22 469	5 035	8 072	8 729
敦化市	67 876	41 396	9 412	31 803	181	26 480	29 989
龙井市	59 826	45 994	9 088	20 499	16 407	13 832	14 614
珲春市	72 805	58 992	10 154	30 666	18 172	13 813	16 009
和龙市	27 760	15 625	5 045	9 822	758	12 135	12 348
汪清县	43 885	29 378	5 792	21 438	2 148	14 507	15 788
安图县	25 650	16 692	7 209	9 140	343	8 958	8 243

15—14 城乡集市贸易情况

项　　目	单位	1978年	1980年	1985年	1990年	1994年	1995年
一、集 市 数	个	**303**	**473**	**1 269**	**1 429**	**1 803**	**1 868**
城　　市	个		98	370	474	627	728
乡　　村	个	303	375	899	955	1 176	1 140
二、集市贸易成交额	万元	**16 512**	**28 999**	**136 475**	**497 149**	**1 448 045**	**2 514 648**
城　　市	万元		6 070	64 550	317 882	1 071 621	1 821 486
乡　　村	万元	16 512	22 929	71 925	179 267	376 424	693 162
在成交额中:							
粮食油脂油料类	万元	1 415	3 839	9 036	22 047	86 923	144 167
肉禽蛋类	万元	2 206	5 642	23 446	102 512	319 221	443 007
水产品类	万元	220	856	6 139	31 690	102 699	140 703
蔬 菜 类	万元	3 838	5 994	17 695	69 613	170 396	222 745
干鲜果类	万元	663	1 294	8 730	49 633	116 977	129 593
饲料农具种苗类	万元	513	511	1 661	1 832	3 966	8 260
大牲畜类	万元	2 863	2 028	6 162	10 934	11 210	33 885
其 他 类	万元	4 794	8 835	63 606	208 888	636 653	1 392 288
三、集市贸易成交量							
粮　　食	吨		41 919	113 706	98 109	239 111	268 789
食用植物油及料折油	吨		794	3 522	7 929	66 410	79 669
猪　　肉	吨		13 654	64 948	97 891	163 699	183 620
牛　　肉	吨		1 451	4 589	22 249	65 818	58 354
羊　　肉	吨		799	1 646	3 154	7 964	9 428
鲜　　蛋	吨		6 148	15 084	28 454	59 613	72 415
家　　禽	吨		1 519	4 099	6 226	9 446	14 876
蔬　　菜	吨		97 392	332 483	703 910	790 779	992 995
水 产 品	吨		3 884	20 732	56 832	121 265	148 873
干 鲜 果	吨		13 568	146 735	281 131	335 354	396 241

15—14 续表　　　　(1995年)

项　　目	单位	合计	城市	乡村
商品交易市场总数	个	**1 868**	**728**	**1 140**
一、消费品市场	个	1 747	682	1 065
1. 综合市场	个	693	186	507
2. 农副产品市场	个	729	347	382
3. 工业消费品市场	个	169	96	73
4. 其　　他	个	156	53	103
二、生产资料市场	个	121	46	75
1. 综合市场	个	46	27	19
2. 工业生产资料市场	个	38	14	24
3. 农业生产资料市场	个	17	1	16
4. 其　　他	个	20	4	16
商品交易市场成交额	**万元**	**2 514 648**	**1 821 486**	**693 162**
一、消费品市场	万元	2 018 234	1 377 241	640 993
1. 综合市场	万元	862 522	557 033	305 489
2. 农副产品市场	万元	369 653	238 729	130 924
3. 工业消费品市场	万元	668 215	522 180	146 035
4. 其　　他	万元	117 844	59 299	58 545
二、生产资料市场	万元	496 414	444 245	52 169
#综合市场	万元	32 615	32 562	53

对外经济贸易和旅游业 16

16 对外经济贸易和旅游业

1995 年进出口贸易总额	27.14 亿美元
进口总额	12.95 亿美元
出口总额	14.19 亿美元
1995 年大豆出口总量	2.95 万吨
1995 年玉米出口总量	10.0 万吨
1995 年实际利用外资额	9.02 亿美元

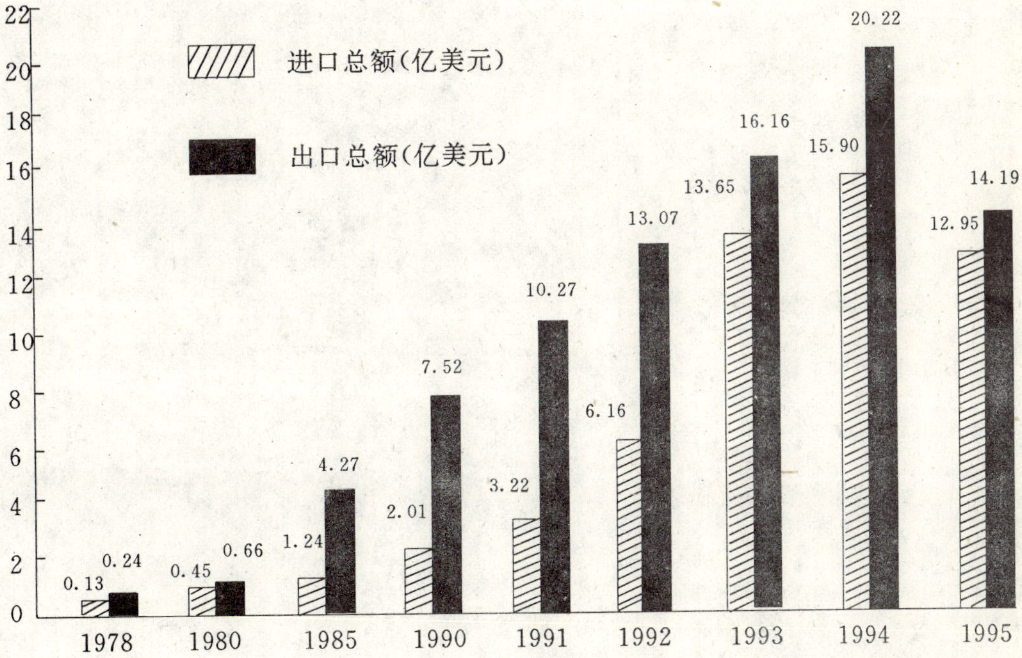

16—1 历年进出口贸易总额

年份	进出口总额（万美元）	出口总额	进口总额	进出口总额（万元）	出口总额	进口总额
1954	1 512	1 512		3 930	3 930	
1955	770	770		2 006	2 006	
1956	874	874		2 276	2 276	
1957	1 106	1 106		2 881	2 881	
1958	1 185	1 185		3 089	3 069	20
1959	1 619	1 589	30	4 215	4 137	78
1960	2 094	2 002	92	5 455	5 214	241
1961	1 376	1 356	20	3 387	3 338	49
1962	849	829	20	2 091	2 042	49
1963	1 169	1 159	10	2 878	2 853	25
1964	1 416	1 393	23	3 486	3 429	57
1965	3 021	2 888	133	7 436	7 109	327
1966	1 820	1 639	181	4 312	3 866	446
1967	930	738	192	2 346	1 873	473
1968	487	361	126	1 198	888	310
1969	802	414	388	1 967	1 012	955
1970	495	93	402	1 218	228	990
1971	5 653	5 415	238	8 197	7 611	586
1972	3 862	3 346	516	8 652	7 496	1 156
1973	7 290	6 837	453	14 644	13 734	910
1974	5 653	4 903	750	11 354	9 849	1 505
1975	2 623	1 886	737	5 164	3 713	1 451
1976	3 062	1 857	1 205	6 022	3 653	2 369
1977	2 798	1 803	995	5 151	3 319	1 832
1978	3 704	2 357	1 347	6 372	4 055	2 317
1979	6 067	4 413	1 654	9 683	6 840	2 843
1980	11 108	6 625	4 483	16 024	9 344	6 680
1981	17 196	12 896	4 300	30 093	22 568	7 525
1982	17 753	13 207	4 546	34 172	25 422	8 750
1983	21 884	16 661	5 223	42 833	32 610	10 223
1984	34 046	24 972	9 074	75 048	55 046	20 002
1985	55 072	42 712	12 360	176 295	136 731	39 564
1986	71 716	52 515	19 201	266 855	195 408	71 447
1987	63 946	46 766	17 180	237 981	174 044	63 937
1988	70 766	53 214	17 552	263 363	198 041	65 322
1989	94 459	68 447	26 012	351 538	254 732	96 806
1990	95 272	75 172	20 100	449 821	354 920	94 901
1991	134 933	102 707	32 226	716 204	545 154	171 050
1992	192 278	130 678	61 600	1 095 985	744 865	351 120
1993	298 100	161 649	136 451	2 592 173	1 405 643	1 186 530
1994	361 209	202 247	158 962	3 052 216	1 708 987	1 343 229
1995	271 474	141 932	129 542	2 266 997	1 185 231	1 081 766

注：本表为外贸部门统计数，进出口总额中未包括口岸代理进口数。

16—2 外贸部门主要商品出口数量

项　目	单　位	1978年	1980年	1985年	1990年	1994年	1995年
大　豆	吨		11 698	101 649	21 768	139 948	29 458
玉　米	万吨			205.81	186.02	495.81	10.00
活　牛	头	4 562	4 436	5 969	5 282	6 087	5 688
冻家禽	吨	317	364	334	1 680	25 604	36 000
罐　头	吨	413	488	4 938	10 326	25 186	13 045
葡萄酒	吨	0.3	14.0	43.0	17.0	213.0	18.0
园　参	吨	70	170	162	1 133	1 075	926
鹿　茸	公斤	9 101	4 749	2 287	4 778	16 397	35 318
棉　纱	件				12 660	13 560	14 842
服　装	万美元				2 470	11 647	10 074
原　木	立方米				3 406	12 874	13 661
人参露酒	箱	7 440	12 295	10 849	19 958	12 937	10 953
纸　张	吨	11 553	15 253	15 904	13 572	27 773	103 476
牙　膏	打	2 988	6 249	13 368	208 040	35	60
汽　车	辆	100	2 298	494	2 194	1 714	1 927
豆　粕	吨			113 000	396 125	306 029	297 694

16—3 外贸部门进出口贸易总额

单位:万美元

项　　目	1978年	1980年	1985年	1990年	1994年	1995年
进出口总额	3 704	11 108	55 072	95 272	361 209	271 474
出口额	2 357	6 625	42 712	75 172	202 247	141 932
进口额	1 347	4 483	12 360	20 100	158 962	129 542
在出口额中:						
农产品	1 276	2 188	34 677	41 062	93 499	27 858
轻工产品	824	2 206	5 295	19 461	72 254	63 492
重工产品	257	2 231	2 740	14 649	36 494	50 582
比　重(%)						
农产品	54.1	33.0	81.2	54.6	46.2	19.6
轻工产品	35.0	33.3	12.4	25.9	35.7	44.7
重工产品	10.9	33.7	6.4	19.5	18.0	35.7

16—4 利　用　外　资　情　况

单位:万美元

年　份	签订合同数(个)	签订利用外资协议(合同)额				实际利用外资额			
		合　计	对外借款	外商直接投资	外商其他投资	合　计	对外借款	外商直接投资	外商其他投资
1985	27	2 454	795	1 423	236	488		252	236
1986	38	4 318	554	820	2 944	2 577	154	57	2 366
1989	80	8 099	3 901	2 262	1 936	3 366	2 303	335	728
1990	70	6 559	3 491	2 165	903	6 069	4 100	1 694	275
1993	1 451	85 977	4 701	76 575	4 701	34 909	7 382	23 784	3 743
1994	1 108	168 319	80 798	82 608	4 913	80 852	49 018	31 834	
1995	700	175 766	85 985	85 733	4 048	90 202	49 400	39 876	926

16—5 各市州外商投资企业情况

单位:万美元

	1993年		1994年		1995年	
	企业个数	合同外资金额	企业个数	合同外资金额	企业个数	合同外资金额
合　　计	**1 434**	**76 575**	**1 064**	**82 608**	**667**	**85 734**
长春市	260	16 550	250	22 370	145	27 816
#开发区			46	5 575	42	8 955
吉林市	171	7 226	101	4 058	55	3 293
四平市	87	5 476	24	4 149	24	6 235
辽源市	15	441	16	196	4	91
通化市	77	4 001	53	2 092	40	2 371
#梅河口市			16	387	11	1 766
白山市	45	3 264	31	1 594	18	1 826
松原市	46	2 894	14	748	11	309
白城市	30	1 307	18	894	2	78
延边朝鲜族自治州	278	14 290	207	12 951	181	16 708
#珲春市	57	3 496	32	1 700	14	961
省直	425	21 125	350	33 556	187	27 007

16—6 对外承包和劳务出口情况

年份	对外承包工程			对外劳务合作		
	签定合同(个)	合同额(万美元)	完成营业额(万美元)	签定合同(个)	合同额(万美元)	完成营业额(万美元)
1985	10	823	896	3	141	31
1986	1	398	1 260	3	37	88
1989	8	638	1 256	41	1 317	142
1990	7	450	1 587	65	3 841	859
1993	10	6 266	1 269	81	9 519	5 796
1994	20	8 914	4 173	103	14 852	7 597
1995	17	7 287	5 083	150	18 599	10 702

16—7 旅游事业发展情况

项　　目	单位	1991年	1992年	1993年	1994年	1995年
一、接待旅游总人数	人	61 945	83 572	78 802	106 546	156 119
外国人	人	36 265	53 190	56 261	92 522	144 947
华　侨	人	288	1 005	205	224	127
港澳台同胞	人	25 392	29 377	22 336	13 800	11 045
三、接待的旅游人天数	人天	145 148	202 261	188 656	209 817	284 630
外国人	人天	92 427	145 084	143 528	179 886	260 798
华　侨	人天	2 699	2 861	739	687	340
港澳台同胞	人天	50 022	54 316	44 389	29 244	23 492

16—8 旅游部门接待能力

项　　目	单位	1990年	1991年	1992年	1993年	1994年	1995年
旅游管理机构	个	10	15	25	30	22	19
全年平均职工人数	人	5 899	7 513	8 801	10 135	15 217	15 926
旅游涉外宾馆	个	35	36	39	45	51	54
#星级饭店	个	27	33	35	38	48	52
旅行社(一、二类)	个	22	22	23	29	29	29
客房数	间	3 290	3 798	4 132	4 657	5 356	5 967
客房床位数	个	8 082	9 309	8 934	12 296	11 907	12 704
旅游汽车	辆	120	159	301	386	120	316

17 金融和保险

17—1 银行存款余额

单位:万元

项目	1978年	1980年	1985年	1990年	1994年	1995年
各项存款合计	**249 418**	**308 666**	**864 176**	**2 521 526**	**6 112 556**	**7 911 517**
企业存款	59 527	102 759	324 533	537 898	1 526 099	1 807 762
财政存款	60 681	33 695	40 602	44 600	125 586	177 440
机关团体存款	15 926	29 782	57 950	103 161	144 038	142 261
城镇储蓄存款	42 742	80 413	322 015	1 565 460	4 205 376	5 745 661
农村存款	41 522	41 620	75 983	158 453	97 821	29 346
其他存款	29 020	20 397	43 093	111 954	13 636	9 047

17—2 银行贷款余额

单位:万元

项目	1978年	1980年	1985年	1990年	1994年	1995年
各项贷款合计	**611 548**	**756 977**	**1 597 915**	**5 070 069**	**10 997 659**	**13 027 583**
工业贷款	202 156	271 504	517 241	1 584 787	3 169 129	3 652 895
商业贷款	377 340	415 335	682 040	2 361 818	4 639 690	5 636 617
建筑企业贷款			21 139	82 475	167 271	194 512
个体工商业贷款			1 482	1 744	15 967	10 900
乡镇企业贷款			31 096	95 058	185 946	226 206
农业贷款	32 052	57 467	118 253	293 254	385 812	490 578
固定资产贷款		12 671	207 736	548 385	1 869 493	2 072 391
其他贷款			18 928	102 548	564 351	743 484

17—3 银 行 现 金 收 入

单位:万元

项　　目	1978年	1980年	1985年	1990年	1994年	1995年
收入合计	**420 059**	**614 828**	**1 756 317**	**5 696 640**	**20 796 263**	**27 192 956**
商品销售收入	294 389	399 451	821 468	1 441 580	2 547 557	2 832 743
服务事业收入	37 720	46 835	95 365	252 568	742 314	929 061
税款收入	755	190	4 889	25 983	65 406	80 461
农村信用社收入	13 620	28 781	125 423	270 217	393 093	470 713
乡镇企事业收入			11 470	30 193	86 952	112 678
城乡个体经营收入			12 097	28 592	78 433	116 356
储蓄存款收入	48 913	100 270	475 100	2 267 945	9 752 387	13 624 288
其他金融机构收入				123 594	706 802	916 502
汇兑收入	6 899	8 666	19 760	65 014	272 987	448 185
其他收入	17 763	30 635	190 745	1 168 800	5 979 505	7 344 827
债券收入				22 154	170 827	317 142

17—4 银 行 现 金 支 出

单位:万元

项　　目	1978年	1980年	1985年	1990年	1994年	1995年
支出合计	**431 705**	**649 040**	**1 876 829**	**6 343 231**	**22 189 654**	**28 451 950**
工资及对个人其他支出	224 229	302 164	576 098	1 238 947	2 658 595	3 152 606
农副产品采购支出	20 250	47 122	195 269	903 389	1 363 139	1 397 604
工矿产品收购支出	2 253	3 673	8 444	27 616	92 262	92 442
行政企业管理费支出	33 403	51 002	139 097	367 429	1 202 684	1 286 901
农村信用社支出	86 730	129 502	314 300	366 142	398 733	554 090
乡镇企事业支出			23 095	49 529	117 418	143 236
城乡个体经营支出			22 220	34 101	122 059	152 288
储蓄存款支出	420 505	75 503	398 104	1 885 756	8 764 511	12 370 439
其他金融机构支出				221 935	1 137 419	1 358 140
汇兑支出	4 003	4 498	10 593	38 972	142 931	287 537
其他支出	18 332	35 576	189 609	1 188 274	6 112 669	7 477 336
债券支出				21 141	77 234	179 331

17—5 国内保险主要险种业务开展情况

项目	单位	1993年	1994年	1995年
财产保险				
保险金额	亿元	1 260.4	1 517.1	1 390.0
储金余额	万元	62 090	68 960	14 835
		(业务收入)	(业务收入)	
保费收入	万元	48 469	54 174	74 734
满期给付	万元	36 185	75 708	7 171
		(业务支出)	(业务支出)	
赔款	万元	34 266	59 065	60 982
赔付率	%	70.7	109.0	81.6
人身保险				
保险金额	亿元	260.3	445.0	979.0
储金余额	万元	22 324	25 203	4 128
		(业务收入)	(业务收入)	
保费收入	万元	11 488	20 724	27 607
满期给付	万元	6 940	3 000	3 670
		(业务支出)	(业务支出)	
赔款	万元			9 114
赔付率	%	50.7	43.1	33.0
农业保险				
保险金额	亿元	84.9	50.3	34.0
储金余额	万元	5 219	4 793	11.8
		(业务收入)	(业务收入)	
保费收入	万元	4 672	4 498	3 262
满期给付	万元	4 644	4 093	165
		(业务支出)	(业务支出)	
赔款	万元	4 644	4 093	2 173
赔付率	%	99.4	91.0	66.6

17—6 保险业务经济技术指标

项　　目	单 位	1991年	1992年	1993年	1994年	1995年
一、国内业务						
(一) 承保额	万元	6146 271	9 008 220	9 880 103	10 300 996	11 280 770
1. 企业财产	万元	4513 578	5 621 543	7 186 321	7 400 135	8 393 344
2. 运输工具	万元	676 560	1 253 544	1 365 878	1 664 473	1 786 898
3. 家庭财产	万元	956 133	2 133 133	1 327 904	1 236 388	1 100 528
(二) 业务收入	万元	54 831	82 933	87 974	100 529	105 619
1. 企业财产险	万元	9277	12 056	14 022	19 401	19 946
2. 运输工具及责任险	万元	12 402	17 074	23 113	30 115	41 809
3. 家庭财产险	万元	2541	5 898	16 524	17 991	5 818
4. 养老金险	万元	14 588	22 976	3 340	2 168	2 580
5. 人身意外伤害险	万元	3593	5 518	8 593	9 338	7 570
6. 储金性人身险	万元	2082	5 682	10 392	8 997	12 011
7. 农业险	万元	3041	4 899	5 219	4 793	3 262
8. 货物运输险	万元	5147	4 179	5 159	5 730	6 666
9. 其他险	万元	2160	4 651	1 612	1 996	5 957
(三) 赔案件数	件	376 917	374 949	251 518	243 059	217 503
1. 已　决	件	358 344	340 148	185 353	211 715	193 484
2. 未　决	件	18 573	34 801	66 165	31 344	24 019
(四) 业务支出	万元	30 799	43 903	52 131	85 162	68 185
1. 企业财产险	万元	4744	4 782	7 712	14 702	17 330
2. 家庭财产险	万元	2803	1 971	4 800	19 821	5 882
3. 运输工具及责任险	万元	7062	10 434	21 223	33 004	30 077
4. 货物运输险	万元	793	370	1 652	2 205	1 724
5. 人身意外伤害险	万元	1644	2 175	4 036	5 462	4 812
6. 人身险	万元	1069	1 148	6 158	2 895	4 043
7. 养老金险	万元	11 136	18 361	1 294	2 045	347
8. 农业险	万元	1364	3 154	4 644	4 099	2 173
9. 其他险	万元	184	1 508	612	929	1 797
二、国外业务						
(一) 承保额	亿美元	3.1	5.3	11.8	15.6	9.8
1. 进口货物运输	亿美元	1.5	3.5	5.7	7.3	7.8
2. 出口远洋货运	亿美元	1.1	1.4	5.8	7.8	1.8
3. 出口港澳货运	亿美元	0.5	0.4	0.3	0.5	0.2
(二) 保　费	万美元	395	662	831	934	835
1. 进口运输货物险	万美元	79	105	167	257	159.6
2. 出口远洋运输货物险	万美元	75	85	85	98	112.2
3. 出口港、澳货物险	万美元	29	34	21	37	11
4. 船舶险	万美元	2	25	36	11	33.9
5. 其他险	万美元	210	413	522	531	518.3
(三) 赔案件数	件	533	594	1 065	1 217	1 144
1. 已　决	件	529	580	918	1 082	1 090
2. 未　决	件	4	14	147	135	54
(四) 已决赔款	万美元	527	171	981	487	496.5
1. 进口货物运输险	万美元	385	6	93	60	43.6
2. 出口远洋货物运输险	万美元	58	33	23	38	78.1
3. 出口港澳货物运输险	万美元	3	12	2	2	1.5
4. 船舶险	万美元			563	211	24.9
5. 其他险	万美元	81	120	300	176	348.4

教育、科技和文化事业 18

18—1 各级各类学校数

单位:所

项　　目	1978年	1980年	1985年	1990年	1994年	1995年
普通高等学校	24	25	44	42	43	43
中等学校	2 044	2 222	2 509	2 421	2 275	2 241
中等专业学校	107	105	100	119	120	123
中等技术学校	63	62	80	97	97	99
中等师范学校	44	43	20	22	23	24
普通中学	1 937	1 974	2 018	1 955	1 845	1 819
高　中	1 602	1 111	432	348	300	289
初　中	335	863	1 586	1 607	1 545	1 530
职业中学		143	391	347	310	299
小　　学	16 088	11 440	11 027	10 746	10 374	10 202
盲、聋哑学校	23	23	22	23	26	26
幼儿园	9 685	4 385	2 156	2 657	4 267	4 869

注：1994、1995年幼儿园的数字中包括民办幼儿园，以下各表同。

18—2 各级各类学校教职工数

单位:人

项　　目	1978年	1980年	1985年	1990年	1994年	1995年
普通高等学校	19 750	23 116	33 499	38 810	39 463	39 708
中等学校	133 949	145 463	141 372	151 209	152 823	154 100
中等专业学校	11 834	14 182	13 456	16 652	17 956	18 425
中等技术学校	9 468	10 127	11 054	13 726	14 804	15 199
中等师范学校	2 366	4 055	2 402	2 926	3 152	3 226
普通中学	122 115	129 862	115 245	119 419	120 059	120 920
职业中学		1 419	12 671	15 138	14 808	14 755
小　　学	143 507	160 689	166 785	178 695	180 361	181 873
盲、聋哑学校	663	730	965	1 310	1 454	1 389
幼　儿　园	17 266	19 006	22 950	31 474	30 648	31 795

18—3 各级各类学校教师数

单位:人

项目	1978年	1980年	1985年	1990年	1994年	1995年
普通高等学校	7 221	8 468	12 443	14 791	14 956	15 024
中等学校	101 705	103 427	96 294	101 692	106 326	107 533
中等专业学校	4 973	6 240	5 746	7 731	8 475	8 816
中等技术学校	3 774	4 158	4 727	6 360	6 840	7 120
中等师范学校	1 199	2 082	1 019	1 371	1 635	1 696
普通中学	96 732	96 189	82 201	84 492	88 238	88 908
高中	28 792	23 055	15 608	16 141	14 938	14 945
初中	67 940	73 134	66 593	68 351	73 300	73 963
职业中学		998	8 347	9 469	9 613	9 809
小学	124 978	133 402	134 515	145 952	150 242	152 734
盲、聋哑学校	437	470	601	858	961	911
幼儿园	11 780	11 913	15 664	20 506	20 781	21 567

18—4 各级各类学校在校学生数

单位:人

项目	1978年	1980年	1985年	1990年	1994年	1995年
普通高等学校	29 901	38 006	59 481	72 806	95 242	100 785
中等学校	2 091 013	1 892 875	1 584 744	1 404 072	1 514 674	1 551 773
中等专业学校	31 517	42 421	55 888	65 179	96 720	113 969
中等技术学校	22 111	27 626	39 455	46 944	72 238	86 992
中等师范学校	9 406	14 795	16 433	18 235	24 482	26 977
普通中学	2 059 496	1 831 406	1 387 015	1 195 740	1 266 409	1 287 429
高中	648 968	431 630	218 101	180 702	173 389	191 760
初中	1 410 528	1 399 776	1 168 914	1 015 038	1 093 020	1 095 669
职业中学		19 048	141 841	143 153	151 545	150 375
小学	3 429 713	3 552 903	2 998 100	2 761 232	2 641 898	2 690 280
盲、聋哑学校	2 717	3 087	3 634	4 121	4 132	4 088
幼儿园	252 133	258 770	343 270	428 565	550 703	583 584

18—5 各级各类学校招生数

单位:人

项　　目	1978年	1980年	1985年	1990年	1994年	1995年
普通高等学校	13 152	10 515	21 487	21 077	30 916	32 161
中等学校	886 407	744 433	536 094	501 620	534 362	577 115
中等专业学校	15 883	14 235	21 981	20 751	35 957	42 883
中等技术学校	11 085	8 734	15 835	14 740	27 935	34 099
中等师范学校	4 798	5 501	6 146	6 011	8 022	8 784
普通中学	870 524	714 281	435 954	424 396	431 836	468 263
高　　中	327 944	232 144	79 470	61 949	65 985	75 488
初　　中	542 580	482 137	356 484	362 447	365 851	392 775
职业中学		15 917	78 159	56 473	66 569	65 969
小　　学	858 629	726 687	482 125	408 537	499 130	490 253
盲、聋哑学校	598	461	590	396	443	502
幼　儿　园	123 204	170 600	211 866	256 177		387 181

18—6 各级各类学校毕业生数

单位:人

项　　目	1978年	1980年	1985年	1990年	1994年	1995年
普通高等学校	6 291	7 962	12 900	21 130	22 032	26 225
中等学校	674 715	609 122	426 451	418 769	469 195	489 102
中等专业学校	12 866	14 506	14 617	19 597	20 890	23 462
中等技术学校	9 044	9 737	10 853	14 457	15 014	17 026
中等师范学校	3 822	4 769	3 764	5 140	5 876	6 436
普通中学	661 849	593 760	374 891	342 614	392 366	404 310
高　　中	214 289	213 111	45 933	65 958	50 393	51 039
初　　中	447 560	380 649	328 958	276 656	341 973	353 271
职业中学		856	36 943	56 558	55 939	61 330
小　　学	549 461	530 063	404 488	431 187	400 584	419 415
盲、聋哑学校	238	242	271	417	375	301
幼　儿　园	117 169	136 214	179 862	261 862		

18－7 高等学校研究生情况

单位:人

项　　目	1991年	1992年	1993年	1994年	1995年
研究生					
毕业生数	1 385	1 181	1 143	1 219	1 282
招生数	1 214	1 285	1 845	1 871	1 819
在学研究生数	3 638	3 717	4 470	5 192	5 707
毕业班学生数	1 229	1 229	1 289	1 300	1 916
攻读博士学位研究生					
毕业生数	110	109	65	151	133
招生数	113	134	171	286	320
在学研究生数	379	402	514	651	841
毕业班学生数	160	155	210	163	201
攻读硕士学位研究生					
毕业生数	1 207	1 072	1 078	1 068	1 149
招生数	1 101	1 151	1 674	1 585	1 499
在学研究生数	3 259	3 315	3 956	4 541	4 866
毕业班学生数	1 069	1 074	1 079	1 137	1 715

18—8 高等学校分科在学研究生数

单位：人

项目	1991 年	1992 年	1993 年	1994 年	1995 年
总计	**3 638**	**3 717**	**4 470**	**5 192**	**5 707**
#女	1 117	1 242	1 514	1 879	2 121
哲学	81	71	94	129	133
经济学	208	234	439	644	793
法学	252	280	380	519	548
教育学	111	102	128	153	191
文学	258	269	308	358	412
历史学	193	189	199	244	241
理学	1 066	1 068	1 168	1 158	1 184
工学	876	971	1 116	1 267	1 384
农学	95	89	100	112	131
医学	498	444	538	608	690

18—9 高等学校分科毕业研究生数

单位：人

项目	1991 年	1992 年	1993 年	1994 年	1995 年
总计	**1 385**	**1 181**	**1 143**	**1 219**	**1 282**
#女	375	338	372	404	424
哲学	37	31	26	24	21
经济学	89	79	61	71	93
法学	127	78	83	84	107
教育学	71	42	36	30	33
文学	123	81	89	86	90
历史学	69	67	58	60	72
理学	377	346	328	376	349
工学	280	296	289	307	338
农学	40	21	26	32	29
医学	172	140	147	149	150

18—10 各高等学校培养研究生情况

(1995 年) 单位:人

项目	在校研究生	博士学位	硕士学位	毕业生数	博士学位	硕士学位
总计	**5 707**	**841**	**4 866**	**1 282**	**133**	**1 149**
一、中央部委所属院校	5 105	822	4 283	1 175	133	1 042
1. 国家教委所属院校	3067	410	2 657	704	91	613
东北师范大学	1 089	114	975	229	29	200
吉林大学	1 978	296	1 682	475	62	413
2. 其他部委所属院校	2038	412	1 626	471	42	429
白求恩医科大学	579	111	468	121	17	104
吉林工业大学	801	202	599	164	13	151
东北电力学院	96		96	28		28
长春光学精密机械学院	189	8	181	41		41
长春地质学院	350	91	259	113	12	101
长春税务学院	23		23	4		4
二、地方所属院校	602	19	583	107		107
1. 教育部门所属院校	226	10	216	27		27
延边大学	226	10	216	27		27
2. 其他部门所属院校	376	9	367	80		80
延边医学院	82		82	19		19
延边农学院	26		26	6		6
吉林农业大学	118	9	109	24		24
吉林工学院	60		60	13		13
吉林医学院	27		27	5		5
长春中医学院	58		58	13		13
吉林艺术学院	5		5			

18—11 高等学校分科在校学生数

（1995 年） 单位：人

项目	招生		在校生		毕业生	
	本科	专科	本科	专科	本科	专科
总计	**15 577**	**16 584**	**56 601**	**44 184**	**11 746**	**14 479**
哲学	30		131	19	30	
经济学	1 247	2 864	3 970	7 756	710	2 422
法学	401	417	1 289	1 041	192	447
教育学	669	871	2 481	1 735	683	876
文学	1 736	2 240	5 875	5 075	1 223	2 114
历史学	379	373	1 360	765	302	391
理学	2 040	1 548	7 641	3 741	1 670	1 713
工学	7 046	6 340	25 418	18 319	5 296	5 203
农学	719	766	2 772	2 127	670	446
医学	1 310	1 165	5 664	3 606	970	867

18—12 高等学校分科专任教师数

（1995 年） 单位：人

项目	合计	正高级	副高级	中级	初级	无职称
合计	**15 024**	**1 127**	**4 055**	**5 820**	**3 333**	**689**
哲学	539	43	155	226	103	12
经济学	871	35	205	368	208	55
法学	293	16	44	145	64	24
教育学	717	33	193	315	155	21
文学	2 491	91	532	1 018	683	167
历史学	389	39	107	145	54	44
理学	3 082	248	813	1 270	662	89
工学	4 412	354	1 313	1 632	883	230
农学	701	58	183	273	160	27
医学	1 529	210	510	428	361	20

18—13 各高等学校基本情况

（1995 年）　　　　单位：人

项目	在校研究生数	本专科毕业生数	本专科招生数	本专科在校学生数	教职工人数	#专任教师	正高级、副高级	中级
大学、专门学院、专科学校								
总　计	**5 707**	**25 993**	**31 463**	**98 684**	**39 060**	**14 681**	**5 121**	**5 681**
#女	2 121	9 360	11 516	36 010	14 729	5 401	1 120	2 413
综合大学	2 204	3 351	4 070	13 432	6 355	2 093	722	768
吉林大学	1 978	1 812	2 100	7 041	4 235	1 169	494	403
延边大学	226	661	870	2 877	1 220	552	150	202
长春大学		878	1 100	3 514	900	372	78	163
理工院校	1 496	10 035	12 326	39 621	14 852	5 213	1 821	2 141
吉林工业大学	801	1 967	2 140	6 993	3 460	1 012	386	465
长春光学精密机械学院	189	808	1 240	4 176	1 451	542	214	210
长春地质学院	350	1 487	1 420	4 260	1 966	657	287	248
东北电力学院	96	716	1 038	3 448	1 277	426	206	128
长春邮电学院		459	716	2 168	952	259	76	119
吉林工学院	60	1 161	1 320	4 888	1 218	513	175	185
吉林建筑工程学院		458	720	2 480	712	305	93	127
吉林化工学院		419	562	1 954	737	293	80	102
吉林粮油食品高等专科学校		320	350	1 044	319	183	35	66
长春工业高等专科学校		483	740	1 990	400	152	34	90
长春汽车工业高等专科学校		120	120	527	576	270	65	152
长春建筑高等专科学校		571	650	1 916	501	181	51	59
吉林电气化高等专科学校		575	650	1 902	676	202	61	96
长春水利电力高等专科学校		491	660	1 875	607	218	58	94
农业院校	144	1 048	1 491	4 824	3 114	1 087	324	356
吉林农业大学	118	683	890	2 933	1 993	613	217	223
延边农学院	26	201	350	1 196	731	301	89	86
吉林农垦特产高等专科学校		164	251	695	390	173	18	47
林业院校		349	650	2 161	839	201	70	86
吉林林学院		349	650	2 161	839	201	70	86

注：不包括短期职业大学和高校分校、大专班数字。

18—13 续表 (1995年) 单位:人

项目	在校研究生数	本专科毕业生数	本专科招生数	本专科在校学生数	教职工人数	#专任教师	正高级、副高级	中级
医药院校	746	1 844	2 480	9 343	4 419	1 988	830	610
白求恩医科大学	579	758	840	3 509	2 197	1 029	555	221
吉林医学院	27	475	450	1 863	642	324	74	130
延边医学院	82	322	450	1 674	649	279	88	105
长春中医学院	58	289	360	1 517	618	216	71	87
长春医学高等专科学校			380	780	313	140	42	67
师范院校	1 089	6 910	7 571	20 918	6 961	3 033	1 042	1 266
东北师范大学	1 089	2 014	2 110	6 328	2 856	1 126	521	426
吉林师范学院		1 002	1 000	2 750	814	363	91	174
通化师范学院		560	624	1 636	464	238	56	98
四平师范学院		1 107	1 264	3 557	1 010	427	118	195
吉林职业师范学院		390	650	1 984	514	231	61	93
长春师范学院		725	780	2 166	545	294	99	151
白城师范高等专科学校		739	755	1 647	434	223	52	73
延边师范高等专科学校		373	388	850	324	131	44	56
财经院校	23	1 855	2 119	6 373	1 695	695	212	301
长春税务学院	23	603	604	2 121	729	279	106	123
吉林财税高等专科学校		351	610	1 858	353	145	20	69
吉林商业高等专科学校		510	555	1 409	337	161	37	62
长春金融高等专科学校		391	350	985	276	110	49	47
政法院校		243	219	622	262	85	15	40
吉林公安高等专科学校		243	219	622	262	85	15	40
体育院校		173	237	641	178	70	26	27
吉林体育学院		173	237	641	178	70	26	27
艺术院校	5	185	300	749	385	216	59	86
吉林艺术学院	5	185	300	749	385	216	59	86

18—14 中等专业分类别学校数

单位:所

项　　目	1978年	1980年	1985年	1990年	1994年	1995年
合　　计	**107**	**105**	**100**	**119**	**120**	**123**
工　　业	24	25	22	28	25	26
农　　林	12	11	11	12	12	12
医　　药	8	8	9	11	13	12
师　　范	44	43	20	22	23	24
财　　经	12	12	11	15	15	15
其　　他	7	6	27	31	32	34

18—15 中等专业学校分科在校学生数

单位:人

项　　目	1978年	1980年	1985年	1990年	1994年	1995年
合　　计	**31 517**	**42 421**	**55 888**	**65 179**	**96 720**	**113 969**
工　　科	10 438	12 483	14 046	16 786	26 831	32 444
农 林 科	3 923	4 857	3 479	4 435	7 043	6 389
医　　药	2 628	5 396	5 254	8 178	8 671	9 450
师　　范	9 406	14 795	16 433	18 235	27 760	31 543
财　　经	3 607	3 322	11 569	12 156	15 652	19 437
其　　他	1 515	1 568	5 107	5 389	10 763	14 706

18—16 中等专业学校分科招生数

单位:人

项　　目	1978年	1980年	1985年	1990年	1994年	1995年
合　计	**15 883**	**14 235**	**21 981**	**20 751**	**35 957**	**42 883**
工　科	5 046	3 890	6 608	5 015	9 382	11 972
农林科	2 124	1 346	2 033	1 385	2 427	2 171
医　药	1 500	1 492	1 657	1 916	3 447	3 217
师　范	4 798	5 501	6 146	6 011	9 252	10 409
财　经	1 767	1 500	2 263	4 441	6 685	8 067
其　他	648	506	3 274	1 983	4 764	7 047

18—17 中等专业学校分科毕业生数

单位:人

项　　目	1978年	1980年	1985年	1990年	1994年	1995年
合　计	**12 866**	**14 506**	**14 617**	**19 597**	**20 890**	**23 462**
工　科	4 229	4 194	5 239	5 028	4 909	6 228
农　林	1 542	2 268	992	1 272	1 546	1 430
医　药	1 296	1 053	1 221	2 434	2 379	1 897
师　范	3 822	4 769	3 764	5 140	6 354	7 021
财　经	1 687	1 814	2 028	4 254	3 809	3 800
其　他	290	408	1 373	1 469	4 893	3 086

18—18 中等专业学校分类别教职工数

单位:人

项　　目	1978年	1980年	1985年	1990年	1994年	1995年
合　　计	**11 834**	**14 182**	**13 456**	**16 652**	**17 956**	**18 425**
工　　业	4 362	5 113	4 347	4 702	5 250	5 340
农　　林	2 215	1 826	2 108	2 446	2 541	2 580
医　　药	1 160	1 149	1 435	2 184	2 203	2 186
师　　范	2 366	4 055	2 402	2 926	3 152	3 226
财　　经	1 128	1 254	1 443	1 823	1 776	1 823
其　　他	603	785	1 721	2 571	3 034	3 270

18—19 中等专业学校分类别专任教师数

单位:人

项　　目	1978年	1980年	1985年	1990年	1994年	1995年
合　　计	**4 973**	**6 240**	**5 746**	**7 731**	**8 475**	**8 816**
工　　业	1 642	1 988	1 746	2 192	2 458	2 508
农　　林	721	677	774	1 057	1 141	1 175
医　　药	606	590	729	899	812	821
师　　范	1 199	2 082	1 019	1 371	1 635	1 696
财　　经	489	503	543	845	850	862
其　　他	316	400	935	1 367	1 579	1 754

18—20 技工学校基本情况

项目	单位	1978年	1980年	1985年	1990年	1994年	1995年
学校数	所	30	87	115	141	150	156
#地方	所	22	76	95	111	118	124
招生数	人	4 299	10 521	13 760	17 677	26 069	27 490
#地方	人	2 925	8 740	11 336	13 810	20 546	22 972
在校学生数	人	6 208	22 280	31 396	48 263	69 888	72 406
#地方	人	3 751	18 798	26 349	36 304	54 710	58 421
毕业生数	人	1 207	4 044	9 254	14 972	19 267	25 459
#地方	人	415	2 058	7 818	11 305	14 701	20 701
教职工数	人	2 171	3 657	6 727	10 072	10 913	11 651
#地方	人	1 542	2 830	5 162	7 002	7 889	8 734

18—21 技工学校按行业分类学生情况

(1995年)　　　　单位：人

行业	招生数	#中央	在校生数	#中央	毕业生数	#中央
总计	**27 490**	**4 518**	**72 406**	**13 985**	**25 459**	**4 758**
农、林、牧、渔、水利业	1 126		3 765		1 673	
机械制造、加工业	5 158	1 544	14 227	4 442	5 568	1 604
地质矿产业	234		890	52	178	41
冶金工业	659		1 922	268	530	
煤炭工业	526	205	1 601	766	667	388
电力工业	564	523	2 243	1 968	851	741
石油工业	888	70	2 313	210	816	40
化学工业	1 013	340	2 806	747	993	248
有色金属工业	420		640	75	142	91
轻工业(食品、烟草、造纸、皮毛、印刷、服装等)	1452	39	3 139	121	948	
纺织工业	2 088		4 701		1 053	
电子、仪器、仪表工业	1 128		3 128	135	1 123	24
电工、电气	907	166	1 966	554	677	153
医药、医疗	191		510		187	
建材、建工、城建	1 575	109	3 891	373	1 428	150
交通、运输	1 336	694	3 255	1 682	1 038	411
邮电、通讯	119		495	57	149	29
商业、饮食、旅游、服务业	3 373	22	8 076	123	2 518	32
其他	4 733	806	12 838	2 412	4 920	806

18—22 各级各类成人教育在校学生数

单位:人

项　　目	1991年	1992年	1993年	1994年	1995年
一、成人高等学校	**58 674**	**52 804**	**62 429**	**77 769**	**90 040**
广播电视大学	12 543	7 450	10 892	13 754	16 949
职工大学	10 168	10 719	11 555	12 665	13 621
农民大学	247	263	299	694	966
函授大学、夜大学	31 743	30 632	34 856	44 981	52 039
管理干部学院	1 530	1 907	3 543	4 185	4 624
教育学院	2 443	1 833	1 284	1 490	1 841
二、成人中等学校	**1 194 715**	**1 976 760**	**1 200 296**	**1 242 035**	**1 645 789**
职工中等专业学校	20 384	16 299	19 287	22 627	29 274
干部中等专业学校	515	598	565	750	1 034
农民中等专业学校	9 251	12 245	2 992	11 781	5 418
教师进修学校	5 622	678	2 646		976
成人中学	14 463	8 274	10 744	10 129	8 028
广播电视和函授中等专业学校	3 478	12 124	11 553	14 652	16 382
成人技术培训学校	1 141 002	1 926 542	1 152 509	1 182 096	1 584 677
三、成人初等学校	**153 076**	**119 330**	**89 935**	**101 304**	**67 505**
#技术班(职工初等学校)	8380	8 687	6 436	3 180	1 693
小　学　班	77 676	48 722	50 118	56 921	39 845
扫　盲　班	67 020	61 921	33 381	41 203	25 967

18—23 平均每万人口在校学生数和大中小学学生构成

项　目	单位	1978年	1980年	1985年	1990年	1994年	1995年
各级学校在校学生数占全省							
人口的比重	%	25.8	24.8	20.2	17.3	16.9	17.0
平均每万人口中							
大　学　生	人	13.9	17.2	25.9	29.8	37.9	39.5
中　学　生	人	973	861	690	575	602	608
小　学　生	人	1 596	1 607	1 305	1 132	1 050	1 055
大中小学学生占学生总数比重							
大　学　生	%	0.5	0.7	1.3	1.7	2.2	2.3
中　学　生	%	37.7	34.6	34.1	33.9	35.6	35.8
小　学　生	%	61.8	64.7	64.6	64.4	62.2	61.9

18—24 各级学校教师负担学生数

单位:人

项　目	1978年	1980年	1985年	1990年	1994年	1995年
高等学校						
教　师　数	7 221	8 648	12 443	14 791	14 956	15 024
平均每个教师负担学生数	4.1	4.4	4.8	4.9	6.4	6.7
中等学校						
教　师　数	101 649	104 259	96 294	101 692	106 326	107 533
平均每个教师负担学生数	20.6	18.3	16.5	13.8	14.2	14.4
小　　学						
教　师　数	124 978	133 402	134 515	145 952	150 242	152 734
平均每个教师负担学生数	27.4	26.6	22.3	18.9	17.6	17.6

18—25 初中毕业生和小学毕业生升学率

项　　目	单 位	1978年	1980年	1985年	1990年	1994年	1995年
初中毕业生数	万人	44.76	38.06	32.90	27.67	35.81	36.94
高级中等学校招生数	万人	32.79	25.42	15.73	12.43	16.75	18.66
升　学　率	%	73.30	66.80	47.80	44.90	46.80	50.52
小学毕业生数	万人	54.95	53.01	40.45	43.12	40.06	41.94
初级中等学校招生数	万人	54.26	48.21	36.25	37.09	37.91	40.37
升　学　率	%	98.70	91.00	89.60	86.00	94.60	96.24

18—26 小学学龄儿童入学率和巩固率

项　　目	单 位	1991年	1992年	1993年	1994年	1995年
全省学龄儿童数	万人	249.1	242.1	241.5	250.6	257.1
已入学儿童数	万人	246.1	238.4	239.8	249.7	256.4
学龄儿童入学率	%	98.8	98.5	99.3	99.6	99.7
城　　市	%	99.7	99.2	99.6	99.7	99.7
县　　镇	%	100.1	98.5	99.7	99.7	99.8
农　　村	%	98.0	98.1	99.0	99.5	99.7
#女儿童入学率	%	98.6	98.5	99.0	99.6	99.7
小学巩固率	%	98.3	98.7	98.1	98.9	99.2

18—27 幼 儿 园 基 本 情 况

项　　目	单位	1978年	1980年	1985年	1990年	1994年	1995年
园　　数	所	9 685	4 385	2 156	2 657	4 267	4 869
在园幼儿数	万人	25.21	25.88	34.33	42.86	55.07	58.36
教职工数	人	17 266	19 006	22 950	31 474	30 648	31 795
#教　师	人	11 780	11 913	15 664	20 506	20 781	21 567

18—28 盲、聋、哑学校基本情况

项　　目	单位	1978年	1980年	1985年	1990年	1994年	1995年
学 校 数	所	23	23	22	23	26	26
招 生 数	人	598	461	590	396	443	502
在校学生数	人	2 717	3 087	3 634	4 121	4 132	4 088
毕 业 生 数	人	238	242	271	417	375	301
教 职 工 数	人	663	730	965	1 310	1 454	1 389
#专任教师数	人	437	470	601	858	961	911

18—29 各市县各类学校数

（1995年）

单位：所

市、县	普通中学	职业中学	小学	幼儿园	盲、聋、哑学校
长春市	**427**	**90**	**1 916**	**956**	**6**
市区	174	48	497	653	2
九台市	48	7	322	60	1
榆树市	70	11	398	109	1
农安县	80	19	390	32	1
德惠市	55	5	309	102	1
吉林市	**291**	**48**	**1 704**	**768**	**7**
市区	87	12	222	486	1
桦甸市	33	7	206	14	1
蛟河市	33	4	248	79	1
舒兰市	43	5	322	51	2
永吉县	52	15	415	63	1
磐石市	43	5	291	75	1
四平市	**188**	**25**	**1 282**	**432**	**4**
市区	22	10	63	201	2
公主岭市	50	7	428	85	1
梨树县	54	4	366	75	
伊通县	30	1	231	5	1
双辽县	32	3	194	66	
辽源市	**92**	**7**	**579**	**83**	**1**
市区	26	4	66	10	1
东丰县	45	2	234	32	
东辽县	21	1	279	41	
通化市	**193**	**25**	**1 072**	**405**	**2**
市区	29	7	69	158	1
梅河口市	47	6	279	123	1
集安市	21	3	140	42	
通化县	26	2	168	12	

18—29 续表　　　　(1995年)　　　　单位:所

市、县	普通中学	职业中学	小学	幼儿园	盲、聋、哑学校
辉南县	32	4	156	23	
柳河县	38	3	260	47	
白山市	**108**	**20**	**623**	**311**	**2**
市区	45	9	179	6	2
临江市	12	3	106	7	
抚松县	25	5	154	136	
靖宇县	13	2	123	102	
长白县	13	1	61	60	
松原市	**170**	**23**	**1 223**	**181**	**1**
市区	45	10	480	140	1
长岭县	40	1	270	2	
前郭县	59	9	283	37	
乾安县	26	3	190	2	
白城市	**155**	**32**	**1 007**	**304**	**1**
市区	38	4	160	185	1
洮南市	30	8	248	12	
大安市	32	8	232	3	
镇赉县	27	2	176	103	
通榆县	28	10	191	1	
延边朝鲜族自治州	**195**	**29**	**796**	**1 429**	**2**
延吉市	18	3	45	224	1
图们市	17	1	37	67	
敦化市	39	14	288	386	1
龙井市	26	3	69	189	
珲春市	19	2	64	150	
和龙市	23	1	61	135	
汪清县	28	2	132	133	
安图县	25	3	100	145	

18—30 各市县各类学校招生数

（1995年）　　　　单位：人

市、县	普通中学	职业中学	小学	盲、聋、哑学校
长春市	**119 059**	**18 043**	**128 050**	**98**
市区	51 565	6 764	43 444	37
九台市	14 241	1 347	16 165	11
榆树市	18 058	1 870	23 328	14
农安县	18 965	5 169	26 334	29
德惠市	16 230	2 893	18 779	7
吉林市	**84 129**	**9 165**	**74 142**	**165**
市区	27 871	3 182	21 745	46
桦甸市	8 280	1 451	9 512	
蛟河市	11 392	772	7 904	14
舒兰市	11 987	1 454	10 844	71
永吉县	12 810	1 661	13 035	8
磐石市	11 789	645	11 102	26
四平市	**55 405**	**3 904**	**63 851**	**72**
市区	8 235	805	7 254	66
公主岭市	19 224	989	24 389	6
梨树县	13 402	792	19 332	
伊通县	7 551	77	6 510	
双辽县	6 993	1 241	6 366	
辽源市	**20 996**	**2 586**	**21 036**	**14**
市区	7 312	385	8 317	14
东丰县	7 175	1 981	6 380	
东辽县	6 509	220	6 339	
通化市	**44 139**	**5 640**	**39 319**	**56**
市区	8 187	1 124	6 446	13
梅河口市	13 022	1 843	11 380	18
集安市	6 994	724	3 595	6
通化县	3 647	435	4 658	

18—30 续表 (1995 年) 单位:人

市、县	普通中学	职业中学	小学	盲、聋、哑学校
辉南县	7 011	540	5 405	
柳河县	8 278	974	7 835	19
白山市	**22 483**	**4 679**	**24 291**	**15**
市区	9 229	1 906	10 265	15
临江市	2 698	303	3 100	
抚松县	6 318	2 004	6 155	
靖宇县	2 551	65	3 333	
长白县	1 687	401	1 438	
松原市	**43 115**	**8 150**	**61 661**	**231**
市区	14 997	3 374	20 654	231
长岭县	9 710	1 223	18 318	
前郭县	13 067	2 637	16 102	
乾安县	5 341	916	6 587	
白城市	**34 496**	**8 645**	**36 648**	**25**
市区	9 333	7 785	8 483	25
洮南市	6 841	1 560	8 508	
大安市	7 641	2 234	7 862	
镇赉县	5 798	727	5 108	
通榆县	4 883	3 339	6 687	
延边朝鲜族自治州	**44 441**	**5 157**	**41 255**	**32**
延吉市	7 717	1 307	7 088	10
图们市	3 128	300	2 645	
敦化市	9 999	1 928	8 677	19
龙井市	5 160	297	4 428	
珲春市	4 285	388	4.6	3
和龙市	4 162	400	4 533	
汪清县	5 511	199	4 869	
安图县	4 479	338	4 655	

18－31 各市县各类学校在校学生数

（1995年）　　　　单位：人

市、县	普通中学	职业中学	小　学	幼儿园	盲、聋、哑学校
长春市	**330 183**	**38 412**	**689 722**	**167 768**	**1 109**
市　区	139 056	16 291	241 348	89 700	370
九台市	42 559	2 835	84 439	12 620	123
榆树市	49 246	3 950	118 585	18 369	271
农安县	53 230	10 191	140 622	26 465	105
德惠市	46 092	5 145	104 728	20 614	240
吉林市	**227 083**	**21 219**	**414 550**	**97 923**	**1 118**
市　区	73 975	7 755	119 766	36 248	286
桦甸市	20 584	2 571	52 650	9 293	48
蛟河市	31 836	1 904	50 604	12 845	99
舒兰市	30 578	3 657	62 139	13 379	439
永吉县	39 855	3 976	70 998	12 525	88
磐石市	30 255	1 356	58 393	13 633	158
四平市	**144 154**	**9 130**	**344 293**	**52 725**	**382**
市　区	20 057	2 240	40 276	11 798	291
公主岭市	49 428	2 568	133 951	14 793	52
梨树县	36 109	1 506	97 208	14 807	21
伊通县	19 189	172	37 555	3 418	18
双辽县	19 371	2 644	35 303	7 909	
辽源市	**58 201**	**5 015**	**114 874**	**16 684**	**178**
市　区	19 695	1 936	41 719	4 135	178
东丰县	21 766	2 495	38 082	6 832	
东辽县	16 740	584	35 073	5 717	
通化市	**132 480**	**13 133**	**236 547**	**44 626**	**325**
市　区	22 740	2 309	35 904	8 500	154
梅河口市	41 496	4 724	71 517	10 819	146
集安市	11 990	2 069	19 218	8 187	6
通化县	12 278	617	27 666	3 316	

18－31 续表　　(1995年)　　单位:人

市、县	普通中学	职业中学	小学	幼儿园	盲、聋、哑学校
辉南县	20 677	911	35 473	4 133	
柳河县	23 299	2 503	56 769	9 671	19
白山市	**62 069**	**10 896**	**129 303**	**23 892**	**197**
市区	26 148	4 636	55 038	4 865	197
临江市	7 059	1 465	16 466	3 210	
抚松县	17 239	3 682	31 390	8 620	
靖宇县	6 707	172	18 410	4 415	
长白县	4 916	941	7 999	2 782	
松原市	**121 640**	**21 385**	**316 603**	**59 349**	**231**
市区	41 212	8 827	108 957	24 680	231
长岭县	27 274	2 887	86 556	9 807	
前郭县	38 482	7 941	84 730	17 056	
乾安县	14 672	1 730	36 360	7 806	
白城市	**92 181**	**19 620**	**212 848**	**44 350**	**161**
市区	23 675	1 942	44 860	18 016	161
洮南市	19 726	4 198	46 824	10 848	
大安市	20 478	5 858	48 972	6 685	
镇赉县	15 213	917	30 426	5 133	
通榆县	13 089	6 705	41 766	3 668	
延边朝鲜族自治州	**119 438**	**11 565**	**231 540**	**76 267**	**387**
延吉市	20 454	2 774	35 994	15 209	142
图们市	8 216	970	15 110	4 598	2
敦化市	25 025	4 456	48 847	14 217	231
龙井市	14 676	572	26 834	11 144	
珲春市	11 558	828	24 598	6 961	12
和龙市	12 000	741	25 384	9 244	
汪清县	15 143	553	27 646	6 849	
安图县	12 366	671	27 127	8 045	

18—32 各市县各类学校教师数

（1995 年）　　　　单位：人

市　、县	普通中学	职业中学	小　　学	幼儿园
长　春　市	**22 823**	**2 197**	**37 346**	**5 461**
市　区	10 203	1 137	12 510	3 067
九台市	2 766	124	4 577	96
榆树市	3 650	225	8 235	883
农安县	3 421	493	6 960	855
德惠市	2 783	218	5 064	560
吉　林　市	**14 725**	**1 502**	**25 138**	**3 663**
市　区	5 498	717	6 518	2 166
桦甸市	1 537	116	3 386	130
蛟河市	1 488	137	3 523	288
舒兰市	1 980	192	4 219	533
永吉县	2 291	219	3 447	332
磐石市	1 931	121	4 045	214
四　平　市	**9 773**	**807**	**18 906**	**1 673**
市　区	1 664	273	1 923	388
公主岭市	2 982	204	6 392	399
梨树县	2 529	134	5 410	461
伊通县	1 338	50	2 883	122
双辽县	1 260	146	2 298	303
辽　源　市	**4 101**	**236**	**6 766**	**789**
市　区	1 435	95	1 699	186
东丰县	1 599	97	2 467	278
东辽县	1 067	44	2 600	325
通　化　市	**8 443**	**1 016**	**12 529**	**2 367**
市　区	1 789	298	1 779	614
梅河口市	2 488	239	3 522	512
集安市	891	130	1 456	324
通化县	846	56	1 645	231

18－32 续表　　(1995年)　　单位:人

市 、 县	普通中学	职业中学	小 学	幼儿园
辉南县	1 181	110	1 821	270
柳河县	1 248	183	2 306	416
白山市	**4 722**	**794**	**7 379**	**956**
市区	2 040	381	2 992	111
临江市	567	99	1 086	161
抚松县	1 254	228	1 775	330
靖宇县	442	30	893	196
长白县	419	56	633	158
松原市	**8 265**	**1 176**	**17 650**	**1 668**
市区	2 791	627	6 253	935
长岭县	1 597	38	3 825	48
前郭县	2 759	413	5 220	353
乾安县	1 118	98	2 352	332
白城市	**6 604**	**1 209**	**13 065**	**903**
市区	1 565	164	2 212	132
洮南市	1 178	284	2 132	372
大安市	1 577	313	3 551	61
镇赉县	1 389	36	2 547	305
通榆县	895	412	2 623	33
延边朝鲜族自治州	**9 452**	**872**	**13 755**	**4 087**
延吉市	1 671	235	2 114	1 040
图们市	738	582	823	239
敦化市	1 710	145	3 395	598
龙井市	1 104	70	1 297	439
珲春市	962	92	1 437	442
和龙市	1 130	81	1 675	507
汪清县	1 202	104	1 799	450
安图县	935	63	1 215	372

18—33 县级和县级以上独立研究与开发机构数

单位:个

项目	1991年	1992年	1993年	1994年	1995年
机构总数	**216**	**209**	**205**	**202**	**199**
1. 县级及县级以上政府部门属					
自然科学研究机构	195	189	185	182	179
国务院各部门	19	18	18	18	19
省级	60	60	59	58	58
市级	80	77	76	75	71
县级	36	34	32	31	31
2. 社会、人文研究机构	21	20	20	20	20

18—34 各市州县级和县级以上独立研究与开发机构数

(1995年)

单位:个

市、州	机构总数	县级以上政府部门属		县级自然科学研究机构	情报机构
		自然科学研究机构	社会、人文研究机构		
全省	**199**	**136**	**20**	**31**	**12**
长春市	106	79	17	4	6
吉林市	21	18	2		1
四平市	12	8		3	1
辽源市	7	5		1	1
通化市	11	7		3	1
白山市	10	4		5	1
松原市	1			1	
白城市	10	7		3	
延边朝鲜族自治州	21	8	1	11	1

18－35 县级和县级以上政府部门属研究与开发机构数

（自然科学技术领域）

单位：个

项目	1991年	1992年	1993年	1994年	1995年
总计	**182**	**177**	**173**	**170**	**167**
一、按隶属关系分					
中央	19	18	18	18	19
地方	163	159	155	152	148
省级	56	56	55	54	54
市级	71	69	68	67	63
县级	36	34	32	31	31
二、按地区分					
长春市	86	85	83	82	83
吉林市	24	22	22	22	18
四平市	12	8	11	11	11
辽源市	6	9	6	6	6
通化市	12	12	10	10	10
白山市	11	10	10	9	9
松原市			1	1	1
白城市			10	10	10
延边朝鲜族自治州	20	20	20	19	19
三、按行业分					
农、林、牧、渔、水利业	49	48	48	48	48
工业	81	78	75	73	71
地质普查和勘探业	4	4	4	4	4
建筑业	3	3	2	2	2
交通运输、邮电通讯业	4	3	3	3	3
其他行业	41	41	41	40	39

注：本表不包括情报机构。

18－36 县级和县级以上政府部门属研究与开发机构人员

（自然科学技术领域）　　　　单位：人

项　　目	1991年	1992年	1993年	1994年	1995年
一、职工总数	30 938	29 933	29 836	28 673	27 514
中　　央	13 147	11 864	11 969	11 105	11 150
地　　方	17 791	18 069	17 867	17 568	16 364
省　级	9 618	9 599	9 316	9 030	8 798
市　级	7 455	7 788	7 853	7 804	6 849
县　级	718	682	698	734	717
二、从事科技活动人员	20 653	18 264	17 987	16 842	15 529
中　　央	7 946	7 312	7 118	6 646	5 764
地　　方	12 707	10 952	10 869	10 196	9 765
省　级	7 095	6 792	6 827	6 316	6 105
市　级	5 119	3 713	3 648	3 479	3 272
县　级	493	447	394	401	388
在从事科技活动人员中科学家、工程师	10 092	9 772	9 355	9 574	9 196
中　　央	4 738	4 481	4 235	4 023	3 889
地　　方	5 354	5 291	5 120	5 551	5 307
省　级	3 526	3 584	3 342	3 738	3 615
市　级	1 631	1 520	1 602	1 612	1 501
县　级	197	187	176	201	191
其他科技人员	5 403	4 502	4 796	4 261	3 449
中　　央	1 729	1 172	1 384	1 363	778
地　　方	3 674	3 330	3 412	2 898	2 671
省　级	1 995	1 854	1 966	1 573	1 461
市　级	1 462	1 274	1 258	1 144	967
县　级	217	202	188	181	243

18—37 国有单位自然科学技术人员

项　　目	单位	1991年	1992年	1993年	1994年	1995年
一、科技人员总计	人	389 760	394 357	386 886	401 276	406 731
工程技术人员	人	188 469	189 017	180 536	187 831	189 280
农业技术人员	人	19 355	19 230	17 224	18 498	18 597
卫生技术人员	人	96 389	97 344	96 814	100 847	103 413
科学研究人员	人	9 014	9 112	9 211	9 324	9 234
教 学 人 员	人	76 533	79 654	83 101	84 776	86 207
二、各类技术人员占总计比重	%	100	100	100	100	100
工程技术人员	%	48.4	47.9	46.7	46.8	46.5
农业技术人员	%	5.0	4.9	4.5	4.6	4.6
卫生技术人员	%	24.7	24.7	25.0	25.1	25.4
科学研究人员	%	2.3	2.3	2.4	2.4	2.3
教 学 人 员	%	19.6	20.2	21.4	21.1	21.2
三、平均每万人口中科技人员	人	158.5	159.4	155.0	159.5	159.4
工程技术人员	人	76.6	76.4	72.3	74.7	74.2
农业技术人员	人	7.9	7.8	6.9	7.4	7.3
卫生技术人员	人	39.2	39.3	38.8	40.1	40.5
科学研究人员	人	3.7	3.7	3.7	3.7	3.6
教 学 人 员	人	31.1	32.3	33.3	33.7	33.8
四、平均每万职工中科技人员	人	1 048.3	1 039.8	1 018.5	756.9	781.6
工程技术人员	人	506.9	498.4	475.3	354.3	363.7
农业技术人员	人	52.1	50.7	45.3	34.9	35.7
卫生技术人员	人	259.2	256.7	254.9	190.2	198.7
科学研究人员	人	24.2	24.0	24.2	17.6	17.7
教 学 人 员	人	205.8	210.0	218.8	159.9	165.7

注：本表1993年以后不包括行政机关科学技术人员。

18—38 科学技术成果项目数

单位:项

项　　目	1991年	1992年	1993年	1994年	1995年
全　省	**574**	**651**	**722**	**655**	**326**
#获国家发明奖的		6	6		10
已推广应用的	380	461	498	367	156
在总计中:					
农业方面	119	128	144	145	82
工业方面	300	369	289	222	110

18—39 三种专利申请受理量和批准量

项　　目	单位	1991年	1992年	1993年	1994年	1995年
一、绝　对　值						
受　理　量	项	1 304	1 539	1 718	1 556	1 389
发　明	项	208	266	326	291	253
实用新型	项	1 034	1 198	1 277	1 190	1 019
外观设计	项	62	75	115	75	117
批　准　量	项	546	761	1 346	918	824
发　明	项	34	35	92	59	38
实用新型	项	474	696	1 176	813	723
外观设计	项	38	30	78	46	63
二、构　　成						
受　理　量	%	100.0	100.0	100.0	100.0	100.0
发　明	%	15.9	17.3	19.0	18.7	18.2
实用新型	%	79.3	77.8	74.3	76.5	73.4
外观设计	%	4.8	4.9	6.7	4.8	8.4
批　准　量	%	100	100	100	100	100
发　明	%	6.2	4.6	6.8	6.4	4.7
实用新型	%	86.8	91.5	87.4	88.6	87.7
外观设计	%	7.0	3.9	5.8	5.0	7.6

18—40 已受理的三种专利申请分布状况

项　　目	单位	1991年	1992年	1993年	1994年	1995年
一、绝　对　值						
受理的三种专利申请合计	项	1 304	1 539	1 718	1 556	1 389
个　　人	项	973	1 160	1 371	1 255	1 135
大专院校	项	53	61	50	50	32
科研单位	项	84	95	87	78	98
工矿企业	项	108	105	136	99	100
机关团体	项	86	118	74	74	24
二、构　　成						
受理的三种专利申请合计	%	100	100	100	100	100
个　　人	%	74.6	75.3	79.8	80.6	81.7
大专院校	%	4.1	4.0	2.9	3.2	2.3
科研单位	%	6.4	6.2	5.1	5.0	7.1
工矿企业	%	8.3	6.8	7.9	6.4	7.2
机关团体	%	6.6	7.6	4.3	4.8	1.7

18—41 已批准的三种专利分布状况

项　　目	单位	1991年	1992年	1993年	1994年	1995年
一、绝　对　值						
批准的三种专利合计	项	546	761	1 346	918	824
个　　人	项	381	532	1 001	719	664
大专院校	项	33	33	56	28	24
科研单位	项	43	66	89	37	34
工矿企业	项	64	86	111	100	66
机关团体	项	25	44	89	34	36
二、构　　成						
批准的三种专利合计	%	100	100	100	100	100
个　　人	%	69.8	69.9	74.4	78.3	80.6
大专院校	%	6.0	4.3	4.2	3.1	2.9
科研单位	%	7.9	8.7	6.6	4.0	4.1
工矿企业	%	11.7	11.3	8.2	10.9	8.0
机关团体	%	4.6	5.8	6.6	3.7	4.4

18—42 大中型工业企业技术开发机构

单位:个

项　　目	1991年	1992年	1993年	1994年	1995年
总　计	**234**	**357**	**404**	**461**	**425**
按规模分:					
大型企业	89	96	111	186	178
中型企业	145	261	293	275	247
按隶属关系分:					
中央企业	43	46	52	64	66
地方企业	191	311	352	397	359
按经济类型分:					
国有企业	228	324	349	381	359
集体企业	6	29	36	37	38
中外合资		3	3	9	7
其　他		1	16	34	21
按地区分:					
长春市	91	99	114	121	118
吉林市	72	95	107	155	142
四平市	17	37	43	39	36
辽源市	12	20	21	20	30
通化市	16	36	43	38	34
白山市	9	21	25	21	14
松原市	2	3	4	7	7
白城市	4	16	20	22	17
延边朝鲜族自治州	11	30	27	38	27

18－43 大中型工业企业技术开发人员

单位:人

项　目	1991年	1992年	1993年	1994年	1995年
总　　计	**19 033**	**22 965**	**24 812**	**26 207**	**26 600**
按规模分:					
大型企业	13 198	14 239	14 444	15 819	18 337
中型企业	5 835	8 726	10 368	10 388	8 263
按隶属关系分:					
中央企业	6 039	7 049	7 020	6 946	8 776
地方企业	12 994	15 916	17 792	19 261	17 808
按经济类型分:					
国有企业	18 807	22 087	22 964	23 469	24 949
集体企业	226	775	1 039	970	858
中外合资		64	89	659	68
其　　他		39	720	1 109	725
按地区分:					
长 春 市	7 246	7 989	7 998	7 577	9 583
吉 林 市	5 446	6 024	7 440	8 175	7 931
四 平 市	1 353	1 486	1 889	1 345	1 277
辽 源 市	460	997	367	635	1 287
通 化 市	883	1 171	1 417	2 400	1 330
白 山 市	460	827	1 219	1 034	983
松 原 市	1 418	1 664	1 533	1 814	2 181
白 城 市	59	543	734	798	566
延边朝鲜族自 治 州	1 708	2 264	2 215	2 429	1 462

18—44 大中型工业企业技术开发经费筹集额

单位:万元

项　　目	1991年	1992年	1993年	1994年	1995年
总　　计	**38 887**	**57 121**	**85 103**	**76 434**	**80 057**
按规模分:					
大型企业	25 102	32 367	33 470	52 815	55 413
中型企业	13 785	24 754	51 633	23 619	24 644
按隶属关系分:					
中央企业	12 233	19 734	21 341	23 079	24 887
地方企业	26 654	37 387	63 762	53 355	55 170
按经济类型分:					
国有企业	38 728	53 884	71 321	65 388	70 505
集体企业	159	3 064	11 711	4 662	5 507
中外合资		159	242	1 650	2 341
其　　他		14	1 829	4 734	1 704
按地区分:					
长　春　市	15 558	17 928	22 346	24 332	26 022
吉　林　市	9 910	12 256	19 620	22 216	17 010
四　平　市	3 422	4 924	12 728	2 269	6 013
辽　源　市	1 213	7 954	5 155	5 542	4 038
通　化　市	4 106	2 701	3 064	5 681	8 597
白　山　市	518	914	1 383	869	1 154
松　原　市	2 276	4 428	3 943	6 633	8 523
白　城　市	44	812	13 330	4 908	541
延边朝鲜族自　治　州	1 840	5 204	3 534	3 984	8 159

18—45 大中型工业企业技术开发经费支出额

单位:万元

项目	1991年	1992年	1993年	1994年	1995年
总计	**34 357**	**51 560**	**84 918**	**72 719**	**74 860**
按规模分:					
大型企业	21 740	30 146	34 319	49 198	52 695
中型企业	12 617	21 414	50 599	23 521	22 165
按隶属关系分:					
中央企业	11 246	19 709	21 899	21 351	24 667
地方企业	23 111	31 851	63 019	51 368	50 193
按经济类型分:					
国有企业	24 257	48 580	71 401	62 018	65 899
集体企业	100	2 809	11 618	4 706	4 920
中外合资		156	261	1 705	2 328
其他		15	1 638	4 290	1 713
按地区分:					
长春市	13 497	16 661	23 018	23 604	26 198
吉林市	8 315	10 771	20 358	20 411	17 710
四平市	2 858	3 880	12 794	2 472	4 184
辽源市	1 195	7 975	4 703	3 435	3 510
通化市	4 073	2 294	3 427	5 280	9 148
白山市	535	907	1 447	868	1 137
松原市	2 264	4 313	3 723	6 635	8 525
白城市	44	724	12 261	6 124	777
延边朝鲜族自治州	1 576	4 035	3 187	3 890	3 671

18－46 各类技术合同签定与执行情况

金额单位:万元

	1991年	1992年	1993年	1994年	1995年
签定合同总数(项)	**5268**	**7 812**	**8 175**	**5 572**	**6 096**
技术开发	688	988	1 168	795	805
技术转让	533	742	684	490	654
技术咨询	972	1 677	1 877	1 054	1 378
技术服务	3 075	4 405	4 446	3 233	3 259
合同金额	**22 687**	**43 174**	**67 275**	**60 485**	**51 217**
技术开发	6 134	9 237	20 339	18 705	13 985
技术转让	2 936	7 195	4 991	3 638	11 071
技术咨询	1 775	5 511	8 366	4 286	6 094
技术服务	11 842	21 231	33 579	33 856	20 067
#技术交易额	7 346	26 642	58 292	40 564	26 617
技术开发	1 469	5 240	17 064	10 644	6 892
技术转让	1 064	4 174	4 132	2 274	6 013
技术咨询	1 019	3 808	7 534	2 800	2 656
技术服务	3 794	13 420	29 562	24 846	11 056
实现金额	**6 972**	**13 655**	**10 612**	**8 099**	**12 926**
技术开发	679	1 799	2 252	1 483	1 680
技术转让	634	1 576	1 307	1 656	3 978
技术咨询	594	5 335	1 143	772	1 069
技术服务	5 065	4 945	5 910	4 188	6 199
#技术交易额	2 807	7 000	6 014	6 077	10 001
技术开发	341	985	708	1 049	1 063
技术转让	562	1 300	938	1 369	3 408
技术咨询	462	1 277	884	664	845
技术服务	1 442	3 438	3 484	2 995	4 685

18－47 各级计划项目进入技术市场项目数

单位:项

	1991年	1992年	1993年	1994年	1995年
合　　计	**575**	**1 260**	**1 343**	**676**	**685**
科研机构	110	306	182	94	129
大中专院校	35	41	45	14	35
工业企业	29	35	241	65	64
技术贸易机构	362	840	817	454	383
个人及个人合伙	12	11	33	22	30
其他	27	27	25	27	44
国家、部门计划项目合计	**206**	**497**	**320**	**117**	**127**
科研机构	26	108	74	29	45
大中专院校	18	25	11	8	11
工业企业	12	14	41	9	20
技术贸易机构	140	339	188	67	48
个人及个人合伙	9	5	1	2	
其他	1	6	5	2	3
省、自治区、计划单列市项目合计	**192**	**441**	**406**	**142**	**152**
科研机构	52	78	51	18	39
大中专院校	10	8	4		14
工业企业	6	6	69	21	11
技术贸易机构	113	330	260	92	68
个人及个人合伙	1	3	5		
其他	10	16	17	11	20
地、市、县计划项目合计	**177**	**322**	**617**	**417**	**406**
科研机构	32	120	57	47	45
大中专院校	7	8	30	6	10
工业企业	11	15	131	35	33
技术贸易机构	109	171	369	295	267
个人及个人合伙	2	3	27	20	30
其他	16	5	3	14	21

18—48 各级计划项目进入技术市场金额

单位:万元

	1991年	1992年	1993年	1994年	1995年
合　　计	**5 313**	**5 954**	**11 226**	**16 136**	**11 842**
科研机构	514	1 772	1 759	1 105	2 016
大中专院校	428	260	280	246	476
工业企业	209	302	1 450	11 168	2 347
技术贸易机构	4 098	2 963	7 415	3 168	6 772
个人及个人合伙	18	54	138	110	103
其他	46	603	184	339	128
国家、部门计划项目合计	**3 460**	**3 275**	**2 862**	**1 676**	**4 648**
科研机构	147	922	1 325	397	856
大中专院校	369	208	92	119	171
工业企业	92	92	86	226	1 957
技术贸易机构	2 837	1 443	1 291	912	1 636
个人及个人合伙	15	32	6	20	
其他		578	62	2	28
省、自治区、计划单列市项目合计	**804**	**1 260**	**2 757**	**5 294**	**2 116**
科研机构	305	401	186	298	623
大中专院校	24	17	39		193
工业企业	57	62	933	4 014	261
技术贸易机构	406	737	1 474	670	986
个人及个人合伙		22	3		
其他	12	21	122	312	53
地、市、县计划项目合计	**1 050**	**1 419**	**5 607**	**9 167**	**5 077**
科研机构	62	449	247	411	536
大中专院校	34	35	150	127	110
工业企业	61	147	431	6 926	130
技术贸易机构	855	783	4 650	1 587	4 151
个人及个人合伙	3	2	128	90	103
其他	35	3	1	26	47

18—49 技术贸易机构和人员

(1995 年)　　　　　　单位:人

	合 计	#全民所有制	集体所有制	私 营	个体或合伙	其 他
机构数(个)	2971	1 297	1 303	163	149	59
从事技术贸易活动人员合计	126 679	92 230	31 619	1 322	858	650
#专职	46 006	23 680	19 743	1 207	811	565
兼职	80 673	68 550	11 876	115	47	85
专职科技人员合计	35 468	23 618	8 509	917	448	1 976
#初级职称	13 544	9 138	3 084	306	138	878
中级职称	18 269	12 329	4 227	511	200	1 002
高级职称	3 589	2 136	1 170	88	99	96
其他	66	15	28	12	11	
经过培训考核取得资格证明人数	3 714	1 694	1 436	185	273	126

18—50 技 术 交 易 会 情 况

	1991 年	1992 年	1993 年	1994 年	1995 年
次数(次)	10	23	22	8	4
展出技术(项)	7594	7 158	7 184	3 348	5 200
成交技术合同(项)	302	147	140	107	21
成交金额(万元)	313	1 638	1 571	710	3 000

18－51 受让技术所服务的社会经济目标

	1991 年	1992 年	1993 年	1994 年	1995 年
项数合计(项)	**5268**	**7 812**	**8 175**	**5 572**	**6 096**
陆地、海洋和大气的开发与估价	24	77	49	24	21
民用宇宙空间	39	41	26	23	19
农业、林业和渔业的发展	234	437	297	201	345
促进工业发展	2 644	3 507	3 753	2 700	2 798
能源的生产、储存和分配	424	533	666	506	616
交通、通讯事业的发展	518	780	868	580	729
教育事业的发展	36	70	84	50	75
卫生事业的发展	212	338	210	136	147
社会发展和社会经济服务	393	908	842	420	288
环境保护	181	305	277	289	175
知识的全面发展	24	52	50	37	96
其他目标(民用)	496	697	986	589	759
国防	43	67	67	17	28
金额合计(万元)	**22 687**	**43 174**	**67 275**	**60 485**	**51 217**
陆地、海洋和大气的开发与估价	47	800	243	173	38
民用宇宙空间	368	99	221	223	79
农业、林业和渔业的发展	936	1 362	1 937	1 470	2 518
促进工业发展	11 270	20 658	36 663	39 206	20 283
能源的生产、储存和分配	1 414	3 879	6 227	4 911	6 084
交通、通讯事业的发展	3 543	7 396	8 587	5 385	11 333
教育事业的发展	119	172	512	728	385
卫生事业的发展	469	1 442	1 112	1 028	700
社会发展和社会经济服务	1 144	4 071	4 214	2 578	4 935
环境保护	652	736	1 294	1 054	865
知识的全面发展	33	216	142	219	296
其他目标(民用)	718	2 028	5 014	3 402	3 269
国防	1 974	315	1 109	108	432

18—52 技术流

(19

	合计		技术开发	
	项数	金额	项数	金额
全　国	**6 096**	**51 217**	**805**	**13 985**
北京市	298	3 098	90	565
天津市	117	590	26	190
河北省	99	1 302	29	335
山西省	24	566	3	405
内蒙古自治区	64	675	5	348
辽宁省	334	2 761	75	887
沈阳市	91	915	21	365
大连市	39	224	5	20
吉林省	4 044	23 709	416	5 414
长春市	1 598	8 228	129	2 495
黑龙江省	191	2 991	33	757
哈尔滨市	29	178	9	78
上海市	66	288	1	2
江苏省	90	2 503	12	813
南京市	20	192	5	67
浙江省	45	846	6	510
安徽省	45	548	8	314
福建省	22	356	1	66
厦门市	1	66	1	66
江西省	20	227	1	61
山东省	159	1 355	32	715
青岛市	8	110	1	14
河南省	74	3 893	5	862
湖北省	30	579	12	407
武汉市	7	341	4	329
湖南省	63	284		
广东省	76	2 090	27	104
广州市	11	399	3	2
广西自治区	19	1 119	3	895
海南省	5	40	1	5
四川省	32	586	9	158
成都市	7	100	6	72
重庆市	5	25		
贵州省	20	309	3	39
云南省	6	101	1	41
西藏自治区	2	20		
陕西省	65	219	3	20
西安市	5	30		
甘肃省	59	66	1	12
青海省	5	53	1	43
新疆自治区	22	45	1	17

向地域概况

95年)　　　　　　　　　　　　　　　　　　　　　　　　金额单位:万元

技术转让		技术咨询		技术服务	
项数	金额	项数	金额	项数	金额
654	**11 072**	**1 378**	**6 094**	**3 259**	**20 067**
11	1 017	9	123	188	1 393
41	277	3	2	47	121
11	46			59	921
5	41	1	34	15	86
14	25	17	116	28	186
57	366	84	423	118	1 085
8	53	19	143	43	354
6	15	9	49	19	140
312	4 008	1 170	3 520	2 146	10 767
93	769	684	1 701	692	3 263
33	709	54	248	71	1 277
4	28	2	4	14	68
16	41	6	30	43	215
19	1 058	9	73	50	559
6	81	5	13	4	31
4	79			35	257
3	146			34	88
6	243			15	47
5	93			14	73
13	134	13	86	101	420
				7	96
42	1 982	2	5	25	1 044
9	109			9	63
				3	12
8	193	1	1	54	90
25	189	6	1 415	18	382
3	98			5	299
				16	224
1	15			3	20
2	24			21	404
				1	28
2	24			3	1
8	189			9	81
1				4	60
		1	10	1	10
3	63	1	7	58	129
2	11			3	19
3	20			55	34
2	6			2	4
		1	4	20	24

18—53 从事科技活动人员

(1995 年)　　单位:人

项　　目	合　计	#科学家与工程师	技术人员	辅助人员
总　　计	**73 879**	**37 380**	**13 794**	**21 719**
一、按单位类型分				
科学研究与技术开发机构	16 591	9 941	3 581	3 069
科技情报与文献机构	263	179	55	29
全日制普通高等学校	28 406	15 531	2 040	10 835
大中型工业企业	26 600	10 696	8 118	7 786
大中型建筑企业	2 019	1 033		
二、按隶属关系分				
中　　央	33 063	14 105	4 237	14 447
地　　方	40 816	23 275	9 557	7 272
#省　　属	24 944	17 008	4 458	3 357
三、按学科领域分				
自然科学	7 348	2 963	441	3 944
农业科学	6 440	3 002	860	2 578
医学科学	10 365	7 177	1 410	1 778
工程与技术科学	41 179	18 284	10 343	11 566
人文与社会科学	8 547	5 954	740	1 853

18—54 科技活动经费筹集总额

(1995 年)　　单位:万元

项　　目	合　计	#政府拨款	自筹资金	银行贷款	接受外单位委托	其　他
总　　计	**886 213**	**312 080**	**207 009**	**112 660**	**167 961**	**86 503**
一、按单位类别分						
科学研究与技术开发机构	783 221	297 904	141 039	99 125	160 139	85 014
科技情报与文献机构	6 107	4 073	1 652	350		32
全日制普通高等学校	14 458	5 575	414	140	7 198	1 131
大中型工业企业	80 057	4 479	61 743	12 902	610	323
大中型建筑企业	2 370	49	2 161	143	14	3
二、按隶属关系分						
中　　央	467 132	120 774	87 153	57 337	132 713	69 155
地　　方	419 081	191 306	119 856	55 323	35 248	17 348
#省　　属	242 873	135 104	74 418	11 960	12 296	9 095

18—55 科技活动机构概况

(1995年)

项目	机构数(个)	职工合计(人)	#从事科技活动人员	#科学家和工程师	科研机构经费支出(万元)
总计	**742**	**16 425**	**16 425**	**9 120**	**34 028**
全日制普通高等学校属研究与发展机构	290	2 946	2 946	2 794	
大中型工业企业技术开发机构	424	13 007	13 007	5 966	33 553
大中型建筑企业技术开发机构	28	472	472	360	475

18—56 科技成果概况

(1995年)

项目	发表科技论文(篇)	出版科技著作(种)	获奖成果合计(项)	#国家级奖	省、部级奖	地、市级奖
总计	**17 425**	**1 342**	**1 634**	**58**	**678**	**898**
一、按单位类型分						
科学研究与技术开发机构	3 304	66	221	17	107	97
科技情报与文献机构	91	1	10		3	7
全日制普通高等学校	12 012	1 059	941	18	420	503
大中型工业企业	1 725	189	421	23	133	265
大中型建筑企业	293	27	41		15	26
二、按学科领域分						
自然科学	4 639	178	126	1	71	54
农业科学	1 271	53	97	3	48	46
医学科学	2 815	32	114	7	49	58
工程与技术科学	5 028	365	616	37	232	347
人文与社会科学	3 672	714	681	10	278	393

18—57 文化艺术、文物事业单位数

单位:个

项　　目	1978年	1980年	1985年	1990年	1994年	1995年
文化馆、艺术馆	67	69	46	55	58	58
公共图书馆	49	48	39	47	57	51
博　物　馆	6	11	14	16	16	16
电　影　院	91	84	265	210	143	134
电　影　队	2 544	2 977	5 181	3 992	2 195	2 107
艺术表演团体	86	107	99	74	67	68
艺术表演场所	41	50	60	64	63	60

18—58 文化事业机构和人员数

(1995年)

项　　目	合　计		文　化　部　门				其他部门	
			国有单位		集体单位		集体单位及个体	
	机构数	人　数	机构数	人　数	机构数	人　数	机构数	人　数
总　计	**1 509**	**16 154**	**846**	**15 222**	**5**	**91**	**658**	**841**
艺术事业	202	7 523	197	7 432	5	91		
图书馆事业	57	1 710	57	1 710				
群众文化事业	1 118	3 741	460	2 900			658	841
教育事业	4	1 031	4	1 031				
文物事业	60	998	60	998				
其他文化事业	68	1 151	68	1 151				

18—59 艺术事业机构和人员数

(1995年)

项目	合计		国有单位		集体单位	
	机构数(个)	人数(人)	机构数(个)	人数(人)	机构数(个)	人数(人)
总计	**202**	**7 523**	**197**	**7 432**	**5**	**91**
一、艺术表演团体	68	4 817	63	4 726	5	91
话剧、儿童剧、滑稽剧团	4	364	4	364		
歌剧、舞剧、歌舞剧团	5	760	5	760		
乐团、合唱团	1	88	1	88		
文工团、艺术团	16	1 135	16	1 135		
戏曲剧团	39	2 227	34	2 136	5	91
曲、杂、木、皮团	3	243	3	243		
二、艺术表演场所	60	2 069	60	2 069		
#剧场、影剧院	59	2 009	59	2 009		
三、艺术创作机构	47	322	47	322		
四、艺术研究机构	8	118	8	118		
五、演出公司	7	35	7	35		
六、其他	12	162	12	162		

18—60 艺术表演团体演出情况

(1995年)

项目	演出场数(场)	#到农村演出	观众人数(千人次)	#农村观众
总计	**10 955**	**5 635**	**10 324**	**6 199**
国营剧团	10 503	5 435	9 924	5 979
集体经营剧团	452	200	400	220
按剧种分				
话剧、儿童剧、滑稽剧团	734	311	685	342
歌舞剧团	567	95	372	105
文工团、艺术团	3 188	1 020	2 512	1 122
乐团	50		35	
戏曲剧团	6 000	4 113	6 444	4 524
曲、杂、木、皮团	416	96	276	106

18—61 艺术表演团体收支情况

(1995 年)

项　　目	补贴团数(个)	拨入经费(万元)	业务及其他收入(万元)	#演出收入	总支出(万元)
总　　计	**64**	**3 335**	**1 360**	**778**	**4 735**
国营剧团	62	3 327	1 338	766	4 711
集体经营剧团	2	8	22	12	24
按剧种分					
话剧、儿童剧、滑稽剧团	4	368	214	166	537
歌舞剧团	5	619	182	70	779
文工团、艺术团	16	744	269	169	1 024
乐团、合唱团	1	73	12	4	83
戏曲剧团	35	1 354	502	207	1 846
曲、杂、木、皮团	3	177	182	162	466

18—62 电影事业机构和人员数

项　　目	1991 年	1992 年	1993 年	1994 年	1995 年
机构数合计(个)	**4413**	**4 092**	**3 661**	**2 805**	**2 604**
文化及广播电视部门	201	199	162	158	131
工矿及其他部门	585	576	515	431	338
集体或个体经营	3 627	3 313	2 984	2 216	2 135
人员数合计(人)	**12 156**	**11 977**	**10 262**	**8 826**	**8 284**
文化及广播电视部门	4 239	4 261	3 907	3 509	3 410
工矿及其他部门	3 679	3 589	3 037	2 508	2 089
集体或个体经营	4 238	4 127	3 318	2 809	2 785

18—63 图书出版数量

项目	单位	1978年	1980年	1985年	1990年	1994年	1995年
种数	种	421	650	1 325	2 711	3 150	2 901
#新出版	种	349	510	1 106	1 978	2 314	1 765
印数	亿册	1.00	1.09	2.01	1.39	1.36	1.16
总张数	亿印张	3.98	5.39	8.10	5.81	7.60	6.13

18—64 杂志出版数量

项目	单位	1978年	1980年	1985年	1990年	1994年	1995年
种数	种	23	82	145	150	194	192
总印数	亿册	0.10	0.29	0.73	0.44	0.55	0.52
总印张数	亿印张	0.39	0.89	2.22	1.31	3.01	1.48

18—65 报纸出版数量

项目	单位	1978年	1980年	1985年	1990年	1994年	1995年
种数	种	2	7	41	35	58	57
总印数	亿份	2.90	1.30	4.50	3.01	6.21	4.79
总印张数	亿印张	1.09	1.11	3.05	2.42	5.73	4.84

18—66 广播、电视事业发展情况

项　目	单 位	1978年	1980年	1985年	1990年	1994年	1995年
广播电台	座	7	7	9	21	28	43
广播中短波发射台	座	23	22	21	34	36	32
电视台	座	3	3	8	29	43	43
电视发射转播台(一千瓦以上)	座	11	12	28	31	63	60
县市有线广播站	个	47	46	42	43	40	39
广播喇叭	万只	192	155	209	225	178	138
广播专用线杆	杆公里	7 825	8 252	7 155	78 892	70 555	78 836
广播人口覆盖率	%		60.0	75.11	83.9	85.0	86.0
电视人口覆盖率	%		30.0	65.5	77.2	83.5	84.0

18—67 广播、电视宣传基本情况

(1995年)

项　目	节目套数(套)	平均每日(周)播音时间(时:分)	自办节目时间(时:分)	新闻节目	教育节目	文艺节目
无线广播合计	49	417:21	286:45	37:38	9:49	127:03
省　　台	3	50:28	48:28	3:15	1:00	28:28
地 市 台	13	138:03	121:33	13:59	5:30	47:40
县 市 台	33	228:50	116:44	20:24	3:19	50:55
电视播映合计	45	2 313:33	959:30	85:58	11:01	640:34
省　　台	3	260:26	253:26	8:45	1:01	190:43
地 市 台	9	503:25	380:08	34:06	8:00	263:10
县 市 台	33	1 549:42	325:56	43:07	2:00	186:41

体育、卫生和其他事业 19

19—1 体委系统职工人数

单位：人

项　　目	1978年	1980年	1985年	1990年	1994年	1995年
合　计	**2 558**	**2 690**	**3 166**	**3 748**	**3 905**	**4 418**
专职教练员	779	720	636	706	758	748
运动员	499	554	671	629	505	657
管理干部	817	850	971	1 169	1 310	1 256
专职教师			123	117	199	201
科技人员		24	23	54	36	50
医务人员			34	46	47	47
工　　人	463	540	707	1 017	1 037	1 453
其　　他		2	1	10	13	6

19—2 等级教练员、裁判员、运动员发展人数

单位：人

项　　目	1978年	1980年	1985年	1990年	1994年	1995年
等级教练员合计			4	448	655	669
高级教练员			4	34	87	86
教练员				208	306	301
助理教练员				206	262	282
等级裁判员合计	1 129	1 825	1 941	1 997	1 190	1 288
国际级裁判	1					
国家级裁判	6				9	33
一级裁判员	200	107	177	101	150	100
二级裁判员	563	305	675	921	325	329
三级裁判员	359	1 413	1 089	975	706	826
等级运动员合计		1 378	1 220	920	521	740
国家级运动健将					8	11
运动健将			1		3	24
一级运动		33	111	15	16	54
二级运动		20	76	255	124	133
三级运动		581	444	406	303	254
少年级运动员		744	588	244	67	264

19—3 举办运动会情况及“达标”人数

项　　目	1978年	1980年	1985年	1990年	1994年	1995年
举办运动会(体委系统)						
次　　数(次)	741	783	704	773	493	451
参加人数(人)		287 347	398 629	275 613	26 638	247 984
训练体育干部人数(人)		11 582	10 866	11 916	9 201	8 417
按《国家体育锻炼标准》发展人数(人)	49 709	308 587	1 834 143	2 481 128	2 329 938	2 583 971

19—4 优秀运动队在队运动员、专职教练员分项人数

单位：人

项　　目	在队运动员				在队教练员			
	1991 年	1992 年	1994 年	1995 年	1991 年	1992 年	1994 年	1995 年
总　计	**496**	**455**	**384**	**491**	**170**	**172**	**141**	**140**
1. 田　径	48	49	28	45	16	17	13	13
2. 举　重	25	20	14	17	4	4	4	4
3. 体　操	25	18	8	13	13	14	7	7
4. 射　击	28	15	8	42	11	10	8	7
5. 射　箭	8	12	9	30	1		1	1
6. 摔　跤	42	36	31	50	9	7	8	8
7. 柔　道	24	17	19	23	4	5	3	3
8. 自行车	25	18	7	8	5	5	2	2
9. 滑　雪	41	37	54	34	14	15	15	16
10. 冰　球	16	16	37	18	7	9	4	4
11. 速　滑	70	67	67	62	31	32	30	27
12. 花　滑	23	19	19	14	12	12	12	13
13. 蓝　球	36	27	16	43	9	9	10	10
14. 网　球				3	2		1	1
15. 足　球	27	41	36	28	9	9	6	7
16. 乒乓球	9	7	4	3	4	6	3	3
17. 曲棍球	8	17	10	22	3	3	3	3
18. 航空模型	13	12			5	3		
19. 拳　击	6	7	4	6	2	3	5	3
20. 现代冬季两项	7	3	6	4	3	2	3	1
21. 技　巧								
22. 中国象棋								
23. 武　术	8	8	7	12	2	2	2	2
24. 无线电测向	7	9			3	4	1	2
25. 轮滑球								
26. 其　他				4	1	1		

19—5 卫 生 机 构 数

单位:个

项 目	1978年	1980年	1985年	1990年	1994年	1995年
总 计	**3 889**	**4 274**	**4 568**	**4 407**	**3 920**	**3 891**
一、医院合计	1 225	1 259	1 319	1 354	1 384	1 415
1. 县级以上医院小计	297	316	365	428	460	428
综合医院	230	240	266	310	324	294
中医医院	19	27	46	54	63	64
医学院校附属医院	7	7	7	7	8	8
传染病院	5	5	6	7	7	7
精神病院	11	10	10	9	10	9
结核病院	10	9	7	7	7	7
妇幼保健院	4	4	10	13	16	16
儿童医院	2	2	2	2	2	2
麻疯病院	2	2	1	1	1	1
职业病院	4	4	1	1	1	1
肿瘤医院				2	2	2
其他医院	3	6	9	15	19	17
2. 区乡(镇)卫生院	923	933	904	871	881	882
3. 其它医院	5	10	50	55	43	105
二、疗养院、所	26	30	33	31	30	29
三、门诊部、所	2 374	2 647	2 812	2 616	2 075	2 011
四、专科防治所、站	22	60	58	59	63	63
五、卫生防疫站	81	81	89	91	110	110
六、妇幼保健所、站	82	71	83	77	71	71
七、药品检验所、室	39	52	51	53	54	54
八、医学科学研究机构	1	1	5	5	5	5
九、其他卫生机构	28	62	106	106	62	67
十、高等医药院、校	4	4	4	4	7	8
十一、中等医药学校	7	7	8	11	59	58

19－6 卫 生 技 术 人 员 数

单位:人

项 目	1978年	1980年	1985年	1990年	1994年	1995年
总 计	**73 624**	**85 747**	**105 404**	**120 029**	**132 287**	**134 186**
一、医院合计	54 781	63 073	76 683	88 404	101 908	103 349
1. 县级以上医院小计	37 721	43 656	56 038	67 816	79 216	78 237
综合医院	29 118	32 992	40 243	47 641	54 888	53 578
中医医院	1 694	2 411	4 891	6 658	8 672	8 941
医学院校附属医院	2 803	3 370	4 394	5 312	5 681	5 801
传染病院	474	555	816	844	969	958
精神病院	984	1 271	1 567	1 638	1 636	1 492
结核病院	1 016	982	942	960	1 061	1 100
妇幼保健院	691	793	1 710	2 092	1 796	1 794
儿童医院	373	444	564	672	918	897
麻疯病院	73	64	35	37	67	78
职业病院	290	378	27	75	96	123
肿瘤医院				354	639	639
其他医院	205	396	849	1 533	2 793	2 836
2. 区乡(镇) 卫生院	16 839	19 098	18 577	18 539	20 805	20 979
3. 其它医院	221	319	2 068	2 049	1 887	4 133
二、疗养院、所	616	977	1 323	1 491	1 478	1 451
三、门诊部、所	11 981	13 667	13 069	12 712	9 909	9 601
四、专科防治所、站	565	840	1 028	1 131	1 290	1 308
五、卫生防疫站	2 375	3 053	4 631	6 068	6 851	6 914
六、妇幼保健所、站	954	1 063	1 659	1 954	2 087	2 145
七、药品检验所、室	246	369	551	633	789	824
八、医学科学研究机构	132	156	369	490	579	540
九、其他卫生机构	436	1 010	1 661	2 363	1 713	1 802
十、高等医药院、校	1 019	987	1 129	1 373	1 058	1 202
十一、中等医药学校	519	528	537	617	1 407	1 451
十二、个体开业		24	2 764	2 793	3 218	3 599
平均每万人口中有卫生技术人员	34.3	38.8	45.9	49.2	52.6	52.6

19—7 卫生机构人员分类情况

（1995 年） 单位：人

项　　目	人员合计	卫生技术人员	#医生				护师、护士	管理人员	工勤人员
				中　医	西医师	西医士			
总　　计	**175 181**	**134 186**	**56 094**	**8 988**	**34 134**	**12 553**	**40 683**	**16 959**	**20 778**
一、医院合计	132 293	103 349	39 780	6 553	23 944	8 958	34 826	12 169	15 869
1. 县级以上医院小计	101 982	78 237	29 743	4 494	19 830	5 143	29 276	9 231	13 676
综合医院	69 352	535 778	20 015	1 444	14 422	4 039	20 665	5 815	9 420
中医医院	11 192	8 941	3 664	2 223	909	497	2 549	1 053	1 177
医学院校附属医院	7 508	5 801	2 511	460	1 921	19	2 140	635	934
传染病院	1 470	958	287	37	208	52	369	202	279
精神病院	2 179	1 492	404	34	286	74	756	295	385
结核病院	1 735	1 100	312	31	206	74	535	149	484
妇幼保健院	2 287	1 794	865	65	606	194	458	247	234
儿童医院	1 307	897	270	17	231	21	442	213	191
麻疯病院	124	78	35	2	27	6	29	17	29
职业病院	209	123	45	6	26	13	40	48	35
肿瘤医院	939	639	263	8	248	7	258	173	113
其他医院	3 680	2 836	1 072	167	740	147	1 035	384	395
2. 区乡(镇)卫生院	25 190	20 979	8 412	1 783	3 001	3 601	4 197	2 376	1 778
3. 其它医院	5121	4 133	1 625	276	1 113	214	1 353	562	415
二、疗养院、所	2 715	1 451	469	58	307	97	616	453	771
三、门诊部、所	10 864	9 601	4 317	531	2 669	1 086	3 187	692	528
四、专科防治所、站	1 746	1 308	636	33	461	142	255	230	180
五、卫生防疫站	8 601	6 914	4 387	138	2 821	1 419	266	769	746
六、妇幼保健所、站	2 666	2 145	1 346	53	934	358	364	283	211
七、药品检验所、室	1 081	824	77	17	48	9	16	164	84
八、医学科学研究机构	815	540	233	144	81	2	120	168	80
九、其他卫生机构	3 573	1 802	595	20	438	131	455	627	1 009
十、高等医药院、校	4 062	1 202	853	153	693	4	19	772	756
十一、中等医药学校	3 166	1 451	939	156	611	170	198	632	544
十二、个体开业	3 599	3 599	2 462	1 132	1 127	177	361		

19—8 卫生机构床位数

单位:张

项 目	1978年	1980年	1985年	1990年	1994年	1995年
总 计	**62 714**	**67 121**	**78 802**	**92 133**	**94 723**	**96 645**
一、医院合计	58 051	60 682	70 750	83 241	85 764	87 768
1. 县级以上医院小计	40 022	41 815	51 317	64 253	69 989	69 630
综合医院	28 500	30 272	35 915	44 878	48 352	47 837
中医医院	1 167	1 667	3 744	4 714	6 134	6 550
医学院校附属医院	2 874	2 871	3 150	3 966	4 326	4 446
传染病院	650	740	986	1 182	1 160	1 159
精神病院	2 046	2 310	2 920	2 911	2 839	2 578
结核病院	2 227	1 862	1 582	1 812	1 862	1 912
妇幼保健院	637	637	1 514	1 933	1 215	1 132
儿童医院	320	325	384	707	816	816
麻疯病院	420	350	300	300	100	100
职业病院	531	499	120	150	200	300
肿瘤医院				312	671	671
其他医院	650	282	702	1 388	2 314	2 129
2. 区乡(镇) 卫生院	17 913	18 729	18 366	16 406	14 509	14 444
3. 其它医院	116	138	1 067	2 582	1 266	3 694
二、疗养院、所	3 498	4 514	6 018	5 636	5 904	5 586
三、门诊部、所	655	1 356	995	1 163	1 210	1 375
四、专科防治所、站	10		108	130	118	129
五、卫生防疫站				100		
六、妇幼保健所、站	244	316	629	474	429	436
七、药品检验所、室						
八、医学科学研究机构	80	80	130	230	465	466
九、其他卫生机构	20	110	172	1 159	833	885
十、高等医药院、校						
十一、中等医药学校	156	63				
十二、个体开业						
平均每万人口中有医疗床位数	29.2	30.4	34.3	37.8	37.7	37.9

19—9 各市县卫生机构、床位和人员数

（1995 年）

市 、县	机构合计（个）	#医 院	床位合计（张）	#医 院	人员合计（人）	#医 院
长　春　市	**830**	**303**	**25 282**	**23 644**	**50 982**	**37 939**
市　区	612	169	19 859	18 412	38 571	28 039
九台市	64	33	1 477	1 345	3 693	2 894
榆树市	67	41	1 415	1 415	2 887	2 324
德惠市	40	26	889	870	2 441	1 816
农安县	47	34	1 642	1 602	3 390	2 866
吉　林　市	**660**	**213**	**18 947**	**16 766**	**32 009**	**24 777**
市　区	387	70	11 997	10 273	20 139	14 945
桦甸市	59	26	1 463	1 417	2 730	2 217
蛟河市	55	21	1 082	1 070	2 189	1 761
舒兰市	45	31	1 677	1 619	2 516	2 115
磐石市	51	33	1 119	1 099	2 432	2 179
永吉县	63	32	1 609	1 288	2 003	1 560
四　平　市	**350**	**144**	**10 037**	**8 845**	**17 645**	**13 280**
市　区	107	24	4 071	3 738	6 393	5 039
公主岭市	76	39	2 444	1 837	4 157	2 844
梨树县	89	34	1 721	1 481	3 403	2 428
伊通县	41	23	899	887	1 720	1 336
双辽县	37	24	902	902	1 972	1 633
辽　源　市	**148**	**67**	**4 739**	**4 739**	**6 747**	**5 424**
市　区	70	18	2 398	2 398	3 880	3 026
东丰县	51	28	1 242	1 242	1 578	1 309
东辽县	27	21	1 099	1 099	1 289	1 089
通　化　市	**419**	**159**	**8 302**	**7 915**	**13 879**	**11 106**
市　区	144	27	3 270	2 988	4 488	3 659
梅河口市	64	35	1 665	1 665	3 828	3 168
集安市	39	22	786	754	1 100	793
通化县	39	24	556	521	1 109	880

19—9 续表 (1995年)

市、县	机构合计(个)	#医院	床位合计(张)	#医院	人员合计(人)	#医院
辉南县	68	27	1 240	1 240	1 692	1 311
柳河县	65	24	785	747	1 662	1 295
白山市	**375**	**105**	**7 038**	**5 580**	**11 060**	**8 092**
市区	123	38	3 152	3 113	5 501	4 426
临江市	56	18	801	785	1 311	980
抚松县	128	23	2 408	1 043	2 883	1 691
靖宇县	33	14	290	285	767	589
长白县	35	12	387	354	598	406
松原市	**191**	**131**	**5 719**	**5 290**	**11 526**	**9 026**
市区	55	39	1 706	1 632	3 174	2 195
长岭县	42	34	1 245	1 125	2 438	1 983
前郭县	60	39	1 988	1 923	4 322	3 570
乾安县	34	19	780	610	1 592	1 278
白城市	**285**	**128**	**6 901**	**6 283**	**11 794**	**8 921**
市区	101	26	2 029	1 967	4 391	3 036
洮南市	71	28	1 540	1 088	2 137	1 597
大安市	41	31	1 431	1 431	2 097	1 803
镇赉县	36	20	953	903	1 462	1 150
通榆县	36	23	948	894	1 707	1 335
延边朝鲜族自治州	**636**	**165**	**9 680**	**8 606**	**19 543**	**13 728**
延吉市	113	24	2 757	2 189	6 175	3 632
图们市	28	11	689	672	1 472	1 074
敦化市	173	29	1 616	1 495	3 123	2 216
龙井市	62	21	942	816	1 656	1 155
珲春市	23	15	782	760	1 496	1 234
和龙市	43	23	1 332	1 232	2 070	1 719
汪清县	139	24	870	858	2 126	1 638
安图县	55	18	584	584	1 425	1 060

19—10 全额行政事业单位财务状况

(1995 年)

	单位个数（个）	从业人员年末人数（人）	经费实际支出（万元）				
				#工资	补助工资	离、退休人员费用	公务费
总计	**17 376**	**668 383**	**646 557**	**203 656**	**103 858**	**58 104**	**109 844**
按国民经济行业分组							
1. 卫生	432	18 549	18 782	5 595	3 183	1 606	2 009
2. 体育	31	2 267	4 115	623	891	110	727
3. 社会福利保障业	101	2 350	4 833	709	445	1 185	970
4. 教育	8 528	385 459	284 135	107 602	59 682	31 074	31 867
5. 文化艺术业	382	6 945	8 105	2 004	1 439	603	1 050
6. 广播电影电视业	298	7 559	12 856	2 024	1 303	282	1 614
7. 科学研究业	147	10 133	12 491	3 668	1 332	1 285	1 974
8. 综合技术服务业	241	7 606	8 304	2 394	1 307	646	1 662
9. 国家机关	6 320	209 239	260 324	72 221	31 649	19 019	57 986
10. 政党机关	614	14 511	26 477	5 373	2 065	1 727	8 542
11. 社会团体	282	3 765	6 135	1 443	564	567	1 443

19—10 续表

(1995 年)

				预算外支出（万元）	专用基金支出（万元）	专项资金支出（万元）	年末固定资产原值（万元）
	设备购置费	业务费	差额补助费				
总计	**32 884**	**42 999**	**5 721**	**143 353**	**25 511**	**31 753**	**1 310 621**
按国民经济行业分组							
1. 卫生	746	2 123	286	7 269	1 134	325	32 273
2. 体育	86	860	298	30			4 650
3. 社会福利保障业	125	297		144	358	100	6 873
4. 教育	10 629	9 289	126	77 071	14 969	7 744	678 627
5. 文化艺术业	443	1 160	540	725	718	637	18 156
6. 广播电影电视业	3 200	3 121	41	3 687	1 372	622	29 957
7. 科学研究业	1 056	1 144	366	606	872	920	27 377
8. 综合技术服务业	345	777	8	1 368	384	538	20 667
9. 国家机关	12 662	20 816	3 809	51 929	5 639	20 668	450 658
10. 政党机关	3 225	2 473	134	364	40	78	33 157
11. 社会团体	366	939	114	162	25	120	8 226

19—11 差额和自收自支事业单位财务状况

(1995年)

	单位数（个）	从业人员年末人数（人）	业务活动收支情况（万元）				
			上年结余（收益）结转本年数	本年收入合计		本年支出	
					业务（事业）收入	合计	业务（事业）支出
							小计
总　　计	**3 252**	**205 270**	**1 910**	**346 916**	**274 532**	**390 428**	**342 731**
#差额单位	2 158	167 211	1 380	271 792	221 032	316 810	280 328
按国民经济行业分组:							
1. 公共设施服务业	236	26 697	1 135	25 496	10 592	30 562	27 227
2. 居民服务业	58	1 231	158	2 349	2 149	2 309	2 177
3. 旅馆业	23	4 789	-482	17 022	16 445	17 763	13 915
4. 租赁服务业							
5. 娱乐服务业	2	19		9	9	18	17
6. 信息、咨询服务业	195	2 474	306	6 788	5 554	6 422	5 558
7. 计算机应用服务业	1	104	74	367	305	171	171
8. 卫生	1 231	108 907	528	192 346	165 757	216 207	191 151
9. 体育	21	548	39	406	299	898	883
10. 社会福利保障业	71	2 149	602	4 811	3 769	4 945	4 407
11. 教育	236	7 366	825	10 214	6 251	10 668	9 667
12. 文化艺术业	228	9 974	-157	16 074	12 463	20 140	16 888
13. 广播电影电视业	87	3 021	-161	4 361	2 313	4 401	3 523
14. 科学研究业	77	10 344	15	16 609	12 859	21 022	19 395
15. 综合技术服务业	353	15 954	1 483	25 677	19 554	28 112	26 138
16. 国家机关	404	11 398	-2 333	23 803	15 866	26 155	21 098
17. 政党机关	1	17		9	9	9	9
18. 社会团体	28	278	-124	575	339	626	509

19—11 续表 1 (1995年)

	业务活动收支情况（万元）						
	本年支出						
	业务（事业）支出						
	工资	补助工资	职工福利费	离、退休人员费用	公务费	设备购置费	修缮费
总计	**69 699**	**35 650**	**10 136**	**19 215**	**26 725**	**17 184**	**16 933**
#差额单位	53 396	31 632	7 641	15 945	17 071	12 800	13 642
按国民经济行业分组:							
1. 公共设施服务业	8 455	3 925	1 593	1 990	3 318	1 274	840
2. 居民服务业	464	179	75	77	281	114	234
3. 旅馆业	2 217	348	236	220	2 064	618	1 327
4. 租赁服务业							
5. 娱乐服务业	6	3	1				
6. 信息、咨询服务业	1 201	352	137	93	930	231	258
7. 计算机应用服务业	27	27	3	1	82		
8. 卫生	32 438	23 253	4 720	9 857	4 673	9 010	7 364
9. 体育	170	150	24	48	318	13	15
10. 社会福利保障业	903	512	184	152	1 069	288	414
11. 教育	2 637	1 141	283	463	1 488	1 009	760
12. 文化艺术业	3 153	1 469	474	1 318	1 588	543	872
13. 广播电影电视业	694	333	94	187	542	145	210
14. 科学研究业	4 860	1 041	491	2 018	2 224	1 313	988
15. 综合技术服务业	7 745	1 516	1 147	1 752	4 956	1 046	926
16. 国家机关	4 605	1 365	668	1 007	3 103	1 513	2 702
17. 政党机关	4	2		1			
18. 社会团体	119	34	5	34	89	66	24

19—11 续表 2 (1995年)

	业务活动收支情况（万元）					
	本年支出					
	业务（事业）支出					
	业务费	主要副食品价格补贴	其他费用	税金	上交上级支出	其他支出
总计	**61 209**	**2 207**	**83 773**	**3 305**	**3 069**	**41 323**
#差额单位	52 177	1 785	74 240	1 879	1 663	32 941
按国民经济行业分组:						
1. 公共设施服务业	2 831	345	2 656	182	324	2 829
2. 居民服务业	597	10	145	12	7	113
3. 旅馆业	5 832	317	737	964	38	2 846
4. 租赁服务业						
5. 娱乐服务业	5		1			1
6. 信息、咨询服务业	1 063	43	1 250	283	31	550
7. 计算机应用服务业	4		28			
8. 卫生	32 067	912	66 857	67	202	24 787
9. 体育	116	3	27	13		2
10. 社会福利保障业	519	18	350	5	48	485
11. 教育	973	71	841	51	16	935
12. 文化艺术业	3 649	75	3 748	355	167	2 729
13. 广播电影电视业	520	46	753	141	28	709
14. 科学研究业	5 271	147	1 043	183	17	1 428
15. 综合技术服务业	4 429	112	2 508	834	80	1 060
16. 国家机关	3 238	108	2 790	213	2 068	2 777
17. 政党机关	1		1			
18. 社会团体	95	1	41	2	42	73

19－11 续表 3

（1995 年）

	业务活动收支情况（万元）		专用基金支出（万元）	专项资金支出（万元）	固定资产情况（万元）		
	本年拨入的差额补助费	业务（事业）收支结余			年末固定资产原值	已提取折旧的固定资产原值	当年提取折旧
总　　计	**49 258**	**7 655**	**39 187**	**9 274**	**435 122**	**114 672**	**6 985**
#差额单位	49 258	5 620	24 313	8 427	340 816	71 679	4 445
按国民经济行业分组：							
1. 公共设施服务业	5 519	1 588	677	1 084	29 159	14 481	948
2. 居民服务业	199	398	90	6	2 442	1 272	54
3. 旅馆业	502	-721	18	127	32 052	24 851	2 060
4. 租赁服务业							
5. 娱乐服务业	2	-7	33		57	4	1
6. 信息、咨询服务业	104	776	160	4	4 816	2 174	149
7. 计算机应用服务业		270	30	7			
8. 卫生	27 481	4 148	19 459	4 948	177 375	29 290	1 747
9. 体育	512	60	2	3	4 878	11	1
10. 社会福利保障业	400	868	1 561	482	12 734	4 553	83
11. 教育	1 481	1 852	11 450	672	11 920	1 519	115
12. 文化艺术业	5 120	898	435	762	21 828	6 847	328
13. 广播电影电视业	416	215	60	61	14 535	4 941	300
14. 科学研究业	5 015	617	1 842	209	39 524	1 999	185
15. 综合技术服务业	1 943	992	2 544	407	56 997	20 380	676
16. 国家机关	535	-4 150	814	503	26 109	2 209	337
17. 政党机关					36		
18. 社会团体	29	-146	11		661	142	2

19—12 服务企业和企业化管理的事业单位财务状况

(1995 年)

	单位数（个）	从业人员年末人数（人）	资本金合计（万元）	年末资产负债（万元）				
				流动资产合计	存货	固定资产合计	固定资产原价	生产经营用
总　　计	**1 468**	**87 906**	**218 300**	**142 605**	**17 697**	**398 018**	**419 715**	**340 351**
#事业单位	99	8 765	8 343	35 075	1 703	24 398	35 315	26 216
一、按经济类型分组								
1. 国有经济	832	71 096	192 965	115 623	14 751	350 482	381 021	318 790
2. 城镇集体经济	579	13 164	6 165	9 788	1 355	9 087	9 676	4 407
3. 联营经济	3	58	150	1 412	84	249	700	23
4. 私营经济	3	28	6	11	7	15	1	1
5. 股份制经济	8	541	2 377	5 747	48	6 716	8 502	7 456
6. 外商投资经济	27	2 135	12 143	5 665	525	27 651	14 527	5 385
7. 港、澳、台投资经济	16	884	4 493	4 360	928	3 819	5 289	4 289
8. 其他经济								
二、按国民经济行业分组								
1. 公共设施服务业	89	25 392	20 271	17 400	1 571	47 102	65 859	44 131
2. 居民服务业	373	15 569	77 990	15 142	2 069	136 241	149 715	145 206
3. 旅馆业	570	27 342	43 446	26 977	5 805	95 936	102 294	76 510
4. 租赁服务业	10	426	20	1 698	15	295	332	43
5. 娱乐服务业	40	1 718	12 395	5 821	335	26 453	13 276	2 662
6. 信息、咨询服务业	107	1 600	3 827	8 687	575	2 703	3 390	887
7. 计算机应用服务业	23	403	553	1 195	352	247	297	71
8. 卫生	7	352	12	661	152	486	443	
9. 体育								
10. 社会福利保障业	9	183	136	36	2	353	372	233
11. 教育	8	686	1	293	20	268	264	264
12. 文化艺术服务业	22	1 510	2 321	5 815	358	4 220	3 781	1 145
13. 广播电影电视业	90	5 092	21 868	8 693	3 604	24 090	28 627	24 308
14. 科学研究业	12	3 634	1 819	5 733	1 068	14 387	24 619	23 954
15. 综合技术服务业	108	3 999	33 641	44 457	1 771	45 238	26 446	20 936

19—12 续表 1

(1995年)

	年末资产负债（万元）					
	累计折旧	本年折旧	无形及递延资产	无形资产	资产总计	流动负债合计
总　　计	**72 853**	**10 975**	**11 154**	**1 854**	**578 513**	**157 434**
#事业单位	14 489	1 270	136	103	62 684	26 477
一、按经济类型分组						
1. 国有经济	66 319	8 196	3 148	673	493 009	124 638
2. 城镇集体经济	1 865	344	402	75	19 963	9 536
3. 联营经济	451	153	84		1 746	595
4. 私营经济			1		27	15
5. 股份制经济	1 786	1 271	816	711	13 751	9 563
6. 外商投资经济	920	600	6 005	320	39 567	7 745
7. 港、澳、台投资经济	1 512	410	698	75	10 451	5 341
8. 其他经济						
二、按国民经济行业分组						
1. 公共设施服务业	19 284	4 676	1 119	926	72 858	33 863
2. 居民服务业	14 657	645	353	93	152 893	20 726
3. 旅馆业	16 176	3 094	2 221	294	129 677	36 281
4. 租赁服务业	38	18	1		2 057	1 649
5. 娱乐服务业	833	291	6 861	296	42 732	7 860
6. 信息、咨询服务业	746	273	157	64	15 423	7 144
7. 计算机应用服务业	55	26	17	6	1 648	768
8. 卫生	53	7			1 147	564
9. 体育						
10. 社会福利保障业	21	1	1		409	74
11. 教育	1				561	235
12. 文化艺术服务业	1 239	211			10 299	2 634
13. 广播电影电视业	5 314	477	1		34 797	5 460
14. 科学研究业	11 862	814			21 397	1 394
15. 综合技术服务业	2 575	442	424	175	92 617	38 783

19—12 续表 2 (1995年)

	年末资产负债(万元)			损益及分配(万元)			
	长期负债合计	负债合计	所有者权益合计	主营业务收入	主营业务成本	营业费用	业务税金及附加
总计	**52 670**	**213 281**	**365 233**	**150 463**	**90 042**	**28 171**	**5 699**
#事业单位	4 727	31 216	31 468	15 221	9 382	1 636	519
一、按经济类型分组							
1. 国有经济	37 449	163 374	329 636	123 100	76 785	22 229	4 557
2. 城镇集体经济	2 428	12 118	7 844	14 599	8 334	3 320	508
3. 联营经济	949	1 544	202	464	267	5	26
4. 私营经济	6	21	6	17	1	6	1
5. 股份制经济	2 192	11 755	1 996	4 438	1 706	452	262
6. 外商投资经济	7 624	15 445	24 122	3 113	1 127	1 700	139
7. 港、澳、台投资经济	2 021	9 024	1 427	4 731	1 822	460	206
8. 其他经济							
二、按国民经济行业分组							
1. 公共设施服务业	4 611	38 477	34 381	28 834	22 219	1 113	1 074
2. 居民服务业	2 056	22 864	130 028	20 851	14 956	4 380	526
3. 旅馆业	11 183	49 340	80 337	51 640	21 706	17 016	2 350
4. 租赁服务业	221	1 870	187	1 089	670	153	67
5. 娱乐服务业	11 261	19 183	23 549	2 969	1 138	1 195	181
6. 信息、咨询服务业	1 239	9 101	6 322	6 446	4 224	568	98
7. 计算机应用服务业	41	935	713	1 550	852	230	24
8. 卫生	109	673	474	628	331	239	4
9. 体育							
10. 社会福利保障业	15	90	320	178	78	41	19
11. 教育		235	326	18	4	13	
12. 文化艺术服务业	2 245	4 930	5 369	6 910	4 138	625	154
13. 广播电影电视业	1 558	7 124	27 673	10 255	7 296	1 101	507
14. 科学研究业	1 574	2 974	18 423	2 441	2 246	17	166
15. 综合技术服务业	16 555	55 485	37 132	16 656	10 184	1 482	529

19—12 续表 3 (1995年)

	损益及分配（万元）					本年应付工资（万元）	本年应付福利费（万元）
	主营业务利润	管理费用	劳动待业保险费	营业利润	利润总额		
总　　计	**20 031**	**35 997**	**3 265**	**-11 620**	**-9 969**	**35 185**	**4 026**
#事业单位	3 365	5 091	448	-1 164	-2 482	6 012	685
一、按经济类型分组							
1. 国有经济	16 050	29 094	3 177	-10 727	-9 291	29 040	3 456
2. 城镇集体经济	1 311	2 033	75	136	260	3 976	336
3. 联营经济	163	216	2	-55	-10	19	2
4. 私营经济	7	7				9	
5. 股份制经济	365	1 815		-226	67	227	33
6. 外商投资经济	-25	424	3	-505	-684	1 195	80
7. 港、澳、台投资经济	2 161	2 408	8	-243	-310	718	119
8. 其他经济							
二、按国民经济行业分组							
1. 公共设施服务业	2 090	9 920	1 125	-6 759	-4 267	9 496	971
2. 居民服务业	720	3 617	1 001	-2 393	-2 349	5 673	725
3. 旅馆业	8 972	11 016	437	-431	-551	9 108	1 075
4. 租赁服务业	96	271	5	-149	-128	213	15
5. 娱乐服务业	342	989	5	-647	-822	774	84
6. 信息、咨询服务业	1 349	1 449	5	72	361	696	108
7. 计算机应用服务业	376	203	2	173	140	207	16
8. 卫生	55	2		56	54	194	5
9. 体育							
10. 社会福利保障业	26	95	10	6	6	84	48
11. 教育	-1			-1	2	428	60
12. 文化艺术服务业	1 986	1 150	24	857	954	706	85
13. 广播电影电视业	1 260	2 495	140	-911	-864	1 867	222
14. 科学研究业	12	2 271	338	-2 024	-3 366	3 248	326
15. 综合技术服务业	2 747	2 519	171	530	862	2 492	286

19—13 各市县全额行政事业单位财务状况

（1995 年）　　单位：万元

市、县	单位数（个）	经费实际支出	预算外支出	专用基金支出	专项资金支出	年末固定资产原值
长春市	**3 291**	**238 768**	**59 011**	**14 178**	**12 424**	**546 341**
市区	1 670	197 461	50 320	13 891	11 669	492 909
九台市	281	10 038	2 375	72	104	15 344
榆树市	316	13 159	4 984	139	372	19 687
德惠市	254	5 581	864	71	198	3 968
农安县	770	12 529	468	4	81	14 433
吉林市	**1 664**	**100 081**	**24 596**	**4 264**	**3 076**	**243 086**
市区	609	63 031	17 299	2 399	2 105	135 774
桦甸市	163	7 681	1 537	1 274	417	59 218
蛟河市	165	5 693	1 020	53	37	10 132
舒兰市	257	8 148	1 406	276	128	15 575
磐石市	230	8 104	1 379	157	369	12 706
永吉县	240	7 424	1 955	104	21	9 682
四平市	**2 319**	**56 876**	**20 861**	**1 874**	**3 480**	**112 214**
市区	443	21 867	4 795	1 103	2 417	38 494
公主岭市	646	13 982	9 692	695	392	19 185
梨树县	575	8 582	3 593	26	19	33 750
伊通县	372	6 818	891	50	275	11 934
双辽县	283	5 627	1 890		378	8 852
辽源市	**570**	**23 024**	**4 393**	**391**	**491**	**32 228**
市区	278	13 131	2 967	189	256	22 849
东丰县	168	5 405	458	170	16	4 598
东辽县	124	4 488	968	32	219	4 782
通化市	**2 438**	**47 859**	**6 872**	**1 340**	**3 212**	**87 571**
市区	424	18 437	1 671	718	407	33 348
梅河口市	527	8 481	2 010	224	222	14 682
集安市	280	5 367	931	39	491	7 560
通化县	462	5 927	642	206	464	10 759
辉南县	334	5 078	981	138	1 440	9 762

19—13 续表　　(1995年)　　单位:万元

市、县	单位数(个)	经费实际支出	预算外支出	专用基金支出	专项资金支出	年末固定资产原值
柳河县	411	4 570	637	16	188	11 459
白山市	**1 667**	**32 191**	**6 150**	**457**	**2 084**	**54 039**
市区	466	12 942	3 524	278	586	21 513
临江市	362	3 475	230	8	672	5 067
抚松县	150	5 342	629	68	67	14 660
靖宇县	125	4 265	455	5	26	4 969
长白县	367	3 415	226	2		2 963
江源县	197	2 753	1 086	97	733	4 867
松原市	**2 254**	**35 268**	**3 159**	**76**	**1 675**	**49 391**
市区	309	9 731	1 123	35	886	10 662
长岭县	546	7 850	185	2	11	10 892
前郭县	439	7 692	899	11	538	11 096
乾安县	341	5 080	939	20	176	5 015
扶余县	619	4 915	13	7	64	11 726
白城市	**991**	**40 706**	**8 319**	**506**	**607**	**66 879**
市区	280	17 182	5 279	68	112	32 295
洮南市	194	6 375	941	322	44	11 568
大安市	182	6 487	632	107	230	9 847
镇赉县	147	5 134	755	7	105	6 552
通榆县	188	5 528	711	2	117	6 617
延边朝鲜族自治州	**2 182**	**71 783**	**9 993**	**2 425**	**4 704**	**118 873**
延吉市	376	28 944	4 255	1 270	1 253	43 653
图们市	156	4 835	811	185	1 503	7 538
敦化市	382	9 116	1 467	125	728	13 224
龙井市	235	7 467	726	174	298	11 788
珲春市	269	7 023	878	155	495	15 630
和龙市	194	4 972	352	51	200	8 121
汪清县	222	5 205	634	190	158	11 960
安图县	348	4 222	870	275	69	6 958

19－14 各市县差额和自收自支事业单位财务状况

(1995年)　　　　单位:万元

市、县	单位数(个)	业务活动收入	业务活动支出	专用基金支出	专项资金支出	年末固定资产原值
长春市	**675**	**154 462**	**172 462**	**15 633**	**3 802**	**226 718**
市区	477	140 710	156 655	14 999	3 547	215 658
九台市	48	3 683	4 198	172	252	3 164
榆树市	60	5 288	5 804	446		3 820
德惠市	47	2 522	2 928	16	2	2 145
农安县	43	2 258	2 877		2	1 930
吉林市	**537**	**57 572**	**63 787**	**3 348**	**2 457**	**68 899**
市区	181	40 508	44 814	2 449	1 217	52 122
桦甸市	68	3 354	3 258	83	1 013	2 868
蛟河市	100	4 607	5 424	245	144	5 258
舒兰市	64	3 280	3 867	263	24	2 789
磐石市	68	3 301	3 459	207	32	3 731
永吉县	56	2 522	2 965	101	28	2 131
四平市	**326**	**25 421**	**23 622**	**1 855**	**422**	**30 734**
市区	121	14 260	11 935	1 458	170	22 036
公主岭市	60	5 109	4 911	210	39	2 433
梨树县	60	1 840	2 075	152	67	2 722
伊通县	58	2 428	2 623	7	24	2 351
双辽县	27	1 785	2 078	29	122	1 192
辽源市	**174**	**10 677**	**12 313**	**482**	**117**	**10 448**
市区	87	7 218	8 254	351	92	7 618
东丰县	49	2 144	2 600	121	2	1 797
东辽县	38	1 315	1 460	10	23	1 033
通化市	**450**	**24 126**	**27 475**	**649**	**471**	**20 746**
市区	123	11 361	12 751	314	233	8 036
梅河口市	115	5 432	5 766	126	147	4 789
集安市	44	1 335	1 687	108	46	1 622
通化县	47	1 724	2 030	56	21	1 927
辉南县	42	2 207	2 492	30	12	1 018

19—14 续表 （1995年） 单位:万元

市、县	单位数（个）	业务活动收入	业务活动支出	专用基金支出	专项资金支出	年末固定资产原值
柳河县	79	2 066	2 750	16	13	3 354
白山市	**177**	**6 839**	**7 886**	**872**	**107**	**10 109**
市区	53	3 090	3 265	583	27	5 421
临江市	22	744	855	10		1 092
抚松县	35	1 163	1 398	60	2	1 226
靖宇县	29	900	1 129	200		890
长白县	24	612	783	17	23	1 224
江源县	14	330	456	3	55	256
松原市	**249**	**13 632**	**15 356**	**1 007**	**339**	**15 117**
市区	44	4 117	4 615	138	177	3 451
长岭县	49	2 376	2 816	6	26	1 387
前郭县	78	4 642	4 989	745	47	4 566
乾安县	33	1 803	1 895	111		1 292
扶余县	45	695	1 041	7	89	4 421
白城市	**238**	**15 375**	**18 863**	**677**	**300**	**15 495**
市区	77	6 708	9 142	448	68	9 076
洮南市	39	2 368	2 658	112	103	811
大安市	53	2 577	2 831	9	7	2 323
镇赉县	40	1 744	1 952	44	123	1 577
通榆县	29	1 979	2 281	65		1 708
延边朝鲜族自治州	**426**	**38 812**	**48 665**	**14 665**	**1 259**	**36 857**
延吉市	143	20 708	26 569	13 068	311	17 894
图们市	23	1 403	1 550	141	118	1 023
敦化市	50	3 712	4 502	274	33	3 404
龙井市	46	2 997	3 517	146	47	2 352
珲春市	32	3 466	4 735	198	212	4 436
和龙市	45	2 899	3 714	307	441	3 900
汪清县	39	2 380	2 639	326	85	2 364
安图县	48	1 248	1 439	206	14	1 485

19—15 各市县服务企业和企业化管理的事业单位财务状况

(1995年)

单位:万元

市、县	单位数(个)	资本金	资产总计	负债合计	所有者权益合计	主营业务收入	利润总额
长春市	**525**	**79 909**	**260 262**	**117 254**	**143 008**	**82 717**	**-1 443**
市区	471	77 381	255 324	115 594	139 729	79 984	-1 514
九台市	4	38	133	7	126	78	-10
榆树市	23	1 237	1 310	642	668	871	14
德惠市	15	937	2 947	871	2 076	1 397	68
农安县	12	317	549	139	409	386	-1
吉林市	**215**	**103 591**	**200 350**	**43 171**	**157 179**	**29 924**	**-6 160**
市区	148	101 561	195 627	41 699	153 927	28 162	-6 103
桦甸市	13	92	817	319	497	421	-22
蛟河市	17	474	1 730	222	1 508	677	-8
舒兰市	12	419	1 008	514	495	314	-24
磐石市	13	932	995	348	647	288	-3
永吉县	12	112	175	70	105	62	
四平市	**128**	**3 081**	**12 825**	**3 168**	**9 657**	**5 106**	**-104**
市区	68	1 921	6 353	2 261	4 092	3 003	-112
公主岭市	24	941	3 301	203	3 099	1 159	25
梨树县	13	59	1 832	213	1 619	257	51
伊通县	7	160	195	56	139	119	1
双辽县	16		1 144	435	709	569	-69
辽源市	**69**	**3 892**	**7 226**	**3 500**	**3 726**	**3 090**	**-100**
市区	47	3 546	5 583	3 027	2 557	2 798	-72
东丰县	17	311	1 368	301	1 067	178	-12
东辽县	5	35	275	172	103	115	-16
通化市	**137**	**5 506**	**15 593**	**8 174**	**7 419**	**5 899**	**-576**
市区	62	3 952	8 224	4 651	3 573	3 841	-403
梅河口市	28	379	2 569	2 309	260	605	-54
集安市	19	279	1 171	566	605	795	-77
通化县	10	238	442	170	272	240	-52
辉南县	3	209	2 396	116	2 280	198	4

19－15 续表　　(1995 年)　　单位：万元

市　、县	单位数（个）	资本金	资产总计	负债合计	所有者权益合计	主营业务收入	利润总额
柳河县	15	449	791	362	429	220	6
白山市	**74**	**5 157**	**6 485**	**3 315**	**3 170**	**2 860**	**-126**
市区	22	3 650	3 856	1 641	2 215	1 986	-56
临江市	8	124	792	739	54	204	-9
抚松县	6	812	639	405	234	332	-40
靖宇县	24	45	527	483	44	204	4
长白县	7	369	387	28	359	105	-25
江源县	7	157	283	19	263	28	
松原市	**55**	**1 673**	**6 433**	**2 179**	**4 254**	**2 782**	**-106**
市区	13	55	1 634	877	757	692	46
长岭县	7					77	
前郭县	19	1 273	2 420	471	1 949	1 423	-150
乾安县	10	165	943	460	483	233	-2
扶余县	6	180	1 436	371	1 065	358	
白城市	**85**	**2 487**	**5 130**	**2 769**	**2 361**	**1 823**	**-205**
市区	31	941	2 815	1 391	1 424	869	-202
洮南市	16	285	700	267	434	210	-11
大安市	18	114	419	245	174	338	-1
镇赉县	10	347	561	358	203	157	20
通榆县	10	800	635	508	127	251	-11
延边朝鲜族自治州	**180**	**13 006**	**64 209**	**29 751**	**34 458**	**16 262**	**-1 148**
延吉市	80	10 691	53 024	23 021	30 003	12 230	-1 132
图们市	13	711	2 056	947	1 109	752	-48
敦化市	20	502	2 472	1 473	999	1 106	-55
龙井市	24	191	1 533	723	810	1 007	20
珲春市	14	197	3 456	2 706	749	554	217
和龙市	6	358	647	298	349	286	-87
汪清县	7	241	569	434	136	218	-63
安图县	16	115	454	149	304	110	

19—16 民政事业费支出情况

单位:万元

项目	1978年	1980年	1985年	1990年	1994年	1995年
总支出	**3 869**	**4 482**	**8 391**	**14 155**	**24 648**	**30 876**
抚恤事业费	835	1 213	1 651	3 903	5 146	6 537
离、退休费	678	880	1 021	1 624	2 463	2 569
社会救济事业费	1 495	1 692	2 315	3 959	6 234	6 959
自然灾害救济费	861	697	3 000	3 523	7 519	10 616
其他			404	1 146	3 285	4 195

19—17 社会福利事业单位情况

项目	单位	1991年	1992年	1993年	1994年	1995年
单位	个	19	19	19	19	19
床位数	张	4 989	4 913	5 000	6 322	6 289
职工人数	人	1 615	1 598	1 642	2 318	2 303
#医护人员	人	584	629	688	1 044	1 355
年末收养人员	人	4 493	4 430	4 626	5 687	5 687
#三无对象	人	3 281	2 917	3 425	3 424	3 415

19—18 全省优待、抚恤、补助救济情况

项目	单位	1991年	1992年	1993年	1994年	1995年
优待军属	户	49 485	48 365	45 199	49 120	47 973
优待金额	万元	1 526	1 492	1 662	2 397	2 987
户均优待	元/年	308	308	368	488	623
伤残抚恤	人	29 183	28 854	28 743	28 632	28 609
抚恤金额	万元	942	944	949	1 007	1 352
三属抚恤	人	13 554	13 222	13 538	13 441	13 215
抚恤金额	万元	644	667	703	829	1 102
在乡复员军人	人	82 322	79 801	78 125	77 597	76 822
享受定补	人	60 938	66 720	68 095	68 807	69 647
定补面	%	74.0	83.6	87.2	88.7	90.7
定补金额	万元	1 472	1 596	1 641	1 750	2 547
人均定补	元/年	241	239	241	254	366
社会城镇困难职工救济	人	11 484	16 337	17 650	20 045	17 965
国家定救金额	万元	268	330	408	481	450
人均救济	元/年	233	202	231	240	250
精减、退职职工救济	人	12 208	12 049	11 970	11 861	11 804
救济金额	万元	344	387	390	399	453
人均救济	元/年	282	321	325	336	384

19—19 敬老院情况

项目	单位	1991年	1992年	1993年	1994年	1995年
院数	个	900	900	900	898	898
职工人数	人	5 180	5 280	4 938	4 780	5 170
收养人员	人	26 336	26 712	26 722	26 859	26 270
#老人	人	23 590	24 067	24 022	24 730	23 303
集体供给金额	万元	1 790	1 850	1 962	3 152	2 563
人均供给金额	元	680	693	734	1 173	976

19—20 分散“五保户”情况

项目	单位	1991年	1992年	1993年	1994年	1995年
符合五保的人数	人	57 134	59 440	53 480	54 226	56 102
集体供养的人数	人	45 574	46 939	42 064	40 763	41 862
#老人	人	39 202	40 230	36 363	35 821	38 070
集体供养的金额	万元	2 004	2 815	2 268	2 432	2 777
人均供养金额	元	438	600	539	597	663

19—21 社会福利企业单位情况

项目	单位	1991年	1992年	1993年	1994年	1995年
企业单位数	个	1 197	1 427	1 607	1 722	1 757
职工人数	人	47 698	53 372	51 020	49 524	50 912
# 残疾职工	人	21 569	22 120	22 132	21 115	23 887
增加值	万元	60 252	77 316	31 727	27 510	33 440
利润	万元	4 214	4 260	785	5 749	8 463

19—22 殡葬事业单位情况

项目	单位	1991年	1992年	1993年	1994年	1995年
火葬厂数	个	41	41	41	42	42
职工人数	人	751	771	858	802	942
固定资产原值	万元	2 423	2 410	2 853	3 741	5 558
火化炉数	台	86	84	90	86	95
运尸车数	辆	81	95	104	102	118
全年火化遗体数	具	109 513	111 698	110 293	110 908	115 782
死亡人数	人	117 883	123 341	124 965	128 337	123 704
火化率	%	92.9	90.6	88.3	86.4	93.6
利润	万元	308	477	583	695	873
年末流动资金占用额	万元	196	319	239	197	503

19—23 婚姻登记情况

项　　目	单位	1991 年	1992 年	1993 年	1994 年	1995 年
准予登记结婚	对	234 696	220 496	222 251	216 443	211 672
初　　婚	人	440 917	415 116	417 576	407 660	391 536
再　　婚	人	28 475	25 876	26 926	25 226	31 808
离　　婚	对	16 795	18 702	19 608	20 580	21 484

19—24 律师、公证、调解工作基本情况

项　　目	单位	1991 年	1992 年	1993 年	1994 年	1995 年
一、律师工作						
律师事务所	个	94	99	120	140	158
律师工作者	人	1 670	1 620	2 019	2 221	2 206
#律　师	人	1 566	1 485	1 895	995	923
二、公证工作						
公 证 处	个	71	75	76	78	81
公证人员	人	460	461	497	515	546
公 证 员	人	269	387	319	375	373
助理公证员	人	111	112	97	63	54
办理公证文书	件	223 481	164 709	169 091	187 167	212 831
三、人民调解工作						
专职司法助理员	人	1 170	1 018	1 234	1 237	1 210
人民调解委员会	个	21 478	17 544	20 021	20 636	19 825
调解人员	人	210 739	173 352	209 294	227 421	223 273
调解民事纠纷	件	140 252	118 959	137 141	126 503	135 481

19—25 历年社会治安情况

年份	刑事案件发案数（件/万人）	青少年犯罪占犯罪人数比重（%）	交通事故死亡人数（人/万辆）	万人治安案件发生数（件/万人）
1952			90	
1957	3.6		50	
1962	7.2		61	
1965	5.4		40	
1970	5.4		160	
1975	10.6		54	
1978	12.9		37	
1979	13.2		40	
1980	12.2	65.2	30	19.7
1981	13.1	68.4	34	18.0
1982	10.2	70.6	29	15.1
1983	9.8	69.4	23	99.3
1984	6.8	63.6	27	72.5
1985	6.3	71.5	33	8.7
1986	6.9	73.4	29	13.2
1987	7.2	72.4	29	14.2
1988	11.7	72.4	27	14.4
1989	18.6	67.8	32	20.7
1990	22.9	61.2	24	23.5
1991	22.1	58.9	28	26.0
1992	19.4	55.6	31	25.2
1993	22.2	52.3	26	30.0
1994	22.0	50.3	26	29.0
1995	20.6	46.7	29	28.9

19—26 火灾情况

项目	单位	1978年	1980年	1985年	1990年	1994年	1995年
火灾数	起	1 269	1 010	681	3 722	2 987	3 216
城市	起		209	255	2 034	1 897	1 797
农村	起		801	426	1 688	1 090	1 419
死亡人数	人	62	34	33	56	52	89
城市	人		12	13	24	39	54
农村	人		22	20	32	13	35
受伤人数	人	88	86	49	121	85	76
城市	人		39	17	70	60	49
农村	人		47	32	51	25	27
损失金额	万元	725	620	572	1 388	4 425	2 332
城市	万元		282	170	509	3 369	1 226
农村	万元		338	402	879	1 056	1 106

19—27 交通事故情况

项目	单位	1991年	1992年	1993年	1994年	1995年
交通事故数	起	3 899	3 607	3 970	4 101	5 117
城市	起	1 830	1 440	2 007	2 038	2 804
农村	起	2 069	2 167	1 963	2 063	2 313
死亡人数	人	1 272	1 597	1 537	1 603	1 813
城市	人	517	492	494	527	559
农村	人	755	1 105	1 043	1 076	1 254
受伤人数	人	2 208	2 012	1 969	2 113	2 595
城市	人	1 068	819	926	899	1 159
农村	人	1 140	1 193	1 043	1 214	1 436
损失金额	万元	604	1 068	1 196	1 392	1 947
城市	万元	186	248	432	532	820
农村	万元	418	820	764	860	1 127

单位:起

项目	1991年	1992年	1993年	1994年	1995年
机动车	3 683	3 396	3 425	3 589	4 562
汽车	3 301	3 021	2 991	3 103	3 994
摩托车	205	203	233	254	327
拖拉机	136	144	149	146	137
其他	41	28	52	86	104
非机动车	152	154	306	286	260
自行车	129	126	288	264	239
行人、乘车人	64	57	192	175	254

主要统计指标解释

主要统计指标解释

综　　合

国内生产总值　是按市场价格计算的国内生产总值的总称。它是一个国家(地区)所有常住单位在一定时期内生产活动的最终成果。国内生产总值有三种表现形态,即价值形态、收入形态和产品形态。从价值形态看,它是所有常住单位在一定时期内所生产的全部货物和服务价值超过同期投入的全部非固定资产货物和服务价值的差额,即所有常住单位的增加值之和;从收入形态看,它是所有常住单位在一定时期内所创造并分配给常住单位和非常住单位的初次分配收入之和;从产品形态看,它是最终使用的货物和服务减去进口货物和服务。在实际核算中,国内生产总值的三种表现形态表现为三种计算方法,即生产法、收入法和支出法。三种方法分别从不同的方面反映国内生产总值及其构成。

国民生产总值　是按市场价格计算的国民生产总值的总称。它是一个国家所有常住单位在一定时期内收入初次分配的最终成果。一国常住单位从事生产活动所创造的增加值在初次分配过程中主要分配给该国的常住单位,但也有一部分以劳动者报酬和财产收入等形式分配给该国的非常住单位,同时,国外生产所创造的增加值也有一部分以劳动者报酬和财产收入等形式分配给该国的常住单位。从而产生了国民生产总值概念,它等于国内生产总值加上来自国外的劳动者报酬和财产收入减去付给国外的劳动者报酬和财产收入。与国内生产总值不同,国内生产总值是一个生产概念,而国民生产总值则是个收入概念。

国民生产总值同社会总产值、国民收入的区别,从核算范围看,社会总产值和国民收入都只计算物质生产部门的劳动成果,而国民生产总值除计算物质生产部门劳动成果外,还计算非物质生产部门的劳动成果。从这三个指标的价值构成看,社会总产值计算了社会产品的全部价值;国民生产总值计算在生产产品和提供劳务过程中增加的价值,即增加值,不计算中间产品和中间投入的价值;而国民收入除了不计算中间产品价值外,还不包括固定资产折旧价值,即只计算净产值。

三次产业　根据社会生产活动历史发展的顺序对产业结构的划分,产品直接取自自然界的部门称为第一产业,对初级产品进行再加工的部门称为第二产业,为生产和消费提供各种服务的部门称为第三产业。它是世界上通用的产业结构分类,但各国的划分不尽一致。我国的三次产业划分是:

第一产业:农业(包括种植业、林业、牧业、副业和渔业)。

第二产业:工业(包括采掘工业、制造业、自来水、电力、蒸汽、热水、煤气)和建筑业。

第三产业:除第一、第二产业以外的其他各业。由于第三产业包括的行业多、范围广,根据我国的实际情况,第三产业可分为两大部门;一是流通部门,二是服务部门。具体又可分为四个层次。

第一层次:流通部门,包括交通运输业、邮电通讯业、商业、饮食业、物资供销和仓储业。

第二层次:为生产和生活服务的部门,包括金融、保险业,地质普查业,房地产、公用事业,居民服务业,咨询服务业和综合技术服务业,农、林、牧、渔、水利服务业和水利业,公路、内河(湖)航道养护业等。

第三层次:为提高科学文化水平和居民素质服务的部门,包括教育、文化、广播、电视、科学研究、卫生、体育和社会福利事业等。

第四层次:为社会公共需要服务的部门,包括国家机关、政党机关、社会团体,以及军队和警察等。

总消费　总消费是指常住单位在一定时期内对于物质产品和服务的全部最终消费支出。总消费分为居民消费和社会消费。

(1)居民消费是指常住居民用于生活消费的各种物质产品和服务。具体包括:1、居民以货币直接购买的用于生活消费的各种物质产品支出，有各种耐用消费品和非耐用消费品支出，不包括居民购买的房屋和用于生产目的的支出；2、居民直接购买的用于生活消费的各种服务支出，包括交通费、房租、洗理、日用修理、医疗保健、教育、文化、家庭保姆等支出；3、居民以实物工资获得的各种生活消费，包括免费或低于市场价格获得的各种货物和服务；4、居民自产自用的计入核算期社会产品中的物质产品及自有住房的虚拟房租消费等；5、职工从单位享受的公费医疗和集体福利设施及补贴。

(2)社会消费指政府部门的总产出扣除服务收入后的价值。换句话讲，就是指社会公共服务部门将其生产活动总成果提供给政府，由政府部门购买并提供给社会享用的消费品和劳务。

总投资　是指常住单位在核算期内对固定资产和库存的投资支出合计，分为固定资产形成和库存增加两项。

总产出　是一个国家或地区所有常住单位在一定时期内生产的所有货物和服务的价值。它是货物和服务的全部价值，包括转移价值和新增价值两部分。

固定资产形成　是指常住单位在核算期内购置、转入和为自用而生产的固定资产，扣除已有固定资产的销售和转出后的价值。

库存增加　即存货变动，是指常住单位在核算期内库存实物量变动的市场价值。期初与期末差额为正值，表示库存增加；负值表示库存减少。

直接消耗系数　指某一个部门生产单位总产出需要直接消耗各部门产品和服务的数量，也称为投入系数。它反映该部门与其他部门之间直接的技术经济联系和直接依赖关系。

完全消耗系数　指增加某一个部门单位总产出需要完全消耗各部门产品和服务的数量。完全消耗系数等于直接消耗系数和全部间接消耗系数之和，它是全面揭示国民经济各部门之间技术经济的全部联系和相互依赖关系的主要指标。

人　口

人口数　指一定时点，一定地区范围内的有生命的个人的总和。

年度统计的年末人口数是指每年 12 月 31 日 24 时的人口数。

人口密度　指一定时点，一定地区的人口数与该时点、该地区的面积之比，即一定时点的单位土地面积上的人口数，通常以每平方公里的居民人数来表示：

$$人口密度=\frac{该地区的人口数}{该地区的土地面积}$$

出生率　(又称粗出生率)　指在一定时期内(通常为一年内)平均每千人所出生的人数的比率，一般用千分率表示。计算公式：

$$出生率=\frac{年出生人数}{年平均人数}\times 1000‰$$

出生人数是指活产婴儿，即胎儿脱离母体时(不管怀孕月数)，有过呼吸或其他生命现象。年平均人数是年初、年末人口数的平均数，也可用年中人口数代替。

死亡率　指在一定时期内(通常为一年)一定地区的死亡人数与同期平均人数(或期中人数)之比，一般用千分率表示。计算公式：

$$死亡率=\frac{年死亡人数}{年平均人数}\times 1000‰$$

人口自然增长率　在一定时期内(通常为一年内)人口自然增加数(出生人数减死亡人数)与平均人数(或期中人数)之比。一般用千分率表示。计算公式：

$$人口自然增长率=\frac{年出生人数-死亡人数}{年平均人数}\times 1000‰$$

$$人口自然增长率=人口出生率-人口死亡率$$

性别比　反映两性人口间比例的指标，指在总人口中或各年龄组人口中，男性人数与女性人数之比。通常以每 100 个女性人口相对应的男性人口数表示。计算公式：

$$性别比=\frac{男性人口}{女性人口}\times 100$$

从业人员和职工工资

劳动力资源总数　指一定时点上在劳动年龄内人口总数中，有劳动能力的人口数和不足或超过劳动年龄，但实际经常参加社会劳动并取得劳动报酬或经营收入的人口数。包括社会劳动者、城镇待业人员和其他在劳动年龄内有劳动能力人口数。但不包括现役军人、在劳动年龄内的在押犯人和因病残而丧失劳动能力的人口数。

从业人员　指从事一定社会劳动并取得劳动报酬或经营收入的全部劳动力。包括：(1)全部职工；(2)城镇私营企业从业人员；(3)城镇个体劳动者；(4)农村社会劳动者；(5)其他社会劳动者。

这一指标反映了一定时期内全部劳动力资源的实际利用情况，是研究我国基本国情国力的重要指标。

各单位的从业人员是指在各级国家机关、政党机关、社会团体及企业、事业单位中工作，并取得劳动报酬的全部人员。包括职工、再就业的离退休人员、民办教师以及在各单位中工作的外方人员和港、澳、台方人员。

各单位的从业人员反映了各单位实际参加生产或工作的全部劳动力。

城镇失业率　是城镇失业人数同在业人数加城镇失业人数之比。计算公式：

$$\text{城镇失业率}(\%)=\frac{\text{城镇失业人数}}{\text{城镇在业人数}+\text{城镇失业人数}}$$

职工工资总额　指各单位在一定时期内直接支付给本单位全部职工的劳动报酬总额。

工资总额的计算原则应以直接支付给职工的全部劳动报酬为根据。各单位支付给职工的劳动报酬以及其他根据有关规定支付的工资，不论是计入成本的还是不计入成本的，不论是按国家规定列入计征奖金税项目的，还是未列入计征奖金税项目的，不论是以货币形式支付的还是以实物形式支付的，均包括在工资总额内。

职工平均工资　指企业、事业机关单位的职工在一定时期内平均每人所得的货币工资额。它表明一定时期职工工资收入的高低程度，是反映职工工资水平的主要指标。计算公式：

$$\text{职工平均工资}=\frac{\text{报告期实际支付的全部职工工资总额}}{\text{报告期全部职工平均人数}}$$

职工平均实际工资　指扣除物价变动因素后的职工平均工资。计算公式：

$$\text{职工平均工资}=\frac{\text{报告期职工平均工资}}{\text{报告期居民生活费价格指数}}$$

固定资产投资

全社会固定资产投资额　固定资产投资是社会固定资产再生产的主要手段。通过建造和购置固定资产的活动，国民经济不断采用先进技术装备，建立新兴部门，进一步调整经济结构和生产力的地区分布，增强经济实力，为改善人民物质文化生活创造物质条件。这对我国的社会主义现代化建设具有重要意义。

固定资产投资额是以货币表现的建造和购置固定资产活动的工作量，它是反映固定资产投资规模、速度、比例关系和使用方向的综合性指标。全社会固定资产投资包括国有经济单位投资、城乡集体经济单位投资、各种经济类型的单位投资和城乡居民个人投资。按照我国现行计划管理体制，国有经济单位固定资产投资总额分为基本建设、更新改造、商品房屋建设投资和其他固定资产投资四个部分；城乡集体经济单位投资包括城镇集体所有制单位投资和农村集体所有制单位投资；各种经济类型的单位投资包括联营经济、股份制经济、中外合资经营、中外合作经营、外资、与大陆合资经营、与大陆合作经营、港澳台独资及其他经济类型的单位投资。城乡居民个人投资包括城市、县城、镇、工矿区所辖范围内的个人建房和农村个人建房及购买生产性固定资产的投资。

基本建设投资 基本建设是国有企业、事业单位以扩大生产能力或工程效益为主要目的的新建、扩建工程及有关工作。包括工厂、矿山、铁路、桥梁、港口、农田水利、商店、住宅、学校、医院等工程的建造和机器设备、车辆、船舶、飞机等的购置。

基本建设投资额是以货币表现的基本建设完成的工作量，是反映一定时期内基本建设规模和建设进度的综合性指标。它是根据工程的实际进度按预算价格（预算价格是编制施工图预算时所用的价格）计算的工作量，没有形成工程实体的建筑材料和没有开始安装的设备，都不计算投资完成额。

更新改造投资 更新改造是指国有企业、事业单位对原有设施进行固定资产更新和技术改造，以及相应配套的工程和有关工作（不包括大修理和维护工程）。更新改造投资是以货币表现的更新改造完成的工作量。根据我国现行统计制度，基本建设和更新改造的划分是：(1)列入基本建设计划的项目作为基本建设投资，列入更新改造计划的项目作为更新改造投资；(2)更新改造计划与基本建设计划结合安排的项目及未列入计划的项目，根据工程性质分别作为基本建设投资或更新改造投资。属于对企业、事业单位原有设施进行技术改造或更新的项目和增建主要生产车间、分厂等，其新增生产能力或效益尚未达到大中型标准的项目，以及由于城市环境保护和安全生产的需要而进行的迁建工程，作为更新改造投资。

其他固定资产投资 是指按照国家规定不纳入基本建设和更新改造计划管理，其总投资在五万元以上的固定资产投资。具体包括：国有经济单位用油田维护费和石油开发基金进行的油田维护和开发工程；煤炭、铁矿、森林工业等采掘采伐业用维简费进行的开拓延伸工程；交通部门用公路养路费对原有公路、桥梁进行改建的工程；商业部门用简易建筑费建造的仓库工程。

新增生产能力 指通过固定资产投资活动而增加的设计能力或工程效益，它是用实物形态表示的固定资产投资的成果。新增生产能力的计算，是以能独立发挥生产能力或效益的单项工程（或项目）为对象。当单项工程（或项目）建成，经有关部门鉴定合格，正式移交投入生产，即可计算新增生产能力。

新增生产能力或工程效益有以下几种表现形式：(1)以建设项目或单项工程建成后的年产能力表示。如煤炭开采、石油开采等。

(2)以建设项目或单项工程建成后处理原料的能力表示。如选矿工程的年处理矿石能力，洗煤厂年洗原煤能力等。

(3)以新增的主要设备数量或容量表示。如棉纺锭枚数、发电机组容量等。

(4)以建筑物容积、容量、面积或长度表示。如水库容量、铁路公路里程等。

新增生产能力的数量一般按设计能力计算。设计能力是指设计文件中规定的在正常情况下能够达到的生产能力，而不论投产后的实际产量如何。以设备数量，建筑物容积、面积、长度等表示的新增生产能力（或效益），则按建成的实际数量计算。

施工和竣工房屋建筑面积 房屋建筑面积是从房屋外墙线算起的各层平面面积的总和，包括房屋结构（如柱、墙）占用的面积和地下室面积。多层建筑按各自然层面积总和计算，包括房屋内的楼隔层，突出墙面的眺望间、门斗、有柱雨罩的面积。不包括突出墙面结构的构件、艺术装饰等所占的面积，如台阶等。凹阳台、挑阳台按其水平投影面积一半计算建筑面积。

新增固定资产 指通过投资活动所形成的新的固定资产价值。包括已经建成投入生产或交付使用的工程价值和达到固定资产标准的设备、工具、器具的价值及有关应摊入的费用。它是以价值形式表示的固定资产投资成果的综合性指标，可以综合反映不同时期、不同部门、不同地区的固定资产投资成果。

固定资产交付使用率 指一定时期新增固

定资产与同期完成投资额的比率。它是反映各个时期固定资产动用速度，衡量建设过程中投资效果的一个综合性指标。

能源和原材料消费

能源生产总量 指一定时期内全国(地区)一次能源生产量的总和，是观察全国(地区)能源生产水平、规模、构成和发展速度的总量指标。一次能源生产量包括原煤、原油、天然气、水电及其他动力能(如风能、地热能等)发电量。不包括低热值燃料生产量、生物质能、太阳能等的利用和由一次能源加工转换而成的二次能源产量。

能源消费总量 指一定时期内全国(地区)物质生产部门、非物质生产部门和生活消费的各种能源的总和，是观察能源消费水平、构成和增长速度的总量指标。能源消费总量包括原煤和原油及其制品、天然气、电力。不包括低热值燃料、生物质能和太阳能等的利用。能源消费总量分为三部分，即终端能源消费量，能源加工转换损失量和损失量。

(1)终端能源消费量指一定时期内全国(地区)物质生产部门、非物质生产部门和生活消费的各种能源在扣除了用于加工转换二次消费量和损失量以后的数量。

(2)能源加工转换损失量指一定时期内全国(地区)投入加工转换的各种能源数量之和与产出各种能源产品之和的差额。它是观察能源在加工转换过程中损失量变化的指标。

(3)能源损失量指一定时期内能源在输送、分配、储存过程中发生的损失和由客观原因造成的各种损失量，不包括各种气体能源放空、放散量。

主要物资国内消费量 指一定时期内生产、建设单位实际消耗某种物资的数量，包括生产消费量和基本建设消费量。它是观察某种物资的消费规模、水平、构成的总量指标。

国内消费的统计原则是：谁消费谁统计。其核算方法是物资投入生产、建设的第一道工序后，改变了原来的形态、性能，或已构成了工程实体，即作消费量统计。

生产消费量 指一定时期内生产企业、事业单位实际消耗某种物资的数量，主要包括产品生产消费、经营维修消费和更新改造措施消费。

产品生产消费是指直接用于产品生产过程中的工艺性消耗和构成新产品实体的消耗数量。

经营维修消费是指生产企业、事业单位对生产性、非生产性的固定资产、设备等的维修以及经营管理部门等的用料。

更新改造措施消费是指以内涵性扩大再生产为主要目的，对现有企业、事业单位原有设施进行技术改造(包括固定资产更新)以及相应配套的辅助性生产、生活福利设施等工程和有关工作用料。不包括建筑安装企业承包的更新改造措施工程用料。这一部分包括在“基本建设消费量”中。

基本建设消费量 指一定时期内从事基本建设活动的建设单位、施工单位、地质勘探单位在基本建设工程、更新改造措施工程、预制构件等方面实际消耗某种物资的数量，包括基本建设消费和更新改造措施消费。

基本建设消费是指以外延性扩大再生产为主要目的的新建、扩建工程及有关工程用料。

更新改造措施消费专指建筑安装企业承包的更新改造措施工程用料和建安企业自身的更新改造措施用料。

财　政

财政收入　是国家通过财政各环节筹集的财政资金的总称，它是保证国家行使其职能不可缺少的财力。主要包括：各项税收、企业收入、债务收入及其他收入。

(1)企业收入包括各部分所属全民所有制企业、事业单位上交国家的利润和事业收入。1985年，实行国营企业第二步利改税办法，企业利润主要以税收形式上交后，只有尚未实行利改税办法的企业和少数实行利润包干企业上交的收入。

(2)各项税收包括产品税、增值税、资源税、企业所得税、盐税、关税、农牧业税、屠宰税、牲畜交易税、集市交易税以及有关罚款补税收入等。

(3)债务收入包括国外借款、国内公债收入、国库券收入以及专业银行购买财政专项债券等。

(4)其他收入包括专款收入、基本建设贷款归还收入、国家能源交通重点建设基金收入。

财政支出　是国家政权行使其职能，对筹集的财政资金进行有计划的使用的总称。

(1)基本建设拨款是指国家预算的基本建设拨款，不包括国家预算外自筹的各种基本建设资金。

为加强基本建设投资规模的控制，提高资金使用效益，国家从1985年起，对预算内基本建设拨款实行拨款改贷款的新的管理办法。即由原来直接无偿的拨给建设单位，改为拨给建设银行视同信贷基金管理，建设银行根据国家预算安排的建设项目，给予有偿贷款，用投产后新增利润还本付息。因改革之中情况不一，目前仍有一些基建项目未实行拨改贷办法。

(2)增拨企业流动资金是指国家预算增拨各部门所属全民所有制企业的流动资金和增拨银行的信贷资金。

(3)文教科学卫生事业费包括科学、文化、教育、卫生、公费医疗、体育、通讯和广播、地震、海洋、文物、计划生育等方面的事业费。

物　价

零售价格指数　是反映城乡商品零售价格变动趋势的一种经济指数。零售物价的调整变动直接影响到城乡居民的生活支出和国家的财政收入，影响居民购买力和市场供需平衡，影响消费与积累的比例。因此，计算零售价格指数，可以从一个侧面对上述经济活动进行观察和分析。

零售价格指数采用加权算术平均公式计算。每年根据住户调查资料调整一次权数。1992年全国有146个市、80个县城作为基层填报单位。城市指数所选商品352种左右，县城指数所选商品404种左右。每种商品的指数采用代表规格品的平均价格计算。

居民消费价格总指数　是反映一定时期内城乡居民所购买的生活消费品价格和服务项目价格变动趋势和程度的相对数。是综合了城市居民消费价格指数和农民消费价格指数计算取得。利用居民消费价格指数，可以观察和分析消费品的零售价格和服务价格变动对城乡居民实际生活费支出的影响程度。

1952年以前采用固定数量加权综合法(即总值法)计算，1953年到1956年采用加权算术平均公式计算，1957年以后根据消费品零售价格指数与服务项目价格指数汇编居民生活费用价格指数。1993年计算指数所选商品和服务项目为382种。

城市居民消费价格指数　是反映城市职工及其家庭所购买的生活消费品和服务项目价格变动趋势及其程度的相对数。编制城市居民消费价格指数，可以观察和分析消费品的零售价格和服务项目价格变动对职工货币工资的影响，作为研究职工生活和确定工资政策的依据。

农村居民消费价格指数　是反映农村居民家庭所购买的生活消费品的价格和服务项目价格变动趋势和程度的相对数。用它可以观察农村消费品的零售价格和服务项目价格变动对农村居民生活消费支出的影响，直接反映农村生活水平的实际变化情况，为分析和研究农村居民生活问题提供依据。

农产品收购价格总指数　是反映国有商业、集体商业、个体商业、外贸部门、国家机关、社会团体等各种经济类型的商业企业和有关部门收购农产品价格的变动趋势和程度的相对数。农产品的收购价格指数可以观察和研究农产品收购价格总水平的变化情况，以及对农民货币收入的影响，作为制定和检查农产品价格政策的依据。1993 年计算指数所选的商品有 11 大类、包括 276 种农副土特产品。采用加权倒数平均公式(即按报告期实际收购金额加权综合法)计算。

农村工业品零售价格指数　是反映农村市场工业品零售价格水平变动趋势和程度的相对数。通过农村工业品零售价格指数，可以观察工业品零售价格变动对农民货币支出的影响。

农村工业品零售价格指数的计算是根据农村国营商品零售物价指数中的食用植物油、干菜、调味品、食糖、烟酒茶、糖果、糕点、奶及奶制品、罐头、西药及医疗用品以及衣着、日用品、文化娱乐用品、书报杂志、建筑材料、燃料和农业生产资料等类指数加权计算。

工农业商品综合比价指数　是反映农副产品和工业品交换比价变动情况的经济指数。根据农副产品收购价格指数和农村工业品零售价格指数计算。反映用农副产品交换工业品的比价变化情况，即不同时期由于价格变动，农民用等量的农副产品换到的工业品数量是增多了还是减少了，以及增多或减少的程度。

人　民　生　活

城镇居民家庭全部收入　指被调查城镇居民家庭全部的实际现金收入，包括经常或固定得到的收入和一次性收入。不包括周转性收入，如提取银行存款、向亲友借入款、收回借出款以及其他各种暂收款。

城镇居民家庭可支配收入　指被调查城镇居民家庭在支付个人所得税之后，所余下的实际收入。

城镇居民家庭生活费收入　指被调查的城镇居民家庭全部收入中能用于安排家庭日常生活的实际收入。即城镇居民家庭的全部实际收入扣除“赡养支出”和缴纳的各种税款以及被调查户非本家庭人口的经济用饭人口所交的“搭伙费”。

城镇居民家庭消费性支出　指被调查的城镇居民家庭用于日常生活的全部支出，包括购买商品支出和文化生活、服务等非商品性支出。不包括罚没、丢失款和缴纳的各种税款(如个人所得税、牌照税、房产税等)，也不包括个体劳动者生产经营过程中发生的各项费用。

城镇居民家庭购买商品支出　指被调查的城镇居民家庭购买商品的全部支出，包括从商店、工厂、饮食业、工作单位食堂、集市以及直接从农民购买各种商品的开支。共分九类：食品、衣着品、日用品、文化娱乐用品、书报杂志、药及医疗用品、房屋及建筑材料、燃料、其他商品。不论自用的或赠送亲友的都包括在内。

农村居民家庭纯收入　指农村常住居民家庭总收入，扣除从事生产和非生产经营费用支出、缴纳税款和上交集体承包任务金额以后剩余的，可直接用于进行生产性、非生产性建设投资、生活消费和积蓄的那一部分收入。它是反映农民家庭实际收入水平的综合性的主要指标。农民家庭纯收入,即包括从事生产性和非生产性的经营收入,又包括取自在外人口寄回和带回和国家财政救济、各种补贴等非经营性收入;即包括货币收入,又包括自产自用的实物收入。但不包括向银行、信用社和向亲友借款等属于借贷性的收入。

农村居民家庭生活消费支出 指农村常住居民年内用于日常生活的全部开支。它是用来反映和研究农民家庭实际生活消费水平高低的重要指标。农民家庭生活消费支出,包括用于吃、穿、住、烧、用等生活消费品开支和文化、生活服务费用开支两大部分。

农村居民家庭商品性生活消费支出 指农村常住居民家庭用其货币收入,在市场上购买食品、衣着、家庭用家具器皿、日用杂品、燃料、耐用消费品,以及文教卫生用品等生活消费总量。包括向国有商店、集体商店和集市贸易市场以及其他流通渠道购买的全部生活消费品。农民家庭商品性生活消费支出,是农民家庭生活消费支出的一个重要组成部分,是用来反映和分析农民家庭生活消费水平的商品化程度,及其由自给性经济向商品经济发展趋势的重要指标,也是研究和预测农民家庭对市场消费品需求,制定商品供应计划的重要依据。

城乡居民储蓄年末余额 包括城镇居民储蓄和农民个人储蓄两部分的年末余额。不包括工矿企业、部队、机关团体等集团存款。

城镇居民储蓄年末余额是指工商银行的城市居民储蓄、农业银行的镇的居民储蓄和中国银行的华侨储蓄之和。农村居民储蓄是指信用社社员储蓄。

城 市 概 况

年末自来水生产能力 指年末城建部门管理的自来水厂和社会各单位自备水源的取水、净化、送水出厂输水干管等环节的实际生产能力。

年末供水管道长度 指从送水泵至用户水表之间所有管道的长度。

全年供水总量 指公用自来水厂和社会单位自备水源全年的供水总量,包括有效供水量及损失水量。

生活用水量 指居民日常生活与公共福利设施的用水量。包括饮食店、旅馆、医院、理发店、浴池、洗衣店、游泳池、商店、学校、机关、部队等单位的用水量。

人工煤气生产能力 指城市煤气厂制气、净化、输送等环节的综合实际生产能力。

输气管道长度 指由压缩机、鼓风机、储气罐的出口到用户立管之间的全部管道长度。

煤气供气总量 指售给各类用户的全部煤气量。包括工业用量、家庭用量和其他用量。

城市供热能力 指热电厂和热力公司每小时向城市输送的蒸汽、热水能力。

供热总量 指热电厂和热力公司全年向城市输送的全部蒸汽、热水量。

供热管道长度 指热电厂和热力公司管理的集中供热热源到用户之间的全部供气、供热水的管道长度。

年末实有铺装道路长度 指除土路外,路面经过铺装宽度在3.5米以上的道路,包括高级、次高级道路和普通道路。

城市桥梁 指市范围内,修建在河道上桥梁和道路与道路立交、道路跨越铁路的立交桥以及人行天桥。包括永久性和半永久性桥,不包括临时性桥、铁路桥、涵洞。

城市下水道总长度 指所有排水总管、干管、支管及暗渠、检查井、连接井进出水口等长度之和。

城市污水日处理能力 指污水处理厂每昼夜处理污水量的设计能力。

年末实有公共汽(电)车辆 指年底可参加营运的全部车辆数,包括年底营运车辆数和库存查封不参加营运的车辆,不包括非营运车辆,如架线车、油罐车、工程车、货车及其他专用车辆和借入的客运车辆。

运营线路长度 指设置的固定营运线路长度，包括郊区营运线路长度。不包括临时行驾的线路长度。

城市园林绿地面积 指城市公共绿地、专用绿地、生产绿地、防护绿地、效区风景名胜区的全部面积。

公共绿地 指供游览休息的各种公园、动物园、植物园、陵园以及花园、游园和供游览休息用的林荫道绿地、广场绿地。不包括一般栽植的人行道树及林荫道的面积。

城市人口用水、用气普及率 指城市人口中的非农业人口用自来水、用煤气(包括人工煤气、液化石油气、天然气用气量)的普及情况。

农　业

农业总产值 是以货币表现的农、林、牧、渔业全部产品的总量，它反映一定时期内农业生产的总规模和总成果。

农、林、牧、渔业的统计范围是：

(1)农业　包括农作物种植业和其他农业。

农作物种植业　包括谷物、豆类、薯类、棉、油料、糖料、麻类、烟叶、蔬菜、药材、瓜类和其他农作物的种植以及茶园、桑园、果园的生产经营。

其他农业　包括采集野生植物的果实、纤维、树胶、树脂、油料以及柴草、野生药材、菌类等及农民家庭兼营的商品性工业。

(2)林业包括林木的栽培(不包括茶园、桑园和果园的栽培、管理和收获等活动)、林产品的采集和村及村以下合作经济组织和农户的竹木采伐。

(3)牧业包括除渔业养殖以外的一切动物饲养和放牧以及野生动物的捕猎和饲养。

(4)渔业包括水生动物和海藻类植物的养殖和捕捞。

从所有制看，包括国有经济的各种专业农(林、牧、渔)场以及国家各级机关团体学校、科研机构、部队经营的农业；集体所有制的乡镇村各级办农场；农村各级经济组织经营的农林牧渔业以及工矿企业家属集体经营的农业；农民家庭自营的农林牧渔业及兼营商品性工业等。

农业总产值的计算方法通常是按农林牧渔业产品及其副产品的产量分别乘以各自单位产品价格求得，少数生产周期长，当年没有产品或产品产量不易统计的，则采取间接方法匡算其产值，然后将四业产品产值相加即为农业总产值。

1957年以前的农业总产值中包括了厩肥和农民自给性手工业(如农民自制衣服、鞋、袜，从事粮食初步加工等)。1958年及以后的农业总产值，林业中增加了村及村以下竹木采伐产值；牧业中取消厩肥产值；副业中取消了农民自给性手工业产值，增加了村及村以下办的工业产值；渔业中增加了海洋捕捞水产品产值。1980年及以后的农业总产值，在副业中增加了农民家庭兼营工业商品部分的产值。从1984年起村及村以下办工业产值划归工业。从1993年起，取消副业。将野生动物的捕猎划入牧业，野生植物采集和农民家庭兼营商品性工业划归农业。

农业增加值 是指报告期内从事农业、林业、牧业、渔业生产活动的各种单位从事农业、林业、牧业、渔业经营活动所提供的最终成果的货币表现。统计范围：

包括农村农户、集体统一经营、中外合资、合营、外资以及国营农场、但不包括农业科研机构和国营农场附属的工业、建筑业、运输业、商业、饮食业、服务业等，也不包括军事部门的军马生产等。

农业增加值的计算方法

农业增加值采用生产法和分配法(收入法)

两种方法计算：

1、生产法计算公式：

农业增加值＝农业总产出－农业中间消耗

2、分配法计算公式：

农业增加值＝劳动者所得＋福利基金＋利润＋税金＋固定资产折旧及大修理基金＋其他

粮食产量 指全社会的产量。包括国有经济经营的、集体统一经营的和农民家庭经营的粮食产量，还包括工矿企业家属办的农场和其他生产单位的产量。粮食除包括稻谷、小麦、玉米、高粱、谷子及其它杂粮外，还包括薯类和大豆。其产量计算方法，豆类按去豆夹后的干豆计算；薯类（包括干薯和马铃薯，不包括芋头和木薯）1963 年以前按每 4 公斤鲜薯折 1 公斤粮食计算，从 1964 年开始及以后改为按 5 公斤鲜薯折 1 公斤粮食计算。城市郊区作为蔬菜的薯类（如马铃薯等）按鲜品计算，并且不作为粮食统计。其他粮食一律按脱粒后的原粮计算。

油料产量 指全部油料作物的生产量。包括花生、油菜籽、芝麻、向日葵籽、胡麻籽（亚麻籽）和其他油料。不包括大豆，也不包括木本油料和野生油料。花生以带壳干花生计算。

水产品产量 指人工养殖的水产品和天然生长的水产品的捕捞量。包括海水的鱼类、虾蟹类、贝类和藻类以及内陆水域的鱼类、虾蟹类和贝类，不包括淡水生植物。

猪、牛、羊肉产量 指当年出栏并已屠宰后除去头蹄下水后带骨肉（即酮体肉）的重量。

耕地面积 指年初可以用来种植农作物、经常进行耕锄的田地，除包括熟地、当年新开荒地、连续撂荒未满三年的耕地和当年的休闲地（轮歇地）外、还包括以种植农作物为主并附带种植桑树、茶树、果树和其他林木的土地，以及沿海、沿湖地区已围垦利用的“海涂”、“湖田”等的面积。但不包括属于专业性的桑园、茶园、果园、果木苗圃、林地、芦苇地、天然或人工草地面积。

农作物播种面积 指实际播种或移植有农作物的面积。凡实际种植有农作物的面积，不论种植在耕地上还是种植在非耕地上，均包括在农作物种植面积中，同时还包括因遭灾而重新改种和补种的农作物面积，种一公顷算一公顷。

农用化肥施用量 指本年内实际用于农业生产的化肥数量。包括氮肥、磷肥、钾肥和复合肥。化肥施用量要求按折纯量计算数量。折纯法化肥施用量是把氮肥、磷肥和钾肥分别按含氮、含五氧化二磷、含氧化钾的百分之一百成分折算后的数量。复合肥按其所含主要成分折算。

农业机械总动力 指主要用于农、林、牧、渔业的各种动力机械的动力总和。包括耕作机械、排灌机械、收获机械、农产品加工机械、运输机械、植物保护机械、牧业机械、林业机械、渔业机械和其他农业机械（内燃机按引擎马力折成瓦特计算），电动机按功率折成瓦特 计算。不包括专门用于乡、镇、村、组办工业、基本建设、非农业运输、科学试验和教学等非农业生产方面用的动力机械与作业机械。

期初（末）畜禽存栏头（只）数 指本期期初（末）农村各种合作经济组织和国营农场、农民个人、机关、团体、学校、工矿企业、部队等单位以及城镇居民饲养的大牲畜、猪、羊、家禽等畜禽的存栏头（只）数。

工　业

工业 指从事自然资源的开发，对采掘品和农产品进行加工和再加工的物质生产部门。具体包括：

（1）对自然资源的开采，如采矿、晒盐、森林采伐等（但不包括禽兽捕猎和水产捕捞）；（2）对农副产品的加工、再加工，如粮食加工、食品加工、轧花、缫丝、纺织、制革等；（3）对采掘品的加工、再加工，如炼铁、炼钢、化工生产、石油加工、机器制造、木材加工等，以及电力、自来水、煤气的生产和供应等；（4）对工业品的修理、翻新，如机器设备的修理、交通运输工具(包括小卧车)的修理等。

1984 年以前农村的村及村以下办工业归属农业，1984 年以后划归工业。

国有经济工业(即过去的全民所有制工业或国营工业) 指生产资料归国家所有的一种经济类型。包括中央和地方各级国家机关、部队、科研机构、学校、人民团体和国有经济企事业单位等举办的国有经济工业。1957 年以前的公私合营和私营工业，后均改造为国营工业，1992 年改为国有工业，这部分工业的资料不单独分列时，均包括在国有工业内。

集体经济工业 指生产资料归公民集体所有的一种经济类型，是社会主义公有制经济的组成部分。包括城乡所有使用集体投资举办的企业，以及部分个人通过集资自愿放弃所有权并依法经工商行政管理机关认定为集体所有制的企业。

其他经济类型工业 指除国有经济工业、集体经济工业以外的其他经济类型工业企业(单位)。包括私营经济、个体经济、联营经济、股份制经济(股份有限公司，有限责任公司)；外商投资经济(中外合资经济、中外合作经济、外资企业)；港、澳、台投资经济(与大陆合资经营、以大陆合作经营、港、澳、台独资企业)及其他经济类型的工业。

轻工业 指主要提供生活消费品和制作手工工具的工业。按其所使用的原料不同，可分为两大类：(1)以农产品为原料的轻工业，是指直接或间接以农产品为基本原料的轻工业。主要包括食品制造、饮料制造、烟草加工、纺织、缝纫、皮革和毛皮制作、造纸以及印刷等工业；(2)以非农产品为原料的轻工业，是指以工业品为原料的轻工业。主要包括文教体育用品、化学药品制造、合成纤维制造、日用化学制品、日用玻璃制品、日用金属制品、手工工具制造、医疗器械制造、文化和办公用机械制造等工业。

重工业 是指为国民经济各部门提供物质技术基础的主要生产资料的工业。按其生产性质和产品用途，可以分为下列三类：(1)采掘(伐)工业，是指对自然资源的开采，包括石油开采、煤炭开采、金属矿开采、非金属矿开采和木材采伐等工业；(2)原材料工业，指向国民经济各部门提供基本材料、动力和燃料的工业。包括金属冶炼及加工、炼焦及焦炭化学、化工原料、水泥、人造板以及电力、石油和煤炭加工等工业；(3)加工工业，是指对工业原材料进行再加工制造的工业。包括装备国民经济各部门的机械设备制造工业、金属结构、水泥制品等工业，以及为农业提供的生产资料如化肥、农药等工业。

根据上述划分原则，修理业中以重工业产品为修理作业对象的划为重工业，反之划为轻工业。

工业总产值 是以货币表现的工业企业在一定时期内生产的已出售或可供出售的工业产品总量，它反映一定时期内工业生产的总规模和总水平。它包括：在本企业内不再进行加工，经检验、包装入库(规定了需包装的产品除外)的成品价值，工业性作业价值、自制半成品、在产品期末期初差额价值(生产周期较长的企业计算)。工业总产值采用“工厂法”计算，即以工业企业作为一个整体，按企业工业生产活动的最终成果来计算，企业内部不允许重复计算，不能把企业内部各个车间(分厂)生产的成果相加。但在企业之间、行业之间、地区之间存在着重复计算。

轻重工业总产值的划分也是按“工厂法”计算的，即一个工业企业在正常情况下生产的主要产品的性质属于轻工业，则该企业的全部总产值作为轻工业总产值；一个工业企业的主要产品的性质属于重工业，则该企业的全部总产值作为重工业总产值。

工业销售产值 是以货币表现的工业企业在一定时期内销售的本企业生产的工业产品产量。包括已销售的成品、半成品价值，对外提供的工业性作业价值和对本单位基本建设部门、生活福利部门等提供的产品和工业性作业及自制设备的价值。已销售的成品、半成品不论是本期生产的、还是上期生产的，只要是本期销售出去的均包括在内。对外提供的工业性作业是指企业按合同对外提供的工业性劳务。企业为本单位基本建设部门、生活福利部门等提供的产品和工业性作业及自制设备也应视同销售,这部分也作为销售统计。

工业销售产值的计算范围、计算价格和计算方法与工业总产值一致,但两者计算的基础不同:工业销售产值计算的基础是产品销售总量,工业总产值计算的基础是工业产品生产总量。

工业增加值 是指工业行业在报告期内以货币表现的工业生产活动的最终成果。

工业企业主要财务指标

(一)企业资本金

资本金 是指企业在工商行政管理部门登记的注册资金。企业筹集的资本金主要分为国家资本金、法人资本金、个人资本金以及外商资本金等。

(1)国家资本金指有权代表国家投资的政府部门或者机构以国有资产投入企业形成的资本金。

(2)法人资本金指其他法人单位以其依法可以支配的资产投入企业形成的资本金。

(3)个人资本金指社会个人或者企业内部职工以个人合法财产投入企业形成的资本金。

(二)资产负债

资产 是企业拥有或控制的能以货币计量的经济资源,包括各种财产、债权和其他权利。资产按流动性质一般分为流动资产、长期投资、固定资产、无形资产、递延资产和其他资产。

负债 是企业所承担的能以货币计量、并以资产或劳务偿付的债务。负债一般是按负债的偿还期长短进行分类的,分为流动负债和长期负债。

1、**流动资产合计** 流动资产是指可以在一年或者超过一年的一个营业周期内变现或者耗用的资产,包括现金及各种存款、短期投资、应收及预付货款、存货等。流动资产的一个重要特点是它在参加生产经营时,其价值一次转移到产品成本或费用中去。

(1)**货币资金** 反映企业的各种现金、银行存款和其他货币资金。

(2)**存货** 指企业在生产经营过程中为销售或者耗用而储存的各种资产。包括原材料、包装物、低值易耗品、在产品、自制半成品、产成品等。其中:

产成品 指企业已经完成全部生产过程并已验收入库合乎标准规格的技术条件,可以按照合同规定的条件送交订货单位,或者作为商品以及销售的产品。企业接受外来原材料加工制造的代制品和为外单位加工修理的代修品,制造和修理完成验收入库后,视同企业的产成品。

2、**流动资产平均余额** 指全部流动资产报告期平均余额。

3、**长期投资合计** 长期投资是指企业不准备在一年内变现的投资,它包括购置股票和长期债券以及对其他单位的投资等形式。

4、**固定资产原价合计** 固定资产原价指企业在建筑、购置、安装、扩建、技术改造某项固定资产时所支出的全部货币总额。一般包括买价、包装费、运杂费和安装费等。

5、**累计折旧** 指企业在报告期期末提取的各年固定资产折旧累计数。

本年折旧 指企业在本年度内累计提取的折旧。

6、**固定资产净值期末数** 指固定资产原价减去历年所提取折旧后的净额。

7、**固定资产净值平均余额** 指企业全部固定资产净值报告期平均余额。

8、**固定资产合计** 指企业固定资产净值、固定资产清理、在建工程、待处理固定资产净损失所占用的资金。

9、**无形及递延资产合计** 无形资产是指企业长期使用而没有实物形态的资产,包括专利权、非专利技术、商标权、著作权、土地使用权、商誉等;递延资产是指不能全部计入当年损益、应当在以后各年度内分期摊销的各种费用,包括开办费、租入固定资产的改良及大修理支出等。本项目反映年末企业无形资产和递延资产之和。

10、**其他长期资产合计** 指除流动资产、长期投资、固定资产、无形资产、递延资产以外的其他长期投资。如特种储备物资、银行冻结存款、冻结物资、涉及诉讼中的财产等。

11、**流动负债合计** 流动负债是指将在一年或者超过一年的一个营业周期内偿还的债务。包括短期借款、应付票据、应付账款、预收货款、应付工资、应交税金、应付利润、其他应付款、预提费用等。

未交税金 反映企业应交未交的各种税金（多交数以"—"号填列）。

12、**营运资金** 指流动资产减流动负债后的净额。

13、**流动负债平均余额** 指企业流动负债报告期平均余额。

14、**长期负债合计** 长期负债是指偿还期在一年或者超过一年的一个营业周期以上的债务。它是除了投资人投入企业的资本以外，企业向债权人筹集，可供企业长期使用的资金。

15、**所有者权益合计** 所有者权益是指企业投资人对企业净产值的所有权，包括企业所有者投入资金以及留存收益等。

股本 是指股份制企业以发行股票的方式筹集的资本。反映企业发行股票时按股票面值收到的股票本金。

（三）损益及分配

1、**产品销售收入** 指企业销售产品的销售收入和提供劳务等主要经营业务取得的业务总额。

（1）**产品销售成本** 指企业销售产品或提供劳务等主要经营业务的实际成本。

（2）**产品销售收入及附加** 指企业销售产品、提供劳务主要经营业务应负担的产品税、增值税、营业税、城市维护建设税、资源税和教育费附加。

（3）**产品销售利润** 指企业销售产品或提供劳务等主要业务收入扣除其成本、费用、税金后的利润。

（亏损以"—"号表示）

2、**管理费用** 指企业行政管理部门为组织和管理生产经营活动而发生的各种费用。包括工资和福利费、折旧、工会经费、业务招待费、房产税、车船使用税、土地使用税、印花税、技术使用费、无形资产摊销、职工教育经费、劳动保险费、待业保险费、研究开发费、坏账损失以及其它管理费用。

税金 指企业按照规定支付的房产税、车船使用税、土地使用税、印花税等。

3、**财务费用** 指企业为筹集生产经营所需资金等发生的费用。包括利息支出（减利息收入）、汇兑损失（减汇兑收益）以及相关的手续费等。

4、**成本费用总额** 指企业的产品销售收入成本、产品销售费用、管理费用和财务费用之和。

5、**营业利润** 指企业生产经营活动所发生的利润。分为主营业务利润和其他业务利润。营业利润是企业营业收入减去营业成本、营业费用（包括销售费用、管理费用、财务费用），再减去营业收入应负担的营业税金（流动转税金）后的余额（亏损以"—"号表示）。计算公式为：

营业利润＝产品销售利润＋其他业务利润－管理费用－财务利润

6、**实现利税总额** 指企业产品销售税金及附加和利润总额之和。

资金利税率 指在一定时期内已实现的利润、税金总额与同期的资产（固定资产净值和流动资产）之比。计算公式：

$$\text{资金利税率}(\%)=\frac{\text{报告期累计实现利税总额}}{\text{固定资产净值平均余额}+\text{流动资产平均余额}}$$

资金利税率反映每单位（通常是每万元）资金所提供的利润税金额。它是考察和评价部门或企业资金运用的经济效益，分析资金投入效果的主要分析指标。

工业成本费用利润率 指在一定时期内实现的利润与成本费用之比，是反映工业生产成本及费用投入的经济效益指标，同时也是反映降低成本的经济效益的指标。计算公式：

$$\text{工业成本费用利润率}(\%)=\frac{\text{利润总额}}{\text{成本费用总额}}\times 100\%$$

工业增加值率 指在一定时期内工业增加值占同期工业总产值的比重，反映降低中间消耗的经济效益。计算公式：

$$\text{工业增加值率}(\%)=\frac{\text{工业增加值（现价）}}{\text{工业总产值（现价）}}$$

流动资金周转次数 指在一定时期内流动

资产完成的周转次数，反映流动资金的周转速度。计算公式：

$$流动资金周转次数=\frac{产品销售收入}{全部流动资产平均余额}$$

产品销售率 指一定时期内销售产值与同期全部工业总产值之比，反映工业产品生产已实现销售的程度。计算公式：

$$工业产品销售率(\%)=\frac{报告期现价工业销售产值}{报告期现价工业总产值}$$

全员劳动生产率 指根据产品的价值量指标计算的平均每一个职工在单位时间内的产品生产量。是考核企业经济活动的重要指标，是企业生产技术水平、经营管理水平、职工技术熟练程度和劳动积极性的综合表现。目前我国的全员劳动生产率是将工业企业的工业增加值除以同一时期全部职工的平均人数来计算。计算公式：

$$全员劳动生产率=\frac{工业增加值}{全部职工平均人数}$$

建 筑 业

建筑业总产值（即自行完成施工产值） 指建筑业企业或附属施工单位自行完成的按工程进度计算的建筑安装生产总值。施工产值包括：

(1)建筑工程产值：指列入建筑工程预算内的各种工程价值。(2)设备安装工程产值：指设备安装工程价值。(3)房屋、购筑物修理产值：指房屋、构筑物修理所完成的价值，但不包括被修理房屋、购筑物本身的价值和生产设备的修理价值。(4)非标准设备制造产值：指加工制造没有定型的、非标准的生产设备的加工费和原材料价值，不论是现场还是附属加工厂为本单位承建工程制造的非标准设备的价值，都应计算产值。

竣工产值 指在报告期内，按照设计所规定的工程内容全部完成，达到了设计规定的交工条件，经有关部门检查验收鉴定合格的单位工程价值之和。

房屋建筑施工面积 指在报告期内施工的全部房屋建筑面积。包括本期内新开工的、上期施工跨入本期继续施工、上期停建本期复工的房屋建筑面积；不包括上期开工后又停工，本期未施工的房屋建筑面积。

房屋建筑竣工面积 指在报告期内，按照设计所规定的工程内容全部完成，达到了设计规定的交工条件，经有关部门检查验收鉴定合格的房屋建筑面积。

住宅竣工面积 指房屋建筑竣工面积中供居住用的房屋建筑竣工面积。

自有机械设备年末总台数 指归本企业（或单位）所有，属于本企业固定资产的生产性机械设备年末总台数。包括施工机械、生产设备、运输设备以及其他设备。

自有机械设备年末总功率 指本企业（或单位）自有施工机械、生产设备、运输设备以及其他设备等列为在册固定资产的生产性机械设备年末总功率，按设定能力或查定能力计算。包括机械本身的动力和为该机械服务的单独动力设备，如电动机等。计量单位用千瓦，动力换算可按1马力＝0.735千瓦折合成千瓦数。电焊机、变压器、锅炉不计算动力。

工程结算收入 指企业（或单位）按工程的分部分项目自行完成的建筑产品价值并已与甲方在报告期内办理结算手续的工程价款收入，以及向甲方收取的除工程价款以外的按规定列作营业收入的各种款项，如临时设施费、劳动保险费、施工机械调迁费等以及向甲方收取的各种索赔款。

交通运输和邮电通讯业

铁路营业里程 又称营业长度，指办理客货运输业务的铁路正线总长度。凡是全线或部分建成双线及以上的线路，以第一线的实际长度计算；复线、站线、段管线、岔线和特别用途线以及不计算运费的联络线都不计算营业里程。铁路营业里程是反映铁路运输业基础设施发展水平的重要指标，也是计算客货周转量、运输密度和机车车辆运用效率等指标的基础资料。

公路里程 指在一定时期内实际达到《公路工程技术标准 JTJ01—88》规定的等级公路，并经公路主管部门正式验收交付使用的公路里程数。其计算单位为：KM。包括大中城市的郊区公路以及通过小城镇街道部分的公路里程，也包括桥梁、渡口的长度，但不包括大中城市的街道、厂矿、林区生产用道和农业生产用道的里程。两条或多条公路共同经由同一路段，只计算一次，不得重复计算里程长度。公路里程是反映公路建设发展规模的重要指标，也是计算运输网密度等指标的基础资料。

内河航道里程 也称"内河通航里程"，是反映内河水运网规模、水平和发展情况的主要指标；是指在一定时期内，能通航运输船舶及排筏的天然河流、湖泊水库、运河及通航渠道的长度。包括全年季节性通航累计三个月以上的航道，但不包括仅供零散流放竹、木排的河道。

货(客)运量 指在一定时期内，各运输部门实际运送的货物和(旅客)数量。是反映运输业为国民经济和人民生活服务的数量指标，也是制订和检查运输生产计划，研究运输发展规模和速度的重要指标。货运按吨计算，客运按人计算。货运不论运输距离长短，货物类别，均按实际重量统计；旅客不论行程远近或票价多少，均按一人一次作为客运量统计。半价票、小孩票也按一人统计。

货物(旅客)周转量 指在一定时期内，由各种运输工具运送的货物(旅客)数量与其相应运输距离的乘积之总和，是反映运输业生产总成果的重要指标，也是编制和检查运输生产计划，计算运输效率、劳动生产率以及核算运输单位成本的主要基础资料。通常以吨公里和人公里为计算单位。计算货物周转量通常按发出站与到达站之间的最短距离，也就是计费距离计算。

邮电业务总量 指以货币表现的邮电部门用于传递信息和提供其他邮电服务的总数量。它综合反映了一定时期邮电工作的总成果，是研究邮电业务量构成和发展趋势的重要指标。根据邮电管理体制不同，分为中央国营业务总量和地方国营业务总量。它用各种邮电分类业务量，如函件件数、电报份数、长话张数、市内电话和农村电话的年均户数、订销报刊累计份数等，分别乘以相应的平均单价(不变价)，加总后再加上出租电路和设备的收入、代用户维护电话交换机和线路等设备的收入、其他业务收入求得。

批发零售贸易业和餐饮业

批发零售贸易、餐饮业机构 指各种经济类型独立核算法人批发零售贸易企业、餐饮企业的单位个数。机构应同时具备以下条件：(1)依法成立，有自己的名称、组织机构和场所，能够独立承担民事责任；(2)独立拥有和使用资产，承担负债，有权与其他单位签订合同；(3)独立核算盈亏，并能够编制资产负债表。

批发零售贸易、餐饮业网点 指各种经济类型独立核算法人批发零售贸易企业、餐饮企业独立的从事商品批发、零售贸易业务和从事餐饮活动的自然单位数，以及各行业附设的从事商品批发、零售贸易业务和从事餐饮活动的自然单位数。凡具有独立固定的营业场所，配备一定的业务人员，不论单位大小，不论是否单独核算，均按自然点计算，即有一个点就算一个网点。

批发零售贸易、餐饮业从业人员 指批发零售贸易企业、餐饮企业的全部工作人员，包括行政管理人员、售货人员、服务人员等。即包括长期职工、合同制职工、临时职工，也包括再就业的离、退休人员。

社会消费品零售额 指各种经济类型的批发零售贸易业、餐饮业、制造业、和其他行业对城乡居民和社会集团的消费品零售额。这个指标反映通过各种商品流通渠道向居民和社会集团供应的生活消费品来满足他们生活需要，是研究人民生活、社会消费品购买力、货币流通等问题的重要指标。社会消费品零售额包括：(1)售给城乡居民作为生活用的商品和住房及修建房屋用的建筑材料；(2)售给机关、团体、学校、部队、企业、事业和单位的职工食堂和旅店(招待所)附设专门供本店旅客食用，不对外营业的食堂的各种食品、燃料；企业、单位和国营农场直接售给本单位职工和职工食堂的自己生产的产品；(3)售给部队干部、战士生活用的粮食、副食品、衣着品、日用品、燃料；(4)售给来华的外国人、华侨、港澳台同胞的消费品；(5)居民自费购买的中、西药品、中药材及医疗用品；(6)报社、出版社直接售给居民和社会集团的报纸、图书、杂志、集邮公司出售的新、旧纪念邮票、特种邮票、首日封、集邮册、集邮工具等；(7)旧货寄售商店自购、自销部分商品零售额；(8)煤气公司、液化石油气站售给居民和社会集团的煤气灶具和罐装液化石油气；(9)城市建设、房产管理等部门、企业、事业单位售给居民的商品房；(10)农民售给非农业居民和社会集团的商品。不包括售给国民经济各部门企业、事业单位(包括国有经济的农场)生产经营用的各种原材料、燃料、设备、工具等和售给批发零售贸易业、餐饮业作为转卖的商品，旧货寄售商店受托寄卖出的商品、服务业的营业收入、邮局出售邮票的收入、自来水、电力、煤气生产(供应)单位的产品供应收入，也不包括农民之间的商品销售。

批发零售贸易业商品购、销、存总额 指以各种经济类型的批发、零售贸易业(不包括个体)为总体的商品购、销、存。

商品购进总额 指从本企业(单位)以外的单位和个人购进(包括从国外直接进口)作为转卖或加工后转卖的商品。这个指标反映批发零售贸易业从国内、国外市场上购进商品的总量。商品购进总额包括：(1)从工农业生产者购进的商品；(2)从出版社、报社的出版、发行部门购进的图书、杂志和报纸；(3)从各种经济类型的批发零售贸易企业(单位)购进的商品；(4)从其他单位购进的商品，如从机关、团体、企业单位购进的剩余物资，从餐饮业、服务业购进的商品，从海关、市场管理部门购进的缉私和没收的商品，从居民收购的废旧商品等；(5)从国(境)外直接进口的商品。不包括企业(单位)为自身经营用和未通过买卖行为而收入的商品以及销售退回、商品升溢等。

商品销售总额 指对本企业(单位)以外的单位和个人出售(包括对国(境)外直接出口的商品。这个指标反映批发零售贸易业在国内市场上销售商品以及出售商品的总量。商品销售总额包括：(1)售给城乡居民和社会集团消费用的商品；(2)售给工业、农业、建筑业、运输邮电业、批发零售贸易业、餐饮业、服务业等作为生产、经营使用的商品；(3)售给批发零售贸易业作为转卖或加工后转卖的商品；(4)对国(境)外直接出口的商品。不包括：出售本企业(单位)自用的废旧包装用品，未通过买卖行为付出的商品，经本单位介绍，由买卖双方直接结算，本单位只收取手续费的业务，购货退出的商品以及商品损耗和损失等。

批发零售贸易业年末库存 指年末各种经济类型的批发零售贸易企业(单位)已取得所有权的商品。它反映各地区、各批发零售贸易企业(单位)的商品库存情况和对市场商品供应的保证程度。期末库存包括：(1)存放在批发零售贸易业经营单位(如门市部、批发站、经营处)仓库、货场、货柜和货架中的商品；(2)挑选、整理、包装中的商品；(3)已记入购进而尚未运到本单位的商品，即发货单或银行承兑凭证已到而货未到部分；(4)寄放他处的商品，如因购货方拒绝承付而暂时存放在购货方的商品和已办完加工成品收回手续而未提回的商品；(5)委托其他单位代销(未作销售或调出)尚未售出的商品；(6)代其他单位购进尚未交付的商品。不包括所有权不属于本单位的商品、拨付除批发零售贸易业以外的其他行业所属独立核算加工厂等加工生产尚未收回的商品、代国家物资储备部门保管的商品等。期末库存总额的计算方法是：农副产品采购单位按购进价计算，批发单位按进货价计算，零售单位按什么价格核算就按什么价格计算。

城乡集市贸易成交额 指在农村集市和城市集市上买卖双方(包括农民、非农业居民、机关、团体、工商企业、个体商贩)成交的全部商品金额，是反映集市规模的综合性指标。

社会农副产品收购 指国民经济各部门(包括批发零售贸易业、餐饮业、制造业和其他行业)以及非农业居民直接从居民、国有农场、劳改农场、机关和部门农场等农业生产者收购的农、林、牧、渔业产品，以及从农业生产者收购的这些产品的加工品，如土糖、土纸、草席等。不包括农业生产者之间相互购买的农副产品。它反映农业向工业提供了多少生产原料，向居民提供了多少生活消费品。

对外经济贸易和旅游业

进出口总额 海关进出口总额指实际进出我国国境的货物总金额。包括对外贸易实际进出口货物，来料加工装配进出口货物，国家间、联合国及国际组织无偿援助物资和赠送品，华侨、港澳台同胞和外籍华人捐赠品，租赁期满归承租人所有的租赁货物，进料加工进出口货物，边境地方贸易及边境地区小额贸易进出口货物(边民互市贸易除外)，中外合资经营企业、中外合作经营企业、外商独资经营企业进出口货物和公用物品，到、离岸价格在规定限额以上的进出口货样和广告品(无商业价值、无使用价值和免费提供出口的除外)，从保税仓库提取在中国境内销售的进口货物，以及其他进出口货物。进出口总额用以观察一个国家在对外贸易方面的总规模。我国规定出口货物按离岸价格统计，进口货物按到岸价格统计。

利用外资 是指我国各级政府、部门、企业、中国银行和其他单位通过对外借款吸收客商直接投资和外商其他投资方式从国外和港澳地区筹措的资金。

对外借款 是我国利用外资的主要部分，包括我国通过外国政府贷款、国际金融组织贷款、外国银行商业贷款、出口信贷以及对外发行证券等方式，从国外和港澳地区借用的资金。

外商直接投资 是指外国企业和经济组织或个人(包括华侨、港澳同胞以及我国在境外注册的企业)按我国有关政策、法规，在我国境外开办外商独资企业、合作经营企业或合作开发资源的投资(包括外商从企业得到收益的再投资)，以及政府有关部门批准的项目投资总额内，企业从境外借入的资金。

对外承包工程 包括各对外承包公司以招标议标承包方式承揽的下列业务。(1)承包的国外建设项目；(2)承包我国对外经援项目；(3)承包我国驻外机构的工程建设项目；(4)承包我国境内利用外资进行建设的工程项目；(5)与外国承包公司合营或联合承包工程项目时我国公司分包的部分；(6)以服务成果向业主收费的技术服务项目(包括承担的地形地貌测绘；地质资源勘探与普查；建设区域规划；提供设计文件、图纸、生产工艺技术资料和工程技术经济咨询；工程项目的可行性考察、研究和评估；进行技术指导和培训人员等);(7)对外承包兼营的房屋开发业务。对外承包工作的营业额是以货币表现的本期内完成的对外承包工程的工作量,包括以前年度签订的合同和本年度新签订的合同在报告期完成的工作量。

对外劳务合作 指我国对外承包公司派出工程技术人员、工人、管理人员等以收取工资及其他费用的形式向雇主提供技术劳务的活动。劳务合作营业额是本期实际从雇主收取的工资及其他费用收入。

旅游人数 指来我国参观、访问、旅行、探亲、访友、休养、考察、参加会议和从事经济、科技、文化、教育、体育、宗教等活动的外国人、华侨、港澳和台湾同胞的人数。不包括外国在我国的机构,如领馆、通讯社、企业办事处的工作人员和来我国常住的外国专家、留学生等。

金融和保险

存款 企业、机关、团体或居民根据可以收回的原则,把货币资金存入银行或其他信用机构保管并取得一定利息的一种信用活动形式。根据存款对象的不同可划分为企业存款、财政存款、机关团体存款、基本建设存款、城镇储蓄存款、农村存款等科目。它是银行信贷资金的主要来源。

贷款 银行或其他信用机构根据必须归还的原则,按一定利率,为企业、个人等提供资金的一种信用活动形式。我国银行贷款,分流动资金贷款、固定资产贷款、城乡个体工商户贷款以及农户贷款等项目。

承保额 又叫保险金额。它是保险人对被保险人负担损失补偿或约定给付的金额。它是保险合同上的最高责任额,也是计算保费的依据。

保费 又叫保险费。是保险人根据保险合同的有关规定,为被保险人取得因约定危险事故发生所造成的经济损失补偿(或给付)权利,付给保险人的代价。包括财产险和人身险储金收入。

赔款 保险事故发生后,经查证确属保险责任范围以内的保险标的损失,保险人根据保险合同的规定履行赔偿义务,给予被保险人的款项叫做赔款。赔款可分为已决赔款和未决赔款两种。

教育、科技、文化和卫生事业

普通高等学校 指按照国家规定的审批程序批准举办,通过全国统一招生考试,招收高级中等学校毕业生和具有同等学历者,实施高等教育,培养高等专门人才的学校。包括大学、专门学院、专科学校和短期职业大学。

成人高等学校 指按照国家规定的审批程序批准举办,招收在职高中毕业或同等学历者,利用多种形式对成人实施高等教育,培养相当普通高等学校专科或本科毕业水平的专门人才的学校。包括广播电视大学、职工高等学校、农民高等学校、干部管理学院、教育学院、独立函授学院以及普通高等学校举办的函授、夜大学等。

小学学龄儿童入学率 指调查范围内已入小学学习的学龄儿童占校内外学龄儿童总数(包括弱智儿童在内,但不包括盲聋哑儿童)的比重。计算公式:

$$小学学龄儿童入学率=\frac{已入学的小学学龄儿童数}{校内外小学学龄儿童总数}$$

独立研究与开发机构 指有明确的任务和研究方向,有一定学术水平和业务骨干和一定数量的研究人员,具有研究、开发、开展学术工作的基本条件,主要进行科学研究与技术开发活动,并且在行政上有独立的组织形式,财务上独立核算盈亏,有权与其它单位签订合同,在银行有单独户头的单位。包括国务院各部门、中国科学院、中国社会科学院和各省、自治区、直辖市以及地

(市)以上含地(市)各部门所属的国有独立的科学研究与技术开发机构。

科技活动 是指在所有科学技术领域内,即自然科学、农业科学、医药科学、工程与技术科学、人事与社会科学中,与科技知识的产生、发展、传播和应用密切相关的全部的、有组织的、系统的科技活动。所谓有组织的、系统的科技活动,是指在一个机构的范围之内,并列入这一机构的工作计划,由这一机构的人员有计划地进行的科技活动。目前,我们统计的科技活动,是指调查范围内有组织有系统地开展的科技活动。它包括三类活动:(1)研究与发展活动;(2)研究与发展成果应用活动;(3)科技服务活动。

从事科技活动的人员 指各种研究与开发课题(项目)组织人员;各类科技服务人员(如从事图书、情报、咨询等工作的人员);管理人员、实验室、试验性工厂(车间)、农场的工人等。

科学家、工程师 指大学毕业及以上文化程度和其他具有高、中级职称的从事科技活动人员。

其他科技人员 指大专、中专毕业和具有初级职称的从事科技活动的人员。

自然科学技术人员 指已取得科学技术职称,或大学、中专的理工、农、医科系毕业,以及国民经济各部门从工作实践中提拔,从事理工、农、医等自然科学技术的研究、教学、生产(事业)技术方面的专业人员和在机关、企业、事业中从事科学技术业务管理工作的专业人员 。

工程技术人员 指在国民经济各行业从事工程技术工作的自然科学技术的专业人员,包括:高级工程师、工程师、助理工程师、技术员和未评定职称的技术人员。

农业技术人员 指在国民经济各行业从事农业技术工作的自然科学技术的专业人员,包括:高级农艺师、农艺师、助理农艺师、技术员和未评定职称的技术人员。

卫生技术人员 指在国民经济各行业从事卫生医务工作的自然科学技术专业人员,包括:正副主任医师、主治医师、医师、医(护)士和未评定职称的技术人员。

科学研究人员 指在国民经济各行业从事科学技术活动的自然科学技术的专业人员,包括:正副研究员、助理研究员、研究实习员、技术员和未评定技术职称的技术人员。

教学人员 指在国民经济各行业从事科学技术活动的自然科学技术的专业人员,包括:正副教授、讲师、助教、教师和在中学从事自然科学技术方面教学活动的人员。

科技活动经费筹集总额 指报告期内调查单位从各种渠道筹集到的科技活动经费(含科研基建费)。包括政府拨款、自筹资金、银行贷款、接受外单位委托和其他。

文化事业机构 指从事专业文化工作和为专业文化工作服务的单独核算、独立建制的单位。不包括文化主管部门直属单位举办的其他行业和各部门的业余文化组织。

艺术表演团体 指从事戏曲、音乐、舞蹈、杂技等专业艺术表演,有独立帐户,实行单独核算的团体。不包括半工半艺、半农半艺的业余剧团。

电影放映单位 指具有放映机器设备、固定或不固定的放映场所与专职或兼职的放映技术人员经文化行政部门登记批准,经常为一定的观众对象放映电影的机构。包括经批准对外开放进行营业,并与电影发行放映管理机构分帐的专用放映单位或军委系统租片单位在内。

电影观众人数 指各类型放映单位及军委系统租片单位映出的观众人数。一个观众连续看了一部长片和短片专场规定的短片,为二人次。

艺术表演观众人数 指售票、包场演出或民族地区免费演出的艺术表演观众人次数。不包括彩排审查和内部观摩演出的观看人次数。

等级运动员人数 指经考核正式批准授予等级运动员称号的人数。运动员等级分为国际级运动健将、运动健将、一级运动员、二级运动员、三级运动员、少年级运动员。

等级裁判员 指经考核正式批准授予等级裁判员称号的人数。裁判员等级分为国际裁判、国家级裁判、一级裁判、二级裁判、三级裁判。

医院 指名称为医院,设有固定病人住院并能为病人提供医疗、护理服务的医疗机构。包括县及县以上医院、农村乡卫生院、其他医院三部分。按所属性质分为卫生部门、工业及其他部门、集体所有制三类。其中，县及县以上医院按业务性质分为综合医院和专科医院。

医生　经卫生部门审查合格，从事医疗工作的专业人员。分为中医医生和西医医生。包括卫生技术人员中的中医师、西医师、中西医结合高级医师、中医士、西医士和其他中医。

发明　专利法及其实施细则所称的发明是指对有关产品、方法或其改进所提出的新的技术方案。

实用新型　专利法及其实施细则所称的实用新型是指对产品的形状、构造或者其结合所提出的适于实用的新的技术方案。

外观设计　专利法及其实施细则所称的外观设计是指对产品的形状、图案、色彩或者其结合所作出的富有美感并适于工业上应用的新设计。

桦甸市桦郊乡

吉林省综合經濟
實力强鄉(鎮)

党委书记:杨文德

桦郊乡地处桦甸市郊,全乡10个村58个屯,12924人。改革开放以来,乡党委、乡政府抓住机遇,充分利用本地交通发达,矿产、野生、土特产品资源丰富的优势,全乡经济蓬勃发展。目前,乡村企业已发展到30户,个体工商户达到664户。1995年全乡工农业总产值已达到10563.6万元,其中,农业总产值3625万元,乡镇企业产值6938.6万元,乡镇企业利税达到1350万元。

全乡的经济已形成了以矿山业、建筑安装业、机械制造业、建材业、化工制炭业、林业、商业、木制品业、日照温室蔬菜业、畜牧业为支柱的十大行业。全乡将针对采矿业、木雕工艺品、畜牧业及皮革加工业等发展重点项目寻求投资及合作伙伴。

党委书记:杨文德
镇长:李树峰
地址:吉林省桦甸市桦郊乡
邮编:132400
电话:(0432)6224612

德惠市米沙子镇

吉林省综合經濟實力强鄉(镇)

米沙子镇位于长春市近郊，德惠市西南部距长春市24公里，距德惠市48公里，。幅员面积108平方公里，辖11个村，103个社、1个街道办事处和16个居民组。

1995年，年产粮食6万吨，年饲养黄牛1.5万头，生猪2.5万头，家禽50万只；镇、村、个体、联合体、股份制企业共840家，年创产值1.2亿元，利税1300万元；镇内道路通畅，京哈铁路、北哈公路平行穿过，镇、村主要路面全部柏油；水电供应充足，有日供水2800吨的自来水厂一处，有装机容量6400KVA的变电所一处；通讯手段先进，光缆程控电话装机容量1024门；有占地8.8万平方米的农贸、建材、牲畜三大专业交易市场，辐射九省二十五个市县。

米沙子镇人民本着“放眼四方搞开放，立足资源搞开发，面向两市搞服务，围绕两路作文章”的具体实施策略，加大改革力度，强化具体措施，正向更高的目标迈进。同时，竭诚欢迎海内外朋友来米沙子投资建设。

镇党委书记：孟凡林

镇长：宫学谦

地址：吉林省德惠市米沙子镇

邮编：130300

电话：(0431)7310002

党委书记：孟凡林

镇　长：宫学谦

吉林龙大饲料有限公司

太平饲料厂

梅河口市新合镇

党委书记：关殿库

捷利木质纤维素有限公司董事长总经理：刘英杰

捷利木质纤维素有限公司厂区一角

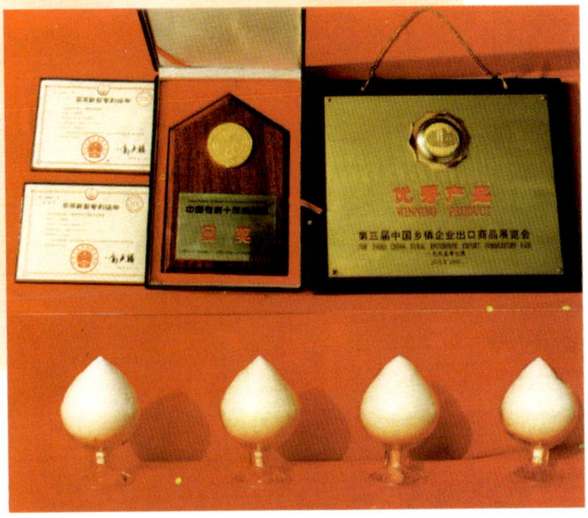
捷利木质纤维素有限公司生产的60目——80目，80目——120目，120目——180目，180目——240目用于果糖、啤酒、油漆、高纯度水等过滤介质，获国家专利和金奖。

吉林省綜合經濟實力强鄉(镇)

新合镇位于梅河口市东南部，与柳河县，辉南县接壤，幅员面积147.5平方公里，耕面面积8000公顷，水库、泡沼、人工渔塘等可养鱼水面600公顷，山林4800公顷。全镇有16个行政村，92个自然屯，总人口为31000人，是梅河口市最大的乡镇。

1995年，全镇社会总产值达2.6亿，人均收入1510元。全镇企业创产值15215万元，占社会总产值的58%。年产值百万元以上的企业已达10户。木质纤维素是93年引进的项目，该产品已取得国家专利，并获得国家级科技发明博览会金奖，现已广泛应用于酿酒、石油、医药等领域，产品畅销全国20多个省市自治区，供不应求。畜牧业、渔业和多种经营已向规模化方向发展，现已建立了黄牛、生猪、养鱼、蔬菜五大基地。文教、卫生及社会福利事业有了较快的发展。交通、通讯、供电、绿化等基础设施建设为经济发展创造了良好的社会环境。

勤劳、善良、诚实、好客的新合人民欢欢迎各界朋友来这里投资兴业、共创辉煌。

党委书记：关殿库
地址：吉林省梅河口市新合镇
邮编：135006
电话：(04453)741321

巴斯金士百啤酒有限公司

'95吉林省明星企業專欄(工商企業)

中外合资企业,吉林省四平市巴斯金士百啤酒有限公司,是闻名世界的英国巴斯公司与四平金士百啤酒集团公司共同创建的一家吉林省最大的啤酒生产商,合资项目总金额8.25亿元人民币,啤酒年生产能力25万吨,本世纪末将达到40万吨。

该公司引进世界先进的德国设备及自控系统,采用优质原料及先进工艺生产的金士百、甲天泉牌啤酒多次荣获国家、行业及省市各种殊荣。最近,这两个品牌又双双被中国轻工协会、中国保护消费者基金会评为'96中国消费者信得过名优产品。

同时,该公司桶装啤酒生产线已于96年初上马,口味纯正的金士百扎啤目前已在东北各大城市上市。来自英国的、具有四世纪苏格兰品味的"T"牌啤酒也正以其优秀品质、高档包装,销往北京、上海等大城市,走向中国高素质消费群。

该公司自成立以来,各项事业蓬勃发展。仅95年下半年就实现产值12480万元,上交税金2974万元,为当地财政及整个地区的经济发展作出了卓越的贡献。

董事长:卢宪臣
总经理:高歌思
地址:中国吉林省四平市铁东仙马泉
邮编:136001
电话:0086—434—3510180
传真:0086—434—3524058

董事长:卢宪臣

总经理:高歌思

国际一流的包装生产线

公司一角

甲天泉啤酒

金士百啤酒

T牌啤酒

吉林省梨树铁塔厂

'95吉林省明星企業專欄(工商企業)

董事长、总经理　刘茂林

220KV输电线路铁塔

高136.3米，单基重量450吨的500KV双回路跨越松花江铁塔。

变电构架

吉林省梨树铁塔厂是生产各种电压等级的输电铁塔，钢结构架，广播电视塔和微波通讯塔的专业厂家，具有20多年的生产历史。

该厂生产设备齐全，生产工艺可靠，具有完善的质量保证体系和完备的质量检测手段，各项生产技术指标严格执行国家标准，并有严格的企业内控标准，220KV和500KV输电线路铁塔，具有国家电力工业部颁发的生产许可证，广播电视塔和微波通讯塔已于94年通过了广播电影电视部的生产资格审查，企业年生产能力为4万吨。

在生产工艺上，该厂开发应用了计算机放样，锌铝稀土合金镀锌等新工艺，使产品的各项技术指标优于国家标准及美国、日本、英国等技术先进国家的标准要求，技术水平处国内领先地位。产品曾荣获省优、部优和“吉林名牌”称号，产品遍及全国二十多个省市、自治区、并出口菲律宾、马来西亚等国家和地区，产品受到广大用户的好评。

厂　长：刘茂林

地　址：吉林省梨树县梨树镇东大街118号

邮编：136500

电话：(0434)5223689
5222234

传真：(0434)5224580

电挂：4012梨树

'95吉林省明星企業專欄(工商企業)

四平红嘴钢铁集团公司

总经理:张玉佳

产成品

该公司是红嘴集团总公司的骨干企业。是集冶金、机械、耐火材料、空气分离、进出口为一体的大型综合性集团企业。下辖红嘴炼钢厂、红嘴轧钢厂、红嘴风机厂、红嘴链条厂等十余户企业。企业拥有进出口经营权,是吉林省第一家获权的乡镇企业。现有固定资产2.5亿元,经济实力雄厚。

以冶金、机械产品为主,多种经营。企业主导产品为连铸钢坯、系列角钢、螺纹钢、系列风机产品、系列链条产品及R4米弧形渐近矫直小方坯连铸机、回转式喷补机、YQG-800型废钢剪切机。其中钢坯、角钢、风机、链条产品畅销全国各地,并出口到美国、日本、澳大利亚、泰国等国家和地区。连铸机、喷补机、废钢剪切机系中小型冶金企业实现节能降耗、压缩成本的必备产品,机型先进,性能优越,市场前景广阔。

九三年在国内首家成功地引进美国小方坯连铸技术,连铸比为100%;九四年引进日本技术,开发出废钢剪切设备和回转式喷补设备,居行业领先水平。九五年创汇额达868万美元,成为吉林省的创汇大户。

公司将继续发展外向型经济和扩大生产能力。随着红嘴"3331"工程的进一步实施,年炼能力、轧制能力均可达到30万吨,将成为吉林省第二大钢铁基地。

总经理　张玉佳
地址:四平市铁西区红嘴路18号
邮编:136000
电话:(0434)3223527
传真:(0434)3226187

生产车间一角

公司办公外景

吉林大江实业有限公司

吉林大江实业有限公司
总经理　　孔庆生

生产车间一角

公司外景

生产车间一角

'95吉林省明星企業專欄(工商企業)

该公司是吉林省乡镇企业供销总公司与上海大江(集团)股份有限公司共同创建的，是吉林省与上海市横向经济合作企业之一，是东西合作中的成功范例。

公司始建于1988年，拥有固定资产1700万元，职工总数248人。公司主要以油脂加工为主，日加工大豆200吨，年加工大豆5万吨，产值亿元，利税千万元，是近年来为社会创造良好效益的企业之一。

公司主要产品为豆油、豆粕。其豆粕以优良的质量赢得了广大客户的青睐，远销全国十几个省市，在正大系统内部享受免检。

公司下设吉林省大江经贸有限责任公司，开展各项经贸活动。

公司座落在交通便利的铁北工业区，备有自己的铁路专用线，竭诚欢迎各界朋友惠顾。

总经理：孔庆生
地址：长春市凯旋路64号
邮编：130052
电话：(0431)2924464
传真：(0431)2924466

'95吉林省明星企業專欄(工商企業)

伊通满族自治县酒精厂

创建于1987年的伊通满族自治县酒精厂，历经九年的艰苦创业、技术改造，现已发展成为集体科研开发，生产于一体的轻化工中型企业，拥有固定资产5500万元，职工485人。主导产品“伊歌”牌食用酒精，副产品达11种之多。

1995年实现产值7360万元、利润320万元、税金390万元、销售收入8050万元。

“伊歌”牌酒精1991年荣获“省优质产品”称号，1994年获第五届北京亚太贸易博览会金奖，同年，获蒙古国乌兰巴托国际商工贸产品博览会金奖，95年被评为“省名牌产品”。“帅通”牌醋酸被国家农业部评为“名牌产品”，“凯伦”牌蛋白饲料在1992年被国家科委评为“星火计划奖”，两次被省乡镇企业局评为“科技单项奖”。

企业在1991年被省乡镇企业局评为“先进企业”，93年被四平市政府评为“重商标，保质量，创名牌先进企业”，同年，被国家农业部评为“先进级企业”，被中国乡镇企业局评为“全国百强乡镇企业”。95年，被吉林省乡镇企业局评为“粮食加工行业排头兵”。

总经理：赵国清
地址：吉林省伊通县大孤山镇
邮编：130713
电话：(0434)4510371
4510376

厂长：赵国清

历次获奖奖杯

生产车间、产品储罐

长春市双阳金谷有限公司

'95吉林省明星企業專欄(工商企業)

总经理：刘长林

该公司创建于93年，是中外合资企业。公司位于长双公路28公里处，占地面积6万平方米，总投资1270万元，年加工量6万吨，主要产品优质豆油、豆粕、油粕、饲料，设备采用国内90年代的先进自动化装置。95年创产值7264万元，税后利润405万元，是双阳区利税大户。

该公司以严格的管理，优质的服务、上乘的质量，深受用户的信赖。

总经理：刘长林

地址：长春市双阳区奢岭镇

邮编：130607

电话：(0431)4161442

传真：(0431)4161443

长春双阳金谷有限公司

公司浸出车间

'95吉林省明星企業專欄(工商企業)

吉林省纺织品进出口公司集安公司

该公司成立于1992年8月，具有独立法人地位。

本公司以经营边境小额贸易为主。出口主要品种有各种纺织品、面料、辅料、粮油食品、化工、轻工、五金机电产品等。主要进口品种有蚕茧、蚕丝、木材、钢材、水泥、轻工、工艺品等。每年进出口额在5000万元人民币以上。同时，还承担一般贸易及边境小额贸易的口岸代理，承办进出口商品的代购、代销及转口业务。

本公司自成立以来，本着“信誉第一、以诚相待”的经营方针，进出口业务不断发展，公司实力日益增强。公司由原来成立时的6人发展到今天96人。固定资产由零发展到今天1000多万元人民币，并与朝鲜合资兴建一座可同时容纳300多人就餐的酒店。

竭诚欢迎国内外朋友到我公司洽谈贸易，并来酒店做客，我们一定会以一流的服务奉献给大家。

总经理：魏洪弟
地址：吉林省集安市
东盛北街35号
邮编：134200
电话：(0435)6222565

总经理：魏洪弟

公司主楼外貌

公司恰谈厅

长春市锻造厂

厂长：杜民

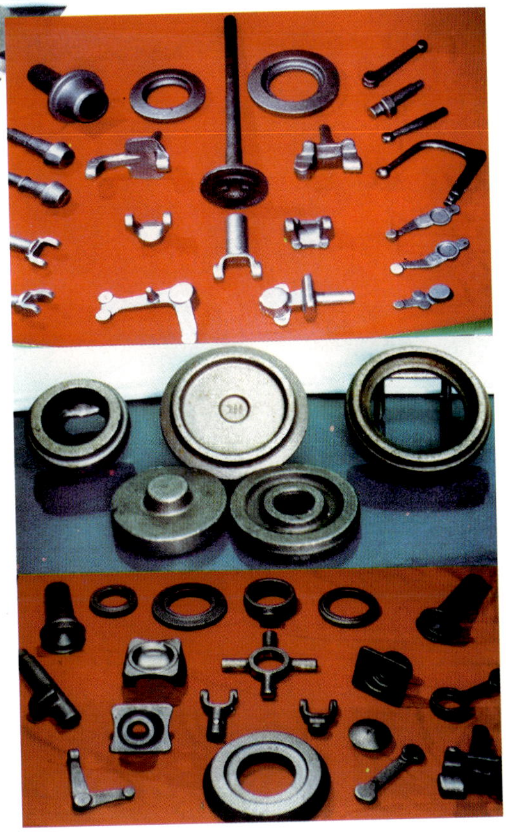

生产的部分产品

'95吉林省明星企業專欄（工商企業）

该厂是长春市二道区金钱农工商总公司的集体所有制企业，工厂座落在市东北部的伊通河畔，环境优美，交通便利。具有模具设计、模具制造、锻件生产、热处理、清理、校正、检验等一体的专业性的锻造厂家。为全国大中型乡镇主要骨干企业之一，又是全国乡镇锻造行业最大的锻造厂，是长春市一汽集团公司的紧密联营厂。

该厂现有固定资产2000万元，占在面积29500平方米，厂房面积5600平方米。从业人员265人，管理干部12人，工程师13人（其中高工2人）。现有锻造设备共74台（套），年生产锻件能力11000吨，其中模锻7000吨，平锻2000吨，自由锻2000吨。

该厂始建于1973年，从1991年开始又陆续增设了机加车间，热处理车间，化验室等，到现在已发展成为从图纸设计——模具制造——锻件加工——热处理一条龙的生产线。1994年产值达3600万元，利税280万元，生产锻件5500吨。

该厂生产的锻件质量好，保证工期、信誉高，现在主要为一汽锻造厂，一汽长春轻型车厂、吉林首钢柴油机厂、哈尔滨车辆厂、一汽四平专用汽车制造厂等七十多家大中型国营企业，加工锻件，建立长期生产紧密型协作关系，产品已达160多种，发展前景广阔。

锻造生产前景广阔，1996年该厂投资2500万元，上一台大吨位的锻压机、中频感应加热炉等，使锻件年产量达到20000吨，预计产值达1亿元以上，利税总额达1500万元，利润达1000万元以上。

愿各界同仁前来洽谈，合作。

厂长：杜民
地址：吉林省长春市二道区英俊乡金钱村
邮编：130032
电话：(0431)4715447

四平市红嘴达美包装公司

该公司是红嘴集团总公司的直属企业，组建于1991年3月，现有职工257人，下属四个工厂，拥有固定资产1700多万元，有国产、进口现代化印刷包装设备50多台套。年可加工生产高档影印商标5亿套，金属模塑瓶盖6亿只，瓦楞纸箱200万平方米，各种规格的塑料周转箱60万只。1995年完成工业总产值3180万元，实现利润676万元，人均创利3.1万元，列全国同行业之首。达美公司的发展可概括为四句话“红嘴的速度，科学的管理，良好的信誉，较高的效益”。

该厂以激列竞争的市场为依托，把眼睛盯住市场，捕捉准确的市场信息，顺应市场，以变应变，靠求贤任能实现企业超常规发展。全公司共有各类专业技术人才46名，公司始终坚持把人才当作是企业的第一资本和财富的源泉；靠质量赢得信誉；靠好带头人和坚强的领导集体的表率作用使企业立于不败之地。

总经理：卢宪发
地址：吉林省四平市铁西区红嘴村二社
邮编：136000
电话(0434)3223208
3226539

总经理：卢宪发

厂区一角

公司大门

05双色影印机，
年产高档商标6亿套

长春宏新企业集团公司

总经理：孙连财

公司办公楼

'95吉林省明星企業專欄（工商企業）

长春宏新企业集团公司是一个跨行业生产、跨地区经营工商贸一体化的中型企业集团，由8个企业组成，即中外合资的长春宏力轧钢工业有限公司，长春宏美铸品有限公司，有自主进出口经营权的长春市宏新锅炉配件厂、长春市宏新精密铸造厂、长春市宏瑞物资经销公司、长春市新兴锅炉厂、联营合办的吉林省五金矿产进出口长春分公司、前郭轻新管件有限责任公司。

主要产品：各种型钢制品，铸铁产品，铸钢产品，锅炉及配套产品。

公司将以优质的服务，可靠的信誉与社会各界真诚合作、创造出一流的社会效益及经济效益。

总经理：孙连财
地址：长春市自由大路91号
邮编：130031
电话：(0431)4649794
传　真：(0431)4647647

出口澳大利亚的铸铁盖板

E2级热水锅炉

德惠市万宝轧钢厂

该厂始建于1992年，是德惠市万宝镇镇办集体企业。工厂现有职工470人，其中技术人员15人，工程师2人。主要产品有ф10、ф12、ф14、ф16、ф18、等规格的园钢，25×25、30×30、40×40等规格的角钢。产品主要销往吉林、长春、前郭、白城、黑龙江等省市。九五年实现产值3600万元，利税350万元。

自建厂以来，凭借先进的设备和技术，科学的管理手段，其产品ф12园钢94年被农业部评为部优产品。94年被农业部评为全国乡镇企业1000家经济效益最佳企业，九五年被农业部评为全国黑金属100家经济效益最佳企业，被省政府评为省级明星企业。同时连续三年被德惠市市委、市政府授予德惠市明星企业的光荣称号，王志君厂长被评为吉林省乡镇企业优秀厂长经理标兵。

厂长：王志君
地址：德惠市万宝镇
邮编：130303
电话：(0431)7320008
7320188

厂长：王志君

该厂产品ф12园钢

长春市异型钢管厂

厂长:金革柱

该厂生产的各种高频焊管,方、矩型管、异型管材

φ165机组、纵剪机组

成品库一角

'95吉林省明星企业专栏(工商企业)

长春市异型钢管厂是吉林省大型焊管企业之一,于1993年建成投产,有固定资产4千万元,车间中安装了具有国内一流水平的φ45、φ76、φ90、φ165四条焊管生产线及6×1700mm纵剪机组一套,能生产φ15-φ200各种水煤气管和各种方矩形管及其它异型管材,年生产能力10万吨,具有雄厚的技术力量和质量检测手段,曾多次荣获"明星企业"等称号。

1995年创产值6千万元,销售额5千万元,实现利润150万元。1996年,奋斗目标是:产值创亿元,不断开拓市场,扩大销售,力争实现利润400万元。

我们希望有识之士来我厂精诚合作共创辉煌。

厂长:金革柱
地址:吉林省长春市南关区南岭大街95号
邮编:130022
电话:(0431)5693591
传真:(0431)5693595

长春市绿园区第二暖气片厂

'95吉林省明星企業專欄(工商企業)

该厂位于长春市西北部，厂区面积4万余平方米，现有固定资产850万元，大小通用、专用设备150余台部，职工500余名，其中专业技术人员23人，建厂10年来累计完成工业总产值8586万元，实现利税1347万元，上缴税金735万元。

随着乡镇企业的不断发展，该厂连年被省、市、区人民政府评为"最佳企业"等10多个先进称号，名列"全区企业30强"榜首。

该厂是生产灰铸铁大小长翼型散热器专业厂家，"盛夏"牌暖气片和"丘山"牌灰铸铁搪瓷浴盆是采用国际先进的生产工艺和设备，产品各项性能达到国标，是吉林省优质产品。此外，我厂过生产各种型号、规格、颜色的塑钢门窗、铸铁搪瓷水暖件，铸铁搪瓷浴盆，价格合理，品质优良，服务周到，实行三包。望各界朋友光临指导。

董事长兼总经理：
田林春
地址：吉林省长春市绿园区合心镇岳家村
邮编：130113
电话：(0431)7989548
7989553

董事长、总经理：田林春

盛夏牌暖气片

磐环工贸有限责任公司

董事长：闻殿臣（全国劳动模范，吉林省特等劳动模范）

植物油浸出车间

'95吉林省明星企業專欄（工商企業）

磐环工贸有限责任公司，是一个贸工农一体化的综合集体生产企业集团。现有大豆植物油厂、高级玉米胚芽色拉油厂、玉米综合加工厂、塑料包装厂及宝石研磨加工厂等五个骨干企业和农副业生产组织。注册资金1500万元，共有员工450多人。

1995年全公司实现工农业总产值10835万元，利税总额1010万元，其中工业总产值9334万元，利润109万元，税金75万元。农业和多种经营第三产业总产值1501.2万元，其中农业收入575万元，三产业926.2万元，人均收入3655元。

该公司生产的大豆油、色拉油、药用月笕草油及研磨加工的各种规格的宝石不但在国内各地供不应求，还远销韩国、日本、俄罗斯、瑞典、香港等国家和地区。植物油厂年产一级大豆油2500吨，国标豆粕12000吨，色拉油厂年产高级玉米胚芽色拉油7500吨，药用月笕草精炼油500吨，玉米胚芽粕10000吨；玉米综合加工厂每年加工安全水玉米30000吨。生产的高级玉米胚芽色拉油1993、1994连续两年荣获中国星火计划国际研讨会暨星火技术和产品展示会金奖，94年被省政府、省乡企局评为优秀新产品，94年被省食品工业局推荐为吉林省食品行业名牌产品。

董事长：闻殿臣

地　址：吉林省磐石市福安街人民路359号

邮　编：132300

电　话：(0432)5222396

传　真：(0432)5223411

磐环工贸有限责任公司色拉油厂

始建于1992年5月的磐环工贸有限责任公司色拉油厂，厂房面积2500平方米，厂区面积7500平方米，固定资产700万元，流动资产400万元。现有职工110人，其中工程技术人员10人。

色拉油厂年设计能力7500吨，年实现产值4050万元，利润956万元、税金215万元。生产的高级玉米胚芽色拉油1993、1994年连续两年荣获中国星火计划国际研讨会暨星火技术和产品展示会金奖，经省级专家鉴定为高级保健食品。具有亚油酸含量高，有利于人体消化吸收，含有大量的维生素E，使人延缓衰老，不含胆固醇，可防止动脉硬化和脑血管疾病，较其它植物油香味浓等特点。产品投放市场后，深受消费者的欢迎。

厂长：朱长忠
地址：吉林磐石市福安街人民路359号
邮编：132300
电话：(0432)5222396
5223243
传真：(0432)5222341

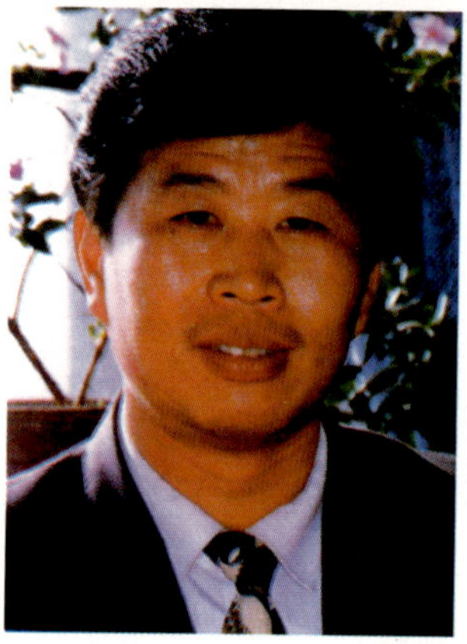

磐环工贸总公司
董事长：闻殿臣

色拉油产品

色拉油厂

色拉油车间

长春港台合金钢铸造有限公司

'95吉林省明星企業專欄(工商企業)

中外合资长春港台合金钢铸造有限公司是国家建材局定点生产耐热钢、不锈钢的专业厂。该厂始建于1985年，占地面积21000平方米，现有职工150人，其中各类专业技术人员30人。3个生产车间，1个开发新产品的研究所，1个理化检验中心和1个测试手段齐全的试验中心。

1995年全厂实现产值1200万元，销售收入920万元，利润100万元。生产八大系列320多种产品，其中出口产品在第三届中国乡镇企业出口商品展览会获优秀产品奖，其余产品均为部、省优质产品，不仅装备了全国28个省、市自治区的冶金、矿山、化工、电站、建材、船舶、航天、军工等部门，还远销澳大利亚、加拿大、巴基斯坦、朝鲜、日本、美国等欧美和东南亚地区，受到国际的好评。

1991年被吉林省人民政府评为省预备级企业，并获省部质量管理奖，从90年至今被长春市人民政府授予“最佳企业”，94年被吉林省乡镇企业管理局授予“省明星企业”。总经理荆维山同志，多次被省、市、区评为劳动模范、标兵称号，被吉林省人民政府授予“吉林省乡镇企业家”，荣获共青团中央，国家农业部授予“全国青年乡镇企业家”称号。

总经理：荆维山
地址：吉林省长春市兴业街108号
邮编：130052
电话：(0431)2939249
传真：(0431)2932770

总经理：荆维山

出口美国的耐热钢链条

公司一角

耐热钢篦板

耐热钢料盘

长春市植物油厂

'95吉林省明星企業專欄(工商企業)

长春市植物油厂建于1988年，现有职工112人，设5科1室，各类生产技术人员中级以上职称8人。厂区占地面积3万平方米，固定资产800万元。建有现代化的大豆浸出生产线一条，日加工原粮60吨，年加工2万吨，年生产国标一级豆油3000吨，优质豆粕1.8万吨，产品远销国内外，深受用户好评。工业总产值4000万元，销售收入3600万元。年创利税380万元，是全区利税首户。产品被农业部评为优质产品，质量管理达标单位，省明星企业，进入了吉林省粮油食品50强行列，受到了省政府表彰。

该厂将科学管理体制、先进生产技术、优质服务于社会各界，企业宗旨是“奉客户为上帝，靠信誉增效益”。诚挚欢迎国内外客户，洽谈业务。

厂　长：齐麟

副厂长：张之潘、高智

厂　址：长春市新立城镇长伊公路9公里处

邮　编：130119

电　话：(0431) 4942787 9003434

厂长：齐麟

该厂生产的系列产品

储油罐

长春宇德轧钢有限责任公司

董事长兼总经理：王宇

轧钢厂生产车间一角

轧钢厂产品一瞥

'95吉林省明星企業專欄(工商企業)

长春宇德轧钢有限责任公司是中日合资企业。该厂具有雄厚的技术力量，先进的生产线和现代管理水平。企业领导人以新观点、新思想、新举措，在经营管理上始终坚持科技领先，质量至上，实行全面质量管理。以信誉求生存，以质量求发展，在短暂的几年内使该厂在激烈的市场竞争中，经济效益年年递增，固定资产已达600万元，年销售额3500万元，年利税350万元。该厂生产的产品有40×40×4角钢、30×30×3角钢、25×25×3角钢畅销于省内外，深受用户的赞誉。

宇德轧钢有限责任公司，基础扎实，前景广阔，经济效益不断提高，已成为吉林省冶金骨干企业之一。在今后的发展中，将引进先进设备，吸收国外的管理模式，培养一批具有现代觉悟、现代意识、现代管理和先进技术人才的目标而奋斗。

董事长兼总经理：
王宇
地址：吉林省长春市
二道区三道镇
邮编：130031
电话：(0431)4954599

长春市英俊暖气片厂

’95吉林省明星企業專欄(工商企業)

长春市英俊暖气片厂是生产灰铸铁散热器的专业厂,生产规模列全国四大散热器生产厂家之一,是东北最大的散热器生产厂家。厂区占地面积6万平方米,建筑面积1.5万平方米,固定资产2200万元,流动资金2300万元。产品注册商标“响铃”牌,商标评估价值4670万元。工厂现有职工600余人,主要产品有大长翼、小长翼、四0及圆翼型暖气片,自1984年以来连续13年保持省优部优称号,91年荣获北京国际博览会银奖,92年在中国质量万里行活动中受到国家技术监督局重点通报表扬,94年获农业部全国首批100家乡镇企业名牌产品称号,在建设部质量评比中荣获第一名。企业先后被评为“市最佳企业”、“十大乡企明星企业”;省“明星企业”、“省级先进企业”、“省质量管理十佳企业”、“省十大行业铸造行业管理排头兵”;“中国工业企业形象百佳金属制品行业企业形象十佳企业”。

厂长:范兆余

地址:吉林省长春市二道区东荣大路88号

邮编:130032

电话:(0431)4916198

厂长:范兆余

厂区一角

该厂生产的系列产品

永吉县阿拉底牧业公司

'95吉林省明星企業專欄(工商企業)

总经理：郑荣基

公司生产的肉鸡全价饲料

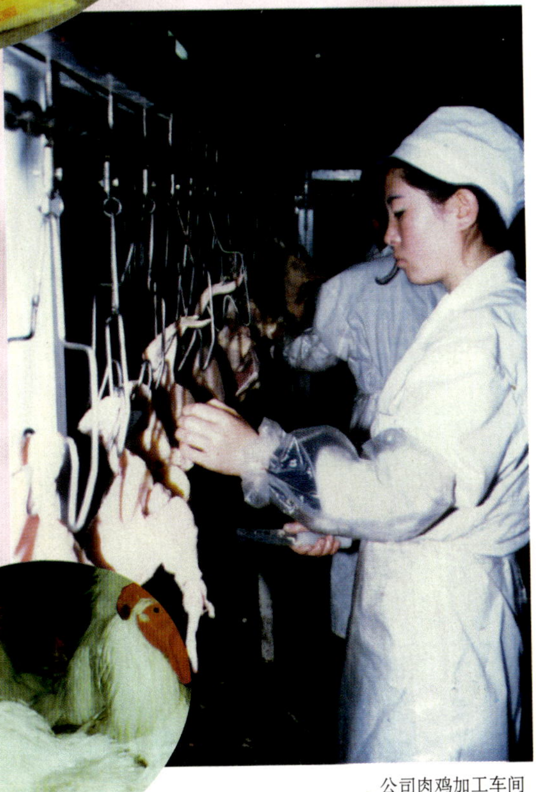

公司肉鸡加工车间

种鸡厂

永吉县阿拉底牧业公司建于1993年1月，经多年逆向开发，发展到集种鸡饲养、种蛋孵化、饲料生产、肉鸡饲养、肉鸡加工、贮藏销售、社会服务于一体的肉鸡生产联合企业。生产规模年产400万只肉鸡生产加工能力。公司下设6个厂(场)队，现有职工320人，其中技术人员21人，固定资产原值1230万元。1995年生产肉鸡260万只，肉鸡饲料16000吨，鸡肉产品3400吨，总产值8810万元，创利税268万元，创社会效益400万元。

1995年公司被县政府命名为“龙头企业”，被吉林市委、市政府评为“农村经济十强企业”。

总经理：郑荣基
地址：吉林省永吉县乌拉街镇阿拉底村
邮编：132227
电话：(0432)2443669

敦化市官地镇植物油厂

’95吉林省明星企業專欄(工商企業)

敦化市官地镇植物油厂厂占地24000平方米,年加工大豆15000吨,现有固定资产637万元,流动资金2000万元,职工100人。

该厂自建厂以来,不断加强企业管理,转换经营机制,调整人员。1995年实现产值855万元,产品销售收入2335万元,利税106万元。

该厂狠抓技术管理,质量不断提高,生产的大豆油质量达到国家标准,畅销东北三省,豆粕销往全国各地,供不应求。

1996年,该厂技改正在进行,预计5月中旬技改完毕投入生产,技改后年生产能力可达到2万吨大豆的加工能力,年产值可达到1820万元,产品销售收入可达到5618万元,利税可达到522万元。

厂长:郝满意
地址:敦化市官地镇
邮编:133722
电话:(0433)6562419

厂长:郝满意

敦化市官地镇植物油厂办公楼

现代化的生产设备

敦化市官地镇原料库(大豆豆囤)

第一汽车制造厂车身附属厂第一分厂

厂长郭学才

生产车间一角

厂领导班子共图大业

该厂于1991年9月4日建成投产，总占地14000平方米，厂房面积3248平方米，公共积累620万元。工艺先进，技术力量雄厚，产品质量达到一汽标准。1995年创产值1430万元，利润110万元，税金97万元。

该厂现有二条生产线，一条是生产CA142车头总成的焊装、阴极电泳，喷漆涂装生产线，主要产品生产CA142车头总成为一汽上线装车和为国库发送备品；一条是为一汽小红旗奥迪内饰件塑料件涂装生产线，主要产品为一汽上线装车。

该厂属集体企业，政策宽松，热情欢迎用户与该厂洽谈业务。

厂长：郭学才
地址：长春市朝阳区大屯镇
邮编：130103
电话：(0431)5931275

长春市奋进金属结构厂

该厂始建于1983年2月，并于当年投产，现有职工154人，其中管理人员9人，工程技术人员13人，包括高级工程师2人，工程师5人，工人技师、助理工程师6人，其占地面积22000平方米，厂房面积8000平方米，固定资产160万元，流动资金70万元。其主导产品是ZG－Ⅱ型自动给水设备及中药浸取、提炼制剂设备等，该厂生产的ZG－Ⅱ型自动供水设备和WHG微机自控恒压变频供水装置，曾获省优部优产品称号。1989年到现在连续几年平均年利税达120万元。

该厂在社会主义市场经济大潮的推动下，本着发展靠效益，效益靠质量，质量靠管理，管理靠人才，人才靠培养的宗旨，在管理和生产经营活动中抓人才，讲效益，使企业不断发展。

厂长：秦敏
地址：中国长春市青田路13号
邮编：130062
电话：(0431)7979927
7979924

厂长：秦敏

中药多功能提取缸

厂景

长春市二道区宏盛砼予制厂

'95吉林省明星企业专栏(工商企业)

厂长:战维民

该厂建于1992年,占地面积2000多平方米,职工100多人,其中高级工程师2人,工程师3人。1994年完成产值600多万元,利税100多万元。1995年完成产值400多万元,利税50多万元。

该厂具有国内先进生产设备,各种搅拌设备,化验室,龙门叨车,钢筋拔丝设备,冷拉,张拉设备,合乎国家企业标准,被市政府命名为二级企业。主要产品是:大型屋面板,薄腸梁,予应力空心板,予制桩、二机钢空心板、各种异型构件,产品符合国家标准。以创优质服务为宗旨,视质量为企业的生命。市高科技开发区国家重点工程都采用本厂的产品。

几年来连续被市、市乡镇企业局命名为效益最佳先进单位。1995年被省政府命名为省“百强乡村企业”。

该厂一直以“质量第一,信誉至上”为宗旨,并诚恳欢迎各界同仁前来洽谈业务,携手共济。

厂长:战维民

地址:吉林省二道交通队旁边加油站东胡同内

邮编:130031

电话:(0431)

4649654　4647846

生产场地

产品

'95吉林省明星企業专欄(工商企業)

长春市第四建筑安装工程公司

该公司是市属全民的二级建筑施工企业，是吉林省较大型施工企业之一。企业现有职工5580人，固定资产总值2090万元，年施工产值在1.5亿元以上。

公司下设土建工程处13个，机械化施工处1个，构件厂1个，锅炉安装处1个，防水工程处1个，二级试验室以及房地产开发公司和4个驻外地区办事机构。公司拥有各种施工机械、运输机械419台，多年来，本公司一直担负着建设吉林，美化长春的多项建设任务，同时还支援了黑龙江、内蒙古、辽宁等省(区)的城乡和矿区建设。七十年代除参加了省内外工业与民用建筑之外，还承担了国防工程建设，为解放军总后修建了飞机机库、机场跑道、地下发电站、导航塔等，受到解放军总后勤部的嘉奖。八十年代承担了第一汽车厂近百栋住宅楼的建设，其中有近30%的栋号被省、市评为优良工程。同时承建了中科院物理所的大跨度全框架的科研大楼，被省评为样板工程。九十年代承建了医大二院七层框架综合工程、市食品公司六层框架、省城乡房地产开发公司十六层全框架主体工程，均被评为优良工程。

本公司愿与社会各界同仁竭诚合作，共创辉煌。

总经理：张玉生

地址：吉林省长春市朝阳区慈光路16号

邮编：130061

电话：(0431)8520104

传真：(0431)8528319

总经理、党委书记：张玉生

天一酒店(全框架结构)

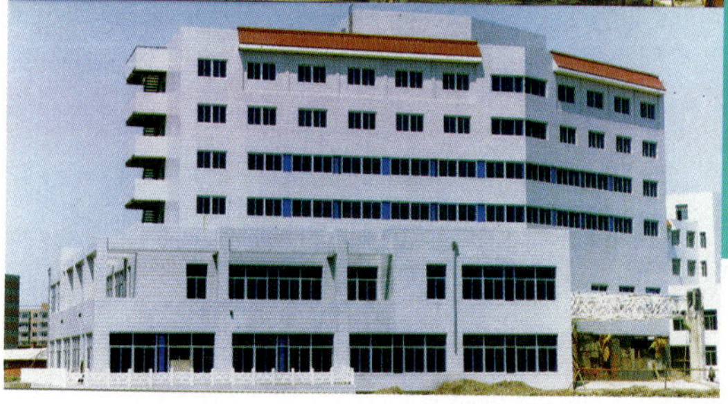

上：吉林省工商银行办公楼

下：长春市人大常委会办公楼

长春市春城轧钢厂

厂长兼中外合资长春豪华鞋业有限公司总经理：吕显明

'95吉林省明星企業專欄(工商企業)

该厂地处长春市区南端，厂地开阔，工厂占地6200多平方米，工人110多人，高级工程师2人，技术管理人员7人。拥有固定资产144万元。生产设备成龙备套，主要生产产品钢材、原钢、冷拔螺纹钢筋，年生产能力为7200吨，年销售额680万元，1995年产值836万元。产品供应全国各地，是市、区、乡的经济效益最佳乡镇企业之一，连续受到市、区、乡的表扬，荣获多项荣誉，1995年又被评为省级自强乡村企业。

目前全厂职工在吕显明厂长的带领下，以"创优质、守信誉"为宗旨，积极开拓市场，提高效益，再创辉煌。并诚恳欢迎省内外各界朋友前来洽谈业务，携手共进。

厂长：吕显明
地址：吉林长春长乐公路1公里
邮编：130022
电话：(0431)5383187
5388924

长春市宏盛建材厂

'95吉林省明星企业
專欄(工商企業)

长春市宏盛建材厂位于长春市东南部，地处吉林省国家级经济技术开发区，系宏盛实业总公司直属企业。始建于1992年，占地23000平方米。主要生产钢窗、塑窗、铝窗、彩板门窗及铸造、机加、冲压、塑料制品十个系列，四十多个品种，年产值1500万元，利润120万元。是我省较大的综合性建筑材料专业生产厂家之一。

该厂环境优雅，厂容厂貌整洁，技术力量雄厚，产品质量可靠，实行三包，价格合理，重合同、守信誉，宗旨“质量第一、用户至上”。欢迎有识之士，广大用户光临指导，洽谈。

厂长：王万生
地址：吉林省长春市
长伊公路1公里处
邮编：130031
电话：(0431)4649657
4647720
传真：(0431)4647729

厂长：王万生

厂长：许凤海

生产的铝合金门窗

生产的各种钢门窗

长春市宏盛钢铁总厂

厂长：王维堂

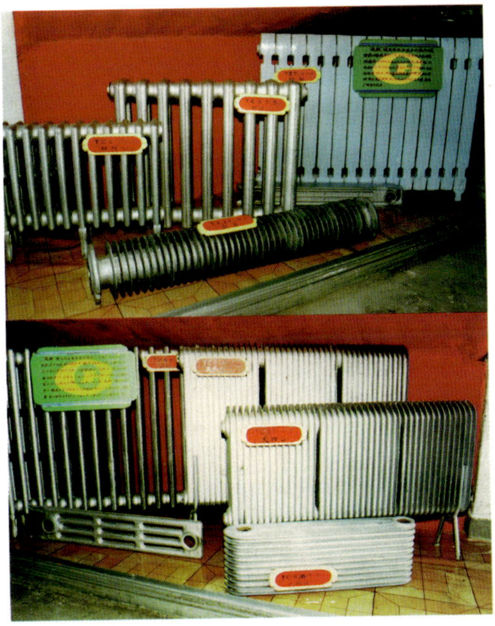

主要产品系列

'95吉林省明星企業專欄(工商企業)

该厂是长春市宏盛实业总公司直属企业。总厂由暖气片，合金钢铸铁件、耐火材料、熔炼设备5个分厂组成，下设3个经销公司。

厂区面积75000平方米，有固定资产1850万元，职工650人。其中，具有初、中、高级职称的科技与管理人员98名。95年完成产值3350万元，实现利润2466万元。主要产品有热轧圆钢，铸造生铁、铸铁件、耐火材料及各种型号暖气片。

今年，该厂新生产的豪华型柱翼式散热器是建设部重点推广的新产品，该产品具有外观美、重量轻、节能好、散热快的特点。93年以来，被列为区重点骨干企业，先后被授予区先进企业，重合同守信用企业，市乡企系统先进企业，省乡企系统"用户可信企业"，省乡村百强企业。

厂长：王维堂
地址：长春市长伊公路一公里处
邮编：130031
电话：(0431)4649667
4647743

'95吉林省明星企業專欄(工商企業)

抚松县福兴实业股份有限公司

公司董事长兼总经理：许斌

公司部分产品

该公司是经国家体改委批准的国家级股份制试点企业。公司下辖：联营胶合板厂，与台合资的白山福兴装饰板综合制品有限公司，刨花板厂，白城胶合板厂，白山胶合板厂，综合加工厂，制胶厂等。是省政府命名的省级先进企业，国家农业部命名的全国先进乡镇企业。

公司有七条木制品综合加工生产线，主要产品有胶合板，细木工板，曲、柞、杂木地板块，各种规格均可生产，产品出口台湾、香港、韩国、西班牙等国家和地区，其中“山林”牌胶合板获省系统优、省优并获94世界博览会金奖。

公司年产各种规格胶合板5000立方米，刨花板8000立方米，地板块1500立方为，细木板1500立方米，建筑模板1000立方米，空心门用胶合板1000立方米。以东北长白山区优质木材曲、椴、桦、杨做面，日产砂带磨光。

热情欢迎各界朋友予以合作。

董事长兼总经理：许斌
地址：吉林省抚松县万良镇
邮编：134521
电话：(0439)6818369
6818188
传真：(0439)6818168
电报挂号：4195

吉林永明餐具食品有限公司

董事长兼总经理　　焦景龙

厂区一角与公司宾馆

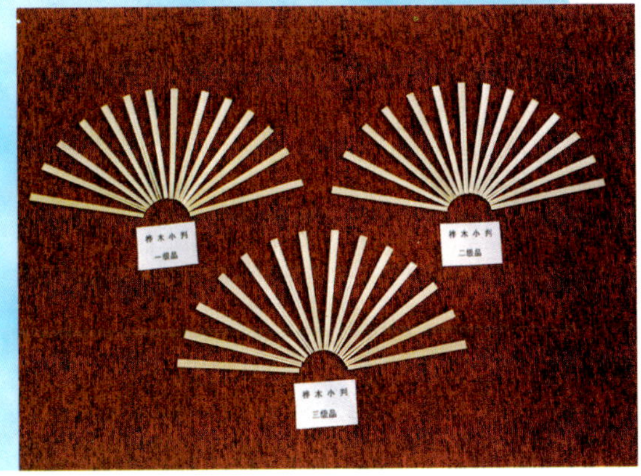

公司生产的系列产品

'95吉林省明星企業專欄(工商企業)

该公司座落在三面环山、一面傍水的松花湖畔风景秀丽的旅游圣地旺起镇。占地面积35000平方米，现有职工550人，95年产值3300万元；利税160万元；创汇150万(美元)。

公司下设餐具总厂、天削餐具厂、池沼公鱼加工厂、大连分公司、削片厂等。年生产经营卫生木筷13万箱，天削松木筷1.5万箱，成品鱼(淡水)200吨，削片1000吨等。主要产品销往日本、韩国和国内20多个省、市、地区。

总公司先后被省政府命名为模范单位、明星企业、十佳效益企业、百强企业、发展乡镇企业示范户、中行授予全国企业最佳信誉客户，董事长兼总经理焦景龙被评为省级青年经理的光荣称号。

该公司技术力量雄厚，有技术人员45人，专业质检员47人，全部设备由日本进口，产品合格率达到98%，出口率占80%。目前，正在按长期发展规划注重内部改革和现代管理，加快技术改造和新产品开发的步伐，争取年产值递增20%的速度向前发展。

董事长、总经理：焦景龙
邮编：132113
电话：(0432)4691190
　　　4691192
传真：(0432)4691191

公主岭市范家屯房屋修建公司

公主岭市范家屯房屋修建公司组建于1985年,是以建筑为龙头,集工、商、运、建、服为一体的多功能、全方位的四级建筑集体企业,现有固定资产89万元,流动资金101万元。公司拥有5个施工队和建材商店,商贸大厦、包装箱厂,房地产开发公司等10个下属企业,现有职工204人。

公司施工设备齐全,技术力量雄厚,近二年不仅占领了公主岭市建筑市场,而且打入了省城长春等地,95年施工面积1.7万平方米,完成竣工产值940万元,上缴税金22万元,成为范家屯集体企业第一纳税大户。

公司服务宗旨是:信誉第一、质量第一、安全第一,欢迎国内外客商与我公司合作,共创美好事业。

总经理:刘洪祥
地址:吉林省公主岭市范家屯镇北街
邮编:136105
电话:(0434)6811547

总经理:刘洪祥

公司承建的土地分局综合楼工程

公司在仿古一条街开发的美食娱乐城

公司开发的兴镇重教综合楼工程

长春市北联铝型材厂

厂区一角

现代化的检测、化验手段，为产品质量的提高提供了可靠的保证。

挤压车间全景

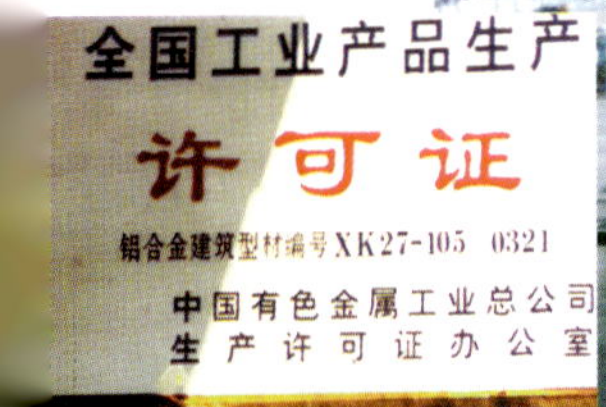
全国工业产品生产
许可证
铝合金建筑型材编号XK27-105 0321
中国有色金属工业总公司
生产许可证办公室

'95吉林省明星企業專欄(工商企業)

该厂是新兴的现代化合资企业，总投资2000万元，占地面积22000平方米，建筑面积8000平方米，现有职工300余人，其中高中级技术职称专业技术人员20余人。该厂具有完善的熔炼铸造、挤压成型、氧化着色整套生产线和先进的产品检测设备。专业生产加工各种铝合金建筑、工业、装饰型材。

"北区"牌铝型材曾先后被评为'94年消费者最信赖及畅销产品，吉林省消费者协会'95年消费者喜爱商品，中国保护消费者基金会推荐产品，95年7月荣获第三届中国乡镇企业出口展览会优秀产品奖，94年荣获长春市经协工作先进企业奖，95年10月被省建设厅国家建设部上报为科技重点推广项目，被省、市政府列为省市名牌产品。

1995年实现产量2665吨，产值6143万元，利税354万元，面对产品供不应求的局面，又兴建一家年产1000吨铝型材的分厂，以满足市场需要。

厂长：戚兆永

地址：长春市长吉北线4.5公里处(兴隆山安龙泉)

邮编：130102

电话：(0431)4592456
4592468

传真：(0431)4592456

电挂：2138

'95吉林省明星企業專欄(工商企業)

长春市净月纸制品厂

该厂现有职工550余人,其中党员18人,有技术职称的13人,各类技术人员54人;厂房1.5万平方米,固定资产1453万元。设备有高强瓦楞(箱板)自动生产线,纸板生产自动线等八十余台,大中小汽车15台;产品以生产出口纸箱、其它各种一、二、三类纸箱为主,并可生产水玻璃粘合剂,中低档瓦楞纸和箱板纸,除为本厂生产用外,每年还能供外单位用纸1000余吨。

89、90两年被市人民政府命名为"最佳企业",92年被省人民政府命名为"省级预备级企业",获92－93年度吉林省优秀包装产品奖,市人民政府授予1991年度"明星企业",1992年10月获国家农业部全面质量管理达标证书,1993年2月获全国工业品生产许可证(－类),1991年8月获省商检局出品商品包装质量许可证,1994年获省乡企局明星企业称号,1995年初获全国优秀包装企业并荣获全国瓦楞纸箱行业"明星企业"称号。

厂长:王学军
地址:长春市南关区净月镇小合台
邮编:130117
电话:(0431)4513721
4513651

书记兼厂长　王学军

给外商加工的产品

现代化生产设备与瓦楞纸板生产线

永吉县双河水泥厂

'95吉林省明星企業專欄(工商企業)

厂长:王尊明

水泥厂产品

双河水泥厂现有固定资产732万元,职工350人。几年来多次被省市评为明星企业,先进单位,文明单位。成为永吉县第一工业大户,在吉林地区乡镇企业中,经济实力位居榜首。产品亦于1990年获市优产品,1995年省乡企首届名牌产品和省免检产品。

1988年企业自行设计、自行安装一年完成了机立窑替代2.8m土窑的改造,1992年更新了磨机,解决了包装的落后工艺,1993年又改进了预加水,使原来年产1万吨325#矿渣水泥猛增到年产4.4万吨425#普通水泥,质量稳定提高。

厂长:王尊明
地址:吉林省永吉县双河镇芹菜沟村
邮编:132202
电话:(0432)4218451

永吉县双河水泥厂厂门全貌

水泥厂生产设备之一水泥罐

'95吉林省明星企業專欄(工商企業)

长春市随车附件厂位于长春市经济技术开发区管内临河街南端，隶属于净月潭旅游经济开发区净月镇企业联合总公司，始建于1984年4月，现有固定资产600万元，职工168人，主要从事机械加工制造。全部产品均为一汽整车生产配套，是一汽集团定点协作生产厂家之一，主要产品中型汽车转向螺杆螺母总成等十二种，年产值1500万元，利税150万元。

企业严格执行国家及部署标准，产品质量被一汽誉为信得过产品，94年获省乡镇明星企业，95年获省百强乡村企业称号。

企业本着优势互补，互惠互利原则，愿同各企事业、科研单位及各界有识之士合资，合作，联合开发研制新产品，以求更大发展。

厂长：刘志财

地址：长春市临江街南端

邮编：130031

电话：(0431)4652451 4652453

长春市随车附件厂

厂长：刘志财

厂区一角

该厂生产的系列产品

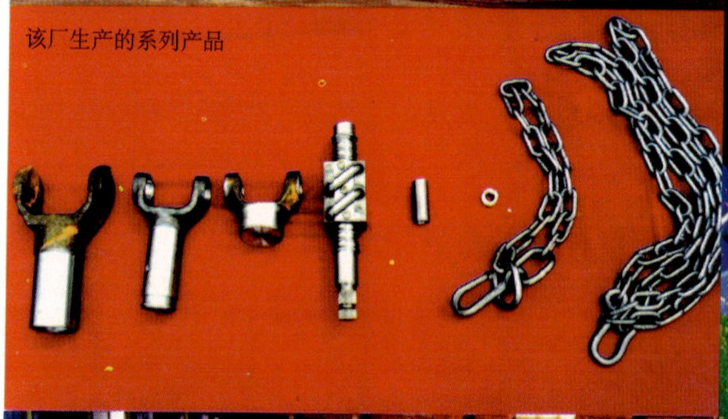

生产车间

长春市英俊散热器厂

'95吉林省明星企业专欄(工商企業)

厂长:刘忠远

该厂生产的系列散热器产品。

该厂是采暖散热器专业生产厂,厂区占地面积30000平方米,其中建筑面积3500平方米,现有3个生产车间,4座炼铁、化铁半暖风炉,固定资产原值750万元,净值550万元。年产大长翼型、柱型、园翼型散热器60余万元,铸铁排水管及管件1000余吨。企业从业人员400余人,其中高级工程师2人,助理工程师,会计师各1人,外聘工人技师14人,专业技术工人120人。95年共创产值3100万元,上缴税金530万元,利税750万元。

企业在走向正确的管理化轨道同时,分别通过了市经委和国家农业部的全面质量管理达标验收,被省乡企局命名为"明星企业",被市农行评为"AA级信用单位",被二道区委、区政府评为"重合同、守信用企业",和"'95年度纳税大户"等荣誉。产品产曾荣获"省优产品"省系统"名牌产品"和95年省质量管理协会评定的"用户满意产品"等称号。

厂长:刘忠远

地址:长春市二道区远达大街294号

邮编:130032

电话:(0431)4718074 4717940

桦甸市北台子建筑工程公司

'95吉林省明星企業專欄(工商企業)

公司1988年成立，现有固定资产250万元，职工360人，职称技术人员19人，年施工能力3万平方米，年创产值2000万元，年实现利税160万元。

几年来，公司共计施工48栋楼房，施工面积13平方米，其中创优工程17栋施工面积5万平方米。90年公司被吉林省乡企局评为，全省乡镇企业建筑质量优胜单位，91年被农业部评为全国乡镇建筑优秀企业，92年被省乡企局评为全省乡镇建筑先进企业，93年被评桦甸市政府授予文明单位，94年被桦甸市政府授予重合同守信用单位，95年被吉林省社会经济综合评价委员会评为全省百强乡镇企业。

桦甸市北台子建筑工程公司，愿和四海宾朋竭诚合作，在市场经济的大潮中扬帆远航，共图发展。

总经理：王忠才
地址：吉林省桦甸市光明路44号
邮编：132400
电话：(0432)6224554

总经理　王忠才

吉林市优质工程－桦甸黄金公司办公楼

公司承建桦甸市农电局办公楼

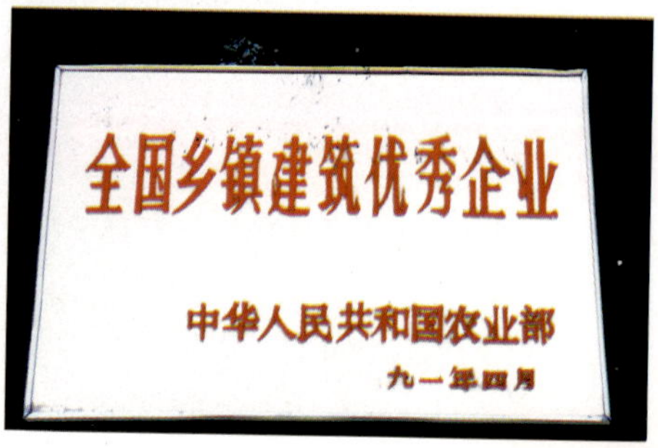

长春市建筑装潢工程公司

'95吉林省明星企業專欄(建築裝修業)

迪迪娱乐广场内景

迪迪娱乐广场正门装饰

银桥大厦餐厅

该公司始建于1986年,隶属于长春市建工集团总公司,是国家建筑装饰装修工程施工壹级资质的全民所有制企业。

公司拥有经验丰富的中、高级职称的管理人员39名,具有先进的施工技术,优良的施工设备,科学的施工管理手段。

公司自组建以来,曾承担了保加利亚、约旦、叙利亚等国家的施工任务,承装了省内外大型商场、星级宾馆、大型餐饮及娱乐场所。

公司94年被省建筑装饰协会、省建筑师协会评为“重合同守信用单位”和“十佳样板工程单位”,被长春市委、市政府评为“文明单位”,95年被省社会经济综合评价委员会评为“装饰装修企业十强”之首,列为省级“明星企业”。

总经理:朱万春
地址:长春市近埠街4-2号
邮编:130041
电话:(0431)8973715

吉林省第三产业装饰装修公司

'95吉林省明星企業專欄(建築裝修業)

该公司于1992年6月23日成立，隶属于吉林省第三产业开发建设股份有限总公司。是一个以装潢工程专业化设计施工为主体，兼办实业、经营供销、实行独立核算、具有法人地位的经济实体。

公司装潢专业门类齐全，有一批精通业务和具有丰富设计及施工经验的工程技术人员队伍，拥有能适应各类建筑装修工程的施工机械设备和先进技术。

公司主要承接各类宾馆、酒店、商场、园林、娱乐场、医院、写字楼、高级住宅等室内装饰工程和室内设备的配套、安装、维修等业务，实现室内外装饰工程整体承包一化。

公司自成立以来，已承建了吉林省“供销大厦”、长春市“北国之春大酒店”和“真王府大酒楼”、松源市“鑫海商厦”、通化市“中兴大厦”、黑龙江省“大庆联谊石化宾馆”、长春市“中粮大厦”等装饰工程数十项，以优良的质量赢得客户信誉，1995年，公司被评为全省建筑装修业综合经济效益10强企业。

1993年3月，公司与美国美联有限公司合作，共同经营吉林省鑫美装饰设计工程有限公司；1993年5月，建立的装潢材料商场已形成装饰材料储备、供应、销售一条龙的格局；1994年6月，与秦皇岛正大

总经理：鲁章奎

“长春中粮大厦”
豪华典雅的歌舞厅

采用北斗七星灯群图示创意的“吉林省供销大厦家电商场”

通化市中兴大厦餐饮中心

吉林省第三产业装饰装修公司

北国之春大酒店的整体设计，充分表现了中国式的古朴风格

松源市鑫海商厦购物、中心金店装修一角

'95吉林省明星企業專欄(建築裝修業)

新科技开发部、长春市玻璃制品工业公司兴办的以生产装饰玻璃为主产品的吉林省建筑装饰玻璃工业有限公司，在首届中国国际建筑材料博览会上，荣获新产品新科技银质奖。

公司的企业精神是：
敬业　净心
境雅　竞争
公司的经营方针是：
真诚合作　客户至上
价格合理　双方满意
信守合同　快捷创优
公司的宗旨是：
服务社会
美化空间
造福人类

总经理：鲁章奎
地址：长春市建设街45号
邮编：130061
电话：(0431)8543055
8543059

'95吉林省明星企業專欄(建築裝修業)

吉林市隆华实业公司

该以司是以建筑装修、电器安装、线路架设、电站配件加工为主要经营项目的综合性实业公司,现有职工589人。

公司为丰满发电厂安装、调试的仪表柜、动力盘、控制柜等高低压配电装置均达到国家行业标准和设计要求;制造的电锅炉采用最新设计,热效率高、安全、稳定,现已被多家大、中型企业采用;为大型水力发电机组生产的线圈、引出线、汇流母线及其它附属配件全部达到国家级标准,被丰满发电厂全部采用。生产的铝合金门窗、柜台、地簧门等以其美观、坚固、品种多而受到用户的好评。

公司拥有一批专门从事计算机应用开发及自动化过程控制工程研究的高科技人才,承接各类软件开发、程序设计、屏盘制造、安装及咨询业务,欢迎各界朋友来公司洽谈、做客。

总经理:张泽明
地址:吉林市丰满街
邮编:132108
电话:(0432)4604705
传真:(0432)4812131

总经理:张泽明

公司办公楼

大型水轮发电机用定子线棒

公司承建的住宅楼

长春市海外旅游公司

CHANGCHUN OVERSEAS TOURIST CORPORATION

总经理：孟淑兴

电脑室

公司部分职员

'95吉林省明星企業專欄（旅行社）

该公司是经国家旅游局批准，具有对外招徕权的一类旅行社。是为国内外宾客旅游观光、经贸洽谈、文化交流及其他活动项目提供综合性服务的旅行机构。本公司下设日本部、韩国部、欧美部、亚太部、中旅部、国内部、财务部、计划联络部、贸易部、车队等十个业务部门，拥有经验丰富的管理人员和训练有素的英、日、朝、法、俄语等翻译导游人员。本公司承办海外来华的包价旅游团队、散客委托、代办签证、小包价、国际会议等项业务。经营长春市吉林省及全国各旅游路线的观光旅游项目，承办中国公民赴东南亚各国、独联体各国、朝鲜、韩国、日本等国考察旅游等业务。同时为各经贸部门等提供信息、进行文化交流等活动。

公司1989年成立至今，各项经济指标逐年递增，尤其在1995年圆满地完成了国家旅游局下达的十二项经济、效益指标，得到了国家旅游局的认可和同行业的好评。

公司从成立至现在多次受到有关部门的奖历，在92年中国长春电影节期间被誉为“做出突出贡献的单位”，93年被市政府评为“先进单位”，95年被长春市评为“物价质量信得过单位”，95年被省社会经济综合评价委员会评为“全省十大旅行社之一”。

总经理：孟淑兰
地址：中国长春市南关区解放大路37号
邮编：130041
电话：(0431)8692002
8692178　8691667
传真：(0431)8692001

長春華僑飯店

濤杰

'95吉林省明星企業專欄(星級賓館)

长春华侨饭店位于春城风景秀丽的南湖之畔，是一家中外合资企业，拥有现代化设备的国际三星级酒店，是由香港法华工商发展有限公司与吉林省华侨企业公司合资兴建，于1991年5月26日由柬埔寨国家元首西哈努克亲王及夫人莫尼克公主和吉林省委书记何竹康和夫人亲临剪彩开业。

长春华侨饭店拥有国际水准之现代化客房200间，客房宽敞明亮，光线柔和，陈设高雅，装修美观。房内设有冰箱、彩色闭路电视、高级音响、中央空调、国际国内直拨电话及消防报警系统等，卫生间设施良好。宾馆服务热情周到，使您倍感宾至如归，温馨舒适。

馆店设有豪华的东北风味餐厅和粤菜餐厅，设施富丽堂皇，适合各种大型宴会及酒会，还设有装璜雅致的贵宾厅房，西餐厅气氛幽雅和谐。本店名厨济济，擅长烹制各种中西式菜肴。拥有接待大中型国际会议能力之会议厅。此外，酒店还有酒廊、卡拉OK厅、歌舞厅、桌球室、按摩室、健身房等娱乐设施及设备齐全之美容康乐中心、商务中心。

长春华侨饭店由酒店专业人士以现代化之电脑管理，力求为宾客提供至诚入微和尽善尽美的服务，长春华侨饭店不愧为长春市首间国际级涉外酒店。

本店自开业以来，深得各界青睐及大力支持，其事业发达，生意兴隆，服务水准亦倍受宾客称道。谨向各界致谢！恭请阁下光临长春华侨饭店。

董事长兼总经理：陈鼎铭
副总经理：赵炬伟
地址：吉林省长春市湖滨街1号
邮编：130022
电话：(0431)5388728
传真：(0431)5386099
电传：83082 CCOCH CN
电挂：9375

董事长兼总理：陈鼎铭

西哈努克亲王参加华侨饭店开业典礼

長春華僑飯店

位于南湖之畔的长春华侨饭店

长春华侨饭店夜景

华侨饭店客房

卡拉OK酒廊

粤菜餐厅

春誼賓館

'95吉林省明星企業專欄(星級賓館)

春谊宾馆位于长春市斯大林大街2号，站前广场南侧，原为日伪时期的“大和旅馆”，始建于1909年，是吉林省最早的一家高级宾馆。在1909年至1945年，它曾是日本侵华要员和伪满官宦的主要活动场所，1945年至1948年，这里成为苏联红军及国民党军政官员的议事之地。全国解放后，春谊宾馆成为吉林省主要的接待单位，五、六十年代曾接待过朱德、贺龙、胡耀邦、陈云等许多党和国家领导人和多批国际友好使团及国外旅游者，在中外享有很高的声誉。

改革开放以后，春谊宾馆不断发展壮大。现有豪华客房320间，风格各异的中西餐厅15间，各种会议室10间，康乐中心、夜总会、美容中心、桑拿按摩中心、商务中心等服务项目一应俱全，是国家旅游局评定的三星级旅游涉外宾馆。

春谊宾馆经营的菜肴主要以鲁菜、粤菜、川菜、长白山地方珍宴和西餐为主。春谊宾馆的菜肴以精致、纯正、鲜美见长，在吉林省独树一帜，享有“吃在春谊”的美誉。

春谊宾馆管理严格，服务优良，赢得了广泛的社会信誉，先后荣获吉林省政府接待服务系统优质服务先进单位、吉林省最佳文明窗口、吉林省星级宾馆二十强(第三名)，长

总经理：崔放

宾馆夜景

粤式宴会厅

春誼賓館

'95吉林省明星企業專欄(星級賓館)

自动西餐厅

卡拉ＯＫ音乐厅

客房

会议厅

贵宾楼大堂

中式宴会厅

春ＡＡＡ企业，春城消费者满意宾馆等荣誉称号。

总经理：崔放
地址：长春市斯大林大街2号
邮编：130051
电话：(0431)2799966
传真：(0431)896017

吉林省长白山宾馆

'95吉林省明星企業專欄(星級賓館)

长白山宾馆是一座现代化旅游宾馆，座落在长春市风景秀丽的南湖之滨，环境优美，交通便利。共有269套豪华客房，室内舒适明亮，设备齐全，配有中央空调、国际国内直拨电话、闭路电视系统。

宾馆有中餐、西餐、风味餐厅、汉城馆，既可供宾客日常用餐，也适合举行大中型宴会；咖啡厅、音乐酒廊、酒吧格调高雅，卡拉OK音响设备先进，伴您渡过美好的良宵；美容、按摩、商务中心、购物中心、会见厅等服务设施一应俱全。全体员工秉承"宾客至上、质量第一"的宗旨，竭诚为中外宾客提供尽善尽美的服务。

总经理：张国强

地　址：中国长春市新民大街2号

邮　编：130021

电　话：（0431）5669911　5643551－9

电　传：83026 BOOTHCN

图　传：（0431）5642003

总经理：张国强

大堂

标准间

长白山宾馆外景

吉林市东关宾馆

总经理：王良杰

套间客房

东关宾馆外景

'95吉林省明星企業專欄(星級賓館)

东关宾馆位于吉林市中心江城广场的松花江畔，是观赏中国四大自然景观之一——吉林雾淞的最佳位置。宾馆始建于1956年，是吉林市首家接待单位。历史上曾为吉林市接待国内外重要宾客做出了突出的贡献。近年来，为适应改革开放和市场经济的需求，多次改造装修，使老宾馆焕发了新颜。年营业额逐年提高，1995年度被评为全省星级宾馆综合经济效益20强宾馆之一。

东关宾馆是国家标准的二星级宾馆。占地面积26807平方米。有各类客房181间，其中套房11间，标准房127间，还有单人、三人、四人房多间。有谈判厅、会见厅等中小会议厅5个，能容700座席的综合会议楼正在筹建之中，预计九六年末将投入使用。有各类宴会厅18个，可容纳800人同时就餐，餐饮项目齐全，既可提供传统菜点，也可承担高档宴会、酒会、中西餐饮、风味菜肴、广东早茶、KTV包厢等配套服务。有商场、商务中心、桑拿、美容美发等综合服务设施。该馆管理严格、服务上乘，连续多年被评为省行业系统优质服务先进单位，省政府优质服务"最佳文明窗口"。现已招商引资兴建五星级宾馆。

总经理：王良杰
地址：吉林市江湾路2号
邮编：132012
电话：(0432)2454272

'95吉林省明星企業專欄(星級賓館)

吉林市江城宾馆

江城宾馆是一座三星级旅游饭店，座落在穿城而过的松花江畔，环境幽雅，风格别致，盛夏，这里清风送爽，是避暑胜地；隆冬，门前就是观赏吉林雾松的最佳境地。

江城宾馆地理位置优越，交通方便，功能齐备，有各种会议室，购物中心，卡拉OK歌舞厅、健身房、桌球室、酒吧、咖啡厅、商务中心可以提供传真、电传、打字、复印、国际国内电话等服务；豪华套房，标准客房装饰典雅，用品完善，卫星电视和闭路电视一应俱全；富丽的大、中、小宴会厅，备有中西餐和独具地方特色的美味佳肴。

本馆以良好的服务恭迎四方贵客光临！

总经理：倪风国
地址：吉林省吉林市江湾路4号
邮编：132001
电话：(0432)2457728
传真：(0432)2458973

总经理：倪风国

江城宾馆接待大厅

江城宾馆正门

梅河口市友谊宾馆

'95吉林省明星企業專欄(星級賓館)

宾馆外景

HOTEL

友谊宾馆

咖啡厅一角

总服务台

友谊宾馆为国家二星级旅游饭店,宾馆内部设施先进、齐全,服务人员均受过专门的业务培训,具有良好的服务素质,并以其地处市中心的优越地理条件,被社会各界人士公认为梅河大地上的一颗明星。

友谊宾馆于1992年开业,第二年便被评为二星级宾馆,连续两年被市政府评为“先进企业”、“文明单位”。富有朝气活力的年青工作者们用辛勤劳动和优质服务连续两年被共青团通化市委授予“青年文明号”的光荣称号。总经理张明科被评为通化地区岗位标兵和优秀企业家。

友谊宾馆之所以成为名声远扬的优秀企业,主要在于严格的企业管理,加强领导班子建设,提高服务人员的服务意识和业务素质,以雄厚的实力在梅河口市同行业中立于不败之地。

总经理:张明科
地址:吉林省梅河口市西大街
邮编:135000
电话:(0448)3228100　3228109
传真:(0448)3226632

'95吉林省明星企業專欄(星級賓館)

珲春市宾馆

珲春宾馆建于1987年,总面积15000平方米,建筑面积10000平方米,有105个房间,212张床位。

房间布局合理,风格独特,高、中、低档客房一应俱全,环境舒适优雅,房间设备功能齐全,还备有多功能的会议室。

宾馆开设了中国——牡丹厅、朝鲜——金达莱厅,俄罗斯——蔡花厅、日本——樱花厅等具有代表各国风情的餐厅,在这里您可尽情享受"银花熊掌",地方风味、民族小吃、农家饭等美味佳肴。

几年来,本着"在经营中求发展,在发展中来完善,在完善中求提高"的经营宗旨,以市场经济为导向,大力扶持第三产业,拓宽经营领域,经济效益稳步提高,全年共收入416万元。

珲春宾馆连续二年被评为延边州宾馆系统卫生第一名,全省一星级宾馆评比验收第二名,吉林省星级宾馆第十六名。

宾馆自建立以来,深得各界青睐及大力支持,其事业发达、生意兴隆、服务水准亦倍受宾客称赞。仅此、向各界致谢!恭请阁下光临珲春宾馆。

经理: 赵锡成
地址: 吉林省珲春市
靖和街235号
邮编: 133300
电话: (0440)2513030
传真: (0440)2519243

总经理: 赵锡成

敦化市宾馆

'95吉林省明星企業專欄(星級賓館)

总经理：张立祥

贵宾餐厅(雁鸣厅)

自助餐厅

敦化市宾馆位于敦化市汉章北大街45号，占地面积1万平方米，建筑面积9223平方米，1990年被国家旅游局评为一星级涉外宾馆。

1995年完成销售额505万元，获利税41.80万元，在经营效益上列为敦化市接待服务行业中的榜首。为了适应新的旅游接待形势，投资450万元对客房、餐厅设施进行了全部改造，目前宾馆拥有不同档次客房104套，床位212张。内设宴会餐厅、贵宾餐厅、夜总会、商场、咖啡厅、美容美发、商务等。

1994年度被省接待办评为吉林省人民政府接待服务系统最佳文明窗口，被共青团延边州委评为青年文明号先进集体称号；1995年度被延边州委、州政府评不精神文明建设先进单位，被吉林省社会综合评价委员会评定综合经济实力20强星级宾馆之一。

总经理：张立祥
地址：吉林省敦化市汉章北大街45号
邮编：133700
电话：(0433)6223330
传真：(0433)6224355

标准客房

'95吉林省明星企業專欄(木材采運業)

吉林省临江林业局

临江林业局位于吉林省南部,长白山西南麓,白山市辖区范围,始建于1946年。现经营总面积为171549公顷,林业总蓄积量1756万立方米,森林覆被率为89.14%,拥有固定资产原值48115万元,有职工21829人,中高职称的专业技术人员750人。是长白山林区重要的木材生产和加工基地。

该局目前已经形成了木材生产、营林生产、综合利用、多种经营、林机制造、建筑安装等门类齐全的跨行业、多产品的产业结构体系,其主要产品有木材、锯材、刨花板、细木工板、木雕家具、卫生筷子及木工机械、设备制造与安装及各种滋补药品,倍受国内外客商的青睐,该局1985年在全省森工企业中第一家实现了百万亩人工林,被林业部命名为营造百万亩人工林优秀企业,1988年进入省企业管理先进行列,1989年获林业部质量管理奖,被林业部命名为"营林工作模范局"和"全国护林防火先进单位"。截止到1995年底,累计生产木材1878.6万立方米,生产锯材384万立方米,上缴利税6亿余元,在中国千家最大型工业企业及行业50家评价中,列木材及竹材采运业最大经营规模第8位,固定资产原值、产品销售收入位于全国国有林区木材采运企业第一位,吉林省50家最大经营规模工业企业第26位,1992年被评为国家大型(一档)企业。

局长兼党委书记:
张显成
地址:吉林省临江市鸭绿江大街
电话:(0439)5226168
传真:(0439)5224377

局长兼党委书记:张显成

国有林区国家级标准化苗圃——望江楼苗圃

木雕系列产品

吉林省红石林业局

局长：王富生

局办公楼外景

贮木场一角

'95吉林省明星企業專欄(木材采運業)

红石林业局筹建于1973年，是国家"八五"期间重点投资建设的新型林业企业，是全国500家大型企业之一，是全国100家最大木材采运企业。建局总投资260341万元，现已完成投资工作量。企业固定资产原值4.6亿元，净值3.9亿元，林区总经营面积29.9万公顷，林木总蓄积量4331万立方米，是吉林省境内经营面积最大、林木蓄积量最多的森工企业。年生产木材36万立方米，占全省木材总产量的10%，全局总人口25000人，企业现有职工8400人，有基层单位41个，其中林场7个，1个经营所，1个苗圃，从建局至95年末，累计完成工业总产值近8亿元，上缴利税1.4亿元，共生产木材370万立方米，93年被林业部，国家林业投资公司(现国家开发银行)确定为建设社会主义新型林区试点单位，94年被省政府评为"三好企业"

局长：王富生
地址：吉林省桦甸市红石镇
邮编：132403
电话：(0431)6886723
传真：(0432)6887902

吉林省露水河林业局

'95吉林省明星企業專欄(木材采運業)

露水河林业局是国家大型一档企业,总经营面积12万多公顷,固定资产原值3.6亿多元,现有职工1.2万多人。年产木材20万立方米,刨花板5万立方米,刨花板贴面板1.6万立方米,刨切单板2千立方米,浸渍纸300万平方米,后成型防火板250万平方米,刨光材2千立方米,细木工板1.4万立方米。1995年工业总产值2.8亿。1994年被吉林省政府命名为"吉林企业明星"单位,列全省独立核算工业企业最佳效益100强第40位。1995年被省政府命名为"三好企业"。

露水河林业局有全国最大的森林狩猎场。与香港、澳门、日本、新加坡合资的企业四个,其中与日本合资的"福丰木制品有限公司"、与香港合资的"福华地板有限公司"被白山市工商管理局命名为"优秀外商投资企业"。

党委书记、局长:
冯顺福
地址:吉林省抚松县
露水河镇
邮编:134506
电话:(0439)6369998
传真:(0439)6369104

局长兼党委书记:冯顺福

出口红松原木

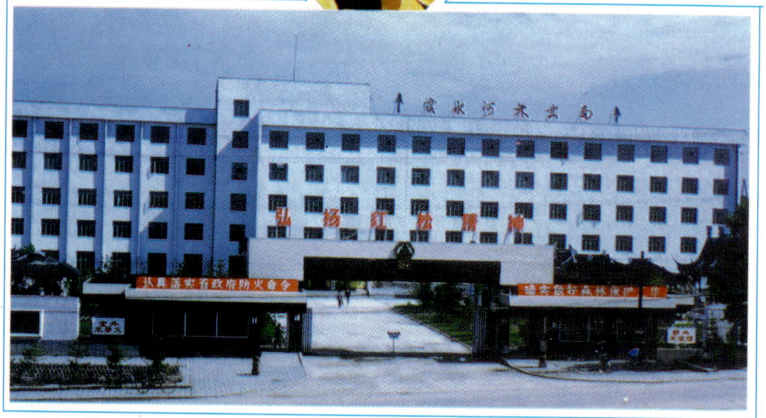

局办公楼

吉林省松江河林业局

局机关大楼

贮木场原木装卸现场

制材厂刨光加工车间

'95吉林省明星企業專欄(木材采運業)

吉林省松江河林业局位于风景秀美的长白山西麓,是国家一类大型综合性森工企业。全局总经营面积为161970公顷,森林总蓄积量为2000余万立方米,主产品有木材、锯材、纤维板、胶合板、箱板纸等。自1958年建局以来,累计为国家上缴利税3.1亿元。拥有固定资产3.5亿元,企业职工19948人,下属二级企事业单位63个,并拥有海洋运输、上海房地产开发、赤道几内亚森林采伐等外向型企业。目前,松江河林业局已形成森林经营、木材生产、林产工业、综合利用、多种经营、外向开发为一体、跨行业、跨地区、多元化的经营格局。近几年来,松江河林业局通过深化改革和严细管理,职工队伍和企业素质不断提高,各项工作取得了显著成绩,先后被授予国家二级企业、全国森工企业管理先进单位、“五.一”劳动奖状、全国思想政治工作先进单位等荣誉称号,全局有42项工作荣获国家和省同行业一流水平。

局长:宫喜福

地址:吉林省抚松县松江河镇

邮编:134504

电话:(0439)6315530

传真:(0439)6312519

'95吉林省明星企業專欄(食品加工業)

吉林德大有限公司

吉林德大有限公司是松辽禽业联营公司与泰国正大集团合资兴建的肉鸡"一条龙"企业。公司主体下属18个单位,种鸡养殖场8座;生产各种配合饲料36万吨的饲料厂1座;年屠宰肉鸡5000万只、生产各类鸡肉产品10万吨的肉类加工厂2座;年加工大豆35万吨、产豆粕26.6万吨、精炼油5.4万吨的油脂厂1座;可储备粮食30万吨的粮食储备库3座;库容量5000吨的冷库1座;驻长春和大连办事处各一处。

1995年,公司经受了原粮涨价等因素的严峻考验,实现销售收入12.6亿元,利润7407万元,税金1300万元,创汇5380万美元。公司采用现代化的管理方式,是集肉鸡饲养、饲料加工、油脂加工的肉食品加工于一身的垂直连贯作业的经济实体,企业产品的质量、营销等各方面管理水平不断提高。公司的鸡肉产品,被日本厚生省定为抽检或免检产品。公司内销产品已覆盖全国29个省市区,出口产品从日本一国发展到南非、德国、荷兰、比利进、阿联酋、捷克和韩国共8个国家。在94年全国最大的500家外商投资工业企业排序中,排在第64位。93年被国家确定为"大型一类企业",94年被国家评为"中国优秀外商投资企业",被吉林省评为"吉林省外商投资企业全优企业"。

董事长:王秀林
地　址:吉林省德惠市德大公司总部
邮　编:130300
电　话:(0431)7229341—52
传　真:(0431)7222983

董事长:王秀林

年加工屠宰肉鸡5千万只,生熟鸡肉制品10万吨的肉食加工厂

年加工大豆35万吨,产高蛋白豆粕26.6万吨,色拉油5.4万吨的油脂厂。

年产各种配合饲料36万吨的饲料厂